David Gibbins

David Gibbins est docteur en archéologie à Cambridge. Passionné de plongée, il fait autorité dans le domaine des civilisations disparues. Il s'est inspiré de la légende et des données scientifiques concernant l'Atlantide pour écrire son premier roman, *Atlantis* (2005), vendu à 200 000 exemplaires en France. Ce succès sera suivi de bien d'autres best-sellers, où l'on retrouve son héros culte, l'archéologue Jack Howard : *Le Chandelier d'or*, *Le Dernier Évangile*, *Tigres de guerre*, *Le Masque de Troie*, *Les Dieux d'Atlantis* (suite d'*Atlantis*) et *Pharaon*, tous repris chez Pocket. Le dernier titre de cette série, *Pyramide*, a paru en 2014 aux Éditions Les Escales.

Il a également entamé une saga intitulée *Total War Rome*, inspirée du jeu vidéo éponyme, publiée chez le même éditeur et composée pour lors de *Détruire Carthage* (2013) et *L'Épée d'Attila* (2015), tous deux repris chez Pocket.

Retrouvez toute l'actualité de l'auteur sur :
www.davidgibbins.com

DU MÊME AUTEUR
CHEZ POCKET

LES ENQUÊTES DE L'ARCHÉOLOGUE JACK HOWARD

ATLANTIS
LES DIEUX D'ATLANTIS
LE CHANDELIER D'OR
LE DERNIER ÉVANGILE
TIGRES DE GUERRE
LE MASQUE DE TROIE
PHARAON
PYRAMIDE

TOTAL WAR ROME

DÉTRUIRE CARTHAGE
L'ÉPÉE D'ATTILA

LE DERNIER ÉVANGILE

DAVID GIBBINS

LE DERNIER ÉVANGILE

Traduit de l'anglais
par Anne-Carole Grillot

FIRST ÉDITIONS

Titre original :
THE LAST GOSPEL

Published by Headline Book Publishing

ISBN : 978-2-266-19699-4

Remerciements

Avec tous mes remerciements à mon agent, Luigi Bonomi de LBA, et à mes éditrices, Harriet Evans de Headline et Caitlin Alexander de Bantam Dell. À Tessa Balshaw-Jones, Gaia Banks, Alexandra Barlow, Alison Bonomi, Chen Huijin Cheryl, Raewyn Davies, Darragh Deering, Sam Edenborough, Mary Esdaile, Emily Furniss, George Gamble, Siân Gibson, Janet Harron, Angie Hobbs, Jenny Karat, Celine Kelly, Nicki Kennedy, Colleen Lawrie, Stacey Levitt, Kim McArthur, Tony McGrath, Taryn Manias, Peter Newsom, Amanda Preston, Jenny Robson, Barry Rudd, John Rush, Emma Rusher, Jane Selley, Molly Stirling, Katherine West et Leah Woodburn. À mon frère Alan pour la gestion de mon site web, à ma mère Ann pour sa relecture et ses conseils, et à ma fille Molly, source d'inspiration. Aux nombreux amis présents lors des expéditions que j'ai effectuées dans le cadre des universités de Bristol et de Cambridge pour fouiller des épaves au large de la Sicile, et aux organismes qui ont sponsorisé ces projets et autres explorations qui sous-tendent ce roman, en particulier les écoles britanniques d'archéologie de Rome et de Jérusalem, le Fonds d'exploration de la Palestine et le

Winston Churchill Memorial Trust. À Anna Pond, mon professeur de latin au collège, au Canada, qui m'a fait découvrir le monde de Pompéi et d'Herculanum, ainsi que les lettres de Pline le Jeune. Et enfin, à mon père Norman, qui m'a transmis sa passion pour les œuvres de Robert Graves, la vie de Claude et les récits de Pline l'Ancien, et qui m'a emmené explorer les vestiges de Rome. *Equidem beatos puto, quibus deorum munere datum est aut facere scribenda aut scribere legenda, beatissimos vero quibus utrumque.*

Avertissement

Ce livre est une fiction. Tous les noms, personnages, institutions, sites et événements sont des créations imaginaires de l'auteur et ne doivent pas être considérés comme réels. Toute ressemblance avec des événements, lieux, organisations ou individus, réels ou fictifs, existants ou ayant existé, est purement fortuite. Le contexte factuel est décrit dans la note de l'auteur, à la fin de ce livre.

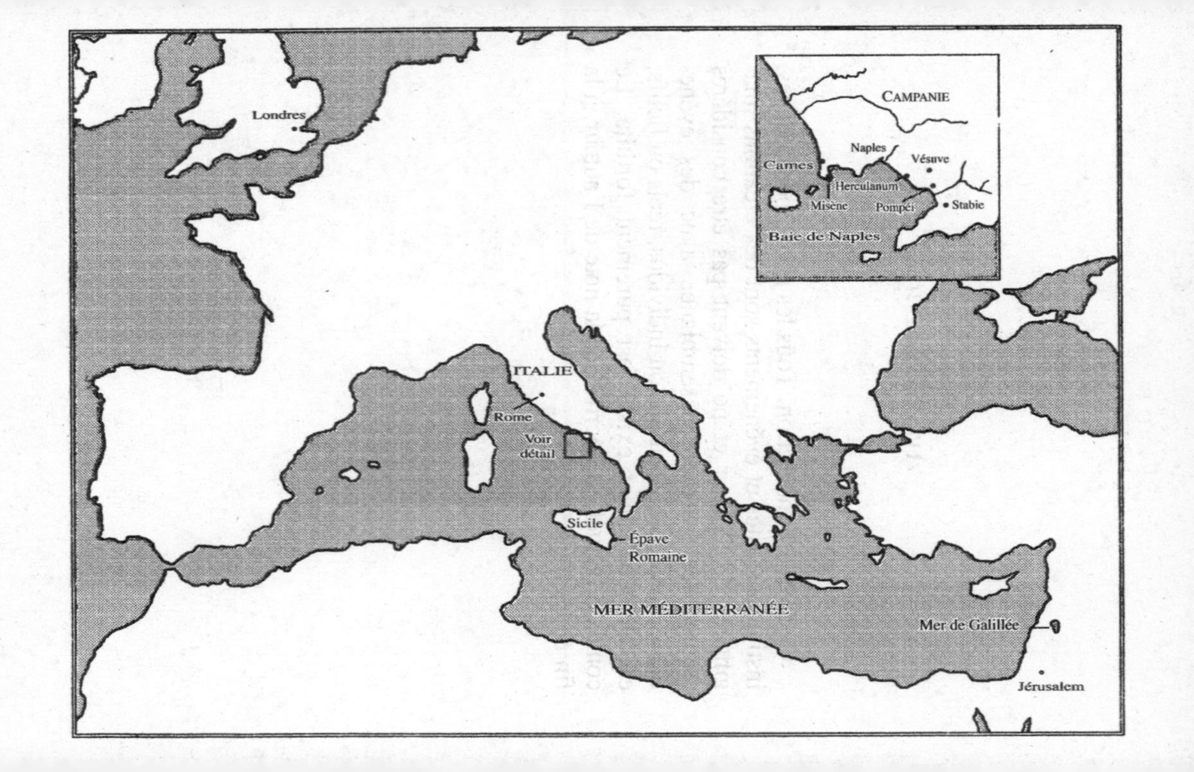
CAMPANIE
Naples
Vésuve
Cames
Herculanum
Misène
Pompéi
Stabie
Baie de Naples
Londres
ITALIE
Rome
Voir
détail
Sicile
Épave
Romaine
MER MÉDITERRANÉE
Mer de Galillée
Jérusalem

« Quoique dans un désastre qui a ravagé la plus belle contrée du monde, il ait péri avec des peuples et des villes entières, victime d'une catastrophe mémorable qui doit éterniser sa mémoire ; quoiqu'il ait élevé lui-même tant de monuments durables de son génie, l'immortalité de vos ouvrages ajoutera beaucoup à celle de son nom. Heureux les hommes auxquels les dieux ont accordé le privilège de faire des choses dignes d'être écrites, ou d'en écrire qui soient dignes d'être lues ! Plus heureux encore ceux auxquels ils ont départi ce double avantage ! »

Pline le Jeune
Lettre à l'historien Tacite,
vers 100 après Jésus-Christ.

Prologue

24 août 79 après Jésus-Christ

Menaçant de tomber à chaque pas, le vieillard avançait péniblement vers le bord du gouffre, retenu uniquement par la main ferme de son affranchi. C'était la pleine lune, une lune rousse ; et, dans le cratère, le tourbillon de vapeur semblait rougeoyer, comme si les feux de Vulcain dévoraient la fine langue de terre qui séparait le monde des vivants de celui des morts. Le goût âcre du soufre sur les lèvres, le vieil homme regarda l'abîme et sentit le souffle chaud sur son visage. Il était toujours tenté, mais se retenait à chaque fois. Il se rappelait les mots de Virgile, le poète dont ils venaient de voir la tombe en passant : *Facilis descensus Averno.* Il est facile de descendre aux Enfers. Mais difficile d'en remonter.

Il se retourna et rabattit sa capuche afin que personne ne le reconnaisse. Derrière lui, de l'autre côté de la baie, il aperçut la silhouette sombre du Vésuve et les étincelantes cités d'Herculanum et de Pompéi, pareilles à des sentinelles flanquant la montagne. Le cône du volcan avait quelque chose de rassurant lors de nuits comme celle-ci, lorsque la terre frémissait, envahie par une odeur de soufre suffocante et jonchée de cadavres de volatiles qui s'étaient approchés trop près des vapeurs. Il y avait toujours des oiseaux de mauvais augure, des fous et des charlatans tapis dans l'ombre, prêts à s'attaquer aux crédules, à ceux qui étaient venus jusqu'ici en curieux mais qui n'allaient jamais plus loin. L'un d'eux, un Grec aux cheveux ébouriffés, jaillit d'un autel, les mains tendues vers l'avant en signe de supplication. Dans un flot de paroles désordonnées, accompagnées d'une gestuelle extravagante, il prédisait l'imminence d'un grand fléau : Rome allait brûler, le ciel déverserait une pluie de sang et le feu du Vésuve consumerait tout autour de lui. L'affranchi l'écarta brusquement du chemin et le vieillard grommela entre ses dents. Ici, personne n'avait besoin d'un devin pour interpréter la volonté des dieux.

Quelques minutes plus tard, ils s'engagèrent dans une fissure rocheuse connue des seuls infirmes et damnés, où le vieil homme avait été conduit pour la première fois dans son enfance, plus de quatre-vingts ans auparavant. Il se souvenait encore de la terreur qu'il avait éprouvée ce jour-là, en pleurs, tremblant, la tête en proie à ces incontrôlables secousses que lui infligeait sa paralysie agitante. Aucun remède ne l'avait soulagé, mais ses protecteurs lui avaient donné du réconfort et la force de défier les autres, qui avaient souhaité ne plus jamais le revoir à Rome. Aujourd'hui encore, il ne s'était toujours pas libéré de sa peur. Alors il s'armait de courage en murmurant son nom : « Tiberius Claudius Drusus Nero Germanicus. Souviens-toi de qui tu es. Souviens-toi de ce que tu fais ici. »

Ils descendirent lentement. Le vieillard traînait derrière lui sa jambe invalide, appuyé lourdement sur son affranchi qui le précédait. En général, le ciel était visible au sommet de la fissure mais, cette nuit-là, l'escalier taillé dans le roc était plongé dans un tourbillon de vapeur qui semblait les aspirer vers le bas. Les coins obscurs étaient éclairés par des torches et, partout ailleurs, une lumière orangée perçait faiblement de l'extérieur. Ils atteignirent une saillie surplombant le fond du cratère et le vieillard plissa les yeux pour voir ce qu'il ne parvenait pas à discerner d'en haut. Audessus du plancher rocheux, un amas de gaz tournoyants flottait dans le vide, tel un poison invisible destiné à éteindre les flammes et à étouffer tous ceux qui le respiraient. Quelque part au-delà de ce voile se trouvait l'entrée des Enfers, une fosse ardente crachant la pierre, entourée des squelettes calcinés des morts, qui s'étaient dépouillés de leur corps pour gagner l'Élysée. L'espace d'une seconde, le vieillard vit des fentes rouges semblables à des yeux scintillant dans la roche, puis il observa les masses en fusion suinter et se solidifier sous la forme de gigantesques membres et bustes contorsionnés, prisonniers du cratère. Il frissonna et pensa de nouveau à Virgile. Ceux qui avaient renoncé en ces lieux à leur vie de mortels semblaient lutter pour renaître, tels des géants, des titans, des dieux. Mais ils étaient condamnés à demeurer éternels sous une apparence changeante et imprécise, à l'image d'une créature que la nature aurait ébauchée sans jamais l'achever, comme l'infirme qu'il était.

La scène disparut dans les vapeurs comme un rêve et le vieillard poursuivit son chemin, chancelant et haletant, derrière l'affranchi. Soudain, son champ de vision se rétrécit et se troubla, comme cela lui était souvent arrivé ces derniers jours. Il s'arrêta pour se frotter les yeux et regarda devant lui. Ils arrivèrent à un sentier enseveli sous un linceul de fumée jaune qui s'échappait de cheminées souterraines, cerné de bassins de boue bouillonnante et débordante. On lui avait raconté que ces gargouillis étaient les âmes tourmentées du purgatoire qui se pressaient vers la sortie, prêtes à tout pour s'échapper, et que les gaz sifflants étaient leurs souffles, pareils aux relents nauséabonds d'un charnier. Le vieillard avait déjà senti cette odeur, lorsque ses commandants de légion l'avaient conduit jusqu'aux fosses où ils avaient jeté les corps des Bretons, qui remuaient encore sous la terre des semaines après le massacre. Il grimaça en se rappelant sa nausée et ils distancèrent les fumerolles pour s'enfoncer dans l'obscurité.

Des mains surgies de nulle part se tendirent vers lui et il discerna des silhouettes spectrales, alignées de part et d'autre du sentier, dont certaines se hissaient sur des membres flétris au-dessus du cratère. L'affranchi ouvrit le chemin les bras grands ouverts en retenant les paumes brandies afin que le vieillard ait suffisamment d'espace pour le suivre. Celui-ci entendit une faible mélopée, un soliste et de nombreuses voix qui lui répondaient, comme le bruissement de feuilles mortes emportées par une bourrasque. Ils chantaient invariablement les mêmes paroles : *Domine iumius.* « Seigneur, nous arrivons. » Il fut un temps où Claude les aurait rejoints pour être des leurs mais, désormais, lorsqu'ils s'approchaient de lui, ils faisaient ce signe de la main, les doigts croisés, et murmuraient son nom, ainsi que celui de l'homme dont ils savaient qu'il l'avait touché. Son ami Pline avait vu tout cela lui aussi. Il s'était mêlé incognito à ses marins, sur la base navale, au bord de la baie. Et il avait vu des groupes d'hommes et de femmes qui tendaient l'oreille dans les ruelles sombres et les arrière-salles des tavernes. Il avait entendu parler d'un nouveau clergé, de ceux qu'on appelait *apostolos*. Virgile l'avait prédit, lui qui avait emprunté ce même sentier un siècle auparavant, cherchant lui aussi la sagesse dans le message des feuilles : « *La naissance d'un enfant. La renaissance de l'âge d'or. Un monde pacifié, délivré d'une éternelle alarme.* » Et pourtant, un monde soumis à la tentation, où des hommes viendraient encore se placer entre le peuple et la parole divine, où la terreur et la guerre régneraient de nouveau.

Le vieillard baissa résolument les yeux et continua à avancer. Cela faisait désormais vingt-cinq ans qu'il vivait en humble historien dans sa villa sous la montagne, avec l'œuvre d'une vie à achever. Vingt-cinq ans qu'il était censé être mort empoisonné dans son palais de Rome, qu'il avait disparu une nuit et n'était jamais revenu. Empereur, il avait survécu non pas en tant que dieu, mais en tant qu'homme. Car il avait un secret, un trésor précieux qui l'avait maintenu en vie toutes ces années pendant lesquelles il avait patiemment observé et attendu. Seuls son ami Pline et son fidèle affranchi Narcisse, qui l'accompagnait aujourd'hui, étaient au courant. Mais ceux-ci le traitaient avec une étrange révérence. Ils étaient suspendus à ses lèvres comme s'il était devin, comme s'il était l'oracle en personne. Le vieillard marmonna entre ses dents. Cette nuit, il tiendrait sa promesse, faite au bord d'un lac des années auparavant, à celui qui lui avait confié sa parole, sa parole écrite. C'était sa dernière chance de changer le cours de l'Histoire, d'accomplir bien davantage que sa fonction d'empereur lui avait jamais permis, de léguer un héritage susceptible de survivre à son temps, et même à Rome.

Il se retrouva brusquement seul. Devant lui, le sentier disparut dans une obscurité caverneuse, où la chaleur qui s'élevait de la fosse rencontrait un air froid provenant de l'intérieur pour former un mirage chatoyant. Il saisit les dés qu'il gardait toujours dans sa poche et les retourna inlassablement entre ses doigts afin de maîtriser ses tremblements. On racontait que la grotte comptait cent entrées, dont chacune avait sa propre voix. À côté de lui se trouvait une vasque peu profonde. Il trempa la main dans les eaux lustrales et s'aspergea le visage. Puis il s'approcha d'une table basse en pierre, sur laquelle était répandue une matière incandescente, d'où émanaient des volutes de fumée brune. Impatient, il se pencha en avant, cramponné aux angles lisses de la table, les yeux fermés, et inspira profondément la fumée, dont il s'emplit les poumons en toussant. C'était de l'extrait de pavot, que Pline appelait *opium bactrium*, importé du lointain royaume oriental de Bactriane, dont les vallées désolées avaient été conquises par Alexandre le Grand. Ici, on l'appelait le don de Morphée, dieu des Rêves. Le vieillard inspira de nouveau et sentit les effluves grisants se répandre dans ses membres, ranimer les zones où il avait perdu toute sensation, et atténuer la douleur. Il lui en fallait davantage désormais. Il en avait besoin toutes les nuits. Lorsqu'il se redressa, il eut l'impression de flotter sur le dos, les bras tendus. L'espace d'un instant, il se revit là où il était aussi allé chercher la guérison des années auparavant, au bord du lac de Galilée, où il avait ri et bu avec ses amis Hérode et Cypros, sa chère Calpurnia, puis le Nazaréen et sa compagne, où il avait été touché par celui dont les mots résonnaient encore dans sa tête.

Il ouvrit les yeux. Quelque chose sortait de la grotte, une silhouette ondulante qui semblait s'imprimer dans le mirage comme un phénix prenant son envol. Lorsqu'elle traversa le voile, il vit un immense serpent dressé, aussi grand que lui, qui baissait la tête en dardant sa langue et oscillait d'un côté et de l'autre. Pline lui avait dit qu'il s'agissait d'hallucinations provoquées par le *morpheum* mais, lorsque le serpent piqua vers le sol et s'enroula autour de ses jambes, le vieillard sentit le lustre soyeux de sa peau et son haleine âcre. Enfin, le reptile s'éloigna et se faufila dans une fissure de la grotte. Une autre odeur étouffa celles du soufre, du *morpheum* et du serpent. C'était une odeur de décomposition, apportée par un vent frais, comme si quelqu'un venait d'ouvrir une tombe. Une forme à peine visible dans l'obscurité vacilla. Elle était là.

— Clau-Clau-Claude.

Après un long râle, elle éclata d'un rire moqueur, répercuté par les parois d'une centaine de galeries avant de s'éteindre dans un soupir. Le regard perdu dans le noir, l'esprit embrumé, Claude attendait. Selon la tradition, elle avait déjà vécu sept cents vies d'homme. Apollon lui avait octroyé autant d'années qu'elle pouvait tenir de grains de sable entre ses mains, mais il lui avait refusé la jeunesse éternelle après qu'elle eut repoussé ses avances. Il lui avait cependant laissé la voix d'une jeune femme. Ainsi, tandis qu'elle se ratatinait et se décomposait, elle demeurait tourmentée par la voix de sa jeunesse, qui lui rappelait l'immortalité à laquelle elle avait renoncé. Désormais, elle était l'ultime oracle de Gaia, la déesse de la Terre. Les douze autres n'étaient plus.

— S-Sibylle, murmura Claude d'une voix tremblante, irritée par le soufre. J'ai f-fait tout ce que tu voulais. Tout ce que tu m'as demandé. J'ai accompli ce que tu m'as ordonné de faire pour les vestales, à Rome. Et je suis allé voir la treizième, Andraste. Je me suis rendu sur sa tombe. Je le lui ai apporté. La prophétie est accomplie.

Il lâcha le sac de pièces qu'il portait, les dernières à son effigie, de l'or et de l'argent ternis, qu'il avait gardées pour cette nuit. Un puits de lumière s'ouvrit devant la table et révéla la pierre usée de la galerie sous les tourbillons de vapeur. Au sol, des feuilles de chêne, sur lesquelles étaient inscrites des lettres grecques à peine visibles, formaient des mots. Claude tituba et se laissa tomber à genoux, avide de lire le message. Soudain, une bourrasque emporta les feuilles. Il poussa un cri, puis inclina la tête, en proie au désespoir.

— Tu as emmené mon ancêtre Énée voir son père Anchise, dit Claude. Tout ce que je veux, c'est voir mon père Drusus. Mon cher frère Germanicus. Mon fils Britannicus. Les apercevoir dans l'Élysée, avant que Charon ne me conduise là où bon lui semblera.

Un autre râle résonna, plus faiblement cette fois, puis un hurlement perçant retentit de toutes parts, comme si les cent bouches de la grotte étaient tournées vers lui.

Jour de colère que ce jour-là
Où le monde sera réduit en cendres
Selon les oracles de Clau-Clau-Claude et de la sibylle !

Claude se releva, flageolant et transi de peur, le corps secoué de convulsions. Il fixa de nouveau le puits de lumière. Là où se trouvaient les feuilles se dressait désormais un tas de sable scintillant, dont les grains ruisselaient sur les côtés. Il vit le dernier filet de sable tomber d'une fissure, loin au-dessus de lui, comme un rideau translucide. Puis tout redevint calme. Il balaya l'antre du regard et constata que le serpent était parti, qu'il avait mué et laissé sa dépouille vide sur le sol avant de s'enfoncer dans le poison flottant au fond du cratère. Le vieillard pensa de nouveau aux mots de Virgile, à la renaissance de l'âge d'or. *Désormais point de serpents*.

Son esprit s'éclaircit et, à l'entrée de la grotte, il vit le mirage se dissiper. Brusquement, il éprouva un désir ardent de partir, de se défaire de ce besoin irrépressible qui l'avait si longtemps poussé à venir ici jusque dans l'antre de la sibylle, de retourner à sa villa sous le Vésuve pour se consacrer à la tâche que Pline et lui devaient achever cette nuit, de tenir la promesse qu'il avait faite au bord de ce lac tant d'années auparavant. Il fit demi-tour pour sortir mais sentit à la base de sa nuque un contact froid qui lui donna la chair de poule. Il eut l'impression d'entendre de nouveau son nom, dans un murmure. Mais cette fois, la voix était celle d'une vieille femme, invraisemblablement vieille, qui s'approchait de lui dans un râle d'agonie. Il n'osa pas se retourner. Il claudiqua frénétiquement vers l'issue de la grotte tout en cherchant Narcisse des yeux. Au-dessus du cratère, il vit la silhouette sombre de la montagne, dont le sommet était encerclé d'une lumière dansante, telle une couronne d'épines embrasée. Les nuages filaient à toute allure dans le ciel, s'assombrissaient et prenaient un éclat orange et rouge comme s'ils étaient en feu. Le vieillard, d'abord terrifié, fut frappé d'une soudaine lucidité, comme si tous ses souvenirs et ses rêves avaient été aspirés hors de lui par le tourbillon. L'Histoire elle-même semblait s'être accélérée. L'Histoire, qu'il avait tenue à distance depuis qu'il avait disparu de Rome, en pleine force de l'âge. L'Histoire, qui l'avait attendu, comme un ressort qu'on ne pouvait plus retenir.

Il chancela. Derrière lui, une présence menaçante le poussa en avant, à travers le voile sulfureux, vers le fond du cratère. Il saisit de nouveau les dés, les sortit de sa poche et les jeta. Il les entendit cliqueter sur les rochers et s'immobiliser. Il regarda désespérément mais ne vit rien. Autour de lui, des silhouettes spectrales émergeaient de la fosse, non plus dans une attitude de supplication, mais plutôt à l'image d'une armée silencieuse, couverte de flocons de cendre, qui s'étaient mis à tomber du ciel comme de la neige. Il sentit sa bouche se dessécher et éprouva une soif inextinguible. Au sommet de la montagne, un anneau incandescent progressait le long des versants en direction des villes, semant des champs de feu dans son sillage. Puis le paysage disparut dans l'obscurité. Un tourbillon s'enfonça dans le cratère, effaçant tout autour de lui pour ne laisser que le vide. Le vieillard entendit des cris, un rugissement sourd, et vit des corps s'enflammer comme des torches dans le noir, les uns après les autres. Il s'approchait. Maintenant il savait, avec une certitude effroyable, que la sibylle avait tenu sa promesse. Il suivrait les traces d'Énée.

Mais cette fois, il n'y aurait aucun espoir de retour.

Chapitre 1

Adossé au ponton, Jack Howard se laissa glisser au fond du canot pneumatique, les jambes posées contre le moteur hors-bord. Il faisait chaud, presque trop chaud pour bouger, et la sueur commençait à ruisseler sur son visage. Le soleil avait dissipé la brume du matin et tapait implacablement en se reflétant avec une vigueur éblouissante sur la falaise, dont le calcaire était éraflé et usé comme les tombes et les temples du promontoire rocheux s'étendant au loin. Jack avait l'impression de se trouver dans une peinture de Seurat, comme si l'air s'était fragmenté en une myriade de pixels qui figeaient toute pensée et toute action. Il ferma les yeux, respira profondément et s'imprégna du calme absolu, de l'odeur des combinaisons de plongée et du goût du sel. C'était l'essence même de ce qu'il aimait. Il était bien.

Il rouvrit les yeux et regarda la bouée orange qu'il avait mise à l'eau quelques minutes auparavant. La mer était lisse comme un miroir. Seules quelques vagues la ridaient légèrement après s'être brisées contre la paroi de la falaise. Il tendit la main, la posa à la surface et la laissa flotter jusqu'à ce que la faible houle l'immerge. L'eau était limpide, aussi transparente que celle d'une piscine, et il voyait le câble d'ancrage s'enfoncer dans les profondeurs, ainsi que les bulles s'échappant de la soupape d'expiration des plongeurs. Il était difficile d'imaginer que cet endroit avait été le théâtre d'un événement d'une violence inimaginable, d'une tragédie humaine indescriptible, dans laquelle la nature avait atteint le faîte de sa cruauté. *Le plus célèbre naufrage de l'Histoire.* Jack osait à peine y penser. Cela faisait vingt ans qu'il voulait revenir ici. Ce désir impérieux était devenu une véritable obsession, dès son premier doute, dès l'instant où il avait commencé à rassembler les pièces du puzzle. Son intuition, forgée au fil d'années d'exploration et de découvertes de par le monde, l'avait rarement trompé. Et cette fois, elle était fondée sur des éléments scientifiques, sur une accumulation de faits qui avaient fini par converger indubitablement dans la même direction.

Il était assis là, au large de Capo Murro di Porco, en plein cœur de la Méditerranée, lorsque l'idée lui était née de créer l'Université maritime internationale. Il y avait vingt ans de cela. Il n'avait pas beaucoup d'argent alors, mais il avait pris la tête d'un groupe d'étudiants motivés par leur passion de la plongée et de l'archéologie, qui bricolaient leur équipement avec les moyens du bord. Aujourd'hui, il avait un budget pharaonique, un campus tentaculaire sur les terres de ses ancêtres en Angleterre du Sud, des musées dans le monde entier, des navires de recherche conformes à l'état de l'art, et, à l'UMI, une équipe extraordinaire qui s'occupait de la logistique. Mais, d'une certaine façon, peu de choses avaient changé. L'argent ne pouvait acheter les indices menant aux plus grandes découvertes, aux fabuleux trésors qui donnaient du sens à toute cette quête. À l'époque, Jack avait prolongé l'aventure fascinante des plongeurs du commandant Cousteau, ces explorateurs intrépides, venus ici à l'aube de l'archéologie des épaves. Et il était de retour aujourd'hui. Il flottait au-dessus du même site, avec le même vieux journal de bord entre les mains. Tous les ingrédients étaient de nouveau réunis : l'intuition, l'instinct, le frisson de la découverte, cet instant où tout s'emboîtait à la perfection, l'ivresse de la poussée d'adrénaline.

Jack retira sa combinaison de plongée jusqu'à la taille et regarda sa montre. Il était impatient de descendre. Il jeta un coup d'œil par-dessus bord et vit la surface de l'eau se rompre sous l'action des plongeurs, qui venaient de tirer la bouée par le fond. Cinq mètres plus bas, celle-ci se trouverait à la profondeur idéale pour éviter les hélices des navires tout en permettant à un plongeur en apnée de récupérer le câble lesté servant de point d'ancrage qui y était suspendu. Jack avait déjà tout prévu. Il avait étudié le site comme un chef de guerre s'apprêtant à donner l'assaut. La *Seaquest II* pourrait jeter l'ancre dans une baie abritée de l'autre côté du cap, à l'ouest. Le promontoire s'achevait en une série de terrasses rocheuses, parfaites pour un campement au sol. Jack avait passé en revue tous les impératifs d'une fouille sous-marine réussie, car il savait que chaque site recelait son lot de défis à relever. Tous les artefacts devraient être transférés au Musée archéologique de Syracuse, mais il ne doutait pas que les autorités siciliennes les exposeraient en bonne place. L'UMI resterait en contact permanent avec son propre musée, à Carthage, et organiserait peut-être même une liaison aérienne pour les touristes. Tout se passerait bien.

Jack regarda en bas, consulta de nouveau sa montre et nota l'heure sur son journal de bord. Les deux plongeurs se trouvaient au palier de décompression. Plus que vingt minutes. Il s'adossa, se détendit et profita encore un peu de cette tranquillité que rien ne venait perturber. Trois semaines auparavant, il était toujours à l'entrée d'une grotte sous-marine dans le Yucatán, épuisé mais ravi des découvertes extraordinaires qu'il avait faites. Il avait subi des pertes, des pertes douloureuses, et passé une bonne partie du retour à ruminer le sort de ceux qui avaient dû donner leur vie. Son vieil ami, Peter Howe, avait disparu en mer Noire et le père O'Connor, qu'il avait trop peu connu, était mort dans des conditions atroces lui rappelant sans cesse la présence impitoyable de forces adverses. Mais il avait retrouvé la paix en pensant aux innombrables vies qui auraient pu être sacrifiées s'il n'avait pas, avec le soutien de son équipe, poursuivi inlassablement son objectif. Il avait fini par admettre la contrepartie des grandes découvertes archéologiques, ces dons du passé qui avaient des répercussions dramatiques sur le présent. Mais cette fois, il en était sûr, ce serait différent. Il s'agissait d'archéologie pure et simple, d'une révélation qui ne pourrait qu'émerveiller le monde entier.

Il scruta la surface immobile et lisse de l'eau. La partie immergée de la falaise disparaissait dans le bleu scintillant de la mer. Son esprit s'emballa, son cœur se serra dans sa poitrine. Était-ce bien cette épave ? Celle du plus célèbre naufrage de toute l'Antiquité ? *Le naufrage de saint Paul ?*

— Tu dors ?

Jack leva un pied, poussa doucement l'autre personne qui se trouvait à bord et entendit un grognement sourd. S'il mesurait environ trente centimètres de moins que Jack, Costas Kazantzakis était fort comme un bœuf, en digne héritier d'une famille de marins et de pêcheurs d'éponges grecs. Son torse nu et puissant luisait de sueur. Les jambes tendues sur le ponton, en face de Jack, et la tête nichée dans un tas de serviettes posé à l'avant, il semblait faire partie du bateau. La bouche légèrement ouverte, il portait une paire de lunettes de soleil profilée et fluorescente, un accessoire tendance mais hilarant sur une silhouette aussi négligée. D'une main, il tenait les tuyaux menant aux détendeurs, au palier de décompression, et de l'autre, la valve de la bouteille d'oxygène couchée au milieu du canot. Il était pour Jack bien plus que l'ingénieur en chef de l'UMI. Il était toujours là pour lui prêter main-forte, même lorsqu'il dormait comme une souche. Jack le poussa du pied une deuxième fois en lui souriant.

— Il nous reste quinze minutes, annonça-t-il. Je les vois au palier de sécurité.

Costas grogna de nouveau.

— Bois le plus possible, ajouta Jack en lui tendant une bouteille d'eau. Faudrait pas qu'on ait le mal des caissons.

— Merci, vieux, répondit Costas avant de descendre bruyamment la moitié de la bouteille.

— Au fait, sympas, les lunettes !

— C'est Jeremy qui me les a données quand nous sommes rentrés du Yucatán. Un cadeau d'adieu. J'ai été très touché.

— Tu te moques de moi ?

— C'est peut-être lui qui s'est moqué de moi... Enfin, ce sont des lunettes.

Costas rendit la bouteille à Jack et se laissa retomber en arrière.

— Alors, tu as renoué avec le passé ? demanda-t-il.

— Seulement avec les bons moments.

— Et dans l'équipe de l'époque, il y avait de bons ingénieurs ?

— Nous sortions tous de l'université de Cambridge, rappelle-toi. Un des gars trimballait une ardoise partout avec lui et expliquait en détail le fonctionnement du moteur rotatif Wankel à tous les Siciliens qu'il croisait. C'était le plus excentrique. Du moins, avant que tu n'arrives.

— Avec une bonne dose de savoir-faire à l'américaine. À l'Institut technologique du Massachusetts, on apprenait la pratique et pas seulement la théorie.

Costas se pencha, reprit la bouteille et avala une autre lampée d'eau.

— Et cette épave que tu as fouillée il y a vingt ans ? s'enquit-il. Des découvertes intéressantes ?

— Un navire marchand typique de la Rome antique. Environ deux cents amphores cylindriques en terre cuite, remplies d'huile d'olive et de sauce de poisson, chargées au bord du désert africain, au sud d'ici. Une magnifique collection de céramiques issues de la coquerie du navire, que nous avons pu dater d'environ 200 après Jésus-Christ. Mais surtout, une découverte incroyable.

Cette révélation fut accueillie par un silence de plomb, rompu brutalement par un ronflement assourdissant. Jack secoua de nouveau Costas, qui s'accrocha au ponton pour ne pas passer par-dessus bord.

— Hein ? s'écria le robuste Grec en remontant ses lunettes sur son front, le regard trouble.

— Je sais que tu as besoin de dormir pour avoir le teint frais et te refaire une beauté, mais il est presque l'heure.

Costas grommela, se redressa péniblement sur un coude et passa la main sur sa barbe de plusieurs jours.

— Je ne crois pas que la beauté soit à ma portée, se lamenta-t-il.

Il s'assit en retirant ses lunettes et se frotta les yeux.

— Tu as l'air épuisé, s'inquiéta Jack. Il faut que tu prennes du repos. Tu travailles comme un dingue depuis que nous sommes rentrés du Yucatán, et c'était il y a presque un mois.

— Tu devrais arrêter de m'acheter des jouets.

— Ce que je t'ai acheté, c'est l'autorisation par le conseil d'administration d'augmenter le personnel technique. Recrute davantage. Délègue.

— Tu es mal placé pour me faire la morale. Tu es sur le terrain à chaque fois que l'UMI lance un nouveau projet archéologique.

— Je suis sérieux.

— D'accord, d'accord, convint Costas en s'étirant avec un sourire fatigué. Une petite semaine au bord de la piscine de mon père, en Grèce, ne me ferait pas de mal. Mais j'ai rêvé ou tu as parlé d'une découverte incroyable ?

— Dans une faille située juste au-dessous de nous, où Pete et Andy doivent désormais avoir arrimé le pendeur, nous avons trouvé les vestiges d'une caisse renfermant des boîtes en fer, qui contenaient plus de cent fioles. Chaque fiole était remplie d'onguents, d'épices et d'arômes, notamment de cannelle, de cumin et de vanille. C'était déjà extraordinaire, mais nous avons fini par mettre la main sur une substance résineuse de couleur sombre, agglomérée en une plaque d'environ deux kilos. Au début, nous avons cru qu'il s'agissait de résine destinée à imperméabiliser la membrure du navire. Mais l'analyse du labo a donné des résultats stupéfiants.

— Qu'est-ce que c'était ?

— Ce que les Anciens appelaient *lacrimae papaveris*, larmes de pavot, ou *papaver somniferum*, pavot somnifère. Une matière laiteuse et poisseuse issue du calice du pavot noir. Autrement dit, de l'opium.

— Sans blague !

— Pline l'Ancien en parle dans son *Histoire naturelle*.

— Le type qui est mort dans l'éruption du Vésuve ?

— Lui-même. Quand il n'écrivait pas, il dirigeait la flotte romaine à Misène, la grande base navale de la baie de Naples. Il connaissait parfaitement les produits venus d'Orient grâce à ses marins et aux marchands égyptiens et syriens qui mouillaient à Misène. Il savait que le meilleur opium venait de Bactriane, dont les terres lointaines s'étendaient au sommet d'une chaîne de montagnes, au-delà de la frange est de l'empire, au-delà de la Perse. C'est-à-dire dans l'actuel Afghanistan.

— Tu plaisantes ! s'exclama Costas, désormais totalement réveillé. De l'opium. Importé d'Afghanistan. On parle bien de l'Antiquité, pas du XXIe siècle ?

— Tout à fait.

— Est-ce qu'on a affaire à un trafiquant de drogue ?

Jack éclata de rire.

— L'opium n'était pas illégal à l'époque. Certaines autorités en avaient condamné l'usage, déclarant qu'il rendait les consommateurs aveugles, mais il n'était pas encore exploité pour la production d'héroïne. On le mélangeait probablement à de l'alcool pour fabriquer une boisson semblable au laudanum, une drogue en vogue en Europe aux XVIIIe et XIXe siècles. Les graines étaient également concassées et avalées comme des comprimés. Pline indique qu'elles provoquaient le sommeil et soulageaient les migraines. Les Anciens connaissaient donc les propriétés analgésiques de la morphine. L'opium était également utilisé pour l'euthanasie. Pline nous a légué ce qui est sans doute le premier récit d'une overdose de drogue dure. Un dénommé Publius Licinius Caecina, atteint d'une maladie incurable, serait mort d'une intoxication à l'opium.

— Vous avez donc trouvé une trousse d'apothicaire, en quelque sorte.

— C'est ce que nous avons pensé à l'époque mais, curieusement, il y avait aussi dans la caisse une statue de bronze représentant Apollon. En général, les produits et équipements médicaux s'accompagnent plutôt d'une statue d'Asclépios, le dieu grec de la Guérison. Quelques années plus tard, je suis allé voir la grotte de la sibylle de Cumes, à la lisière de la zone volcanique active et à quelques kilomètres au nord de Misène, non loin du Vésuve. Apollon était le dieu des Oracles. On utilisait du soufre et des herbes pour tenir les mauvais esprits à distance. Alors peut-être y ajoutait-on de l'opium. J'ai commencé à me demander si les rites mystiques ne se déroulaient pas sous influence chimique.

— L'opium aurait pu être fumé ou brûlé comme de l'encens. Les vapeurs auraient agi instantanément.

— Ceux qui s'enfonçaient dans l'antre de la sibylle espéraient en ressortir guéris. On entend toujours parler des messages de l'oracle, d'obscurs vers écrits sur des feuilles d'arbre ou livrés sous la forme de déclarations prophétiques, des interventions grandiloquentes qui signifiaient Dieu sait quoi. Mais peut-être y avait-il autre chose. Peut-être certaines personnes trouvaient-elles là une sorte de remède, de palliatif.

— Un remède créant une forte accoutumance. La sibylle aurait été au cœur d'un commerce florissant.

Les offrandes de ses clients reconnaissants lui auraient permis de maintenir l'approvisionnement...

— Bref, je me suis dit que notre épave ne transportait pas un apothicaire ni un médecin mais un revendeur, qui s'apprêtait à livrer ce précieux chargement d'opium à l'un des oracles d'Italie, peut-être même à la sibylle de Cumes en personne.

— Un dealer romain, songea Costas à voix haute. Le parrain de tous les parrains. La mafia de Naples adorerait ça !

— Du coup, elle aurait peut-être un peu plus de respect pour l'archéologie... La Surintendance archéologique de Naples est confrontée tous les jours au crime organisé.

— C'est là que travaille ton ex, cette fille que tu as rencontrée à la fac, non ?

— Cela fait des années que je n'ai plus aucun contact avec Elizabeth. La dernière fois que j'ai eu de ses nouvelles, elle était encore inspectrice, une fonction relativement peu importante dans la hiérarchie. Je n'ai jamais vraiment compris ce qui s'est passé. Elle a fini son doctorat en Angleterre avant moi et elle a dû repartir en Italie. Cela faisait partie de son contrat avec le gouvernement italien. Elle m'avait juré qu'elle ne retournerait jamais à Naples, mais c'est ce qu'elle a fait. Et elle a complètement coupé les ponts. Depuis, j'ai vécu ma vie de mon côté. C'était il y a presque quinze ans.

— Nous ne sommes pas là pour comprendre les raisons des autres, Jack. Mais revenons-en à l'opium. Où ce revendeur se l'est-il procuré ?

— C'est justement ce qui m'a chiffonné.

Jack déroula au fond du bateau une petite carte marine plastifiée de la Méditerranée et fixa les coins à l'aide de poids de plongée.

— Nous sommes ici, annonça-t-il en posant le doigt en plein centre de la carte. En Sicile. Au beau milieu de la Méditerranée, au cœur du commerce de l'Antiquité. Tu me suis ?

— Oui.

— Notre petit navire de commerce romain fait naufrage contre cette falaise avec son chargement d'huile d'olive et de sauce de poisson en provenance d'Afrique du Nord. Auparavant, il fait le voyage jusqu'à Rome trois fois par an, peut-être quatre, pendant la saison de navigation. Il monte et redescend en boucle. La terre est quasiment toujours en vue : la Tunisie, Malte, la Sicile et l'Italie.

— Il ne parcourt pas de longues distances.

— En effet.

Jack pointa ensuite le doigt à l'autre bout de la carte marine.

— Et voilà l'Égypte, reprit-il, le port d'Alexandrie. Environ deux mille cinq cents kilomètres plus loin. Tout indique que la caisse d'opium provient de là. Le bois a été analysé. Il s'agit d'acacia d'Égypte. De plus, certaines fioles portaient des inscriptions en copte. L'opium était très certainement acheminé vers la Méditerranée *via* les ports égyptiens de la mer Rouge. Le commerce des épices et des drogues orientales a atteint son apogée au Ier siècle après Jésus-Christ.

— À l'époque de saint Paul, murmura Costas, ce qui nous ramène à la raison de notre présence ici.

— Exactement.

Jack suivit du doigt la côte de l'Afrique du Nord, de l'Égypte à la Tunisie.

— Il est possible, admit-il, que la caisse d'opium ait été acheminée de l'Égypte jusqu'à Carthage ou tout autre port d'Afrique, puis chargée sur notre petit navire marchand.

— Peu probable. Il me reste quelques souvenirs de mon passage dans la marine. En raison de vents marins dominants, le littoral longeant le désert a toujours été extrêmement dangereux. Les marins l'évitaient à tout prix.

— C'est exact. Les bateaux reliant Alexandrie à Rome étaient généralement de grands navires céréaliers, qui naviguaient d'abord vers le nord, jusqu'en Turquie ou en Crète. Ils mettaient ensuite le cap vers l'ouest et traversaient la mer Ionienne afin de gagner la Sicile et le détroit de Messine. Pour qu'un chargement en provenance d'Égypte ait échoué à l'endroit où nous nous trouvons, il faut qu'il ait été transporté par un navire qui comptait gagner la côte est de la Sicile par la mer Ionienne. C'est le scénario le plus probable, en tout cas.

Costas eut l'air perplexe et, soudain, son regard s'illumina.

— J'ai compris ! s'exclama-t-il. Nous avons affaire à deux épaves superposées !

— Ce ne serait pas la première fois. J'ai plongé dans des cimetières marins contenant des dizaines d'épaves entremêlées, qui s'étaient fracassées sur le même récif ou sur le même promontoire. Et une fois que j'ai eu cette idée, j'ai commencé à trouver d'autres indices. Regarde ça.

Jack fouilla dans une caisse posée derrière lui et en extirpa un objet lourd enveloppé dans une serviette. Il le tendit à Costas, qui s'assit sur le ponton et le posa sur ses genoux pour le sortir avec précaution de son emballage de fortune.

— Laisse-moi deviner, lança Costas en interrompant son geste. C'est un disque d'or recouvert de symboles anciens, qui va nous conduire à une autre cité perdue de l'Antiquité ?

— Pas tout à fait, répondit Jack en souriant. Mais c'est tout aussi précieux.

Costas ouvrit les pans de la serviette et prit l'objet entre ses mains. C'était un cône tronqué d'environ vingt-cinq centimètres de long, dont la surface était marbrée de taches métalliques ternes. Au sommet se trouvait une petite tige percée d'un trou semblable à un chas. Costas leva les yeux vers Jack.

— Un plomb de sonde ? risqua-t-il.

— Gagné ! Regarde la base.

Costas retourna le plomb de sonde. À la base, l'instrument avait été partiellement évidé comme une cloche sur environ deux centimètres de profondeur. Dans ce creux, un motif facilement reconnaissable avait été gravé.

— Une croix ?

— Ne t'emballe pas. Les plombs de sonde étaient enduits de poix ou de résine. On les utilisait pour prélever un échantillon de sédiments sur le lit marin. Quand on se dirigeait vers l'estuaire d'un grand fleuve, la présence de sable indiquait qu'on était dans la bonne direction. C'étaient des outils de navigation astucieux.

— Tu as trouvé celui-ci dans l'épave ?

Jack reprit le plomb de sonde et le soupesa avec fierté.

— C'est la première grande découverte que j'aie faite dans une épave ancienne. Il se trouvait tout au bout du site, dans la coquerie où nous avons ensuite déniché la caisse d'opium. Bien sûr, j'étais aux anges. Je me disais que c'était une découverte fantastique, mais je pensais que les plombs de sonde faisaient partie de l'équipement classique d'un navire marchand ancien.

— Et aujourd'hui ?

— Aujourd'hui, je sais que ce n'était pas le cas. Des centaines d'épaves romaines ont été découvertes depuis, et seuls quelques plombs de sonde ont été trouvés. Ils coûtaient sans doute relativement cher. De plus, ils n'étaient vraiment utiles qu'aux navires naviguant régulièrement au large d'un estuaire, là où le lit marin était peu profond sur des kilomètres et où le sable alluvial pouvait être prélevé bien avant que la terre ne soit en vue.

— Tu parles du Nil ?

Jack hocha la tête avec enthousiasme.

— Cet objet a appartenu à un grand navire céréalier d'Alexandrie, et non à un humble navire marchand transportant des amphores ! s'écria-t-il.

Il reposa doucement le plomb de sonde dans la caisse, puis sortit un vieux livre à reliure noire d'un sac en plastique.

— Maintenant, écoute ça, reprit-il.

Il ouvrit le livre à une page qu'il avait marquée, parcourut le texte de haut en bas et lut à voix haute :

> « La quatorzième nuit, tandis que nous étions ballottés sur l'Adriatique, les matelots, vers le milieu de la nuit, soupçonnèrent qu'on approchait de quelque terre. Ayant jeté la sonde, ils trouvèrent vingt brasses ; un peu plus loin, ils la jetèrent de nouveau, et trouvèrent quinze brasses. Dans la crainte de heurter des écueils, ils jetèrent quatre ancres de la poupe, et attendirent le jour avec impatience. »

— Les Évangiles !

— Les Actes de Paul, chapitre 27, confirma Jack avec un regard étincelant. Et devine quoi ? À partir d'ici, le lit marin est de plus en plus profond au fur et à mesure qu'on s'éloigne vers le large mais, en direction du sud, il y a un plateau sablonneux qui s'étend sur environ trois cents mètres, à seulement quarante mètres de profondeur.

— Quarante mètres, murmura Costas, ce qui fait vingt brasses.

— Lors de notre dernière plongée, il y a vingt ans, nous sommes allés faire une reconnaissance au-dessus du plateau pour être sûrs de n'avoir rien manqué. Et j'ai vu deux verges d'ancre en plomb, en tout point semblables à celles qu'on utilisait au début de l'époque romaine pour alourdir les ancres en bois. Or, sur les navires du type de notre épave nord-africaine, les ancres étaient en fer. Nous en avons conclu que les verges d'ancre avaient été perdues par un navire plus ancien, qui avait tenté de se tenir à distance de cette côte.

— Continue.

— La suite est encore plus intrigante.

— Je m'en doutais.

Jack reprit sa lecture :

« Ils délièrent les ancres pour les laisser aller dans la mer, et ils relâchèrent en même temps les attaches des gouvernails ; puis ils mirent au vent la voile d'artimon, et se dirigèrent vers le rivage. Mais ils rencontrèrent une langue de terre, où ils firent échouer le navire ; et la proue, s'étant engagée, resta immobile, tandis que la poupe se brisait sous la violence des vagues. »

— La caisse d'opium, le plomb de sonde ! s'exclama Costas. Stockés dans le compartiment avant. Et la poupe ?

— Attends, dit Jack en sortant une pochette de son sac. On avance de deux millénaires. Nous sommes en août 1953. À l'époque du commandant Cousteau et de la *Calypso*.

— Je me demandais quand tu y arriverais.

— C'est précisément ce qui nous a incités à venir ici au départ. Cousteau et son équipe ont longé toute la côte. Voici ce que le chef plongeur a écrit à propos du promontoire : « J'ai vu des amphores cassées, prises dans un plissement de la falaise, puis une ancre en fer apparemment corrodée et recouverte de tessons d'amphores sur le fond. » C'est exactement ce que nous avons trouvé ici. Cela correspond à l'épave romaine. Mais ce n'est pas tout. Lors de leur deuxième plongée, les hommes de Cousteau ont vu « des amphores grecques, en grande profondeur ».

— Où ça ?

— Dans la fissure rocheuse située juste derrière nous. On estime que les plongeurs sont descendus à une profondeur de soixante-dix, peut-être quatre-vingts mètres.

— Ça ne m'étonne pas des gars de Cousteau ! Air comprimé, détendeurs à double tuyau, pas de manomètre, pas de système de flottabilité.

— Ça, c'était de la plongée ! observa Jack avec nostalgie. C'était avant que le gaz mixte vienne nous gâcher le plaisir.

— Le danger reste le même. Seule la profondeur seuil a changé.

— Il y a vingt ans, je me suis porté volontaire pour faire une plongée d'intervention en vue de retrouver ces amphores, mais le médecin de l'équipe s'y est opposé. Nous n'avions que de l'air comprimé. De plus, nous respections scrupuleusement les tables de l'US Navy et la profondeur limite était de cinquante mètres. Nous n'avions pas d'hélicoptère, pas de navire de support, et la chambre de recompression la plus proche se trouvait à plusieurs heures d'ici, sur la base navale américaine située plus loin sur la côte.

Costas pointa le doigt vers les deux recycleurs trimix posés au fond du canot, puis vers le point blanc à peine visible à l'horizon, qui se dirigeait vers eux.

— Matériel de plongée ultramoderne et chambre de recompression à bord de la *Seaquest II* ! s'écria-t-il. La technologie est au centre de tout. CQFD ! Cela dit, des amphores grecques... Ça ne fait pas un peu tôt par rapport à notre période ?

— C'est ce que je me suis dit à l'époque. Mais quelque chose me titillait. Et je ne pouvais pas en être sûr avant de voir ces amphores de mes propres yeux.

Jack sortit un porte-bloc de la caisse et le tendit à Costas.

— Voici la typologie des amphores réalisée par Heinrich Dressel, reprit-il, un épigraphiste allemand qui a étudié les artefacts trouvés à Rome et à Pompéi au XIXe siècle. Regarde les illustrations en haut à gauche, numéros deux à quatre.

— Les amphores avec les anses qui pointent vers le haut ?

— C'est ça. À l'époque de Cousteau, les amphores munies de ce type d'anses étaient considérées comme grecques, car elles avaient la forme des amphores à vin réalisées en Grèce antique. Mais aujourd'hui, on sait que des modèles de ce genre ont également été fabriqués dans les régions de la Méditerranée occidentale colonisées par les Grecs, puis conquises par les Romains. Cela concerne le sud de l'Italie, la Sicile, le nord-ouest de l'Espagne, toutes les grandes régions viticoles développées par les Grecs.

Jack remit à Costas une grande photo en noir et blanc représentant une rangée d'amphores à anses hautes posées contre un mur.

— Une cave à vin ? proposa Costas. Une taverne ? À Pompéi ?

— Pas à Pompéi. À Herculanum, l'autre ville ensevelie par l'éruption du Vésuve. Cette taverne a été préservée telle qu'elle était le 24 août 79 après Jésus-Christ.

Costas réfléchit un instant, puis se tourna vers Jack.

— Rappelle-moi la date du naufrage de saint Paul.

— On estime qu'il a eu lieu au printemps de l'an 58 après Jésus-Christ, ou peut-être un ou deux ans plus tard.

— Quel était le contexte historique de l'époque ?

— On se situe quelques années après la mort de l'empereur Claude, sous le règne de Néron. Une dizaine d'années avant la conquête de la Judée et le vol de la menora juive.

— Je vois, dit Costas en plissant les yeux. Néron : la débauche totale, les chrétiens jetés aux lions et tout ça ?

— C'est une des facettes de cette époque. Mais ce furent aussi les années les plus prospères de l'Antiquité, l'apogée de l'Empire romain. Le vin issu des riches vignobles de Campanie, autour du Vésuve, était exporté dans ces amphores de style grec vers l'ensemble du monde connu. Des amphores à vin ont même été retrouvées dans les lointains comptoirs romains du sud de l'Inde, où elles étaient troquées contre des épices et des remèdes tels que l'opium qu'on a découvert dans l'épave. Et il serait tout à fait logique d'en trouver sur un grand navire céréalier d'Alexandrie datant de cette époque. D'après les Actes de Paul, il y avait plus de deux cent soixante-dix personnes à bord du navire de l'apôtre. Le vin dilué devait être leur boisson de base.

— Une dernière question, mais pas des moindres. Si mes souvenirs sont bons, Paul a fait naufrage à Malte. Quel rapport avec la Sicile ?

— C'est la raison pour laquelle ça ne collait pas il y a vingt ans. Mais j'ai appliqué la technique de la pensée latérale. D'un point de vue géographique en tout cas.

— Tu veux dire que tu as encore eu une de ces intuitions complètement loufoques ?

— Je n'y peux rien, se défendit Jack en souriant. Tout ce que l'on a, ce sont les Évangiles, les Actes des Apôtres. Il n'existe aucun autre récit du naufrage de saint Paul, aucun moyen de vérifier les faits.

— C'est une question de foi.

— D'une certaine façon, c'est le nœud de l'affaire. Les Évangiles, le Nouveau Testament constituent un ensemble de documents qui ont été sélectionnés par l'Église primitive pour diffuser le ministère de Jésus, ou plutôt sa vision du ministère de Jésus. Certains Évangiles ont été rédigés peu après la mort de Jésus, par des témoins et des contemporains, et d'autres ont été écrits plusieurs générations plus tard. Aucun d'eux ne peut être considéré comme un document historique, au sens strict du terme, et encore moins géographique. Pour ceux qui ont rassemblé ces textes, l'île sur laquelle Paul a fait naufrage n'avait probablement pas grande importance.

— Moi qui viens d'une famille grecque orthodoxe, j'ai appris tout ça par cœur dans mon enfance. Si j'ai bien retenu ma leçon, les Actes de Paul ont été écrits par un survivant du naufrage, Luc, un compagnon de Paul.

— C'est ce que nous avons tous appris. D'après les Actes, Paul avait deux compagnons, Luc, originaire d'Asie Mineure, et Aristarque, un Macédonien de Thessalonique. Après l'arrestation de l'apôtre en Judée, ceux-ci embarquèrent avec lui et quittèrent Césarée pour gagner Myra, dans le sud de la Turquie, où ils furent tous transférés à bord d'un navire d'Alexandrie à destination de Rome. Mais certains experts pensent aujourd'hui que les Actes ont été rédigés plusieurs décennies plus tard, par quelqu'un d'autre, peut-être à partir d'un témoignage direct. À cette incertitude viennent s'ajouter les énormes problèmes de transmission textuelle. Les Évangiles ont subi le même processus que tous les autres textes classiques, excepté les fragments retrouvés sur des sites anciens : ils ont été passés au crible, épurés, censurés par les autorités religieuses, traduits, retouchés au gré des caprices ou de la négligence des copistes, enjolivés par des interprétations et des annotations qui ont fini par faire partie du texte... Le fragment le plus ancien des Actes date d'environ 200 après Jésus-Christ, près de cent cinquante ans après la vie de Paul, et ne comporte que la première partie. La version la plus ancienne du récit du naufrage est postérieure de plusieurs siècles. Elle a été traduite du grec en latin, puis dans les langues médiévales et les langues du XVIIe siècle par de nombreux scribes et copistes. Je suis donc très circonspect à l'égard d'un détail aussi infime que le mot Melita. Je me demande même s'il signifie Malte. Certaines autorités anciennes ont retenu Mytilène, une île de l'Égée qui leur était plus familière.

— Règle numéro un de la chasse au trésor, déclara Costas d'un air solennel : toujours authentifier sa carte.

— Le navire de saint Paul est l'une des premières épaves connues de l'Histoire, mais le récit du naufrage, comme beaucoup d'autres, est parsemé d'embûches. Il faut prendre du recul par rapport au texte, s'ouvrir à toutes les possibilités et laisser l'action se mettre en place sans vouloir l'orienter vers une conclusion prédéterminée. Je crois que c'est ce que j'ai fait au fil des ans depuis la dernière fois que j'ai plongé ici, depuis que cette idée a commencé à germer dans mon esprit.

— C'est pour ça que tu es archéologue et que je suis ingénieur. Je ne sais pas comment tu fais…

— Et c'est pour ça que je te laisse la robotique et les submersibles, renchérit Jack en souriant. Rien, dans les Actes, ne corrobore la thèse de Malte. Paul guérit un autochtone sur l'île et c'est à peu près tout ce qui s'y passe. La Sicile serait une option beaucoup plus logique. C'est dans le même coin et il est bien plus probable qu'un navire céréalier dévié par un vent de nord-est dans la mer Ionienne ait échoué ici. Les Actes mentionnent même Syracuse, qui se trouve juste de l'autre côté du promontoire. Paul et ses compagnons y auraient séjourné quelques jours après le naufrage tandis qu'ils se dirigeaient vers Rome. D'après les Actes, ils auraient embarqué sur un autre navire céréalier qui avait passé l'hiver à Malte mais, à mon avis, il s'agissait plus probablement d'un navire du Grand Port de Syracuse.

— Deux mille ans d'exégèse biblique erronée ! Une simple intuition et Jack Howard détient la vérité.

— Un raisonnement rigoureux fondé sur une série de preuves menant…

— Menant incontestablement à la même conclusion. Oui, oui. Une intuition, quoi !

Costas sourit et prit un air résigné.

— D'accord, admit-il, tu m'as convaincu. D'ailleurs, maintenant que je la regarde, cette fissure rocheuse située derrière nous et qui indique l'emplacement de l'épave me rappelle la lettre grecque chi. En parlant d'acte de foi, ne me dis pas que tu négligerais un signe d'en haut !

Jack observa la roche.

— J'en tiendrai compte, affirma-t-il. Avec vingt ans de recul, on a un autre regard sur les choses.

Il se laissa aller sur les coudes et hocha la tête.

— Je n'arrive pas à croire qu'il m'ait fallu aussi longtemps pour rassembler les pièces du puzzle, soupira-t-il.

— Tu avais d'autres projets en tête.

— Oui, mais celui-ci pourrait bien être le plus extraordinaire ! coupa Jack en se rasseyant et en se penchant vers Costas, les yeux pleins d'enthousiasme. Le moindre élément permettant d'identifier cette épave avec celle de saint Paul en ferait un trésor absolument unique. Inutile d'être chrétien pour le voir. Personne n'a jamais rien trouvé d'aussi intimement lié à la vie des évangélistes, à la réalité qui se cache derrière les Évangiles. À cette époque, rares étaient ceux qui croyaient au royaume des cieux sur terre. C'était un rêve que la religion païenne n'offrait pas au peuple. Il n'y avait pas d'églises, pas de prêtres, pas de culpabilité ni de confession, pas d'Inquisition ni de guerres saintes. Cela nous ramène à l'essence même du message de Jésus, qui lui a attiré tant de fidèles. Cette épave serait non seulement une capsule témoin de l'époque, comme Pompéi et Herculanum, mais aussi une découverte directement liée aux personnages les plus influents de l'histoire occidentale, qui enflammerait l'imagination du monde entier.

Costas changea de position et s'étira.

— Encore faut-il qu'on la trouve.

Il fit un signe de tête en direction d'une colonne de bulles venant éclater à la surface.

— On a de la compagnie, ajouta-t-il.

Les deux plongeurs furent bientôt en vue, quelques mètres plus bas. Ils émergèrent simultanément et levèrent le pouce pour indiquer que tout allait bien. Jack nota l'heure dans le journal de bord, puis se tourna de nouveau vers Costas.

— Cet endroit a été l'un des pivots de l'Histoire. Quoi que nous trouvions, cela ne fera qu'étoffer un passé déjà incroyablement riche. En 415 avant Jésus-Christ, les Athéniens ont débarqué ici pour attaquer Syracuse, un événement clé dans la guerre avec Sparte, qui a failli détruire la civilisation grecque. En juillet 1943, la Sicile a été le théâtre de l'opération Husky. Mon grand-père était là, en tant que second capitaine du navire marchand armé *Empire Elaine*, non loin du monitor *HMS Erebus*, qui bombardait les positions ennemies, juste au-dessus de nous, avec des obus de trois cent quatre-vingts millimètres.

— Tu dois avoir ça dans le sang… On dirait qu'il y a eu un Howard dans toutes les batailles navales célèbres de l'histoire britannique.

— Quasiment toutes les familles anglaises pourraient en dire autant si elles connaissaient leur passé.

— Autre chose ?

— Le Special Raiding Squadron, une ramification du SAS britannique, a été parachuté sur la falaise. Il a obligé la batterie de défense côtière italienne à se rendre et a jeté toutes les armes à la mer. La dernière fois que j'ai plongé ici, le site était truffé de munitions.

— Voilà qui me plaît ! s'écria Costas en se frottant les mains. Ça, c'est de l'archéologie ! C'est quand même plus intéressant que les vieux pots.

— Concentrons-nous sur l'épave. Tu joueras au démineur plus tard.

Costas sourit, clippa le tuyau inspiratoire de son recycleur et regarda Jack faire de même.

— Verrouillage.

— Verrouillage effectué.

Jack baissa la tête pour vérifier son équipement, puis se tourna vers Costas.

— Tu es sûr de vouloir descendre à cette profondeur ? demanda-t-il.

Costas leva les yeux au ciel et soupira de manière exagérée.

— Voyons. La dernière fois qu'on a plongé ensemble, c'était sous la jungle du Yucatán, dans une galerie souterraine, où nous avons été emportés vers les enfers mayas. Juste avant, nous étions dans un iceberg qui roulait sur lui-même. Et encore avant, dans un volcan en éruption.

— Dois-je comprendre que tu en as assez ou que tu n'en es plus à ça près ?

Costas foudroya son ami du regard, le gratifia d'un petit sourire hagard, et commença à remonter sa combinaison de plongée.

— Tu n'as qu'un mot à dire.

— On y va.

Chapitre 2

Maurice Hiebermeyer s'adossa au mur de la galerie en soufflant bruyamment et observa le trou aux bords irréguliers. Il ne se laisserait pas abattre. Si le roi de Naples Charles de Bourbon, un homme d'une corpulence notoire, y était arrivé, il y arriverait lui aussi. Il se mit de nouveau à quatre pattes, orienta sa lampe frontale vers le trou et s'élança la tête la première. Son casque frottait contre le plafond et les arêtes saillantes déchiraient sa combinaison. Il s'arrêta, coincé une nouvelle fois comme un bouchon dans une bouteille. Quelle poisse ! Il regarda à travers le voile crasseux de ses lunettes le nuage de poussière qu'il venait de soulever dans le tunnel. Il faudrait qu'ils se procurent une perforatrice pneumatique pour élargir le trou, ce qui prendrait du temps et ajouterait à leur frustration. Ils avaient déjà deux semaines de retard sur leur calendrier, car ils avaient passé des jours à faire les cent pas dans le hall de la Surintendance de Naples en attendant que la bureaucratie veuille bien leur délivrer leur permis. Or Hiebermeyer n'avait pas de temps à perdre. Le nouveau chantier qu'il dirigeait dans le désert oriental était en pleine ébullition.

Tout à coup, il aperçut quelque chose et resta interdit.

— *Mein Gott*, murmura-t-il dans son allemand natal. Non, c'est impossible.

Il tendit la main et la passa sur la surface lisse. Un museau.

— C'est pourtant bien lui, ajouta-t-il avant de laisser retomber sa main avec stupeur. *Le gardien des morts.*

Juste devant lui, une partie du mur gris de ce tunnel datant du XVIIIe siècle s'était effondrée pour laisser apparaître une cavité peu profonde. Au centre de cette niche improvisée se dressait une tête, noire et couverte de poussière mais bien reconnaissable. Les oreilles pointaient vers le haut, le regard était droit et le museau saillait avec un air de défi. C'était celui qui traversait les ombres et se tapissait dans les endroits obscurs, le gardien du voile de la mort. Hiebermeyer fixa les yeux entourés d'un trait épais de khôl et murmura son nom. *Anubis*. Ici, au seuil de l'inconnu, dans cet antre de la terreur et de la mort, où les derniers vivants avaient littéralement vu le feu des Enfers... Reprenant ses esprits, il découvrit sur le poitrail du dieu trois lignes verticales de hiéroglyphes, qu'il reconnut immédiatement : *« Tout homme survit à sa mort, et ses actes s'amoncellent à son côté. Car l'existence dans l'au-delà dure toute l'éternité, et qui l'aborde sans avoir fait de mal sera pour toujours pareil aux dieux. »*

Hiebermeyer laissa son regard vagabonder dans l'obscurité du tunnel. L'espace d'un instant, il éprouva un sentiment bizarre et fut pris de pitié pour les Anciens, qui plaçaient tant d'espoir dans l'au-delà et dont les rêves brisés d'après-vie étaient devenus son propre royaume des morts. Ce n'était pas la première fois qu'il se sentait investi d'une mission. En tant qu'archéologue, il avait vocation à apporter à ceux qui étaient tombés dans l'oubli un peu de l'immortalité qu'ils avaient si ardemment désirée.

— Maurice ! cria une voix étouffée derrière lui.

— Oui, Maria ?

— Laisse-toi aller !

Hiebermeyer fut projeté en avant par une immense secousse et s'effondra lamentablement sur la cascade d'éclats de roche qui encombrait l'entrée du tunnel. Pris d'une violente quinte de toux, il épousseta prestement la poussière dont il était couvert et, parvenant tant bien que mal à dégager ses jambes, s'accroupit dans la galerie.

— Désolée, dit Maria.

Elle le rejoignit, munie de lunettes de protection, d'un masque antipoussière et d'un casque jaune cachant ses longs cheveux bruns noués derrière la nuque. Sa voix à la fois sonore et mélodieuse trahissait une pointe d'accent espagnol.

— Il vaut toujours mieux être pris à l'improviste, déclara-t-elle. Enfin, à mon avis. Quand on est tendu, c'est encore pire.

— Tu fais ça souvent ?

— Moi aussi, je suis déjà restée coincée dans un trou.

Elle se glissa sans mal dans la galerie et s'accroupit à côté de lui. Ils tenaient tout juste côte à côte et pouvaient à peine se mettre debout.

— J'espère que tu n'as rien, reprit-elle. Mieux vaut avoir quelques bleus que d'être condamné à repasser par la Surintendance, non ?

— C'est exactement ce que je me disais, admit Hiebermeyer en se frottant la jambe gauche. Le permis ne nous autorise qu'à suivre cet ancien tunnel et non à en creuser d'autres. Même l'élargissement de ce trou créé par le tremblement de terre constituerait une transgression criminelle. C'est de la folie ! Enfin, ils ne savent pas ce que nous faisons.

— Ils s'en rendront compte bien assez tôt.

Hiebermeyer grommela, retira ses lunettes de sécurité pour les nettoyer et posa un regard chassieux sur Maria.

— En tout cas, avoua-t-il, j'ai adoré notre conversation au bureau. Un cours intensif sur les manuscrits médiévaux par une spécialiste de renommée mondiale, fascinant ! Et moi qui allais te lire ma thèse sur les carrières romaines ouvertes par l'empereur Claude en Égypte.

— Tu es dans ton élément ici, Maurice. Tu aimes être sous terre, n'est-ce pas ? Tu sais, j'étais à bord de la *Seaquest II* quand Jack a reçu l'appel qui l'informait du tremblement de terre. Il a dit :

« Mettez un égyptologue sur le coup. Quelqu'un qui ait l'habitude des fouilles souterraines, des catacombes, de la Vallée des Rois et tout ça. »

— Ah, la Vallée des Rois ! soupira Hiebermeyer en regardant Maria avancer à reculons jusqu'à ce qu'elle ne soit plus qu'à quelques centimètres du museau du chacal. Mais tu as raison. Je suis dans mon élément. C'est fabuleux. Et nous avons un nouvel ami.

— Quoi ?

— Retourne-toi. Lentement.

Maria s'exécuta, puis se mit à crier en s'écartant brusquement de cette apparition.

— *Dios mío !* Qu'est-ce que c'est que ça ?

— Pas de panique, ce n'est qu'une statue.

Maria, appuyée contre la paroi du tunnel, avait désormais suffisamment de recul pour voir ce dont il s'agissait.

— C'est un chien ? Un loup, avec un torse humain ?

Elle se pencha en avant et observa attentivement la statue.

— Impossible, murmura-t-elle. Des hiéroglyphes ! C'est égyptien ?

— C'est Anubis, répondit Hiebermeyer avec désinvolture. Une statue grandeur nature du dieu égyptien des Morts, en stéatite noire. Le texte en hiéroglyphes est une copie des *Instructions à Mérikarê*, qui datent du IIIe millénaire avant Jésus-Christ, mais le cartouche situé plus bas est une inscription royale de la XXVIe dynastie, ce qui nous ramène au VIe siècle avant Jésus-Christ. Je ne serais pas surpris que cette statue vienne de Saïs, la capitale royale érigée sur le delta du Nil.

— Cela me rappelle quelque chose. Solon, l'Athénien qui a rendu visite au Grand Prêtre. C'est là qu'il a consigné l'histoire de l'Atlantide.

— Jack t'en a parlé ?

— Je suis désormais professeur auxiliaire à l'Université maritime internationale, tu te souviens ? Tout comme toi. J'ai l'impression que nous sommes tous retournés à l'école. Jack m'a raconté toute l'histoire à bord de la *Seaquest II*, lorsque nous sommes rentrés du Yucatán. C'est fantastique. Il envisage de repartir en mer Noire pour fouiller une épave grecque qu'il a vue près du site, une trirème, je crois.

— J'aurais aimé qu'il m'accorde un peu de temps, maugréa Hiebermeyer. J'ai quelque chose de beaucoup plus intéressant à lui montrer. Après tout, c'est notre rôle de le mettre sur de nouvelles pistes. J'essaie de lui en parler depuis des mois.

Il soupira d'exaspération, puis se tourna de nouveau vers la statue.

— Mais revenons à nos moutons, reprit-il. L'historien grec Hérodote s'est rendu à Saïs. Il mentionne un lac devant le temple de Neith, un sanctuaire entouré de statues de pharaons et de dieux, semblables à celle-ci, qui provenaient de sites anciens de toute l'Égypte. À l'époque romaine, Saïs était déjà ensablée et abandonnée, mais elle était sans doute encore accessible par bateau. Elle a dû être dépouillée de toutes ses pierres précieuses et de sa statuaire.

— Tu veux dire que cette statue a été volée ?

— Disons transférée. Les Romains qui ont bâti cette villa ont eu accès à de grandes œuvres d'art créées à l'intérieur et même au-delà du Bassin méditerranéen, qui étaient issues de cultures très différentes et remontaient à très loin dans l'Histoire. Ils n'étaient pas plus mal intentionnés que les collectionneurs privés ou les conservateurs de musée actuels. Lorsque des puisatiers ont percé les murs de cette villa, au XVIIIe siècle, on a découvert de magnifiques statues de bronze grecques. Certains Romains assimilaient Anubis à Cerbère, le gardien des Enfers, posté au bord du Styx. Mais la plupart le tournaient en dérision, ne voyant en lui qu'un simple chien. Cette statue devait être considérée comme une antiquité, une curiosité, une œuvre d'art amusante, mais rien de plus.

— On dirait qu'il nous observe, qu'il ne fait qu'à demi partie de l'Histoire, exactement comme un gardien.

Maria regarda Hiebermeyer droit dans les yeux.

— Est-ce qu'il t'arrive d'être superstitieux, Maurice ? lui demanda-t-elle. De penser au tombeau de Toutankhamon, à la malédiction de la momie et tout ça ?

— Non, répondit Hiebermeyer sèchement. Je suis archéologue.

— Allez, Maurice. Cette découverte doit quand même te donner quelques frissons, non ? Quand nous étions étudiants, tu parlais sans cesse de ces croyances. Reconnais-le.

Hiebermeyer leva les yeux vers la tête de chacal et s'autorisa un sourire.

— Bien sûr que cette découverte me donne des frissons. C'est une statue magnifique et je suis impatient de voir le reste de l'inscription.

Il posa la main à plat sur la stéatite polie et regarda au bout du tunnel.

— Mais je ne crois pas que cela nous mène bien loin, ajouta-t-il. Cette statue a dû être mise au jour lors de la réplique sismique de la nuit dernière, et nous devons être les premiers à la voir. Mais d'autres sont entrés dans le tunnel avant nous, avant qu'il n'ait été condamné jusqu'à notre arrivée. Le personnel de sécurité du site a dû se précipiter sur place dès que le premier tremblement de terre a ouvert la voie. S'il a trouvé quoi que ce soit, c'est probablement déjà sur le marché noir. Je doute que nous découvrions autre chose.

— Ce que tu peux être cynique ! s'exclama Maria, qui semblait authentiquement choquée. C'est impossible. Tu as oublié où nous sommes ? Nous sommes à la Villa des papyrus d'Herculanum, le site le plus précieux de toute l'Italie ! Ensevelie par l'éruption du Vésuve en 79 après Jésus-Christ, redécouverte par les rois Bourbon de Naples au XVIIIe siècle, et à peine fouillée depuis. La seule bibliothèque de papyrus qui ait survécu depuis l'Antiquité, dont une partie reste encore à découvrir derrière ces murs. Tu ne crois tout de même pas que n'importe qui peut entrer et emporter ce qui lui plaît !

— La Villa a aussi été l'une des plus grandes déceptions de l'histoire de l'archéologie. Presque tous les rouleaux trouvés sont de Philodème, un philosophe de second rang qui n'est jamais passé à la postérité. Pas de grande œuvre littéraire et pratiquement rien en latin. Tu ne t'es jamais demandé pourquoi ce site n'a jamais été fouillé intégralement ?

— Pour des tas de raisons : les problèmes structurels, la fragilisation des bâtiments modernes construits au-dessus, les ressources nécessaires pour le maintien des fouilles actuelles dans la partie mise au jour, la bureaucratie, le manque de moyens, la corruption... Ce ne sont pas les raisons qui manquent.

— Mais tu n'as pas cité la plus importante.

— Eh bien, la conservation et la lecture des papyrus carbonisés posent d'énormes problèmes. L'Officina dei Papyri de Naples travaille toujours sur ce qui a été trouvé au XVIIIe siècle. Et les experts cherchent le meilleur moyen d'extraire de nouveaux artefacts, de récupérer les autres rouleaux qui peuvent encore se trouver sur le site sans les endommager. Il faut prendre de grandes précautions. C'est un site sacré.

— Voilà ! s'exclama Hiebermeyer en claquant des doigts. Précisément. C'est un site sacré. Et, comme tous les sites sacrés, comme les grottes des rouleaux de la mer Morte en Israël, il exerce une certaine fascination sur les hommes tout en leur inspirant une crainte révérencieuse. Du reste, en Italie, il existe une institution très puissante, qui préférerait ne voir aucun autre document du Ier siècle après Jésus-Christ refaire surface.

À cet instant, la poussière en suspension se mit à voltiger. Ils sentirent une secousse et entendirent un bruit d'éboulement un peu plus loin. Maria posa les mains sur le sol et lança un regard inquiet à Hiebermeyer. Celui-ci sortit rapidement un petit appareil muni d'une pointe qu'il enfonça dans la paroi du tunnel, et fixa l'écran tandis que la secousse décroissait.

— C'est une réplique, déclara-t-il, un peu plus importante que celle de la nuit dernière mais probablement rien d'inquiétant. On nous avait dit qu'il fallait s'y attendre. De plus, les murs qui nous entourent sont faits de scories pyroclastiques solidifiées, contrairement à l'enveloppe de cendre et de pierre ponce qui recouvre Pompéi. Globalement, ils sont plus durs que du béton. Nous n'avons rien à craindre.

— J'entends les autres qui arrivent, dit Maria à voix basse.

— Ah oui ! La mystérieuse inspectrice de la Surintendance. Tu sais que c'est une vieille amie de Jack ? Même plus qu'une amie. Leur histoire a commencé quand tu étais déjà partie. Jack terminait son doctorat et moi, j'étais déjà en Égypte. Pour une raison que j'ignore, ils ne s'adressent plus la parole. Bon, je vois de la lumière. Soyons sages.

— Non, je ne savais pas… répondit Maria avant de se tourner vers la statue. En tout cas, Anubis devrait nous permettre de gagner du temps.

— Anubis va probablement mettre un terme au projet. On le considérera comme une grande découverte, qui viendra justifier la décision de la Surintendance d'explorer le tunnel. Il ne leur en faudra pas plus pour nous retirer notre permis et condamner l'accès au site. Si nous sommes ici, c'est uniquement parce qu'il y a eu une fuite à propos du tunnel après le tremblement de terre. Les autorités ont été contraintes de faire bonne figure devant la presse.

— Encore ce cynisme…

— Crois-moi, ça fait longtemps que je connais la chanson. Les enjeux sont beaucoup plus importants qu'il n'y paraît.

— Alors saisissons notre chance pendant qu'il en est encore temps ! Tu as trouvé ton trésor, je veux le mien.

Hiebermeyer rangea l'oscillateur dans la poche avant de sa combinaison, éternua bruyamment et considéra Maria un instant.

— Je comprends pourquoi tu as plu à Jack, assena-t-il. Il a toujours dit que tu irais loin, si tu quittais Oxford pour travailler avec lui.

Maria le toisa, puis rampa au-delà de la statue. La poussière se déposa et, devant eux, ils discernèrent une tache blanche. La secousse avait fait tomber un autre fragment du tunnel. Lorsque les faisceaux de leurs lampes frontales convergèrent sur la fissure, ils aperçurent une forme sombre au milieu. Hiebermeyer avança à son tour et se tourna vers Maria, le visage empourpré par l'excitation.

— Bon, on a dépassé Anubis et on est encore en un seul morceau.

— Superstitieux, Maurice ?

— Allons-y !

Chapitre 3

23 août 79 après Jésus-Christ

Le vieillard avala le vin d'un trait en tenant le gobelet de ses mains tremblantes, puis il ferma les yeux et s'appuya au pilier jusqu'à ce que le plus fort de la crise passe. Cette nuit, il irait jusqu'aux Champs Phlégréens et rendrait visite à la sibylle pour la dernière fois. Mais il avait une tâche à accomplir auparavant. Il regarda la banquette de marbre à côté de lui, tira d'un coup sec sur sa toge pour qu'elle ne glisse pas, fit quelques pas maladroits et se laissa tomber lourdement sur les coudes. Son visage se crispa de douleur et de frustration. Il aurait voulu pleurer, mais il n'avait plus de larmes. C'était devenu une sorte de rituel car, en réalité, il ne sentait quasiment plus rien.

Il se redressa et admira le clair de lune qui miroitait sur toute la surface de la baie, au-delà des statues de dieux grecs et égyptiens bordant le portique de la villa. Le dieu le plus proche de lui, celui qui avait une tête de chien, semblait encadrer la montagne. Ses oreilles et son museau étincelaient dans la lumière. Depuis le belvédère de la villa, le vieillard voyait les toits de la ville, qu'il connaissait intimement mais n'avait jamais visitée, Herculanum. Il entendait le tintement des activités vespérales, le ressac des conversations, les éclats de rire, la musique douce et le clapotement des vagues sur le rivage.

Il possédait tout ce dont il avait besoin. Du vin des coteaux du Vésuve, un vin rouge riche, épais comme du sirop, son préféré. Des femmes, venues des ruelles des bas quartiers, qui lui donnaient encore un plaisir fugace, des années après qu'il avait cessé de se demander ce qu'elles y trouvaient.

Et il avait le pavot.

Il inspira le nez froncé et leva les yeux. Les devins avaient vu juste. Il y avait quelque chose d'étrange dans le ciel cette nuit.

Il balaya la baie du regard en direction de l'ouest pour observer la base navale de Misène, au-delà de l'ancienne colonie grecque de Neapolis, au bout du lointain promontoire qui donnait sur le large. L'ombre de la montagne obscurcissait la baie et il ne put discerner que quelques navires marchands ancrés près de la côte. Il avait l'habitude de repérer la phosphorescence que les galères rapides laissaient dans leur sillage mais, ce soir, il ne voyait rien. Où était Pline ? Avait-il reçu son message ? Le vieillard savait exactement ce que faisait l'amiral de la flotte romaine de Misène. La flotte n'avait plus mené aucune action militaire depuis que son aïeul, Marc-Antoine, avait été battu à Actium, plus d'un siècle auparavant. C'était la *pax romana*. Et lui, Tiberius Claudius Drusus Nero Germanicus, *Imperator*, avait contribué à maintenir cette paix. Il se tourna vers le pichet à moitié vide posé sur la table, et songea que Pline avait intérêt à se dépêcher. Ce qu'il avait à lui dire ce soir exigeait d'avoir les idées claires. Il se faisait tard.

Il tendit la main pour se verser un autre gobelet. Le vin déborda et dégoulina le long de la table pour aller agrandir la tache rouge qui, au fil des ans, avait fini par pénétrer le sol de marbre. Il se retourna pour considérer les bustes en cire alignés le long du mur. Ces portraits représentant sa famille, à peine éclairés par la lune, étaient les seules reliques de son passé. Son père, Drusus, dont il chérissait la mémoire. Son cher frère Germanicus. Avec son teint cireux, Claude avait déjà l'impression de ne plus faire qu'un avec eux. Il était vieux, assez vieux pour avoir connu l'ère d'Auguste, l'âge d'or terni à jamais par les débauches de Tibère, Caligula et Néron. Parfois, dans ses moments de faiblesse, généralement après avoir bu, il avait le sentiment que cette époque avait fait de lui un monstre, tout comme elle avait mené Rome à sa perte. Il ne s'agissait pas de l'horrible malformation dont il souffrait mais plutôt d'un dépérissement lent et inexorable, comme si les dieux qui lui avaient infligé ce mal, cette paralysie agitante, avaient voulu lui faire endurer les pires tourments dans cette vie avant de le précipiter dans le feu des Enfers.

Il sortit de sa transe, toussa douloureusement et regarda de nouveau par-dessus le balcon de la villa, au-dessus des toits d'Herculanum. Lorsqu'il avait simulé son propre empoisonnement et fui Rome, il avait été accueilli par son vieil ami Calpurnius Piso, qui avait condamné une annexe de sa villa. C'était là qu'il se cachait depuis près d'un quart de siècle, dans ce refuge surplombant la mer et la montagne. Il savait qu'il aurait dû se montrer plus reconnaissant, mais il ne pouvait s'empêcher d'être agacé par certaines choses. Le grand-père de Calpurnius avait été un des protecteurs du philosophe grec Philodème, dont les œuvres absurdes et illisibles étaient toujours là. Et le pauvre Calpurnius avait été forcé à se suicider, ici même, sous le regard impuissant de Claude, après son complot raté contre Néron. Il avait laissé la villa à un neveu réticent, qui ne savait même pas qui était Claude et prenait celui-ci pour un de ces imposteurs grecs semblant mendier leur place dans les familles aristocratiques. L'anonymat n'avait été possible qu'au prix de l'humiliation ultime.

Mais Claude avait encore ses souvenirs. Le plus précieux concernait ce pêcheur vivant au bord de la mer intérieure, qu'il avait rencontré tant d'années auparavant. Il lui avait fait une promesse. Aujourd'hui, il était confronté à des forces incontrôlables et voyait se réaliser tout ce qu'il avait redouté, mais il ne le décevrait pas.

— *Ave, Princeps.*

Claude sursauta.

— Pline ? Mon ami, je t'ai dit de cesser de m'appeler ainsi.

L'homme s'empressa auprès de Claude et l'aida à s'asseoir. Il prit son gobelet, le remplit et le lui tendit, avant de se servir à son tour.

— Les dieux te saluent à l'occasion de ta quatre-vingt-dixième année.

— C'était il y a trois semaines, répliqua Claude avec un geste dédaigneux de la main.

Il posa sur Pline un regard plein d'affection. L'homme était extraordinairement grand pour un Romain. Mais il venait de Vérone, dans le nord, le territoire des Celtes. De plus, il n'était pas vêtu d'une toge mais de la tunique rouge blasonnée et des bottes à lanières des officiers navals. Une certaine force de caractère émanait de lui. Vétéran décoré, meneur d'hommes, prodigieux érudit, il avait tout ce que Claude admirait. Le vieillard serra le poing pour essayer de ne pas bégayer.

— M'as-tu apporté ton livre ?

— Les vingt premiers volumes, répondit Pline en indiquant fièrement du doigt un sac de cuir débordant de rouleaux, posé précautionneusement à côté de la porte, loin du pichet de vin. Il manque quelques détails sur la flore et la faune de la Bretagne, dont je voudrais discuter avec toi. Et, bien sûr, j'ai laissé un espace, comme tu me l'as demandé, dans la partie sur la Judée. À part cela, j'ai terminé. C'est la première histoire naturelle du monde qui n'ait pas été écrite par un Grec.

— Au moins, maintenant, j'ai suffisamment de place pour les ranger, se réjouit Claude en désignant ses étagères à moitié vides et les nombreux rouleaux entassés par terre. Narcisse m'a aidé à faire le tri. Je n'ai jamais pu me résoudre à jeter un livre et je n'ai jamais eu le cœur de le dire à Calpurnius l'Ancien, mais les œuvres de Philodème ne méritent pas le papyrus sur lequel elles sont écrites.

— Où est-ce que je les mets, mes livres ? Je peux les ranger sur tes étagères, si tu veux.

— Laisse-les où ils sont. Narcisse va faire de la place dans ma bibliothèque demain. Je veux qu'ils soient bien en vue. Toutes ces inepties grecques vont être retirées.

— Narcisse écrit toujours pour toi ?

— Il s'est fait castrer, le pauvre, pour pouvoir me servir. Ce n'était qu'un jeune esclave à l'époque. Mais j'allais l'affranchir de toute façon.

— Tu sais, je ne lui ai jamais vraiment fait confiance, avoua Pline avec circonspection.

— On peut toujours faire confiance à un eunuque.

— C'est ton talon d'Achille, si je puis dire. Les femmes et les affranchis.

— Je n'ai pourtant rien à voir avec Achille. Je suis peut-être un dieu, mais je ne suis pas Achille.

Claude étouffa un petit rire nerveux et reprit son sérieux.

— C'est vrai, admit-il. Narcisse a quelque chose de mystérieux. Je pense que sa complicité dans ma disparition lui a beaucoup coûté. Ancien préfet de la garde prétorienne, il n'est aujourd'hui que l'esclave, bien qu'affranchi, d'un vieil ermite. Cela dit, s'il n'avait pas simulé sa mort lui aussi, il aurait été exécuté par Néron. Il a toujours été intelligent, et il a des centres d'intérêt. La Bretagne, notamment. Sans parler de sa religion, des croyances loufoques qu'il a adoptées lorsqu'il était esclave. C'est un homme très pieux. Et il a toujours été loyal envers moi.

Claude s'interrompit brusquement, sourit et se leva à grand-peine en prenant Pline par le bras.

— Merci pour tes livres, mon ami, dit-il à voix basse. La lecture a toujours été mon plus grand plaisir. Et j'y trouverai de précieuses informations pour écrire ma propre histoire de la Bretagne.

Il montra du doigt un rouleau ouvert, fixé à la table. L'un des bords avait été aspergé de vin.

— On ferait mieux de se mettre au travail pendant que j'ai encore un peu de bon sens, déclara-t-il. La journée a été longue.

— Je vois.

Les deux hommes se penchèrent au-dessus de la table, dont le marbre avait pris une teinte étrangement rougeâtre à la lueur du clair de lune. Il faisait exceptionnellement chaud pour une fin de mois d'août. La brise était brûlante et sèche comme le sirocco qui soufflait certains jours de l'Afrique jusqu'ici. Claude se demandait parfois si Pline, grand encyclopédiste, ne cherchait pas simplement à le flatter en faisant appel à ses connaissances sur la Bretagne, où il n'avait connu qu'une victoire en trompe l'œil. Bien sûr, il avait été là-bas. Il était sorti des vagues glacées sur un éléphant de guerre, pâle et tremblant. Ce n'était pas l'ennemi qui l'avait terrorisé mais l'idée d'être victime d'une crise, qui aurait jeté le déshonneur sur sa famille. La Bretagne avait été son seul accomplissement en tant qu'empereur, son seul triomphe, et il avait décidé d'écrire l'histoire de cette province en remontant aux temps les plus reculés. Il avait lu tout ce qui existait sur le sujet, du journal de l'explorateur Pythéas, qui avait été le premier à faire le tour de l'île, aux effroyables récits de chasse de têtes que ses légionnaires avaient arrachés aux druides avant de les exécuter. Et il l'avait trouvée, elle, cette princesse de noble famille que la sibylle l'avait enjoint de chercher, celle qui était devenue reine guerrière.

— Dis-moi, dit Claude brusquement. Tu as vu mon père en songe ?

— C'est la raison pour laquelle j'ai écrit *L'Histoire des guerres germaniques*, répondit Pline avant de répéter l'anecdote qu'il avait déjà racontée maintes fois à Claude. J'étais posté sur le Rhin, à la tête d'un régiment de cavalerie. Une nuit, je me suis réveillé et un fantôme m'est apparu, un général romain. C'était Drusus, je le jure. Ton cher père. Et il m'a demandé d'immortaliser sa mémoire.

— Il est m-mort avant même que j'aie pu le connaître, se lamenta Claude en regardant le buste de son père et en se tordant les mains d'angoisse. Em-empoisonné, comme mon cher frère Germanicus. Si seulement j'avais été capable de me montrer à la hauteur de mon héritage, de diriger les légions comme Germanicus, d'obtenir la loyauté de mes hommes !

— Mais tu l'as été, affirma Pline avec sollicitude. Souviens-toi de la Bretagne.

— Justement, insista Claude en souriant amèrement. C'est là le problème.

Il se mit à jouer avec une pièce, un sesterce poli, frappé à son image. C'était un tic nerveux que Pline lui connaissait depuis longtemps mais, cette fois, le vieillard la laissa tomber et elle roula jusqu'aux manuscrits posés près de la porte. Il poussa un soupir d'exaspération et fit mine de se lever mais s'effondra inexorablement sur sa chaise et garda les yeux rivés sur ses mains.

— Tu sais, reprit-il, ils m'ont bâti un temple là-bas. Et maintenant, ils bâtissent un amphithéâtre. À Londinium. Tu étais au courant ? Je l'ai vu lors de mon voyage secret l'été dernier, lorsque je suis allé sur sa tombe.

— Ne me parle plus de ça, je t'en supplie ! J'en fais des cauchemars. Et Rome ? Que fais-tu de tes accomplissements à Rome ? Tu as réalisé de grandes choses. Le peuple t'en est très reconnaissant.

— Rien que le peuple puisse voir. Tout ce que j'ai fait est sous terre, sous l'eau. T'ai-je parlé de mon tunnel secret sous le mont Palatin ? Juste au-dessous de ma maison ? C'est Apollon qui m'a ordonné de le faire. J'ai déchiffré l'énigme des feuilles, dans l'antre de la sibylle. Voyons, que je me souvienne…

— Et la Judée, le coupa Pline. Tu as institué une tolérance universelle à l'égard des Juifs, dans tout l'empire. Tu as donné le royaume de Judée à Hérode Agrippa.

— Et il est mort, murmura Claude. Ce cher Hérode Agrippa. Même lui, il s'est laissé corrompre par Rome, par mon vil neveu Caligula.

— Tu n'avais pas le choix. Personne ne pouvant remplacer Hérode, tu as été contraint de faire de la Judée une province.

— Et d'accepter qu'elle soit dirigée par des fonctionnaires vénaux et rapaces. Après toutes les mises en garde de Cicéron sur l'administration provinciale, il y a déjà un siècle. Ah, les leçons de l'Histoire ! Regarde comme je les ai bien retenues.

— La révolte des Juifs était inévitable.

— Quelle ironie du sort ! Quinze ans après avoir établi la tolérance universelle envers les Juifs, Rome fait tout ce qu'elle peut pour éradiquer ce peuple de la surface de la terre.

— Les dieux l'ont voulu ainsi.

— C'est faux ! s'écria Claude en vidant maladroitement son verre. Tu te souviens du temple dont tu m'as parlé lors de ta dernière visite ? Celui que Vespasien a fait bâtir à Rome. Au divin Claude. J'ai été divinisé, rappelle-toi. Je suis un dieu et ce dieu n'a pas voulu l'anéantissement des Juifs. Ces paroles sont d'autorité divine.

Pline enroula rapidement le manuscrit et le glissa dans une sacoche en cuir, à côté de la table, à l'abri des éclaboussures de vin. Puis, après un instant d'hésitation, il en sortit un autre.

— Tu voulais me dire quelque chose à propos de la Judée. Veux-tu qu'on en parle plus tard ?

— Non, maintenant.

Pline se pencha au-dessus du rouleau, un calame à la main, impatient et déterminé, tandis que Claude observait l'espace laissé au milieu du texte déjà écrit.

— Alors, raconte-moi. Cette nouvelle secte juive. Qu'en penses-tu ?

— C'est justement pour ça que je t'ai fait venir ici, répondit Claude avant de prendre une profonde inspiration. Les disciples de l'Élu. Du Messie, du *Christos*. Je les ai rencontrés lors de mes visites aux Champs Phlégréens. C'est exactement le genre de personnes par lesquelles il voulait être suivi. Des infirmes, des malades, des exclus. Des hommes et des femmes si avides de bonheur que leur aspiration à être heureux est contagieuse et incite les autres à se libérer à leur tour des fardeaux de la vie, à trouver leur propre salut.

— Comment sais-tu tout cela ?

— Parce que je suis des leurs.

— Tu es des leurs ? répéta Pline sur un ton incrédule. Tu es juif ?

— Non ! se moqua Claude, dont la tête s'anima de secousses incontrôlables. Je suis un infirme. Un exclu. Et je suis allé le voir pour qu'il me soigne.

— Tu es allé le voir ? Mais je croyais que tu n'étais jamais allé en Orient.

— C'est Hérode qui a tout organisé. Mon cher Hérode Agrippa. Il a essayé de m'aider, de m'emmener loin de Rome. Il avait entendu parler d'un faiseur de miracles en Judée, d'un Nazaréen qui, selon la rumeur, était un descendant de David, le roi des Juifs. Ce fut mon unique voyage en Orient. La chaleur rendait mon état encore plus insupportable.

— Alors tu as fait tout ce voyage pour rien.

— À l'exception des quelques heures que j'ai passées au bord d'un lac, rectifia Claude, dont le regard se perdit dans le lointain. La ville de Nazareth se trouve non loin d'une immense étendue d'eau, qu'on appelle la mer de Kinnéreth. L'eau n'est pas salée. En réalité, c'est un vaste lac, qui se trouve à plusieurs stades au-dessous du niveau de la mer.

— Fascinant ! s'exclama Pline en écrivant le plus vite possible. Raconte-moi tout.

— Il était charpentier. Charpentier naval. Accompagnés de nos femmes, Hérode et moi sommes montés à bord de son bateau avec lui. Nous avons pêché, bu du vin. J'étais avec mon adorable Calpurnia, loin des griffes de mon épouse. Nous étions tous à peu près du même âge, jeunes et exubérants, même moi, contrairement à mon habitude. J'ai renversé du vin dans le lac et il a plaisanté sur la transformation de l'eau en vin, se demandant si cela ferait mordre le poisson.

— Mais point de miracle.

— Après la pêche, nous avons bavardé au bord de l'eau jusqu'au coucher du soleil. Hérode, impatient de retrouver les plaisirs de la ville, nous a quittés. Et le Nazaréen et moi sommes restés seuls.

— Que t'a-t-il dit ?

— Il m'a dit que je devais supporter mon mal, que celui-ci me protégerait et me vaudrait de connaître la grandeur. Je ne voyais pas du tout de quoi il parlait, moi, Claude l'infirme, le neveu encombrant de l'empereur Tibère, tout juste toléré à Rome, caché et privé d'une quelconque vie publique, tandis que tous les autres jeunes hommes se couvraient de gloire avec les légions.

— Il a vu en toi l'érudit et le futur empereur, murmura Pline. Il connaissait ton destin, *Princeps*. C'était un homme perspicace.

— Je ne crois pas au destin. Et cesse de m'appeler *Princeps*.

Pline se hâta de revenir au vif du sujet.

— Et lui, le Nazaréen, connaissait-il son propre avenir ?

— Il m'en a parlé. Il m'a affirmé qu'un jour il disparaîtrait dans la nature et que le monde entier entendrait parler de lui. Je lui ai dit de ne pas se laisser prendre dans les filets de ceux qui l'exploiteraient et le trahiraient. C'est le conseil que je lui ai donné. Nazareth était une petite ville isolée et je me demande s'il savait, à ce moment-là, de quoi les hommes sont capables. Avait-il seulement vu une crucifixion ? J'en doute.

— Et Hérode Agrippa ?

— Il savait que le Nazaréen ne voulait pas d'interprètes, de ces intermédiaires auxquels il donnait le nom grec d'*apostolos*. Hérode était un homme simple, rationnel, un brave garçon. Il ne s'intéressait pas aux visions du Nazaréen, mais il a vu que j'avais été touché par cette rencontre et il m'aimait bien. Il a donc pris la décision de tolérer le faiseur de miracles s'il accédait au pouvoir.

— Mais cet homme a été exécuté, il me semble.

— Crucifié, à Jérusalem. La dernière année du règne de mon oncle Tibère. Il m'avait dit qu'il s'offrirait en sacrifice. Avait-il vraiment prévu sa propre exécution, sa crucifixion ? Ça, c'est une autre histoire. L'homme que j'ai rencontré n'avait aucune envie de mourir. Il débordait de joie de vivre. Mais il parlait souvent des légendes anciennes. Il existait une tradition de sacrifice humain parmi les Sémites, les Juifs. Il connaissait son histoire et savait comment se faire entendre de son peuple. Je crois que le sacrifice qu'il évoquait était symbolique.

— Fascinant, murmura Pline d'un air absent. La mer de Kinnéreth, tu dis ? Pas la mer Noire ? Celle-ci est remarquablement salée, je crois.

Il écrivait tout au bout de l'espace qu'il avait laissé sur son rouleau, en trempant de temps à autre son calame dans un encrier posé à côté de lui.

— Voilà un ajout précieux à mon chapitre sur la Judée ! s'écria-t-il. Merci, Claude.

— Attends, ce n'est pas tout.

Claude se leva et tituba jusqu'aux étagères où trônaient auparavant les œuvres de Philodème. Il poussa les quelques rouleaux qui se trouvaient encore sur le rayon du milieu et fouilla dans un recoin obscur. Puis il revint à petits pas jusqu'à la table, s'assit lourdement et tendit à Pline un petit tube en bois.

— Tiens, déclara Claude en haletant. C'est ça que je voulais te donner.

— De l'acacia, à coup sûr, dit Pline en sentant le bois. Ce que les Juifs appellent le *sittim*, cet arbre chétif qui pousse le long des rivages d'Orient.

Il ouvrit le tube et en retira un petit rouleau d'environ trente centimètres carrés. Le papyrus avait été jauni par le temps, mais moins que ceux de Philodème. Quant à l'encre, elle s'était en partie cristallisée pour laisser de petites taches en surface. Pline rapprocha le rouleau de son visage pour la sentir.

— Ce n'est probablement pas du sulfate, analysa-t-il à voix haute. Mais c'est difficile à dire, tant il y a de soufre dans l'air aujourd'hui.

— Tu le sens aussi. J'ai cru que c'était moi qui m'étais imprégné de cette odeur aux Champs Phlégréens.

— C'est du bitume, déclara Pline en reniflant l'encre de nouveau. Du bitume, cela ne fait aucun doute.

— Possible. Cette substance huileuse remonte à la surface sur tout le rivage de la mer de Kinnéreth. Je l'ai vue.

— C'est vrai ? s'étonna Pline en griffonnant une note dans la marge de son texte. Fascinant ! À propos, j'ai fait des essais d'encre. Mon fournisseur d'Alexandrie m'a envoyé d'excellentes noix de galle, extraites d'une espèce d'arbre originaire d'Arabie. Sais-tu qu'elles sont produites par de minuscules insectes qui transmettent la galle par piqûre ? C'est tout à fait remarquable. Je les ai broyées avant de les mélanger avec de l'eau et de la résine, puis j'ai ajouté des sels de fer et de soufre que j'avais trouvés au bord de la mer, à Misène. Le tout produit une encre merveilleuse, noire comme le jais, qui ne fait pas de taches. C'est celle que j'utilise en ce moment. Regarde ! Elle est bien meilleure que cette suie collante et huileuse. Le bitume n'est vraiment pas approprié. Je crains que ce manuscrit ne dure pas aussi longtemps que les divagations de Philodème.

— C'est tout ce que j'ai pu trouver, dit Claude en prenant une gorgée de vin et en s'essuyant la bouche du revers de la main. J'avais utilisé toute mon encre pendant le voyage.

— C'est toi qui as écrit ça ?

— J'ai fourni le support et cette mixture qui fait office d'encre.

Pline déroula le papyrus et l'aplatit sur un tissu qu'il avait posé sur les taches poisseuses de la table. Le manuscrit se composait de fines lignes d'écriture, d'une fluidité artistique singulière, auxquelles on avait apporté un soin supérieur à celui qu'on y mettait lorsqu'on écrivait souvent. Ce n'était ni du grec ni du latin.

— Le Nazaréen ? questionna Pline.

— Il l'a écrit à la fin de notre conversation, cette nuit-là, au bord du lac. Il m'a demandé de l'emporter et de le mettre en lieu sûr jusqu'à ce que les temps arrivent. Tu lis l'araméen ?

— Bien sûr. Tu m'as enseigné le phénicien et je crois que ces langues se ressemblent.

Pline parcourut le texte. Il regarda la signature, tout en bas, et lut rapidement les dernières lignes.

— Bien, dit-il simplement. En tant qu'encyclopédiste, je consigne des faits, tout ce que j'ai vu de mes propres yeux et tout ce que je tiens de bonne source. Je vois que ce document est signé de la main de l'homme qui l'a écrit. Je le considère donc comme une source fiable.

— Emporte-le, lui ordonna Claude en lui serrant le poignet. Cache-le dans l'endroit le plus sûr que tu puisses trouver. Mais transcris ces dernières lignes dans ton *Histoire naturelle*. Les temps sont arrivés.

— Tu as fait des copies ?

Claude regarda Pline, puis le rouleau, et ses mains se mirent à trembler.

— Regarde-moi. Je ne peux même pas écrire mon nom. Et pour cela, je ne fais pas confiance aux copistes, pas même à Narcisse.

Il se leva, prit le rouleau et se dirigea vers un coin sombre de la pièce, encombré de papyrus et de vieilles tablettes de cire. Il s'agenouilla péniblement en tournant le dos à Pline. Après avoir fouillé quelques instants, il se releva et se retourna, un récipient cylindrique en pierre à la main.

— Cette jarre, reprit-il, et toutes celles que j'ai ici viennent de Saïs, en Égypte. Calpurnius Piso les a volées dans le temple de Neith, lorsqu'il a pillé la ville. Apparemment, elles contenaient des manuscrits hiéroglyphiques d'Égypte ancienne, mais il les a tous brûlés. Le vieux fou !

Il posa la jarre et saisit un plateau à poignées de bronze, sur lequel se trouvait une substance noire, qu'il fit fondre au-dessus d'une bougie. L'air s'emplit d'une riche odeur aromatique, qui éclipsa pour un court instant celle du soufre. Claude reposa le plateau, se munit d'une spatule en bois et étala la résine autour du couvercle du récipient. Après avoir laissé refroidir le joint, il tendit la jarre à Pline.

— Voilà, elle est fermée, conformément au présage divin, celui que j'ai lu dans les feuilles.

— Ce document ? Pourquoi est-ce si urgent ?

— Parce que ce qu'il a prédit est arrivé, répondit Claude qui se remit à trembler et se tint la main pour en maîtriser les mouvements. Le Nazaréen connaissait le pouvoir de la parole écrite. Mais il m'a assuré qu'il n'écrirait plus jamais. Un jour, sa parole serait considérée comme une parole sainte, m'a-t-il dit. Ses disciples la prêcheraient comme un mantra divin, mais le temps la distordrait et certains tenteraient d'en imposer une version destinée à servir leurs propres intérêts dans le monde des hommes. Il était entouré d'illettrés à Nazareth. Et il voulait confier sa parole écrite à un homme de lettres.

— La parole écrite d'un prophète, murmura Pline. C'est la dernière chose qu'un clergé souhaiterait voir circuler. Son existence n'aurait plus aucun sens.

— C'est précisément pour cette raison que la ri-ridicule sibylle parle par é-énigmes. Seuls les devins peuvent interpréter ses messages. Quelle absurdité !

— Mais pourquoi moi ?

— Parce que je ne peux rien publier. Je suis censé être mort depuis un quart de siècle. Mais maintenant que ton *Histoire naturelle* est presque terminée, c'est parfait. Tu es reconnu. On te lira partout. Ton œuvre est l'une des plus grandes de ce monde et elle survivra à Rome. Ceux dont tu rapportes les exploits jouiront d'une gloire éternelle.

— Tu me flattes, *Princeps*, dit Pline en s'inclinant, visiblement touché. Mais je ne comprends toujours pas très bien.

— Le Nazaréen a dit que sa parole devrait d'abord être prêchée par d'autres, mais qu'il viendrait un temps où le peuple serait prêt à la recevoir directement. Lorsqu'il y aurait suffisamment de convertis pour qu'elle se transmette de bouche à oreille, l'enseignement deviendrait superflu. Il m'a affirmé que ce temps viendrait de mon vivant. Et que je saurais le reconnaître.

— Le *concilium*, murmura Pline. Ils forment un *concilium*, un clergé. C'est contre cela qu'il t'a mis en garde.

— Aux Champs Phlégréens, c'est exactement ce terme qu'ils utilisent. *Concilium*. Comment le sais-tu ?

— J'ai entendu les marins de Misène le prononcer.

— Je t'ai déjà parlé des hommes et des femmes des Champs Phlégréens, des disciples du *Christos*. Ils sont de plus en plus nombreux à rejoindre le *concilium*. Ils parlent déjà d'une *kyriakos domos*, une maison du Seigneur. Il y a déjà des dissidents, des factions. Certains affirment que le Nazaréen a dit ceci, d'autres qu'il a dit cela. Ils parlent déjà par énigmes. Cela devient de la sophistique, comme chez Philodème, comme chez la sibylle. Il y a même des hommes qui se font appeler père, *pater*.

— Des prêtres... Ils préféreraient certainement que personne ne sache ce que nous savons.

— Peu après mon règne, l'un d'eux est venu ici, un *apostolos* juif de Tarse, qui s'appelait Paul. J'étais allé rendre visite à la sibylle dans l'anonymat et je l'ai entendu parler. Il a trouvé des disciples aux Champs Phlégréens. Beaucoup d'entre eux sont encore là aujourd'hui. Mais aucun ne connaissait le Nazaréen, pas même Paul, et aucun ne l'avait touché comme je l'ai touché. Pour eux, l'homme que j'avais rencontré était déjà une sorte de dieu.

Claude s'interrompit un instant, puis regarda Pline avec insistance.

— Ce rouleau doit être préservé, martela-t-il. Ce sera le texte de référence qui légitimera ce que tu écriras dans l'*Histoire naturelle*.

— Je vais le mettre en lieu sûr.

— Il n'y a pas que ça, avoua Claude, qui baissa les yeux d'un air désespéré. Le pavot me délie la langue. Il fait vagabonder mon esprit et me fait dire des choses dont je ne me souviens jamais ensuite. Ils savent qui je suis. À chaque fois que je vais là-bas, ils semblent surgir des vapeurs et tendent la main pour me toucher.

— Tu devrais être plus prudent, *Princeps*, murmura Pline.

— Ils vont venir ici. Et ils vont tout détruire, tous mes manuscrits, le travail de toute une vie. C'est pourquoi je dois te donner ce rouleau. Je ne peux plus me fier à moi-même.

Pline réfléchit un instant et alla poser sur l'étagère le rouleau de l'*Histoire naturelle* sur lequel il venait d'écrire.

— Je le reprendrai demain. Il peut rester ici une nuit et j'ajouterai tout ce que tu pourras me dire d'autre sur la Judée. Je reviendrai. J'ai une autre personne à voir ici, demain soir. Peut-être même cette nuit. J'ai été privé d'elle pendant trop longtemps. Veux-tu venir avec moi ?

— Je me laisse parfois tenter mais, depuis quelques jours, je pense de plus en plus à ma chère Calpurnia. Pour moi, Pline, ces plaisirs font partie du passé.

— Cette nuit, je conduis ma galère rapide directement à Rome, murmura Pline comme pour lui-même. Je serai de retour demain matin. Une fois que tu m'auras tout dit, je reporterai les ajouts sur ma version originale et je l'enverrai aux scribes de Rome afin qu'ils en réalisent des copies. L'*Histoire naturelle* sera enfin achevée. Ce sera l'édition finale. À moins que tu aies autre chose à me dire concernant la Bretagne.

Il réfléchit de nouveau en tambourinant sur la table, puis tapota sur la jarre cylindrique que Claude lui avait donnée et la cacha sous sa toge.

— Je crois que je connais un endroit parfait pour ceci ! s'exclama-t-il.

Il reprit le rouleau qu'il avait posé sur l'étagère, le déroula sur la table et écrivit quelques lignes. Puis il se ravisa, passa le doigt sur l'encre et griffonna une note dans la marge. Claude regarda et émit un petit grognement d'approbation. Après avoir laissé les deux extrémités du manuscrit s'enrouler, Pline replaça rapidement celui-ci sur l'étagère et éprouva soudain un besoin irrépressible de partir. À cet instant, un bruit sourd se fit entendre à l'entrée. On avait sans doute frappé. Un vieillard voûté, vêtu d'une simple tunique, apparut sur le pas de la porte. Il tenait deux manteaux de laine.

— Ah, Narcisse ! dit Claude. Je suis prêt.

— Tu vas voir la sibylle ? demanda Pline.

— C'est la dernière fois. J'en fais la promesse.

— Alors une dernière chose, *Princeps*.

— Oui ?

— Je fais ça pour toi, en tant qu'ami et en tant qu'historien, car mon travail consiste à décrire les faits tels que je les connais et à ne rien cacher.

— Mais ?

— Mais toi ? Pourquoi fais-tu ça ? Pourquoi ce Nazaréen a-t-il tant d'importance pour toi ?

— Moi aussi, je suis loyal envers mes amis. Tu le sais. Et il en faisait partie.

— Les marins parlent d'un royaume des cieux sur terre, d'un paradis accessible à ceux qui ont en eux de la bonté et de la compassion. Est-ce que tu y crois ?

Claude s'apprêta à parler mais hésita, puis regarda Pline bien en face, les yeux humides et le visage brusquement marqué par le poids des années. Il posa la main sur le bras de son ami avec un léger sourire.

— Mon cher Pline, dit-il. Tu t'égares. Je suis un dieu, rappelle-toi.

Les dieux n'ont que faire d'un paradis. Pline lui sourit à son tour et s'inclina.

— *Princeps.*

Chapitre 4

Jack et Costas étaient suspendus dans l'eau en apesanteur, huit mètres au-dessous du Zodiac, au large de la côte sud-est de la Sicile. Leur équipement renvoyait la lumière du soleil, qui éclairait la roche jusqu'au pied de la falaise, trente mètres plus bas. Jack se trouvait à quelques mètres du câble d'ancrage. Il gérait parfaitement sa respiration pour maintenir sa flottabilité et admirait le paysage extraordinaire qui s'était dessiné au-dessus de lui. L'hélicoptère Lynx était arrivé quelques minutes auparavant et le souffle de l'hélice avait décrit autour du navire un halo parfait. Au milieu, dans le tunnel d'eau calme, Jack discernait la silhouette des deux nouveaux plongeurs qui étaient descendus en renfort au cas où quelque chose tournerait mal. Il sentait les vibrations de l'air que l'hélice propulsait sur l'eau, mais le ronronnement des moteurs était étouffé par son casque et ses écouteurs. Costas avait donné ses instructions aux plongeurs précédents, une check-list complexe qui semblait faire le tour de tout le matériel de l'UMI.

— C'est bon, Jack, annonça-t-il. Andy dit qu'on peut y aller. J'attendais juste que le personnel logistique soit à bord de la *Seaquest II* au cas où on se ferait remarquer.

À travers l'interphone, sa voix avait des accents étrangement métalliques en raison du modulateur conçu pour compenser les effets de l'hélium que contenait le trimix. Jack se redressa et se dirigea vers le câble d'ancrage. Les deux tuyaux annelés de son détendeur lui donnaient l'impression d'être un plongeur de l'époque de Cousteau, mais la ressemblance s'arrêtait là. Lorsqu'il arriva près de Costas, il observa attentivement la console jaune que celui-ci avait sur le dos. Sous son capot profilé, elle contenait le recycleur à circuit fermé, les bouteilles d'oxygène et le trimix nécessaires à la plongée. Les tuyaux annelés étaient reliés à un casque et à un masque intégral, ce qui permettait de respirer et de parler sans être encombré par un embout.

— Souviens-toi de ce que je t'ai dit lors du briefing, reprit Costas. Pas de lumière tant qu'on ne trouve rien. Quand nos yeux se seront habitués à l'obscurité, nous aurons un champ de vision plus large que le cône de lumière d'une lampe frontale. Profondeur maximale : quatre-vingts mètres. Temps maximal au fond : vingt-cinq minutes. On peut descendre plus profond, mais je ne veux pas prendre le risque tant que la *Seaquest II* n'est pas en position et que la chambre de recompression n'est pas prête. Et n'oublie pas ton dispositif de secours.

Il montra l'octopus, qui pouvait être relié au casque en cas de dysfonctionnement du recycleur et puiser directement dans la robinetterie sans passer par le faux poumon.

— D'accord, c'est toi le maître de plongée.

— J'aimerais que tu t'en souviennes la prochaine fois que tu verras un trésor étinceler sur le lit marin. Ou dans un iceberg.

Costas activa une commande sur son ordinateur de plongée et regarda Jack à travers sa visière.

— Je peux te poser une question avant qu'on descende ? demanda-t-il.

— Bien sûr.

— Tu dis que tout ce qui touche à la vie de Jésus est précieux comme de l'or. Les hommes ont dû se mettre en quête de l'épave du navire de saint Paul depuis les premiers temps de la plongée, avant même l'époque de Cousteau. Alors pourquoi nous ?

— C'est déjà ce que tu m'as dit à propos de l'Atlantide. De la chance et de l'intuition, c'est tout ce qu'il me faut !

— Et un peu d'aide de la part de tes amis.

— Et un peu d'aide de la part de mes amis, reconnut Jack en saisissant la soupape de purge de son gilet stabilisateur. On y va ?

— On y va.

Quelques secondes plus tard, Costas descendait à toute allure vers les profondeurs, dans un style bien à lui, comme s'il descendait les chutes du Niagara dans un tonneau. Jack suivait avec davantage de grâce, bras et jambes tendus à l'instar d'un parachutiste en chute libre, enivré par l'apesanteur et le panorama qui s'ouvrait au-dessous d'eux. Tout était exactement comme dans son souvenir. Chaque ravin et chaque arête du pied de la falaise étaient restés gravés dans son esprit pendant vingt ans, après les heures qu'il avait passées à mesurer, à consigner et à travailler sur ce projet pour préparer sa prochaine fouille. Costas avait raison à propos de la technologie. L'archéologie sous-marine avait avancé à pas de géant au cours des deux dernières décennies, comme si la physique était passée en une seule génération de l'époque de Marie Curie à celle de l'accélérateur de particules. Vingt ans auparavant, il fallait prendre laborieusement toutes les mesures à la main. Aujourd'hui, il y avait la télémétrie laser et la photogrammétrie numérique, des techniques pour lesquelles les véhicules télécommandés avaient remplacé les plongeurs. Ce qui avait pris des mois pouvait désormais être accompli en quelques jours. Cependant, les nouvelles technologies avaient donné accès à de plus grandes profondeurs, qui avaient fixé de nouvelles frontières et de nouveaux seuils de danger. Les risques étaient toujours là, encore plus grands. Et s'il était sans cesse tenté de repousser les limites de l'exploration, Jack s'assurait toujours que le jeu en valait la chandelle avant d'entraîner les autres dans son sillage.

Juste au-dessous de lui, il aperçut l'endroit où Pete et Andy avaient fixé le câble d'ancrage. C'était précisément dans le ravin où il avait trouvé le plomb de sonde. De là, il discerna un filin ondulant, incrusté d'algues, qui s'enfonçait dans les profondeurs sous-marines. C'était celui qu'il avait laissé filer lors de sa dernière plongée, tant d'années auparavant. Il était toujours là, comme si le site avait attendu son retour. Costas l'avait vu lui aussi. Étrangement, il trouva le moyen de stopper sa chute vertigineuse avant de s'enfoncer en vrille dans le lit marin. Lorsque Jack l'eut rejoint, il longea avec lui ce fil d'Ariane et ils nagèrent côte à côte jusqu'au dernier plateau, à cinquante mètres de profondeur. C'est là qu'étaient tombées les amphores les plus éloignées de l'épave romaine. Tandis qu'ils sillonnaient le plateau, une forme d'environ deux mètres de long, percée d'un trou rectangulaire à peine visible au centre, se détacha dans la vase.

— Mes vieilles amies ! s'exclama Jack en tournant le bouton situé sur le côté de son casque pour normaliser le son de sa voix. C'est la verge d'ancre en plomb que j'ai vue lors de ma dernière plongée. Il doit y en avoir une autre identique cinquante mètres plus loin, au bord du plateau. C'est exactement ce qu'on peut s'attendre à trouver sur un navire utilisant deux ancres pour mouiller au large. On les laissait filer l'une derrière l'autre. On peut s'en servir pour faire un relèvement au compas.

— Pas de problème.

Ils continuèrent à nager, toujours en suivant le filin, et ne tardèrent pas à découvrir la deuxième verge, à l'endroit que Jack avait indiqué. Elle était fichée dans une fissure, au-dessus d'un gouffre. Le filin, dont l'extrémité pendait de l'autre côté d'une crête, n'allait pas plus loin. Vingt ans plus tôt, Jack n'avait pas osé descendre plus bas. Cela lui rappelait les lignes de sécurité qu'il avait suivies dans des grottes, vestiges obsédants d'exploits extraordinaires, qui incitaient les plongeurs à surpasser leurs prédécesseurs. Sans s'arrêter, ils laissèrent le filin derrière eux et descendirent jusqu'en bas du précipice, où le lit marin n'était plus qu'un désert de sable. Jack repéra une bande de cartouches de mitrailleuse, qui recouvrait un chargeur de balles plus grosses pour canon antiaérien. Il avait déjà vu ces munitions, qui dataient de la Seconde Guerre mondiale. Costas ralentit et chercha la soupape de purge de son compensateur de flottabilité.

— N'y songe même pas, dit Jack.

— Je veux juste jeter un coup d'œil, implora Costas, qui finit néanmoins par y renoncer pour suivre Jack.

Devant eux, le sable de ce désert bleu-gris semblait s'étendre à l'infini, sans horizon visible. Environ cinquante mètres plus loin, ils arrivèrent au-dessus d'une petite crête rocheuse et le sable se mit à onduler pour former une dune. Au fur et à mesure qu'ils s'approchaient, celle-ci paraissait de moins en moins naturelle, telle une créature marine tapie sous les sédiments. Elle se déployait sur au moins dix mètres de chaque côté, à partir d'une bosse centrale traversée à quatre-vingt-dix degrés par une autre crête. Costas retint sa respiration.

— Jack, c'est un avion ! s'écria-t-il.

— Je me demandais si on en verrait un, murmura Jack. C'est un planeur d'assaut, un Horsa britannique. Regarde, on voit les ailes hautes qui se sont fracassées sur le fuselage. Cette nuit de 1943 où le SAS a bombardé les Italiens, les Britanniques ont également envoyé une brigade aérotransportée. Ce fut le seul gros pépin dans l'invasion de la Sicile, mais il était de taille. Les planeurs ont été lâchés trop loin de la côte, face à un vent contraire, et des dizaines d'entre eux ne sont jamais arrivés à destination. Des centaines de gars se sont noyés. Il y a sûrement des corps là-dessous.

— Pas la peine d'y aller, alors, murmura Costas.

— Parfois, on dirait qu'il n'y a jamais eu de guerre. Tout est propre et net mais, sous l'eau, tout est là, juste au-dessous de la surface. C'est terrifiant.

— Profondeur : soixante-quinze mètres, annonça Costas, qui préférait se concentrer sur son ordinateur.

Ils nagèrent droit devant eux et dépassèrent la dernière dune de sable.

— On n'a plus beaucoup de temps, Jack, reprit Costas. Dix minutes au maximum, à moins qu'on ne veuille vraiment repousser les limites.

— Bien.

— Je suppose que nous ne sommes pas à la recherche d'une immense croix plantée dans le lit marin.

— J'aimerais que ce soit aussi simple, dit Jack en souriant à travers sa visière. La croix n'était peut-être même pas encore un symbole chrétien à cette époque. On se situe environ vingt ans, peut-être vingt-cinq ans après la Crucifixion. La plupart des symboles chrétiens, la croix, le poisson, l'ancre, la colombe, les lettres grecques chi-rho, ne sont apparus qu'au cours du siècle suivant. Et même à ce moment-là, ils étaient utilisés dans le plus grand secret. L'archéologie du christianisme primitif est incroyablement floue. Et n'oublie pas que Paul était prisonnier des Romains. Il est peu probable qu'il ait eu des reliques sur lui.

Jack consulta son profondimètre. Soixante-dix-sept mètres. Au fur et à mesure qu'il descendait, il sentait son compensateur envoyer continuellement de l'air dans son gilet pour contrebalancer la pression de l'eau. À une profondeur où il aurait frôlé la mort vingt ans auparavant, il était à la fois grisé et surnaturellement conscient de son environnement. Il ne connaissait que trop l'effet engourdissant de la narcose à l'azote, la consistance épaisse et sirupeuse de l'air comprimé au-dessous de cinquante mètres, dans la zone de danger. Respirer du gaz mixte, c'était comme boire du vin sans alcool : le plaisir sans l'ivresse. Il constata que la narcose lui manquait, que son esprit surcompensait. Descendre à cette profondeur avec l'esprit aussi clair était un plaisir d'une tout autre nature. Il se sentait extrêmement alerte, concentré. Sa lucidité affûtée par le seuil de danger qui approchait, il se délectait de cet instant, comme s'il plongeait pour la première fois.

— Ils ont dû complètement perdre la tête, dit Costas.

— Les gars de Cousteau ?

— Je n'arrive pas à croire qu'ils soient descendus aussi bas.

— Moi si. J'ai plongé avec les derniers de cette génération, les survivants. Des types robustes, qui avaient servi dans la marine française. Ils se sont envoyé quelques verres de vin avant de plonger pour se dilater les vaisseaux, et la dernière chose qu'ils aient respirée avant de se mettre le détendeur dans la bouche fut une bouffée de gauloise. Pour eux, descendre au fond, c'était un peu comme un concours de buveurs de bière. Les vrais hommes pouvaient encaisser.

— Encaisser et mourir…

Soudain, Jack reconnut la silhouette d'une amphore en terre cuite, à moitié ensevelie dans le sable. D'autres jarres étaient alignées sur le lit marin en direction de la falaise d'où ils venaient. Ils étaient passés au-dessus sans les voir, car elles étaient incrustées de sédiments. Elles pouvaient être grecques ou romaines. Jack avait besoin de les examiner attentivement pour en savoir plus. Il regarda son profondimètre. Quatre-vingts mètres. Il nagea jusqu'à la dernière amphore, suivi de Costas. Ils arrivèrent à un autre précipice mais, cette fois, il n'y avait pas de plateau de sable au-dessous d'eux. Ils avaient atteint la lisière de l'inconnu, un gouffre noir comme de l'encre, aussi inhospitalier que l'espace intersidéral. Une pente vertigineuse chutait à plus de cinq mille mètres dans l'abysse le plus profond de la Méditerranée, hérissé de chaînes de montagnes et de vastes canyons. Ils n'iraient pas plus loin. Jack se laissa dériver au-delà du bord du gouffre, subjugué par l'immensité qui s'ouvrait devant eux.

— N'y va pas, Jack, murmura Costas, dont la voix était distordue en raison de l'augmentation du taux d'hélium. On reviendra avec un scaphandre ADSA. Regarde si tu vois quelque chose sur les cent premiers mètres, mais sois prudent.

— Inutile, répondit Jack d'un air distant et neutre, comme s'il était paralysé par ses propres émotions. Les gars de Cousteau devaient parler des amphores qu'on a vues dans le sable. Il est absolument impossible qu'ils soient descendus plus bas. Nous sommes déjà dans la zone de danger pour un plongeur n'ayant que de l'air comprimé.

Il se retourna lentement puis, sur un coup de tête, alluma la lampe frontale de son casque. Ils n'avaient plus rien à perdre maintenant. Le cône de lumière était éblouissant et accentuait l'obscurité autour d'eux. Il orienta le faisceau vers la paroi rocheuse et découvrit des taches rouges et orange qu'il n'avait pas repérées en lumière naturelle. Il n'y avait quasiment plus de vie à cette profondeur. Il balaya le flanc du précipice de haut en bas jusqu'à la limite de la visibilité.

Bingo !

Une saillie étroite. Invisible depuis le sommet de la falaise à cause d'une corniche. Des formes entassées, vingt, peut-être trente, identiques à celles qu'ils venaient de voir. Des amphores…

— Regarde ça ! s'écria Jack avec enthousiasme. À environ dix mètres.

Costas le rejoignit et alluma à son tour sa lampe frontale.

— On dirait les restes d'une épave. Ce corridor sablonneux est sans doute propice à la conservation.

— Ça doit être la poupe, conjectura Jack, le cœur plein d'espoir. Quand la proue a heurté la falaise, la poupe a été arrachée, les amphores sont tombées et le tout a coulé jusqu'ici. C'est là qu'on devrait trouver les artefacts les plus précieux : stocks du navire, objets personnels, tout ce qui est susceptible de nous aider à identifier l'épave.

— Tu vois de quel type d'amphore il s'agit ?

— Impossible. Il faut que je descende.

— Jack, on pourrait le faire, mais il faudrait que je reconfigure le profil de plongée. C'est exactement ce que je voulais éviter. Cela supposerait d'adapter le plan de décompression. Or, la *Seaquest II* n'est pas en position. De plus, nous ne gagnerions que dix minutes.

— Toute plongée comporte des risques. Mais quand on calcule ces risques, on est en sécurité. C'est ce que tu me dis toujours. Et tu viens de les calculer, non ?

— Souviens-toi de ce que tu disais sur les nouvelles technologies. Le sentiment d'être sur le fil du rasoir te manquait. Eh bien, tu y es en ce moment même.

— Je me fie à ton matériel ; tu te fies à mon intuition. C'est peut-être l'épave la plus extraordinaire du monde.

— On pourrait attendre. On en a sans doute suffisamment découvert pour pouvoir revenir.

— On pourrait.

— Je te couvre et tu me couvres.

— Comme toujours.

— On y va.

Ils descendirent ensemble le long de la falaise. Costas reprogramma son ordinateur de poignet, tandis que la lampe frontale de Jack survolait le tas d'amphores. Juste avant qu'ils arrivent à la saillie, Jack poussa un cri de joie.

— Gréco-italiques ! s'exclama-t-il. Dressel 2-4. Regarde, on voit les anses hautes, l'épaule anguleuse. Ier siècle après Jésus-Christ, type italique. Je parierais qu'elles viennent de Campanie, autour du Vésuve. Nous y sommes ! J'ai trouvé ce dont j'avais besoin. C'est une épave de la moitié du Ier siècle après Jésus-Christ.

— Nous avons encore neuf minutes. Je les ai programmées, autant les utiliser.

Ils s'agenouillèrent sur la saillie, à côté des amphores, et se mirent à fouiller le site. Jack aperçut d'autres formes, d'environ un mètre de long, qui émergeaient à peine sous les amphores. Il creusa un peu plus en retirant les sédiments, sortit son couteau et gratta avec précaution.

— C'est exactement ce que je pensais, dit-il. Des lingots de plomb.

— Il y a une inscription sur celui-là.

Jack rangea son couteau, nagea jusqu'à Costas et examina attentivement le lingot. « TI.CL.NARC.BR. LVT.EX.ARG. » Il garda le silence un instant.

— Incroyable… murmura-t-il. Tiberius Claudius Narcissus.

— Tu connais ce type ?

— C'était un esclave de l'empereur Claude. Lorsqu'il a été affranchi, il a pris les deux premiers noms de l'empereur, Tiberius Claudius. Il a été son secrétaire avant de devenir un de ses principaux ministres. Mais Agrippine, la femme de Claude, l'a assassiné après avoir empoisonné son mari.

— Et quel rapport avec ce qu'on cherche ?

— Les esclaves affranchis étaient les nouveaux riches de l'époque. L'investissement dans le commerce et l'industrie n'était plus réservé à la classe aristocratique.

C'était exactement comme au XIXe siècle. On sait que Narcisse a trempé dans plusieurs affaires à Rome, dont certaines étaient plus que douteuses. Ce lingot prouve ses activités commerciales.

— « BR » signifie Bretagne ?

— Oui. « LVT », c'est Lutudarum, dans le Derbyshire, une des villes les plus riches en minerais de plomb. Et « EX ARG » signifie *ex argentariis*, fait à partir de plomb argentifère. Je l'ai deviné en grattant l'autre lingot.

— Du plomb de haute qualité. Produit à partir de galène, c'est-à-dire de sulfure de plomb, un produit dérivé de la production d'argent. Moins d'impuretés, moins d'oxydation, plus d'éclat. C'est bien cela ?

— Tout à fait. D'après l'analyse des conduites de plomb de Pompéi, les villes méditerranéennes importaient du plomb britannique. Tout riche armateur devait en avoir à bord de son navire pour les éventuelles réparations du revêtement de plomb de la coque. Notre plomb de sonde est très pur et n'a pas été noirci par la corrosion. À mon avis, il a été fondu à partir de ce métal.

— Fascinant, mais je ne vois toujours pas où cela nous mène.

— La Bretagne insulaire est envahie par les Romains en 43 après Jésus-Christ. Les mines de plomb sont opérationnelles à partir de 50 après Jésus-Christ. Le vieux Narcisse arrive à s'imposer dans le milieu et décroche un contrat lucratif, à l'instar d'un spéculateur moderne. Ces lingots doivent dater du début des années 50. Cela nous rapproche grandement de la date du naufrage de saint Paul.

— Je vois.

Après un grésillement dans l'interphone, un bip indiqua un message relayé par la *Seaquest II*.

— Écoute-le, dit Jack. J'ai besoin de me concentrer.

Il éteignit le récepteur externe de son casque et monta à quelques mètres au-dessus du site de l'épave, tandis que Costas, agenouillé à côté d'une amphore, écoutait le message. Il observa la rangée d'amphores, sachant qu'il ne leur restait que quelques minutes. Ils avaient trouvé bien plus qu'il ne l'espérait et, transporté de joie, il comprit que les fouilles allaient pouvoir commencer. Soudain, ce site était devenu sacro-saint. Il ne représentait plus les limites de la découverte mais un enchevêtrement de preuves, dont chaque élément, chaque piste pouvait receler de précieux indices. Il commença à redescendre pour pousser Costas hors de son champ de vision, lorsqu'il vit s'allumer dans son casque le voyant l'avertissant qu'il ne lui restait plus que trois minutes.

— C'est ton vieux copain Maurice Hiebermeyer, annonça Costas. On le croit dans les momies jusqu'au cou, en Égypte, et voilà qu'il surgit d'un trou sur le sol d'Italie.

— Il travaille avec Maria dans les ruines romaines d'Herculanum. Il y a eu un tremblement de terre et c'est une sorte de fouille de sauvetage. Ils ont des problèmes avec les autorités qui contrôlent leur partie du site, alors ils ont peut-être du temps libre. Il me harcèle depuis des mois à propos d'un papyrus ayant un rapport avec Alexandre le Grand. La dernière fois qu'il a réussi à me coincer, on était en train de remonter le canon du grand siège de Constantinople. Il choisit toujours son moment.

— Il dit que c'est urgent. Il ne te lâchera pas comme ça.

— Dis à l'officier des transmissions que je lui parlerai pendant la décompression.

Un long bip résonna dans leur casque et Costas regarda son ordinateur.

— Faut pas qu'on traîne, Jack. Deux minutes maximum.

— D'accord, on y va.

— Jack.

— Oui ?

— Cette amphore, là devant moi. Elle porte une inscription.

Jack se trouvait désormais juste au-dessus de Costas et voyait clairement les lettres peintes sur l'épaule de l'amphore. « EGTERRE ».

— C'est un infinitif latin, qui signifie « aller », une inscription classique sur les marchandises destinées à l'exportation.

— Non, pas celle-là. Au-dessous. Les marques gravées dans la pierre.

Costas frotta doucement la panse de l'amphore, tandis que Jack le rejoignait.

— On dirait un gros astérisque, reprit-il. Une étoile, peut-être.

— C'est courant également. Les marins ou les passagers qui s'ennuyaient tuaient le temps en faisant des jeux au cours desquels ils griffonnaient sur la poterie. S'il s'agissait d'un long voyage, nous en trouverons beaucoup. Mais je dirai aux gars qui vont sillonner le site à bord de véhicules télécommandés de photographier cette amphore.

— *Aristarchos*, murmura Costas. C'est écrit en grec. Je peux le lire.

— Sans doute un marin, lâcha Jack avec une pointe d'impatience, les yeux rivés sur son ordinateur. Il y avait beaucoup de marins grecs à l'époque. C'est sûrement un de tes ancêtres.

Soudain, il retint sa respiration.

— Qu'est-ce que tu as dit ? demanda-t-il.

— *Aristarchos*. Regarde toi-même.

Jack s'agenouilla et examina la poterie. Les lettres étaient nettes et bien taillées. Ce n'était pas le simple griffonnage d'un marin. Était-ce possible ? Il n'osait pas y croire. Aristarque de Thessalonique ?

— Il y a une autre inscription, remarqua Costas. Écrite de la même main, semble-t-il. *Loukas*, je crois.

Jack était pétrifié. *Loukas*. Luc. Il regarda de nouveau le symbole en forme d'étoile gravé au-dessus des noms.

— Je me suis trompé, souffla-t-il d'une voix rauque. Nous nous sommes trompés.

— Sur quoi ?

— Ce symbole, ce n'est pas une étoile. Regarde, la ligne verticale se termine par une boucle en haut. C'est la lettre grecque R. Et le X est la lettre grecque Ch. Le chi-rho. Il a donc été utilisé dès le Ier siècle…

Jack croyait à peine ce qu'il était en train de dire.

— Ce sont les deux premières lettres du mot grec *Christos*, qui signifie « Messie », murmura-t-il.

— Je crois qu'on n'est pas au bout de nos surprises, lança Costas en retirant les sédiments pour faire apparaître une troisième inscription sous le mot *Loukas*. Loin de là !

Les lettres étaient claires et nettes. Ils restèrent bouche bée.

Paulus.

Paul de Tarse, saint Paul l'Évangéliste, l'homme qui avait gravé son nom et celui de ses compagnons sur cette amphore près de deux mille ans auparavant, sous

le symbole de celui qu'ils considéraient déjà comme l'Élu, le fils de Dieu.

Jack et Costas s'élancèrent ensemble vers la lumière du soleil, qui illuminait la surface, près de cent mètres plus haut. Jack semblait en transe et regardait Costas sans le voir. Il s'imaginait, deux mille ans auparavant, à l'ère des Césars, sur le pont avant d'un grand navire céréalier qui naviguait sur la Méditerranée, emmenant inexorablement ses passagers vers les annales de l'Histoire.

— Je suppose, dit Costas sur un ton faussement hésitant, que nous sommes sur un nouveau coup.

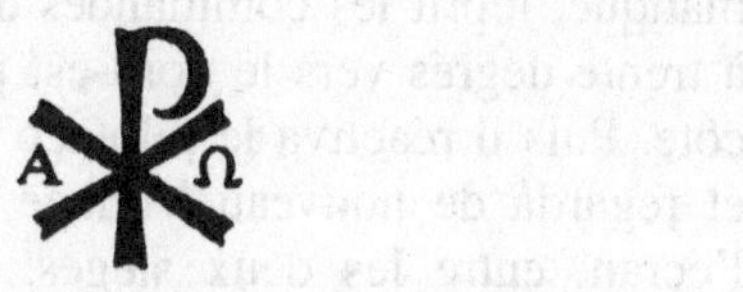

Chapitre 5

Jack retira son casque quelques secondes pour assouplir la raideur de sa nuque. Brusquement assourdi par le rugissement du moteur Rolls Royce, il ne tarda pas à le remettre en place. Après avoir gardé les mains sur les coques des écouteurs jusqu'à ce que le bruit s'atténue, il repositionna le micro. Il était épuisé mais trop excité pour se reposer. S'il était encore grisé par leur découverte de la veille et impatient de retourner sur le site de l'épave, il se réjouissait déjà à l'idée du nouveau trésor qui les attendait. Il regrettait que Hiebermeyer n'ait pas pu lui en dire davantage, mais il en savait assez pour comprendre l'enjeu. Il consulta de nouveau sa montre. Ils volaient vers le nord à bord de l'hélicoptère Lynx depuis un peu plus d'une heure. Ils n'avaient pas attendu l'aube pour quitter la *Seaquest II*, qui mouillait dans le détroit de Messine, au large de la Sicile. Jack avait activé le pilotage automatique de sorte qu'ils rasent la surface de la mer, mais il gardait un œil sur l'altimètre. Cela faisait moins de douze heures qu'ils étaient remontés de leur plongée et leur système sanguin était encore saturé d'azote, qui pouvait se répandre dangereusement s'ils prenaient de l'altitude.

Au bout d'un moment, il désactiva le pilotage automatique, reprit les commandes de l'hélicoptère et vira à trente degrés vers le nord-est pour se diriger vers la côte. Puis il réactiva le pilotage automatique, s'adossa et regarda de nouveau l'image qu'il avait affichée à l'écran, entre les deux sièges. C'était une aquarelle miniature de Goethe, dont son grand-père avait fait l'acquisition pour la Howard Gallery dans les années 1920. Elle avait été peinte lors d'une éruption du Vésuve en 1787. À l'arrière-plan, Goethe avait représenté un ciel gris, sans relief, et, au premier plan, une mer d'un jaune lumineux. Au centre se dressait la silhouette sombre du volcan. Plus bas, le littoral était longé de bâtiments au toit plat, fidèles à ceux des villes romaines qui venaient d'être mises au jour. Ce tableau semblait fantaisiste, presque abstrait. Et pourtant, les traînées rouges et jaunes au sommet du volcan trahissaient la violente réalité de l'événement dont Goethe avait été témoin. À travers le pare-brise du cockpit, Jack aperçut la baie. Il eut l'impression de voir une autre version de l'aquarelle. Les tons pastel scintillaient dans le soleil à l'horizon et les détails se mélangeaient, voilés par une couche de brume qui s'était formée juste au-dessous d'eux.

Costas, qui sommeillait dans le siège du copilote, s'était involontairement penché en avant lorsque Jack avait rectifié la trajectoire. Il se réveilla en sursaut quand ses lunettes de soleil glissèrent de son casque pour lui retomber sur le nez.

— C'est bon, le dégazage ? lui demanda Jack.

— Je tiens à ce que ces bulles d'azote s'évacuent tranquillement, alors maintiens-nous au-dessous de mille cinq cents pieds.

— Ne t'inquiète pas. Nous serons bientôt sur la terre ferme.

— Air frais et grands espaces, se réjouit Costas en s'étirant. Ça, ça me plaît !

— Alors tu devrais mieux choisir tes amis.

Jack piqua à travers la couche de brume et le mirage devint réalité. Au-dessous d'eux, le littoral des îles et de la baie, brûlé par le soleil et léché par une mer d'azur, était clairement délimité. La ville s'étendait vers l'est et, au-delà, le brouillard dissimulait à peine une présence menaçante, sous l'éclat orange du soleil prêt à se lever au-dessus des montagnes.

— La baie de Naples, annonça Jack. Creuset de la civilisation.

— La civilisation, reprit Costas en bâillant avec extravagance. Voyons, cela doit signifier corruption endémique, trafic de drogue, mafia…

— Oublie tout ça et tourne-toi vers le passé. Nous sommes ici à des fins archéologiques et non pour nous empêtrer dans le présent.

— Ça serait une première, ricana Costas.

— Cet endroit a été l'une des plaques tournantes des échanges européens. La baie de Naples est la première colonie que les Grecs aient fondée lorsqu'ils se sont déplacés vers l'ouest, aux IXe et VIIIe siècles avant Jésus-Christ. Les Étrusques se livraient avec eux au commerce du fer à une époque où Rome n'était qu'un tas de huttes sur un marais. Cumes, où l'alphabet a été importé pour la première fois, Neapolis et Pompéi sont devenues les principales villes de la nouvelle Grèce, *Magna Graecia*, nourrie par le commerce et les riches terres volcaniques de l'arrière-pays de la Campanie. Tu te souviens de ces amphores à vin sur le site de l'épave ? Elles venaient d'ici. Même après que Rome a pris le pouvoir et fait de cette région une sorte de Costa del Sol réservée aux riches, au cours des IVe et IIIe siècles avant Jésus-Christ, la culture grecque est restée très présente. Pompéi est considérée à tort comme la ville romaine par excellence, car non seulement elle existait depuis des siècles au moment de la domination romaine, mais elle était encore largement cosmopolite en 79 après Jésus-Christ. On y parlait aussi bien le grec et les dialectes locaux que le latin. Et la baie de Naples est restée la première plate-forme d'échanges avec l'Est, notamment avec la Grèce, mais aussi le Proche-Orient et l'Égypte. Transitaient par le port, outre les marchandises exotiques, de nouveaux styles artistiques, des émissaires étrangers, et de nouvelles idées philosophiques et religieuses.

— La baie de Naples : l'endroit où il faut être vu ! Mais parle-moi du volcan.

Jack tapota sur le clavier de l'ordinateur et l'aquarelle de Goethe disparut derrière une photo noir et blanc représentant une vue du volcan en éruption.

— Mars 1944, Seconde Guerre mondiale. Neuf mois après le débarquement des Alliés en Sicile, là où nous avons plongé hier. Et quelques mois après la libération de Naples, tandis que les Alliés marchaient encore vers Rome. C'est la dernière éruption du Vésuve.

— On dirait l'enfer sur terre.

— C'est l'impression que les habitants ont eue à l'époque mais, heureusement, après l'expulsion de gaz et de cendres, la crevasse s'est refermée. Depuis, il ne s'est plus rien passé de grave, malgré le séisme qui a tué plusieurs milliers de personnes et fait des centaines de milliers de sans-abri en 1980. Les récentes perturbations sismiques inquiètent beaucoup les experts.

— Celles qui ont eu lieu il y a trois semaines ?

— Oui, c'est pour ça que nous sommes là.

— Et dans l'Antiquité ? Avant l'éruption de 79 après Jésus-Christ ?

Jack tapota encore et une autre peinture s'afficha à l'écran.

— C'est la seule image connue du Vésuve à l'époque romaine. Elle est issue d'une peinture murale découverte à Pompéi. Elle a été en partie réalisée d'imagination, comme en témoigne la présence sur la gauche du dieu du Vin chargé de raisins, mais on peut voir la montagne recouverte de végétation et les vignobles qui poussent sur les coteaux. Le Vésuve était endormi depuis l'âge du bronze et, pour les Romains, c'était une véritable corne d'abondance, dotée de terres riches qui produisaient d'excellents vins. Il y avait des indices de l'imminence d'une éruption, mais les Romains n'avaient aucun moyen d'établir le rapport avec la montagne.

Jack vira de nouveau vers le nord.

— Qu'est-ce que c'est que ça ? demanda Costas en découvrant un paysage très aride.

— Voilà les indices dont je te parlais. Je voulais que tu voies ça avant qu'on atterrisse. Nous survolons le rivage nord-ouest de la baie de Naples, à environ vingt-cinq kilomètres du Vésuve. C'était la seule région ayant une activité volcanique importante à l'époque romaine. Mais même Pline n'a jamais fait le lien avec le Vésuve. Ce sont les Champs Phlégréens, les Champs de feu. J'ai numérisé un extrait de l'*Énéide* de Virgile, le poète national de Rome. Écoute ça : « *Il était une caverne profonde, immense, dotée d'une vaste ouverture, rocailleuse, protégée par un lac noir et des bois ténébreux. Nul oiseau ne pouvait la survoler impunément, ni s'y aventurer d'un coup d'ailes : des effluves si forts émanaient de ces gorges sombres, montant jusqu'à la voûte céleste.* » Et maintenant, regarde. C'est le lac Averne, ce qui signifie « sans oiseaux ». Ce que tu vois là-bas est le cratère le plus actif de notre époque, la Solfatare. C'est ce dont parlait Virgile. Et près de la côte, sous la végétation, on discerne l'acropole de Cumes, l'une des premières colonies grecques.

— Où se trouvait la sibylle.

— Exactement. Selon certaines sources, elle était suspendue dans une cage au fond de sa grotte, jamais complètement visible et toujours enveloppée de fumée.

— Ce qui expliquait sans doute sa hauteur de vue...

— En effet, convint Jack en souriant. À l'époque romaine, les Champs Phlégréens constituaient une grande attraction touristique, bien plus importante qu'aujourd'hui. C'était l'entrée des Enfers, qui empestait le feu et le soufre. On venait jusqu'ici pour voir la tombe de Virgile, enterré près de la route de Naples. Et la sibylle était encore là, du moins avant l'éruption. Auguste est venu la consulter, ainsi que d'autres empereurs, notamment Claude.

— Les colons grecs ont donc amené la première sibylle avec eux.

— Oui et non.

— Les faits, Jack ! le supplia Costas. Tiens-t'en aux faits.

— Il y aurait eu treize sibylles dans le monde grec, bien que les dernières études laissent supposer qu'elles trouvaient toutes leur origine dans une seule et même prophétesse. Cumes est l'un des rares sites où l'archéologie ait permis d'en savoir plus à ce sujet. Dans les années 1930, une grotte souterraine a été mise au jour. Elle correspond en tous points à la grotte de la sibylle telle qu'elle a été décrite par les Romains. Il s'agit d'un corridor trapézoïdal de près de cinquante mètres de long, éclairé par des galeries secondaires, qui se termine par une chambre rectangulaire entièrement taillée dans le roc. Dans l'*Énéide* de Virgile, c'est là que le héros troyen Énée a consulté la sibylle pour savoir si sa colonie troyenne d'Italie deviendrait un jour l'Empire romain. Et c'est de là qu'elle l'a emmené aux Enfers, afin qu'il voie son père Anchise.

— Dans les Champs de feu, les Champs Phlégréens ? demanda Costas en montrant le cratère fumant.

— Il y avait probablement des cheminées volcaniques ouvertes ici, dans l'Antiquité. Toute cette zone devait ressembler à l'Enfer de Dante. C'était l'endroit parfait pour la sibylle. Les suppliants étaient sans doute conduits à travers les fumerolles et la boue en ébullition. Ils devaient être transis de peur avant même d'atteindre l'entrée de la grotte.

— Si ma mémoire est bonne, Énée est un prince troyen, qui a fui la guerre de Troie, à la fin de l'âge du bronze. Par conséquent, Virgile pensait que la sibylle était déjà là bien avant l'arrivée des Grecs et des Romains.

— Dans l'état actuel de nos connaissances, la sibylle de Cumes est uniquement associée à la mythologie grecque, notamment au dieu Apollon. Mais cette mythologie, importée par les colons grecs, a peut-être évolué à partir d'une figure locale, une déesse ou une prophétesse, qui existait déjà dans l'Italie préhistorique. Les dieux grecs et romains avaient tendance à absorber leurs homologues locaux.

— Alors il y a peut-être eu une divinité beaucoup plus ancienne à cet endroit.

— Katya a une théorie à ce sujet. Tu te souviens de la déesse mère néolithique de l'Atlantide ?

— Comment pourrais-je l'oublier ? J'ai encore des bleus qui datent de notre rencontre.

— Bon, on sait que des figurines représentant des femmes corpulentes ont fait l'objet d'un culte dans toute l'Europe à la fin de la période glaciaire. Pendant des années, les archéologues ont avancé des hypothèses concernant un culte préhistorique de la déesse mère, qui aurait franchi toutes les frontières entre les peuples et les tribus. Eh bien, Katya pense que l'on doit la survie de ce culte à un puissant clergé, aux hommes et aux femmes qui ont conduit les premiers fermiers vers l'ouest. Les descendants de ce peuple auraient ensuite préservé le culte de la déesse mère pendant tout l'âge du bronze et jusqu'à l'époque classique. Katya est même convaincue qu'il existe un lien avec les druides du nord-ouest de l'Europe.

— Je me souviens, murmura Costas. Les magiciens au chapeau conique de l'Atlantide. Les Seigneurs des Anneaux.

— Le Gandalf de Tolkien et Merlin tel qu'il est décrit dans les histoires du roi Arthur trouvent peut-être leur origine dans la même tradition. On prêtait à ces hommes des pouvoirs surnaturels, car ils pouvaient passer d'un royaume à un autre et ne connaissaient pas les frontières. C'étaient des guérisseurs, des médiateurs, des prophètes.

— Il semblerait qu'ils aient été nécessaires à chaque culture, observa Costas en contemplant les Champs Phlégréens.

— Et la déesse mère a également survécu sous différentes formes : la déesse grecque Cérès, Déméter. *Magna Mater*, la Grande Mère.

— Chaque culture a ajouté sa couche de peinture sur la même statue.

— En quelque sorte.

— Et Katya ? Où est-elle en ce moment ?

— Au Kirghizistan, dans le massif du Tian Shan, près du lac Issyk-Koul.

— On dirait une terre sortie tout droit du *Seigneur des Anneaux*.

— Il y a de ça, d'après les photos qu'elle m'a envoyées par e-mail.

— Qu'est-ce qu'elle fait là-bas ?

— Elle étudie des pétroglyphes, des inscriptions gravées dans la pierre. Essentiellement scythes, ils ont deux mille cinq cents ans, mais le site se trouve sur l'ancienne route de la soie. D'autres cultures ont donc laissé des traces. Katya a même trouvé une inscription qui ressemble à du latin. C'est passionnant ! Je suis impatient d'aller faire un saut sur place pour y jeter un coup d'œil.

— Chaque chose en son temps, Jack. Pour l'instant, nous sommes sur l'épave du navire de saint Paul et, ensuite, nous devons retourner en mer Noire.

— J'ai l'impression de toujours courir après le temps. Les nouvelles technologies nous permettent d'explorer et de fouiller beaucoup plus rapidement, si bien que nous anticipons plus que jamais. Mais, comme je te le disais hier, il m'arrive parfois de regretter le bon vieux temps où on passait des semaines à analyser le moindre fragment issu d'un carré de fouille. Enfin… je m'y remettrai peut-être à la retraite.

— La retraite ? Je t'imagine mal à la retraite ! En tout cas, tu n'es pas censé penser à Katya, mais à Maria.

— Maria va bien, s'empressa de répondre Jack. Après le Mexique, elle a voulu reprendre le travail immédiatement. C'est une femme courageuse.

— Ce n'est pas ce que je voulais dire.

Jack ignora cette remarque et continua sur sa lancée.

— J'ai tout de suite pensé à Hiebermeyer quand j'ai reçu l'appel de la Surintendance de Naples après le tremblement de terre. Je connais quelqu'un là-bas qui a eu la bonne idée de contacter l'UMI lorsqu'une nouvelle zone a été mise au jour par le séisme. Maria était à côté de moi et son expertise en manuscrits anciens était tout indiquée. Ni l'un ni l'autre ne sont des spécialistes de l'époque romaine, mais c'est souvent un avantage. Ils auront un regard neuf, une nouvelle façon d'appréhender les choses, sans cynisme. Et, crois-moi, le site où nous allons en a bien besoin, après deux cent cinquante ans de paperasserie, d'incompétence, d'obstruction et de corruption. Pour mener des fouilles ici, il faut déployer la même énergie qu'une armée au cours de la Première Guerre mondiale : une mobilisation monumentale de moyens et de vies pour déplacer le front de quelques mètres en direction de Berlin.

Costas sourit et regarda à travers sa visière le littoral accidenté, qui se trouvait désormais juste au-dessous d'eux.

— Et là, c'est quoi ?

— C'est Pouzzoles, Puteoli dans la Rome antique.

— C'est là que saint Paul se dirigeait ? Après la Sicile, après avoir survécu au naufrage ?

— D'après les Actes des Apôtres, ses compagnons et lui sont partis de Syracuse à bord d'un navire d'Alexandrie et se sont arrêtés à Puteoli. Il s'agit de l'ancien port céréalier qu'on voit ici à bâbord et qui s'ajoute au port naval de Misène.

Jack fit apparaître le texte des Actes à l'écran.

— Voici ce qui est dit, reprit-il : *« Nous trouvâmes des frères qui nous prièrent de passer sept jours avec eux. »*

— Des frères ? Des chrétiens ? N'étaient-ils pas persécutés ?

— Les Champs Phlégréens constituaient un refuge parfait, répondit Jack en hochant la tête en direction du nord. Ils ont probablement toujours abrité les exclus, les pauvres et les marginaux.

— Et ensuite, Paul est allé à Rome. Où Néron l'a fait décapiter.

— Le Nouveau Testament ne le précise pas, mais c'est ce que dit la tradition.

— Finalement, il aurait peut-être été préférable pour lui de périr dans le naufrage.

— Si cela avait été le cas, objecta Jack avant de bloquer le pilotage automatique sur tribord de façon à ce que l'hélicoptère décrive un large cercle, l'histoire de l'Occident aurait peut-être été tout autre. On aurait peut-être fini par prier Isis, Mithra ou même la déesse mère.

— Tu crois ?

— Ce naufrage a vraiment été l'un des événements clés de l'Histoire, répondit-il. Tout allait dépendre de la vie ou de la mort de certains passagers. De son vivant, Jésus n'a exercé son ministère qu'en Judée, essentiellement dans sa région natale de Galilée. Ce n'est qu'après sa mort que sa parole a été prêchée à l'étranger, dans des communautés juives, puis non juives. Paul a fait partie de la première génération de missionnaires, de prosélytes. Sans lui, ceux qui ont été réceptifs au christianisme auraient peut-être été séduits par d'autres cultes. À cette époque, avec l'expansion de l'Empire romain et la *pax romana*, le monde méditerranéen était inondé de nouveaux cultes et de nouvelles pratiques religieuses, rapportés par les soldats revenant des terres récemment conquises et par les marins qui rentraient au port de Misène ou de Puteoli. La déesse égyptienne Isis, le dieu perse Mithra, la déesse mère ou n'importe quelle autre divinité aurait pu être le terreau d'une religion monothéiste et fournir au peuple de quoi s'opposer à tous les dieux et rituels de la Grèce et de Rome. Si l'une de ces religions s'était imposée, elle aurait peut-être suffi à empêcher le christianisme de se répandre au-delà de la Judée.

— Et moi qui croyais qu'avec la Crucifixion l'affaire était classée !

— C'est là que tout a commencé, au contraire. Et le plus incroyable, c'est que rien n'indique que Paul ait jamais rencontré Jésus de son vivant. C'était un Juif d'Asie Mineure. Il a eu une vision du Christ sur la route de Damas, après la Crucifixion. Et pourtant, c'est sans doute lui qui a joué le rôle le plus important dans la fondation de l'Église telle que nous la connaissons aujourd'hui. L'idée que Jésus était le fils de Dieu, le Messie ou *Christos* en grec, semble étroitement liée à son enseignement. Le terme « chrétien » et le symbole de la croix sont sans doute apparus à ce moment-là. Une génération après la Crucifixion, après que le peuple a rencontré Jésus en personne, on s'est désintéressé de l'homme pour se tourner vers le Christ ressuscité, comme si Jésus avait été mis sur un piédestal et perçu comme un dieu.

— Cela paraît logique. Personne ne prie un homme.

— Exactement. À cette époque, les empereurs étaient divinisés après leur mort. Le culte impérial était un facteur essentiel de l'unité de l'Empire romain. En bon missionnaire, Paul savait comment s'y prendre pour répandre la bonne parole. Il a sans doute fait des compromis et intégré d'anciennes façons de penser et de voir le monde pour que la lumière se fasse.

— Alors tu penses que c'est dans la baie de Naples que le christianisme s'est imposé ?

— D'après les Actes des Apôtres, lorsque Paul est arrivé, à la fin des années 50 après Jésus-Christ, une vingtaine d'années seulement après la Crucifixion, il y avait déjà des disciples de Jésus dans la baie de Naples. Mais c'est peut-être Paul qui en a fait de véritables chrétiens en les détournant du message de Jésus concernant l'avènement du royaume des cieux pour les orienter vers le Christ lui-même, le Messie. C'est peut-être ici qu'il a fondé le premier culte organisé, la première Église occidentale, cachée quelque part au milieu des cratères, dans le soufre des Champs Phlégréens. Il a dit aux disciples ce qu'ils devaient croire et comment ils devaient vivre. Il leur a apporté l'Évangile.

— Je me demande dans quelle mesure il pouvait s'agir de l'Évangile originel.

— Comment cela ?

— Tu dis que Paul n'a pas connu Jésus de son vivant, qu'il ne l'a jamais rencontré. Et Jésus n'a jamais rien écrit, n'est-ce pas ? Alors je me pose des questions.

— Paul a affirmé qu'il avait eu une vision du Christ ressuscité.

— Je sais tout ça. Je suis Grec orthodoxe, tu te souviens ? J'aimais cette histoire, quand j'étais gosse, et les rituels dont elle s'accompagnait. Mais je suis un type cartésien, Jack. Si on me présente des faits, alors je suis prêt à tout accepter. Mais le christianisme primitif ressemble à un kaléidoscope dont l'image change constamment. Il me faut des faits, des textes écrits par ceux qui vivaient à cette époque, dans leur version originale. Or, pour autant que je sache, les seuls faits dont nous disposions sont les noms gravés sur l'amphore que nous avons trouvée hier au fond de la Méditerranée.

— Je comprends. Pas d'hypothèses, rien que des faits !

— Je me demande ce que la sibylle aurait pensé de tout ça.

— De quoi ?

— Du christianisme. Des disciples de cette nouvelle religion, qui se rassemblaient ici, sous son nez.

— Bon, alors permets-moi d'émettre une dernière hypothèse. Commençons par les faits : à la fin de l'époque romaine, Cumes est devenue un des foyers du culte chrétien. Les temples ont été transformés en églises et la grotte de la sibylle a été réaffectée aux sépultures. L'endroit est criblé de tombes chrétiennes, pratiquement comme les catacombes.

— Et l'hypothèse ?

— Il existe une tradition chrétienne très ancienne selon laquelle la sibylle aurait prédit la venue du Christ. Dans ses *Églogues*, des poèmes écrits une centaine d'années avant l'éruption du Vésuve, Virgile parle du dernier âge prédit par la sibylle de Cumes et de la naissance d'un enfant précédant un âge d'or. Plus tard, les chrétiens ont interprété ce texte comme une prophétie messianique. Et puis il y a le *Dies irae*, « Jour de colère », un cantique médiéval qui a fait partie des messes de requiem célébrées par les catholiques jusqu'en 1970. Les premières lignes disent : *« Dies irae, dies illa. Solvet saeclum in favilla. Teste David cum Sibylla »*, « Jour de colère que ce jour-là, où le monde sera réduit en cendres, selon les oracles de David et de la sibylle. » Ce serait un texte médiéval du XIIIe siècle, mais peut-être s'inspirait-il d'une source plus ancienne, qui a disparu entre-temps.

— La sibylle devait avoir l'oreille collée contre le plancher de sa grotte.

— Pourquoi ?

— Ces vers ont des accents apocalyptiques. Le monde sera réduit en cendres… Cela m'évoque vraiment l'éruption d'un volcan.

— Pure hypothèse, se moqua Jack en posant les mains sur les commandes de l'hélicoptère. Mais il est possible que la sibylle et ses prêtres aient su que quelque chose d'important allait se passer. Quelques années auparavant, en 62 après Jésus-Christ, il y avait eu un tremblement de terre catastrophique, qui avait détruit une bonne partie de Pompéi. Peut-être les prophéties sibyllines reposaient-elles sur l'observation attentive des Champs Phlégréens. Dans ce cas, la divination consistait à relayer les changements d'humeur des Enfers. La sibylle savait peut-être que ses jours étaient comptés. Elle était déjà en train de devenir une curiosité, une attraction touristique. Les véritables suppliants, qui apportaient des dons et avaient ainsi entretenu l'oracle par le passé, se faisaient rares.

— La catastrophe aurait permis à la sibylle de réussir sa sortie.

— Exactement. C'est peut-être elle qui a mis cette idée dans la tête des chrétiens vivant dans les Champs Phlégréens. Rien n'indique que le royaume des cieux annoncé par Jésus devait être précédé d'une apocalypse, bien que les chrétiens aient fini par s'en persuader au fil des siècles. L'origine de ce mythe remonte peut-être à ceux d'entre eux qui ont péri dans les Enfers en 79 après Jésus-Christ. Je n'ose pas penser à ce qu'ils se sont imaginé dans leurs derniers instants. Quand Paul leur a apporté l'Évangile, vingt ans auparavant, ils n'ont sans doute pas envisagé qu'ils finiraient incinérés par une coulée pyroclastique.

— Ce n'est qu'une hypothèse fondée sur une autre hypothèse…

— Tu as raison, admit Jack en souriant.

Il désactiva le pilotage automatique pour sortir le Lynx de sa trajectoire circulaire et mit le cap vers l'est avant de longer la côte en direction du soleil levant.

— Il est temps de trouver des preuves ! lança-t-il. Nous sommes presque arrivés.

— Message reçu, dit Costas en remontant ses lunettes profilées le long de son nez. Et, en parlant de feu et de soufre, je vois un volcan droit devant.

Chapitre 6

Penché sur la balustrade, Jack admirait le paysage extraordinaire qu'il avait sous les yeux, tandis que le soleil du matin commençait à contraster avec les ruelles et les recoins sombres. Il se sentait épuisé, accablé par la sensation de lourdeur qui survient toujours après une plongée profonde. Certes, son système sanguin luttait encore contre l'excès d'azote, mais sa torpeur était également liée à un sentiment de satisfaction intense. En l'espace de douze heures, il était passé d'une épave représentant l'une des découvertes les plus remarquables de sa carrière à l'un des sites archéologiques les plus célèbres du monde, une cité qui lui avait laissé une impression inoubliable lorsqu'il l'avait visitée pour la première fois dans son enfance : Herculanum. L'ancienne ville romaine paraissait plus négligée par endroits mais n'avait pas beaucoup changé depuis. Elle était toujours aussi époustouflante. Jack n'arrivait pas à croire qu'ils allaient être les premiers archéologues, après plus de deux cents ans, à faire des fouilles là où Hiebermeyer les attendait.

— Un texto pour toi, Jack, annonça Costas en lui tendant le téléphone portable sans lever les yeux. C'est Maria.

Il était assis contre la balustrade, plongé dans un diagramme complexe qu'il avait affiché à l'écran de son ordinateur portable. Jack lut le message.

— Encore une demi-heure, dit-il, peut-être moins. La bonne nouvelle, c'est que la transaction est conclue.

Cela faisait plus d'une heure qu'ils avaient atterri. Jack en avait profité pour faire visiter le site à Costas, mais ils n'avaient pas l'habitude d'être à la botte de l'administration et ils commençaient à trouver le temps long.

Costas reprit le téléphone.

— Quand je pense qu'on est en train de verser un bakchich… On se croirait dans la French Connection.

— C'est Naples, mon vieux. Un repaire de bandits.

— Et cet argent est censé servir à la préservation du site, fit remarquer Costas en se retournant pour montrer un toit poussiéreux et un mur écroulé. Comme tous les fonds étrangers prétendument investis ici par le passé.

— J'ai été franc avec le conseil d'administration de l'UMI. Il n'y a pas moyen d'y couper. Pour travailler ici, il faut cracher au bassinet.

— Tout de même, c'est un pot-de-vin.

— Ce n'est pas tout à fait comme cela que je l'ai présenté au conseil, mais tu as raison, répondit Jack en regardant sa montre. Il ne nous reste plus qu'à attendre que le virement électronique soit confirmé. Tu peux continuer à travailler encore un peu. Moi, je retourne au Iᵉʳ siècle après Jésus-Christ.

Jack se tourna de nouveau vers le paysage, prit une profonde inspiration et expira lentement. Enfant, il avait voyagé dans le monde entier, ce qui lui avait considérablement développé l'imagination. À partir de quelques images, il pouvait remonter dans le temps et se projeter dans le passé, comme s'il entrait dans une sorte de transe. Mais ici, c'était inutile. Le passé lui sautait aux yeux avec une extraordinaire clarté, dans les moindres détails.

Herculanum faisait partie de ces rares sites où le temps n'avait provoqué aucune distorsion. Contrairement à la plupart des autres sites archéologiques, celui-ci avait échappé à la superposition des couches de l'Histoire. La cité, telle qu'elle était en 79 après Jésus-Christ, était si bien conservée qu'elle était presque habitable. Les bâtiments aux toits plats du quartier moderne étaient quasiment identiques aux vestiges voisins de l'Antiquité. Jack contempla le cône noirci du Vésuve qui se dressait à l'horizon et semblait illustrer à la fois l'indomptable pouvoir de la nature et la continuité de la condition humaine. Il regarda les entrepôts de l'ancien port, où de nombreux squelettes d'êtres humains distordus avaient été trouvés entassés les uns contre les autres. Puis il leva les yeux vers les villas, où ces mêmes êtres humains menaient encore leur vie quotidienne, quelques minutes avant de tout abandonner derrière eux pour vivre leurs derniers instants dans l'horreur. Si tout paraissait exceptionnellement clair ici, il y avait toutefois des zones d'ombre. Quand on cherchait à comprendre l'histoire de ce site, on croyait se trouver en présence d'une reconstitution dont les premières scènes étaient nettes et les suivantes de plus en plus floues. Plus la résolution diminuait, plus les pixels grossissaient jusqu'à ce que les images représentant des personnes deviennent illisibles. Finalement, seuls les artefacts se détachaient de l'arrière-plan et les individus étaient réduits à de vagues formes à peine perceptibles.

Le défi que les archéologues devaient relever consistait précisément à donner de la profondeur à cette histoire. Mais on en revenait toujours à cette dernière scène apocalyptique. On était fasciné par la mort, par le côté macabre, par les derniers instants de normalité avant la catastrophe. Quelques minutes plus tôt, lorsqu'il était entré dans les maisons avec Costas, Jack s'était senti étrangement mal à l'aise, comme s'il avait violé l'intimité de personnes qui n'étaient jamais vraiment parties, comme s'il pouvait toujours sentir les odeurs et entendre les sons de leur vie quotidienne. Tout était arrivé si rapidement, plus encore qu'à Pompéi, que la cité était restée en état de choc, figée dans l'instant qui avait précédé la catastrophe. Le traumatisme était encore palpable, et les séismes de ces dernières semaines semblaient être les sursauts nerveux d'une crise qui avait eu lieu près de deux mille ans auparavant.

— Quel spectacle prodigieux, murmura Costas.

Il était debout à côté de Jack, qui sortit de sa rêverie.

— Le passé, le présent et le big-bang, ajouta-t-il. Tout est là !

Jack lui adressa un sourire fatigué.

— Je me réjouis que tu en aies conscience, toi aussi, dit-il.

— Alors, tout ça, c'est de la boue solidifiée.

— De la boue, des cendres, de la pierre ponce, de la lave, tout ce que la coulée a emporté sur son passage en dévalant la pente.

— Une coulée pyroclastique, c'est ça ?

— Tu te souviens de Pline, qui nous a fait part de ses connaissances sur l'opium ?

— Et comment ! Le bourreau de travail qui dirigeait la flotte romaine et trouvait encore le temps d'écrire une encyclopédie !

— Eh bien, son neveu, également appelé Pline, était lui aussi sur les lieux le jour du drame. Il était adolescent et logeait dans la villa de son oncle, près de la base navale de Misène. Pline le Jeune a survécu à l'éruption. Des années plus tard, il a écrit une lettre à l'historien Tacite, qui voulait savoir comment Pline l'Ancien était mort. Du point de vue de l'histoire naturelle, sa lettre est l'un des documents les plus importants que nous ait légués l'Antiquité, peut-être même plus encore que l'encyclopédie de son oncle. C'est un témoignage direct absolument unique concernant l'éruption du Vésuve, mais aussi un ensemble d'observations scientifiques sur le volcanisme qui n'a pas eu d'égal jusqu'à l'époque moderne.

— Pline le Jeune avait de qui tenir. Son oncle aurait été fier de lui.

Costas regarda Jack sortir de son sac un petit livre rouge, dont la couverture était usée jusqu'à la corde.

— Tu as vraiment un stock inépuisable de vieux bouquins de ce genre, constata-t-il. J'étais loin de me douter que toute cette littérature avait survécu.

— Ce qui me tient éveillé la nuit, c'est ce qui n'a pas survécu, précisa Jack en hochant la tête vers les ruines. C'est justement ce que cet endroit a de si fascinant. Mais, en attendant, écoute ça. C'est très important pour comprendre pourquoi Herculanum et Pompéi ne se ressemblent pas.

Il tint le livre devant lui pour garder le site et le volcan en arrière-plan et se mit à lire des passages qu'il avait marqués :

— *« Sa forme approchait de celle d'un arbre, et particulièrement d'un pin : car, s'élevant vers le ciel comme sur un tronc immense, sa tête s'étendait en rameaux.*

Peut-être le souffle puissant qui poussait d'abord cette vapeur ne se faisait-il plus sentir ; peut-être aussi le nuage, en s'affaiblissant ou en s'affaissant sous son propre poids, se répandait-il en surface. »

Jack laissa son doigt descendre en bas de la page.

— Ensuite, reprit-il, Pline le Jeune décrit la pluie de cendres et ajoute : « *Déjà tombaient autour d'eux des éclats de rochers, des pierres noires, brûlées et calcinées par le feu.* » Plus loin, il écrit que la nuit était plus sombre et plus épaisse que d'ordinaire. « *De plusieurs endroits du mont Vésuve,* indique-t-il, *on voyait briller de larges flammes et un vaste embrasement dont les ténèbres augmentaient l'éclat.* »

— Cela ressemble à une pluie de cendres et de pierre ponce classique, observa Costas. Mais, dans la première partie, le nuage qui s'affaisse sous son propre poids, c'est une coulée pyroclastique.

— C'est exactement la différence entre les deux sites. Pompéi a été ensevelie par des retombées provenant du ciel, accompagnées de gaz toxiques. Certains toits ont résisté, ce qui explique pourquoi ils ne sont pas en très bon état aujourd'hui. Herculanum, en revanche, a été ensevelie par des glissements de terrain, par des tonnes de boue en ébullition et de matières volcaniques qui ont déferlé sur le site à chaque fois que le panache est retombé. Les bâtiments ont ainsi été complètement submergés, jusqu'à dix mètres au-dessus du toit.

— C'est sans doute ce que les premiers chrétiens ont vu depuis les Champs Phlégréens. Des anneaux de feu dévalant la montagne à une vitesse terrifiante à chaque coulée pyroclastique.

— Pline le Jeune a vu tout cela depuis la villa de son oncle, à Misène, à environ un kilomètre au sud de

Cumes, le repaire de la sibylle. Les chrétiens avaient donc à peu près le même point de vue que lui.

— Syndrome de stress post-traumatique.

— Redis-moi ça.

— Syndrome de stress post-traumatique, répéta Costas. L'obsession des flammes de l'enfer, de la damnation. Si c'est à partir d'ici que le christianisme s'est répandu en Occident, cette expérience a dû rester ancrée dans l'esprit de tous les chrétiens, non ? L'enfer, ça ne s'oublie pas comme ça. Ceux qui vivaient dans les Champs Phlégréens, au milieu des fumerolles et à l'entrée des Enfers païens, n'en étaient pas loin. Si l'on ajoute à cela une éruption volcanique, la scène devient franchement apocalyptique, tu ne trouves pas ?

— Pour un type cartésien, tu ne manques pas d'intuition. Tu n'as jamais pensé à réécrire l'histoire de la théologie chrétienne ?

— Non.

Ils gardèrent le silence un instant en scrutant les fenêtres de l'ancien entrepôt romain. Ces ouvertures sombres et inquiétantes rappelaient les hublots d'un navire englouti.

— Il n'y a pas eu un seul survivant, murmura Costas. Personne n'en a réchappé.

— Je me demande ce qui a été le pire, songea Jack à voix haute : mourir étouffé par un gaz surchauffé à Pompéi ou être incinéré vivant à Herculanum ?

— Venez découvrir la baie ensoleillée de Naples ! Aujourd'hui, tout ce qu'on risque, c'est de se faire agresser ou renverser par une voiture.

— Ne sous-estime pas le Vésuve. Tu te souviens de la photo de l'éruption de 1944 ? Les séismologues font des prévisions pessimistes depuis des décennies et les tremblements de terre ne présagent rien de bon.

Costas mit sa main en visière et se tourna vers le sommet du volcan, dont la lumière du soleil commençait à gagner les versants arides.

— Pline l'Ancien était ici ? À Herculanum ?

— D'après son neveu, il a d'abord observé l'éruption, puis il s'est précipité vers le volcan à bord d'un navire de guerre, de ce côté de la baie, au pied de la montagne. Il s'agissait apparemment d'une mission héroïque destinée à secourir une femme.

— Un grand homme à tous points de vue, et c'est ce qui a causé sa perte.

— C'était sans espoir. Le temps que Pline arrive ici, le rivage était déjà obstrué par des débris et des éclats de pierre ponce flottant comme de la glace. Mais, au lieu de faire demi-tour, Pline a mis le cap vers le sud pour gagner Stabie, une ville située près de Pompéi, directement atteinte par les retombées de cendres. Il y est resté trop longtemps. Il est mort étouffé par les gaz.

— On dirait une tragédie amoureuse shakespearienne. En fait, il a peut-être été terrassé par la douleur.

— Ça m'étonnerait. Pas Pline. Lorsqu'il a compris que cette femme était condamnée, il a dû se concentrer sur autre chose. Ce qu'il voulait avant tout, c'était se rapprocher de l'éruption. Je l'imagine notant toutes ses observations, reniflant et identifiant le soufre, ramassant des échantillons de pierre ponce sur la côte. C'était une sorte de Charles Darwin romain. Mais sa curiosité lui a coûté la vie. Comme Icare, il a volé trop près du soleil. Par chance, il avait terminé son *Histoire naturelle*.

— Et puis, avec toute l'énergie qu'il déployait, ses circuits allaient finir par griller de toute façon.

Jack leva les yeux au ciel puis aperçut deux personnes à l'entrée du site, une femme et un homme.

— Bien, on dirait qu'on va enfin pouvoir passer à l'action.

Il s'éloigna de la balustrade et se passa la main dans les cheveux. Maria portait des chaussures montantes, un treillis kaki et un tee-shirt gris. Ses longs cheveux bruns étaient attachés en arrière. Maurice Hiebermeyer, un téléphone portable contre l'oreille, marchait derrière elle avec une grâce beaucoup plus discrète. Plus petit que sa collègue, affligé d'un surpoids considérable, il était vêtu d'une étrange tenue de safari particulièrement mal assortie à ses chaussures en cuir éraflées. Le visage rouge et gonflé, il parlait au téléphone en remontant sans cesse ses petites lunettes rondes le long de son nez. À chaque pas, il risquait de perdre son short, qui lui arrivait bien au-dessous du genou et tenait miraculeusement en place.

— Ne dis rien, murmura Jack à Costas en essayant de garder son sérieux. Surtout, tais-toi. D'ailleurs, tu peux rire : à quand remonte la dernière fois que tu t'es regardé dans un miroir ? Tu as l'air d'avoir passé six mois dans un sous-marin.

Lorsqu'il les rejoignit, Hiebermeyer resta à l'écart, montra son téléphone du doigt et leur tourna le dos. Maria, quant à elle, vint les embrasser tous les deux. Lorsqu'elle le serra contre elle, Jack ferma les yeux. Elle lui avait manqué. Il aimait la voir, entendre sa voix sonore et son accent. Ils avaient partagé des moments intenses ensemble lors de leur quête de la menora et, comme toujours après une expédition de ce genre, il avait éprouvé une sensation de vide.

— Il y a seulement trois semaines que j'ai quitté la *Seaquest II* et j'ai l'impression que cela fait une éternité, dit Maria en posant sur lui ses grands yeux marron.

— C'est notre compagnie qui te manque ! s'écria Costas en gratifiant Jack d'un regard entendu.

— Pour être honnête, tout est si extraordinaire ici que je n'ai pas vraiment regardé en arrière, avoua-t-elle en admirant le site. Ce n'est que lorsque j'ai reçu un texto de Jeremy, ce matin, que j'ai repensé à ce que nous avons vécu dans le Yucatán, à toutes ces choses horribles. C'est une chance pour moi de pouvoir me concentrer sur un nouveau projet, plutôt que de devoir retourner à l'Institut d'Oxford. Et puis Jeremy s'occupe de tout là-bas. Cela lui permet de faire la coupure dont il avait besoin et il est tout à fait compétent.

— Comment va mon partenaire de plongée préféré ? demanda Costas.

— Il est plongé jusqu'au cou dans les manuscrits de la bibliothèque de Hereford. Il a encore fait une découverte fantastique : une autre carte ancienne, qui a un rapport avec les Phéniciens, je crois. Il est impatient de te la montrer, Jack. Et au fait, Costas, il a une idée à propos de je ne sais quel… truc de plongée. Je n'ai pas compris un traître mot de ce qu'il m'a dit.

— C'est vrai ? s'exclama Costas au comble de l'enthousiasme. Si c'est une idée de Jeremy, elle doit être bonne.

Il chercha frénétiquement son téléphone portable dans sa poche. D'un geste déterminé, Jack lui retint le bras.

— Pas maintenant, dit-il, ce n'est pas le moment.

— Je veux juste savoir de quoi il s'agit, le supplia Costas.

— On ne se disperse pas, d'accord ? Concentrons-nous sur ce que nous sommes venus faire ici.

— Bien, patron.

— Je te suis très reconnaissante de m'avoir recommandée pour ce projet, Jack, reprit Maria. C'est un privilège d'être sur ce site. Cela a été une véritable révélation pour moi, à bien des points de vue. Mais c'est toi qui aurais dû être là depuis le début.

— Si cela avait été le cas, tu n'aurais jamais eu le plaisir de travailler avec ce bon vieux Maurice, lui fit remarquer Jack en souriant. Je crois savoir que vous ne vous étiez pas revus depuis Cambridge.

Maria s'approcha de lui discrètement.

— C'est un type bien, murmura-t-elle avant de lui lancer un regard interrogateur.

— Oui, c'est un type bien. On était à l'école ensemble, avant même que nous nous rencontrions tous à Cambridge. C'est avec lui que je me suis lancé dans mes premières aventures, quand j'étais gosse. Tu sais, il est considéré comme un dieu en Égypte, et pour cause : c'est de loin le meilleur archéologue de terrain que je connaisse. Malgré les apparences, il ne fait pas partie de ces égyptologues qui pensent que toutes les réponses sont sous leurs pieds. Il sait énormément de choses sur toutes les régions du monde et toutes les époques. Il préférerait mourir que devoir enfiler une combinaison de plongée, mais c'est un professeur auxiliaire parfait pour l'UMI.

— Cela dit, ce short…

— Ah ! Authentique Afrika Korps allemand des années 1940, annonça Jack en jetant un coup d'œil vers Hiebermeyer, qui leur tournait toujours le dos. Cela semblait approprié la première fois qu'il est allé en Égypte. Je le lui ai offert quand on a eu notre diplôme.

Il donna une tape sur le vieux sac qu'il portait à l'épaule.

— Lui, il m'a offert un sac kaki de la huitième armée britannique, ajouta-t-il. C'est de ma faute, désolé.

— N'a-t-il jamais pensé à porter des bretelles, chuchota Maria, comme sur les Lederhosen ?

— N'exagérons rien, intervint Costas avec un air malicieux, il ne faut pas grossir le trait !

— Tant qu'il ne me demande pas de le traiter comme un dieu...

Maria recula un peu.

— Enfin, maintenant je sais à quoi ressemble la vie de Jack Howard, reprit-elle d'une voix normale. J'espère que je ne t'ai pas retiré le pain de la bouche.

— Nous ne nous sommes pas uniquement fait bronzer sur le pont de la *Seaquest II*, déclara Costas. Attends de savoir ce que nous avons trouvé hier.

Hiebermeyer semblait de plus en plus exaspéré. Il levait les yeux au ciel, serrait les poings mais, soudain, il écouta attentivement son interlocuteur et parut soulagé. Il fit un signe de tête à Maria, ferma son téléphone et vint serrer la main à Jack et à Costas.

— Je commençais à me dire que je vous avais fait venir pour rien, expliqua-t-il d'une voix légèrement enrouée par le stress, avec un accent allemand plus prononcé que d'habitude. Je n'arrive pas à y croire ! Je suis sorti hier pour vous appeler et ils ne voulaient plus nous laisser entrer.

— Si tu as des noms à balancer, n'hésite pas ! lança Jack. Je pourrai peut-être faire pression à la Surintendance archéologique.

— Ce ne sont pas les archéologues qui posent problème, mais les gardes du site ou plutôt ceux qui les paient. Je ne sais pas de qui il s'agit mais, apparemment, ce sont eux qui tirent les ficelles au sein de la Surintendance. Ils semblent inquiets et bâillonnés par leurs propres supérieurs. J'ai même reconnu d'anciens collègues parmi eux et j'ai vu la peur dans leurs yeux. Je n'y comprends rien, mais j'ai la nette impression que nous marchons sur un terrain miné.

— Bon, tout le monde est prêt ? demanda Maria en jetant son sac sur son dos avant d'attacher la courroie réglable à sa taille. Maurice et moi avons appris à nos dépens que, lorsqu'on obtient le feu vert, il ne faut pas traîner. C'est à environ deux cents mètres à l'ouest, mais on doit sortir du site et prendre quelques ruelles sombres.

Elle regarda l'appareil photo de Costas.

— Faites attention aux objets de valeur, ajouta-t-elle. N'oubliez pas où nous sommes.

Chapitre 7

Vingt minutes plus tard, ils se trouvaient devant une petite porte, au bout d'une ruelle peu engageante de la ville nouvelle d'Ercolano. Le soleil était désormais haut dans le ciel et il faisait chaud. Cherchant l'ombre, ils étaient tous alignés contre le mur. La ruelle ressemblait étonnamment à celles qui avaient été mises au jour dans l'ancienne Herculanum, quelques centaines de mètres plus loin. L'espace d'une seconde, Jack se demanda s'il était dans le présent ou dans le passé. Le ronronnement métallique d'une Vespa dévalant une rue voisine et les odeurs distinctement modernes qui flottaient autour de lui le ramenèrent à la réalité. Les bords de la ruelle étaient jonchés d'ordures et plusieurs seringues hypodermiques usagées traînaient dans un renfoncement, près de la porte.

— Regardez où vous mettez les pieds, conseilla Maria. Beaucoup de toxicos viennent se shooter ici.

— Encore de l'opium, songea Costas à voix haute, ça nous change !

Maria l'interrogea du regard.

— On t'expliquera, coupa Jack. On a fait une découverte extraordinaire. Mais on a d'autres choses à faire pour le moment.

La porte s'ouvrit et un garde armé apparut sur le seuil. Tandis que Hiebermeyer prononçait quelques mots dans un italien hésitant, l'homme toisa Jack et Costas d'un air dubitatif. Il prit à contrecœur l'autorisation que Hiebermeyer lui tendait et fit reculer celui-ci de quelques pas avant de lui fermer la porte au nez.

— C'est comme ça à chaque fois, se plaignit Hiebermeyer en serrant les poings. Il y a toujours un nouveau garde, qui me demande immanquablement mes papiers. Ensuite, l'administration refuse de me les rendre et je dois en faire faire d'autres auprès de la Surintendance de Naples. Il a fallu deux semaines pour que Maria obtienne une autorisation.

— Je ne sais pas comment tu supportes ça, dit Costas.

— La patience est la principale vertu de l'archéologue, déclara Jack. C'est ce que nous avons appris dès notre première année à Cambridge.

— Je n'arrive pas à croire que tu aies été reçu à l'examen, Jack.

— J'ai soudoyé Maurice pour qu'il y aille à ma place.

La porte se rouvrit et le garde hocha la tête vers l'intérieur. Hiebermeyer entra le premier et ses compagnons le suivirent en file indienne. Ils débouchèrent dans une petite cour grise. Le garde indiqua une autre entrée du bout de sa mitraillette. Costas soutint son regard un peu trop longtemps et l'homme se figea.

— Tiens-toi tranquille, murmura Jack en l'attrapant par le bras et en allongeant le pas derrière Maria et Hiebermeyer.

Le garde resta cloué sur place, puis ils l'entendirent sortir furtivement. Ils franchirent la seconde entrée et débouchèrent dans une autre ruelle.

— Je croyais que tu étais une star ici, maugréa Costas à l'attention de Hiebermeyer, le brillant archéologue étranger venu d'Égypte pour participer aux fouilles de l'un des plus grands sites jamais découverts !

— Ça, c'est la version qui a été rendue publique, répondit Hiebermeyer à voix basse. Dès qu'on met un pied ici, c'est une tout autre histoire. Ils ne laisseraient même pas entrer une équipe de tournage. Cet endroit a été fermé pendant deux siècles et il semblerait que certaines personnes aient intérêt à ce qu'il le reste.

— L'ensemble de la Villa est interdit au public ?

— Sous la pression d'un lobbying international actif, une petite partie a été ouverte en grande pompe il y a quelques années. Pour la première fois, les personnes présentes ont pu voir quelques-uns des travaux effectués au XVIIIe siècle. Un véritable événement ! Même le prince Charles est venu de Londres pour couper le ruban. Les experts et les philanthropes du monde entier ont tenté de relancer le chantier mais, de mon point de vue, il y a eu du bon et du mauvais dans cette initiative. Les autorités, en donnant l'impression qu'un immense travail avait été accompli, ont étouffé la nécessité de reprendre les fouilles.

— Alors, si le tremblement de terre du mois dernier n'avait pas ouvert ce tunnel, nous ne serions pas là, en conclut Costas.

— C'est certain.

— Les catastrophes naturelles ont parfois du bon.

— En particulier sur ce site.

— C'est bizarre, observa Maria à voix basse, tandis qu'ils arrivaient au bout de la ruelle. On dirait que notre présence les contrarie et qu'ils ont fait tout ce qui était en leur pouvoir pour nous barrer la route. Maurice a mis des lustres à obtenir un simple ventilateur pour que nous puissions travailler dans le tunnel. Dans la presse, c'est une véritable star. Il fait la une de tous les journaux. Mais quand on est ici, ils semblent impatients que l'on trouve quelque chose, comme s'ils avaient l'intention de refermer aussitôt après.

— Et c'est justement ce qui risque de se passer aujourd'hui, dit Hiebermeyer. Je suis convaincu que c'est la dernière fois qu'on nous laisse entrer. Vous allez comprendre pourquoi dans quelques minutes. Bon, on y est. Ne vous faites pas remarquer.

Il conduisit ses amis dans une profonde tranchée à ciel ouvert, visiblement destinée à accueillir les fondations d'une grande maison. Les murs se composaient de boue volcanique grise, identique à celle qu'on trouvait sur le site d'Herculanum. Une colonne romaine se dressait seule au milieu d'assises fragmentaires. Tout au bout de la tranchée, une femme munie d'un porte-bloc avait rejoint des ouvriers rassemblés autour de quelques outils et d'un plancher de fortune. Deux autres gardes armés rôdaient dans un coin en fumant une cigarette. Ils saisirent le canon de leur mitraillette et lancèrent aux arrivants un regard suspicieux. Hiebermeyer les salua courtoisement d'un signe de tête et s'engagea d'un bon pas sur le plancher.

— Les gardes ont pour mission de prévenir un éventuel pillage nocturne, expliqua-t-il.

— Tu plaisantes ! s'écria Costas. Ces brutes ont l'air d'avoir été recrutées dans la mafia.

— Parle moins fort, lui ordonna Maria avec insistance. Il y a une organisation derrière tout cela, qui contrôle tout, y compris les gardes, et je ne crois pas qu'il s'agisse de la mafia.

Elle passa devant et se fraya un chemin entre les vestiges de maçonnerie en direction d'une structure en bois qui dissimulait, de toute évidence, une sorte d'entrée. Les ouvriers levèrent les yeux brièvement lorsqu'ils arrivèrent à leur hauteur. La femme, en revanche, les ignora avec application. Elle avait le type napolitain. Ses cheveux noirs bouclés viraient déjà au gris par endroits. Vêtue d'un jean et d'une chemise blanche ajustée, elle portait un badge de la Surintendance et un casque orange. Elle s'empressa de mettre des lunettes de soleil et Jack se surprit à jouer avec son téléphone portable.

— C'est notre ange gardien de la Surintendance, murmura Hiebermeyer.

— Quel accueil ! fit remarquer Costas.

— Elle a reçu l'ordre strict de ne pas fraterniser avec l'ennemi.

— Docteur Elizabeth d'Agostino, précisa Jack à voix basse en rangeant son portable. Je l'ai bien connue autrefois.

— Elle-même, confirma Hiebermeyer. Elle connaît bien son boulot mais, apparemment, elle a été bâillonnée par quelqu'un.

— Tu ne vas pas lui dire bonjour, Jack ? demanda Maria.

— Je préfère rester à l'écart, répondit Jack en jetant un coup d'œil à Elizabeth, avant de se tourner vers Maria. Disons qu'on a un passé ensemble. Comme tu l'as dit toi-même, quand on a le feu vert, il ne faut pas traîner. J'essaierai d'aller lui parler tout à l'heure.

— Est-ce que les gens de la Surintendance sont venus avec vous dans le tunnel ? demanda Costas à Hiebermeyer.

— Officiellement, non, répondit Hiebermeyer. Ils redoutent un effondrement du tunnel. C'est, toujours officiellement, la raison pour laquelle ils ont refusé la fouille complète du site. Si on creuse davantage, la ville nouvelle risque de s'affaisser. Il vaut bien mieux refermer le tunnel pendant encore deux siècles.

— Et officieusement ?

— Hier, l'inspectrice et les ouvriers se sont précipités vers l'artefact que nous avons trouvé. J'imagine qu'ils ont essayé de le sortir dès l'instant où nous avons tourné les talons. Mais ils n'étaient pas avec nous lorsque nous nous sommes enfoncés plus loin dans le tunnel, et vous allez bientôt voir pourquoi ils ne s'y sont pas aventurés seuls.

Hiebermeyer leva le loquet de la porte en bois, puis fit un signe de la main à l'un des gardes.

— Nous devons attendre que le garde vienne nous ouvrir, marmonna-t-il. Un autre de ces petits rituels…

Le garde le vit mais continua à parler ostensiblement avec son collègue sans se déranger. Au même moment, les ouvriers mirent en route une foreuse électrique, si bien qu'il devint impossible à Hiebermeyer de se faire entendre.

— Les gardes savent parfaitement ce que je veux, dit-il, mais ils prennent leur temps.

— Bienvenue à la Villa des papyrus ! s'exclama Costas.

— Je ne pensais pas que c'était à ce point-là, murmura Jack.

— Il y a d'excellents archéologues ici, affirma Hiebermeyer, et j'ai des amis à la Surintendance. Ils font ce qu'ils peuvent, mais ils doivent lutter contre le système. Certains finissent par en profiter et sont happés par la machine. D'autres perdent la partie et se font éliminer.

— Tu veux dire qu'ils se font buter ? demanda Costas à voix basse. C'est ça ?

— Ça ne va pas toujours jusque-là, mais ça arrive. Accident de voiture, de bateau. En général, ils emploient des moyens plus classiques : menaces, subornation, intimidation, falsification de comptes personnels. On peut facilement être réduit au silence ici, quand on est honnête.

— Quand on est honnête… répéta Costas en secouant la tête.

— Mais il y a tout de même des personnes intègres qui montent les échelons et tiennent bon. L'actuel surintendant, le supérieur direct d'Elizabeth d'Agostino, en fait partie. Nous ne serions pas là s'il n'avait pas donné son feu vert, malgré toutes sortes de pressions. Il va sans dire qu'il est accompagné en permanence de gardes du corps. Cela dit, c'est le cas de pratiquement tous les hauts fonctionnaires de Naples.

— Je ne comprends toujours pas ce que la mafia vient faire ici, insista Costas.

— Ses raisons ne sont jamais très claires. Je ne suis même pas certain qu'elle soit impliquée. On ne peut jamais en avoir le cœur net. Apparemment, personne ne le sait. C'est juste un postulat de base. En tout cas, tout n'est pas lié au commerce d'antiquités volées, vous pouvez en être sûrs. Des sommes astronomiques provenant du tourisme archéologique sont également en jeu.

— En parlant d'archéologie, comment ce site a-t-il été découvert ? demanda Costas.

— Tout a commencé en 1750, répondit Hiebermeyer, qui s'anima tout à coup. Un ingénieur de l'armée suisse, Karl Weber, a pris la direction des fouilles d'Herculanum. Quelques semaines plus tard, un puisatier a découvert un sol en marbre, probablement à l'emplacement où nous nous trouvons actuellement. Weber a donc fait creuser un tunnel et constaté qu'il était en présence d'une immense villa. Tout a été raflé : les statues, les mosaïques, tout. Puis les ouvriers ont trouvé des rouleaux carbonisés. Ils n'ont pas compris de quoi il s'agissait et certains d'entre eux en ont même emporté chez eux pour allumer le feu. Puis les archéologues ont découvert qu'il s'agissait de papyrus, dont la plupart, parmi ceux qui étaient encore lisibles, faisaient partie de la bibliothèque grecque d'un obscur philosophe nommé Philodème.

— Le riche propriétaire de cette demeure était sans doute le protecteur de Philodème, précisa Jack. Et on s'est toujours demandé si la Villa recelait également une bibliothèque latine.

— Et le tunnel mis au jour par le tremblement de terre ? s'enquit Costas.

— C'est un des premiers tunnels, répondit Hiebermeyer. Il mène vers la partie de la Villa où la bibliothèque a été trouvée. Il a été fermé alors que Weber assurait encore la direction des fouilles.

— Sait-on pourquoi ?

— Nous sommes là pour le découvrir.

— Et sait-on qui était le propriétaire des lieux ?

— C'est toute la magie de la période qui a précédé l'éruption, intervint Jack. Nous connaissons le nom de beaucoup d'aristocrates grâce aux historiens romains, notamment Tacite, Suétone et Pline. Nous pensons que la Villa appartenait à un certain Calpurnius Piso, issu d'une grande famille romaine. Un buste en bronze à son effigie a été trouvé à Herculanum et tout ce qui a été mis au jour dans la Villa correspond à ce que nous connaissons de ses goûts et de ses centres d'intérêt.

— À ce propos, une surprise t'attend, Jack, dit Hiebermeyer avec un sourire radieux. Une partie de la paroi en boue solidifiée s'est effondrée, là-bas. C'est en le découvrant que la Surintendance a pris conscience des effets du tremblement de terre. On peut aller y jeter un coup d'œil pendant que notre garde finit sa cigarette.

Ils passèrent de nouveau devant les ouvriers, désormais occupés à retirer des morceaux de conglomérat rocheux, et arrivèrent devant un trou, laissé par la partie de la paroi qui s'était effondrée. Elizabeth d'Agostino n'était plus qu'à quelques mètres d'eux. Son porte-bloc à la main, elle avait une conversation animée avec un homme portant le même badge qu'elle, sans doute un autre inspecteur. Jack essaya d'accrocher son regard, mais sans succès.

— Il va leur falloir des mois pour nettoyer tout ça, lui murmura Hiebermeyer en se frayant un chemin parmi les décombres. Toutes les raisons sont bonnes pour gagner du temps. Quelqu'un de très influent veut faire fermer ce site et je crains qu'il n'y parvienne.

— Nous ferons tout pour l'en empêcher, chuchota Jack.

— Trois forces colossales sont en jeu, poursuivit Hiebermeyer en s'épongeant le front. La première est le volcan. La seconde est la mafia, le crime organisé.

— Et la troisième est l'Église.

— Absolument.

— Un mélange explosif ! commenta Costas à voix haute avant de tousser bruyamment en voyant l'inspecteur les regarder.

— À côté, l'archéologie en Égypte, c'est du gâteau, reprit Hiebermeyer. Parfois, j'ai l'impression qu'ils aimeraient qu'une autre éruption vienne refermer cet endroit pour toujours. On dirait que les nombreuses pertes humaines, la destruction des sites, les progrès archéologiques et l'argent du tourisme ne sont rien comparés au danger que représente une fouille complète de la Villa. De quoi ont-ils peur ? Je crois que l'Église redoute l'imminence d'une grande révélation, la découverte d'un document ancien qui ébranlerait son autorité. Souvenez-vous de l'obstruction qui a été faite lors de la mise au jour des manuscrits de la mer Morte. Une nouvelle coulée pyroclastique viendrait à point.

— Espérons que ta récente découverte sera suffisamment importante pour prolonger l'ouverture du site le plus longtemps possible, dit Jack.

— Tu ne vas pas être déçu, lui certifia Hiebermeyer en le regardant droit dans les yeux. Tu peux me croire.

Lorsqu'ils arrivèrent à une table recouverte d'équipements de sécurité, il se tourna vers ses amis.

— Mettez un casque, ordonna-t-il en parlant de nouveau à voix haute. C'est le règlement.

— Ils savent ce que c'est que le règlement à Naples ? se moqua Costas.

L'inspecteur se retourna de nouveau et Jack lança à Costas un regard lourd de sous-entendus. Lorsqu'ils furent tous équipés d'un casque, ils baissèrent la tête pour entrer dans une cavité d'environ cinq mètres de profondeur, dont la hauteur décroissante obligeait Maria, tout au bout, à se tenir accroupie. Costas posa la main à plat sur la surface grise et irrégulière du plafond.

— Tu vois, lui fit remarquer Jack, dur comme du roc.

— Cela a dû être un véritable cauchemar de creuser là-dedans.

— Nous y voilà ! annonça Hiebermeyer.

Son casque était trop large et, lorsqu'il appuyait la tête contre le plafond, ses oreilles dépassaient de chaque côté. Costas essaya de ne pas le regarder et de se concentrer sur la géologie. Une plaque blanche dont la surface polie était veinée de bleu et de vert émergeait de la boue solidifiée.

— Cipollino, murmura Jack en caressant la surface en connaisseur. Marbre eubéen, de Grèce. Très joli. On n'a pas regardé à la dépense dans cette villa.

Hiebermeyer alluma la lampe frontale de son casque et fit apparaître une inscription gravée profondément dans le marbre, qui se composait de trois lignes en lettres capitales.

ΗΒΟΥΛΗΚΑΙΟΔΗΜΣΛΕΥΚΙΟΝΚΑΛΠΟΡΝΙΟΝ
ΛΕΥΚΙΟΥ ΥΙΟΝ ΠΕΙΣΩΝΑ
ΤΟΝΑΥΤΟΚΡΑΤΟΡΑΚΑΙΠΑΤΡΩΝΑΤΗΣΤΙΟΛΕΩΣ

— Du grec ! s'exclama Costas.

— Ce type d'inscription est très stéréotypé, expliqua Hiebermeyer. On en trouvait également en Égypte à l'époque de la domination grecque, avant que les Romains ne prennent le pouvoir. « Le conseil et le peuple rendent hommage à Leukios Kalpornios Peison, fils de Leukios, gouverneur et protecteur de la ville. »

— Gouverneur et protecteur, répéta Costas. Le parrain de la mafia locale ?

Jack ne put s'empêcher de sourire.

— J'ai déjà vu ça quelque part, se souvint-il. Il y a une inscription identique en Grèce. Calpurnius Piso a été gouverneur sur l'île de Samothrace, dans l'Égée. Il a dû ramener cette plaque en souvenir.

— Avec une cargaison entière de statues et autres objets d'art, ajouta Maria. Au musée de Naples, Maurice m'a montré tout ce qui a été trouvé ici au XVIIIe siècle. C'est incroyable.

— Le Calpurnius Piso dont il est question ici était probablement le père ou le grand-père de celui, plus connu, qui a vécu à l'époque des empereurs Claude et Néron, précisa Hiebermeyer. Le second semble avoir été très fidèle à Claude, mais il a ourdi contre Néron un complot qui a échoué. Il s'est alors retiré chez lui, peut-être ici même, et s'est donné la mort en s'ouvrant les veines. C'était en 65 après Jésus-Christ, onze ans après la mort de Claude et quatorze ans avant l'éruption du Vésuve. Nous ne savons pas qui était le propriétaire de la Villa au moment de la catastrophe, mais il s'agissait sans doute d'un autre membre de la famille, sinon l'inscription ne serait plus là. C'était peut-être un neveu, un cousin, ou quelqu'un qui a fui la purge familiale ordonnée par Néron après la tentative d'assassinat.

— Alors c'était bien ça, conclut Jack. C'était bien la villa de Calpurnius Piso. Encore une avancée dans l'histoire de l'archéologie. Félicitations, Maurice.

Lorsqu'ils furent sortis de la cavité, Hiebermeyer retira son casque et fit un signe de tête en direction de la silhouette lugubre qui s'élevait au-dessus des toits.

— Ne me remercie pas, dit-il. C'est le volcan qui a tout fait, pas nous. Cette inscription a été révélée par le tremblement de terre. Les autorités en ont déduit qu'une autre partie de la Villa avait pu être mise au jour et c'est là que l'entrée du tunnel a été découverte.

— Tout semble plus grec que romain ici, observa Costas en se frottant les mains pour en retirer la poussière. Je n'en avais aucune idée.

— Il y a eu plusieurs époques, expliqua Jack. D'abord, les Grecs ont colonisé la baie de Naples, puis les Romains ont redécouvert la Grèce lorsqu'ils l'ont conquise. Les généraux romains ont tout pillé en

Grèce, de Delphes à Olympie, et de nombreux objets d'art grecs ont fait leur apparition à Rome, où ils ont été intégrés dans les monuments locaux. Par ailleurs, de riches collectionneurs privés, comme Calpurnius Piso, ont rapporté leur propre butin, qui contenait parfois des chefs-d'œuvre mais essentiellement des œuvres de second rang, délaissées par les premiers servis. Ensuite, à l'époque où nous nous situons, c'est-à-dire au début de la période impériale, les artisans grecs se sont mis à fabriquer des objets d'art spécifiquement destinés au marché romain, comme les potiers chinois ou les ébénistes indiens l'ont fait au XIXe siècle face à l'engouement de l'Occident pour leur art. À Pompéi et à Herculanum, on trouve donc beaucoup d'objets d'art de style grec, qui ne sont pas à proprement parler d'origine grecque.

— Moi, quand je regarde une sculpture, je l'aime ou je ne l'aime pas. Je ne regarde pas l'étiquette, marmonna Costas.

— C'est tout à ton honneur. Tu es un véritable connaisseur ! Mais il faut se remettre dans le contexte de l'époque. Et puis, c'est ce qui fait la beauté de ces sites. On comprend mieux l'usage que les Romains faisaient de l'art et ce qu'ils appréciaient vraiment. Ils ne se souciaient guère d'avoir des œuvres de maître authentiques ou de belles reproductions car, au bout du compte, l'art grec ne servait qu'à la décoration. Ce qui leur importait vraiment, c'étaient les portraits de leurs ancêtres, qui incarnaient les vertus romaines et la continuité familiale. Ils les gardaient précieusement dans une pièce privée. Ces portraits étaient généralement gravés dans la cire ou le bois et n'ont pas survécu. Les Romains ont été très dévalorisés, car les historiens de l'art du XIXe siècle, qui ont fait l'apologie de la Grèce classique, ont découvert les sculptures romaines hors de leur contexte, alignées dans des galeries et des musées. Ils y ont vu un manque de discernement, doublé de mauvais goût et de vulgarité. Mais quand on vient ici, on comprend qu'on était loin de la vérité. À cette époque, c'étaient plutôt les Grecs qui n'étaient plus dans le coup.

— Ce qui nous amène à la raison même de votre présence ici, déclara Hiebermeyer avec un large sourire, avant de remettre son casque sur ses oreilles.

— Nous sommes tout ouïe, dit Costas avec un air pince-sans-rire en évitant le regard de Jack.

Le garde finit par se remuer. Il marcha d'un pas tranquille jusqu'à la porte en bois et prit son temps pour l'ouvrir.

— La plus grande bibliothèque de l'Antiquité ! annonça Hiebermeyer à voix basse. Et l'un des plus grands trous noirs de l'archéologie. Jusqu'à aujourd'hui.

Chapitre 8

Jack s'accroupit derrière Hiebermeyer et s'engagea dans le tunnel menant à la Villa. Il faisait déjà plus frais, un soulagement après la chaleur accablante de l'extérieur. Juste devant eux se trouvait un ventilateur électrique d'un mètre de diamètre et un tube annelé qui courait vers la structure en bois, où il était relié à une bobine et à un dispositif fixé en haut d'une paroi du site.

— Quand je suis sorti d'ici, hier, j'ai invoqué le facteur danger pour être sûr qu'ils ne tentent pas d'entrer, avoua Hiebermeyer. Mais il y a vraiment des gaz toxiques qui s'accumulent dans le tunnel : du méthane et du monoxyde de carbone provenant essentiellement de matières organiques qui ont commencé à pourrir lors de l'ouverture du tunnel, en raison de l'introduction d'une plus grande quantité d'oxygène.

— Pas de cadavres, j'espère ! lança Costas.

— Ici, lorsqu'ils n'ont pas été incinérés, les corps sont à l'état de squelettes. Du moins, en général.

— Combien de temps devons-nous attendre ? demanda Maria.

— Encore quelques minutes, répondit Hiebermeyer. Ensuite, nous emmènerons le ventilateur et nous le remettrons en route lorsque nous serons arrivés à la grille.

— Je crois que c'est la première fois que nous menons des fouilles ensemble depuis Carthage, dit Jack d'un air songeur.

Il se tourna vers Costas.

— Nous avons tous les trois fait nos études ensemble et nous nous sommes fait les dents avec une équipe de l'Unesco à Carthage. Pendant que je plongeais dans l'ancien port, Maurice disparaissait sous terre et Maria consignait les inscriptions.

— Je me sens de trop, se plaignit Costas.

— Tu fais partie de la bande maintenant, n'est-ce pas, Maurice ? déclara Jack en donnant un coup de coude à Hiebermeyer, qui regarda Costas froidement à travers ses grosses lunettes, les cheveux ébouriffés et le visage déjà couvert de crasse.

Jack réprima un sourire.

— Maurice a trouvé les vestiges d'un grand four de bronze, conforme aux descriptions des Romains, reprit-il. Il a prouvé de manière incontestable que les Carthaginois pratiquaient le sacrifice d'enfants. C'était fantastique.

— C'était fantastique ! s'indigna Costas. Le sacrifice d'enfants… Je croyais que nous avions laissé tout cela derrière nous, avec les Toltèques, au Mexique.

— Le passé n'est pas toujours très glorieux. Il faut faire avec.

— Il faut faire avec, répéta Costas. Parfait.

Il jeta un coup d'œil dans les recoins sombres, au-delà de la grille qui marquait l'entrée de la bibliothèque.

— Et quels raffinements nous réserve cet endroit ? demanda-t-il.

— Tu es déjà allé à la Villa Getty ?

— La Villa Getty, à Malibu, en Californie ? Oui. Je me souviens vaguement d'y avoir fait un voyage scolaire. Architecture classique, des tas de statues. Une grande piscine centrale, dans laquelle on pouvait faire des ricochets.

Hiebermeyer leva les yeux au ciel.

— Eh bien, poursuivit Jack en souriant, elle a été construite à partir du plan de la villa où nous nous trouvons.

— Sans blague ! s'écria Costas en considérant le trou noir qui s'ouvrait devant eux d'un air dubitatif.

— Bon, on y va ! décida Hiebermeyer.

Il souleva le ventilateur et le poussa vers l'avant en tirant le tuyau d'évacuation derrière lui. Ses compagnons lui emboîtèrent le pas. Le tunnel était tout juste assez haut pour que Jack puisse se tenir debout. Les parois, couvertes de traces de burin et de pic, rappelaient celles d'un vieux puits de mine. Jack eut l'impression de remonter au XVIIIe siècle et de voir le site avec les yeux des premiers ouvriers qui s'étaient frayé un chemin dans la boue dure comme du roc. Puis il s'imagina dans la peau de l'ingénieur Karl Weber, qui avait essayé de donner un sens au labyrinthe que ses hommes avaient creusé dans leur quête d'artefacts antiques. Le tunnel formait un angle et, soudain, l'obscurité s'épaissit.

— Il n'y a pas encore de système d'éclairage, prévint Hiebermeyer. Mais n'allumez pas votre lampe frontale tout de suite. Bon, voilà, vous pouvez l'allumer maintenant. Jack orienta le faisceau de sa lampe droit devant lui. Stupéfait, il avança lentement. La tête d'Anubis émergeait de la paroi du tunnel, oreilles dressées et museau saillant, exactement comme Hiebermeyer et Maria l'avaient vue la veille.

— Et voilà la deuxième surprise ! annonça Hiebermeyer en se retournant après avoir placé le ventilateur juste devant lui. C'est la découverte clé dont je vous ai parlé, un argument décisif pour les fonctionnaires de la Surintendance. C'est exactement ce qu'ils attendaient : quelque chose de spectaculaire. Comme vous pouvez le voir, ils ont déjà fait élargir la niche autour de la statue, qu'ils vont sans doute emporter dans la journée. Cette découverte va faire la une de tous les journaux demain matin. Et ils pourront refermer le tunnel. Définitivement.

— Incroyable, murmura Jack, encore sous le coup de l'émotion.

Il posa délicatement la main sur le museau et se tourna vers Costas.

— On a trouvé la même statue dans la tombe de Toutankhamon, lui indiqua-t-il.

— Au moins, celle-ci était à sa place, en Égypte, fit remarquer Hiebermeyer.

— D'après ce que m'a dit Maurice, précisa Maria, Anubis accueille les âmes aux Enfers et les protège tout au long de leur voyage.

— Ça ne me dit rien qui vaille, maugréa Costas. Je croyais qu'il ne devait pas y avoir de cadavres ici.

Jack rabattit son casque en arrière et scruta l'obscurité au-delà de la statue. Le XVIIIe siècle semblait avoir cédé le pas à un passé beaucoup plus ancien, qui surgissait des murs comme la tête d'Anubis. Quelques mètres plus loin, une grille en métal provisoire fermait le tunnel. Jack pressentit le danger. Il aperçut une pancarte sur laquelle il discerna le mot *PERICOLO* et une grande tête de mort. Hiebermeyer déverrouilla la grille. Puis il poussa le ventilateur devant lui. Il l'alluma et un voyant rouge, accompagné d'un petit ronronnement électronique, se mit à clignoter.

— Bon, c'est déjà ça, observa-t-il avec soulagement. La rallonge fonctionne. Nous avons de l'électricité.

Il consulta un affichage numérique à l'arrière du ventilateur.

— Dans dix minutes, ajouta-t-il, l'air sera purifié jusqu'à l'endroit où nous sommes allés hier, là où le tunnel se termine en se heurtant à un autre mur. Quand le voyant vert s'allumera, on avancera avec le ventilateur jusqu'à ce que le rouge clignote de nouveau.

Il leva les yeux vers Jack.

— J'aurais pu faire ça avant ton arrivée, lui confia-t-il à voix basse, mais j'ai préféré que personne ne soit tenté d'entrer. Ton amie de la Surintendance semble se satisfaire pleinement d'Anubis. Elle paraît même obsédée par cette statue.

— Ça ne m'étonne pas, dit Jack. Elizabeth se passionnait pour l'Égypte lorsque je l'ai connue. Elle était payée pour étudier l'archéologie romaine, mais elle aurait aimé suivre tes traces, Maurice. Je lui ai souvent parlé de toi. Elle s'était promis d'aller en Égypte une fois qu'elle aurait honoré son contrat avec le gouvernement italien. Quelque chose semble l'avoir retenue ici. La famille. Des obligations. Elle y a fait allusion une ou deux fois à l'époque, mais elle détestait tout ça. J'avoue que je ne comprends pas pourquoi elle est encore là.

— Tu la connais bien, on dirait, murmura Maria.

— On a été amis, mais ce n'est plus le cas apparemment.

— En tout cas, reprit Hiebermeyer, pour la Surintendance, les fouilles ont porté leurs fruits. Nous sommes ici en reconnaissance, mais le tunnel va bientôt être jugé dangereux et refermé. Pour le moment, je n'en dis pas plus.

— Quel danger courons-nous exactement ? demanda Costas.

— Eh bien, le tunnel n'est pas étayé et une nouvelle secousse sismique peut avoir lieu. L'air est rempli de gaz toxiques. Le Vésuve pourrait entrer en éruption. Nous risquons d'être écrasés, asphyxiés ou incinérés.

— Ah, l'archéologie ! s'exclama Costas. Quand je pense que j'ai refusé un poste à Caltech pour ça. Maison au bord de la plage, surf, Martini à volonté…

— On pourrait aussi se faire abattre par la mafia, ajouta Maria.

— Magnifique… la cerise sur le gâteau.

Costas poussa un grand soupir et regarda de nouveau Anubis.

— À propos, dit-il, je croyais qu'à l'époque romaine les objets d'art égyptiens étaient dépassés. Quand on parlait de Calpurnius Piso et de sa déco tout à l'heure, vous disiez que tout devait être grec.

— Un amateur de Warhol ne se débarrasse pas forcément des vieux tableaux de maître qui faisaient partie de la collection familiale, souffla Maria.

— En réalité, l'Égypte ancienne était très tendance, expliqua Jack. À cette époque, l'Égypte était le dernier grand pays annexé par Rome, après la défaite de Cléopâtre en 31 avant Jésus-Christ. La plupart des obélisques qu'on voit à Rome aujourd'hui, comme celui de la place Saint-Pierre, ont été rapportés par les premiers empereurs. Ce fut exactement comme le pillage de la Grèce. Tout le monde a voulu sa part du butin.

— Quels barbares ! marmonna Hiebermeyer entre ses dents.

À cet instant, le voyant vert du ventilateur s'alluma et l'appareil s'arrêta. Hiebermeyer fit signe à ses compagnons de le suivre et franchit la grille. Jack et Costas prirent le tube annelé et Maria ferma la marche. Le tunnel était dans l'obscurité complète et ils ne pouvaient compter que sur leur lampe frontale. Jack se sentit coupé du monde. Il n'avait pas l'impression de progresser de son plein gré dans une galerie, mais d'être aspiré, comme si l'air toxique qu'ils repoussaient en avançant avait glissé autour d'eux pour aller refermer l'entrée du tunnel. Ils se trouvaient dans une capsule qui pouvait imploser à tout moment et les emporter dans le tourbillon du passé. Ils pressèrent le pas en traînant bruyamment le tube derrière eux. Jack n'avait pas imaginé ce tunnel aussi long. Ils s'enfonçaient profondément dans le cœur de la Villa, bien au-delà des galeries qu'il avait vues sur le plan de Weber. Environ trente mètres plus loin, ils arrivèrent au bout, devant une fissure sombre dans la paroi, où Maria et Hiebermeyer s'étaient arrêtés la veille. Jack voyait distinctement des traces de pic du XVIIIe siècle. Il les observa avec attention. Certaines d'entre elles avaient été faites dans la pierre et non dans la boue solidifiée. De toute évidence, le tunnel aboutissait à une structure en pierre, une sorte d'entrée. Hiebermeyer passa le ventilateur dans la fissure et le remit en route.

— Le voyant vert est toujours allumé, constata-t-il, mais je préfère qu'on attende cinq minutes. Mieux vaut être prudent.

Il chercha Jack du regard.

— C'est là que nous nous trouvions lorsque j'ai décidé de ressortir pour te téléphoner, précisa-t-il, non sans avoir jeté un coup d'œil à l'intérieur.

— Je suis impatient de voir ça, dit Jack en se retournant pour regarder dans le tunnel, où il avait vu de la lumière.

Soudain, il entendit des voix et le bruit d'un appareil électrique qu'on testait.

— Penses-tu que quelqu'un va venir nous rejoindre ? demanda-t-il.

— J'en doute. Ils élargissent la galerie pour sortir Anubis. Même notre ange gardien ne franchira pas cette grille.

— Ils ont peut-être peur que cet endroit soit maudit, murmura Costas. À cause d'Anubis.

— S'il y avait une malédiction, ils nous l'auraient dit, affirma Hiebermeyer. Ils n'ont reculé devant rien pour empêcher cette fouille. Nous sommes partie intégrante de leur jeu. Ils ont fait un geste symbolique envers nous pour pouvoir dire qu'ils ont été conciliants mais que cet endroit est vraiment trop dangereux.

Brusquement, une secousse fit danser la poussière dans l'air. Elle ne dura pas, mais tout le monde comprit de quoi il s'agissait. Hiebermeyer sortit son oscillateur sismique et le posa contre la paroi du tunnel. Après un long silence, Maria toussa discrètement et ils mirent tous leur masque antipoussière.

— Ils ont peut-être raison, dit Costas. Y a-t-il autre chose à voir, Maurice ? qui mérite vraiment d'être vu ? Je ferais bien demi-tour.

— Trop tard pour revenir en arrière, déclara Hiebermeyer. Je dois admettre que je commence à comprendre les hommes qui ont creusé ce tunnel au XVIIIe siècle. Je sais ce qu'ils ont éprouvé. Personne n'a envie de s'attarder ici. On ne peut pas faire une fouille minutieuse. À mon avis, ce n'est pas un vulgaire pillage qui a eu lieu ici mais plutôt une sorte de raid archéologique.

— Tu as raison, convint Jack.

— Au fait, puisqu'on a un peu de temps devant nous, qu'est-ce que c'est que cette histoire d'opium ?

— Tu ne croiras jamais ce que nous avons trouvé dans l'épave.

Un juron les interrompit brutalement.

— Je crois que j'ai trouvé quelque chose, annonça Costas, qui avait pris les devants et se trouvait tout près de la fissure. Je pense que c'est une autre statue.

Ses compagnons se pressèrent autour de lui et les faisceaux de leurs lampes frontales convergèrent vers une section de la paroi qui s'était effondrée sous l'effet de la secousse sismique. Dans une cavité, se trouvait une forme humaine, grandeur nature, à plat ventre, un bras étendu et l'autre replié sous la poitrine, les jambes allongées en direction de l'entrée. Le personnage semblait nu, mais la surface était obscurcie par une couche carbonisée qui rendait l'identification du matériau difficile.

— Cela vient d'être mis au jour par la secousse sismique, affirma Hiebermeyer. Nous ne l'avons pas vu hier.

Jack s'agenouilla, examina la tête et tenta de voir à travers un petit trou qui se trouvait juste au-dessous d'une oreille. L'intérieur du crâne était creux, comme dans une statue de bronze, mais on ne voyait pas de métal, pas même une couche de corrosion. Jack réfléchit un instant, puis regarda de nouveau.

— Ça alors, murmura-t-il.

— Quoi ? demanda Costas.

— Tu te souviens des corps trouvés à Pompéi, préservés dans la cendre solidifiée comme des moulages creux ?

— Ne me dis pas que c'est un corps, supplia Costas en reculant d'un pas, le regard hébété.

— Si, confirma Hiebermeyer, qui s'était accroupi à côté de Jack, sauf qu'il n'a pas été préservé dans la cendre.

Il sortit sa vieille truelle usée et préleva un petit échantillon du matériau noirci qui entourait le corps.

— C'est bizarre, reprit-il. Il a été préservé dans une sorte de matériau carbonisé, quelque chose de fibreux.

— Tu as raison, observa Jack. Je vois les fibres croisées. Un vêtement, peut-être.

Il leva les yeux vers Hiebermeyer, qui soutint son regard d'un air éloquent. Il réfléchit encore et, soudain, il resta bouche bée.

— Ce n'est pas un vêtement, comprit-il. C'est du papyrus.

— Attends de voir ce qui se trouve là-dedans, dit Hiebermeyer en tendant sa truelle vers la fissure.

— Ce sont des rouleaux ? demanda Maria. Cet homme est recouvert de rouleaux de papyrus ?

— Il y en avait partout sur le sol, répondit Hiebermeyer. On dirait qu'il est tombé sur un lit de rouleaux et que ceux-ci ont été soufflés autour de lui au moment de l'explosion. Quand on a découvert la bibliothèque de Philodème, au XVIIIe siècle, de nombreux rouleaux étaient éparpillés par terre, comme si quelqu'un avait essayé de s'enfuir avec eux.

— Ou cherché parmi eux quelque chose de précieux qu'il voulait sauver avant de s'enfuir, suggéra Maria.

— Espérons qu'il s'agisse seulement d'autres rouleaux grecs de Philodème, murmura Jack, et non de la mystérieuse bibliothèque latine.

Costas tendit la main vers l'épaule saillante et toucha délicatement le corps, qui vacilla et disparut instantanément dans un nuage de carbone. Pendant un long silence, son doigt resta suspendu dans les airs.

— Oups ! lança-t-il.

Hiebermeyer maugréa.

— Y a pas de mal, soupira Jack. Il nous a fait le coup d'Agamemnon.

— Quoi ?

— Lorsqu'il a découvert Mycènes, la célèbre cité de l'âge du bronze, Heinrich Schliemann a soulevé un masque funéraire en or dans une tombe royale et déclaré avoir vu le visage du roi Agamemnon. Peut-être a-t-il vraiment vu quelque chose, une image fugace sous le masque. Tu te souviens de la silhouette spectrale du taureau déposé sur l'autel de l'Atlantide ? Parfois, on voit vraiment des fantômes.

— Regardez ce qu'il y a au-dessous ! s'écria Hiebermeyer. C'est bien plus intéressant, d'un point de vue médico-légal.

Il se pencha au-dessus de l'endroit où se trouvait la tête, sortit une petite poire à air pour souffler doucement la poussière et fit émerger une autre forme, grise et noircie.

— C'est le crâne, annonça-t-il. Il est aussi partiellement carbonisé, mais on dirait qu'il va tenir bon. Et je vois les vertèbres, les côtes. Il enfonça le doigt dans une masse collante située sous le crâne et la renifla, d'abord prudemment, puis à pleins poumons. Pris d'un haut-le-cœur, il avala sa salive.

— Extraordinaire, dit-il d'une voix rauque en s'essuyant le doigt sur le mur. Je n'avais encore jamais vu ça dans une momie et, pourtant, j'en ai touché un certain nombre.

— Qu'est-ce que c'est ? demanda Costas. Une sorte de résine, du bitume ?

— Pas vraiment, non, répondit Hiebermeyer.

Ses lunettes avaient glissé le long de son nez et il les remonta avec le même doigt, qui lui laissa une traînée noire entre les deux yeux.

— Lorsque l'enfer s'est déchaîné, expliqua-t-il avec un enthousiasme croissant, les rouleaux ont dû être instantanément carbonisés, mais ils étaient sans doute imprégnés d'une substance résineuse qui en assurait la conservation. La masse carbonisée a donc formé un moulage autour du corps. N'étant plus au contact de l'oxygène, la chair n'a pas pu être incinérée. Alors elle a cuit.

— Il a été cuit vivant, s'émut Maria.

— Il a fondu, pour être exact, précisa Jack.

— Oh, non ! murmura Costas en se laissant tomber contre le mur d'en face. Et tu as mis ton doigt dedans…

Hiebermeyer leva son doigt devant lui et le regarda avec révérence.

— C'est fantastique ! s'exclama-t-il. Il y a probablement un peu de cerveau là-dedans. Ce sera parfait pour une analyse ADN.

Maria recula à la hauteur des pieds, observa attentivement ce qui restait du corps, puis se faufila à côté de Hiebermeyer pour se pencher au-dessus de la cage thoracique.

— Regardez ! s'écria-t-elle. Il porte une bague en or !

Hiebermeyer suivit son regard et observa les os des doigts, contorsionnés sous la cage thoracique, comme si l'homme s'était tenu la poitrine dans son agonie. Il sortit une Mini Maglite et s'approcha le plus près possible de la bague.

— C'est une chevalière, destinée à imprimer un sceau sur de la cire. Elle a en partie fondu sur l'os, mais je discerne le motif. Il représente un aigle.

— Une chevalière impériale, en conclut Jack. Cet homme devait être au service de l'empereur.

— Je ne suis pas si sûr qu'il s'agisse d'un homme, avoua Hiebermeyer en se redressant, les mains sur les hanches. Ce squelette a quelque chose d'étrange. Visage arrondi, structure osseuse relativement peu développée par endroits, zone pelvienne étonnamment large. Ce n'est pas une femme, mais il s'en faut de peu. Étrange.

— Il y avait des eunuques, non ? suggéra Costas.

— C'est une idée intéressante, approuva Jack. Au début du IVe siècle après Jésus-Christ, l'empereur Constantin le Grand s'est entouré d'eunuques. Plus tard, les empereurs byzantins ont fait de même. On considérait que les eunuques étaient moins fougueux, moins ambitieux et donc plus loyaux que les secrétaires et les représentants de l'État. Les premiers empereurs en ont eu également. Certains spécialistes pensent que Narcisse, l'affranchi de Claude, était un eunuque.

Il s'interrompit un instant, puis ajouta comme pour lui-même :

— Non, c'est impossible. Narcisse a été tué lors de l'empoisonnement de Claude, en 54 après Jésus-Christ. C'était un quart de siècle avant l'éruption du Vésuve. Il devait y avoir d'autres eunuques par ici. Toute la région attirait les marginaux, des monstres venus distraire les riches, ainsi que des infirmes et autres infortunés cherchant un remède dans les cheminées de soufre des Champs Phlégréens. C'est l'autre facette de la vie que l'on menait ici à l'époque romaine. Rien à voir avec les clichés touristiques.

— Je ne sais pas si cet homme a fini sa vie en tant qu'affranchi impérial, déclara Hiebermeyer, désormais agenouillé près des pieds du squelette, mais il ne fait aucun doute qu'il l'a commencée en tant qu'esclave. Ses chaînes ont laissé autour de ses chevilles des lésions, qui étaient cicatrisées depuis des années lorsqu'il est mort. Je pense qu'il était vieux, très vieux pour l'époque. Il pouvait avoir plus de quatre-vingts ou quatre-vingt-dix ans. Mais il avait eu une vie difficile pendant son enfance.

— Des chaînes à la castration, tout ça pour finir comme ça, se désola Costas en évitant soigneusement de regarder la substance noire qui s'était répandue sous le squelette. Espérons qu'il a bien vécu entre-temps.

— La mort a probablement été très rapide, conjectura Hiebermeyer en prélevant un peu de la substance noire à l'aide de sa truelle avant de mettre l'échantillon dans un petit flacon. Après le choc terrible causé par le souffle pyroclastique, l'étouffement a dû être presque simultané. Il n'a dû avoir que quelques secondes de conscience.

— Il a quand même bien dû se douter qu'il était en danger, affirma Costas en se forçant à se tourner de nouveau vers le corps. Je croyais que l'éruption du volcan avait duré des heures.

— C'est vrai, mais la coulée pyroclastique qui a rayé Herculanum de la carte a été très subite. Elle a dévalé la montagne sous la forme d'anneaux de feu à une vitesse vertigineuse. Avant, l'éruption a dû être perçue comme une catastrophe terrible, mais pas comme une condamnation à mort. Après, en revanche, ce fut une véritable apocalypse. Personne n'a pu en sortir vivant.

Jack commença à prendre conscience de l'odeur ambiante. Ce n'était pas l'odeur familière de la poussière et des vieilles tombes, mais celle d'une mort récente, du sang, de l'animal qui a peur. L'espace d'un instant, le tunnel se brouilla et se transforma en une sorte de tourbillon de la mort dans lequel cet homme s'était trouvé emprisonné, un espace oppressant qui, quelques secondes auparavant, avait été un hommage à la beauté, une somptueuse expression de la liberté et de l'aisance. L'endroit semblait encore sous le choc, secoué par des répliques sismiques presque deux mille ans après. Jack ferma les yeux, puis les rouvrit pour se glisser derrière Hiebermeyer et se diriger vers la fissure, au bout du tunnel. Il jeta un coup d'œil derrière lui et discerna la tête d'Anubis surgissant du mur, ainsi qu'une lueur à peine visible un peu plus loin. Il entendait le bruit de la foreuse, qui élargissait l'entrée du tunnel, mais personne n'était encore entré. Il se retourna en direction de la fissure obscure.

— Tu es prêt à y aller ? lui demanda Hiebermeyer en éteignant le ventilateur.

Il régnait un silence de mort de l'autre côté du mur de pierre. Même le bruit de la foreuse avait cessé. Jack regarda le visage couvert de crasse de son ami, celui d'un homme dans lequel il retrouvait les traits du jeune garçon qu'il avait connu.

— Tu te souviens du jour où nous avons rempli une cave d'artefacts que nous avions réalisés nous-mêmes, avant de la refermer pour faire comme s'il s'agissait de la tombe de Toutankhamon ? J'étais Howard Carter et toi, Lord Carnarvon.

— Non, rectifia Hiebermeyer en secouant la tête énergiquement. Carnarvon, c'était toi. Moi, j'étais Carter.

Jack sourit et regarda devant lui, les yeux étincelant d'émotion.

— Bon, allons-y.

Chapitre 9

Jack scruta la salle cachée au bout du tunnel. Au début, il ne vit que des ombres, des formes grises poussiéreuses et une obscurité épaisse. Puis il aperçut une table en pierre et, sur le mur du fond, des structures ressemblant à des étagères. Quelque chose d'anormal attira son attention et il comprit avec stupeur ce dont il s'agissait : il n'y avait ni cendre ni boue solidifiée.

— Tout a été parfaitement préservé, murmura-t-il.

Hiebermeyer poussa le ventilateur un peu plus loin et le voyant rouge s'alluma. Il fit signe à ses amis de rester en arrière.

— Cette salle est un miracle, déclara-t-il. À Herculanum, d'autres pièces ont échappé à la boue, à la coulée pyroclastique. Personne ne comprend vraiment pourquoi, même s'il y a certainement des experts en informatique à l'UMI qui pourraient reconstituer ce qui s'est passé. En revanche, ce qui est extraordinaire dans cette pièce, c'est qu'elle a également échappé à l'effet de four. Peut-être est-ce dû à sa hauteur. Elle se trouve au dernier étage de la villa, au-dessus des toits de la cité, qu'elle surplombe. Le souffle pyroclastique a certainement traversé la villa de part en part en emportant sur son passage le corps que nous venons de voir mais, d'une façon ou d'une autre, il a épargné cette pièce. On a toujours su qu'il n'était pas exclu de faire ce genre de découverte à Herculanum.

— Maurice, je vois des rouleaux, dit Jack, la voie enrouée par l'excitation. Cela ne fait aucun doute. Ils sont enroulés dans des jarres, sous les étagères.

— C'est ce que j'ai vu hier, lui confia Hiebermeyer. C'est pour ça que je t'ai fait venir ici. Tu comprends, maintenant ? Tu penses à ce que je pense ?

— J'imagine très bien ce dont il peut s'agir…

Le ventilateur s'arrêta brusquement. Hiebermeyer se mit à jurer en allemand.

— Ah, non ! s'exclama-t-il. Pas ça ! Pas maintenant !

Il se pencha au-dessus de la machine.

— Toutes mes excuses pour tout ce que j'ai pu dire ou penser à propos de Naples, poursuivit-il comme s'il adressait une prière à une mystérieuse divinité. Encore cinq minutes. Pitié !

— C'est déjà arrivé, souffla Maria. Le réseau électrique est un peu instable à Ercolano. Les gardes n'ont pas pris la peine d'allumer le groupe électrogène et nous avons dû sortir précipitamment. Mais aujourd'hui, étant donné que la Surintendance a l'intention d'utiliser une foreuse électrique pour extraire la statue d'Anubis, ils vont peut-être se bouger un peu. Il ne nous reste qu'à reculer et à attendre.

Jack garda les yeux rivés sur le coin obscur abritant les rouleaux, presque incapable de se retenir. Puis il respira profondément et retourna de l'autre côté de la fissure. Avant de sortir, Costas tendit la main et ramassa quelque chose.

— Regarde ça ! s'écria-t-il en retirant la poussière de l'objet.

Il s'agissait d'un disque en métal d'un vert soutenu et marbré mesurant environ trois centimètres de diamètre.

— On dirait une médaille, lança-t-il.

— Ce n'est pas une médaille, rectifia Hiebermeyer, c'est un sesterce en bronze, la principale unité monétaire de la Rome antique.

— Et le plus grand modèle de pièce romaine, idéal pour les portraits, ajouta Jack en s'approchant de Costas. On voit quelque chose ?

— Néron ! s'exclama Costas. C'est écrit là. L'empereur Néron !

Il tendit la pièce à Jack, qui l'observa attentivement en l'orientant dans la lumière de sa lampe frontale.

— Tu as raison sur le nom, mais ce n'est pas l'empereur. Regarde ce qui est indiqué sur le revers : « NERO CLAVDIVS DRVSVS GERMANICVS. » Il s'agit en réalité de Drusus, le frère de l'empereur Tibère. Néron était le nom de sa famille. Drusus a été l'un des généraux romains les plus compétents, un homme honnête, considéré comme un héros par le peuple. C'est une véritable figure du début de l'Empire. Il a incarné à la fois les grands espoirs et les grands périls de cette époque, qui rappelle un peu l'Amérique des années 1960. Sa mort par empoisonnement et le meurtre de son fils Germanicus, comme l'assassinat des Kennedy, ont terni la dynastie impériale pendant des années.

— C'était bien avant la période qui nous intéresse, indiqua Hiebermeyer. Drusus a été tué en 10 avant Jésus-Christ, pendant le règne d'Auguste, près de quatre-vingt-dix ans avant l'éruption du Vésuve.

Jack hocha la tête et regarda la pièce de plus près.

— Le motif qui est au milieu représente un arc de triomphe de Rome, surmonté d'une statue équestre de Drusus galopant entre des trophées. Mais ce n'est pas une pièce de Drusus. Celui-ci n'a jamais été empereur. Il retourna la pièce.

— C'est une pièce de son autre fils, reprit-il, le frère de Germanicus, celui qui a survécu à la folie de son oncle Tibère et de son neveu Caligula. Elle date de plus de cinquante ans après la mort de Drusus. Et il est écrit : « TI CLAVDIVS CAESAR AVG PM TR P », c'est-à-dire « Tiberius Claudius Caesar Augustus, Pontifex Maximus, Tribunicia Potestate ». Il s'agit de l'empereur Claude.

— Pauvre Claude, murmura Maria. Claude l'infirme.

— C'est une caricature, souligna Jack, un peu comme l'image que Shakespeare a donnée du roi Richard III d'Angleterre, dit le Bossu. Claude était bien plus que cela.

— Il a été empereur de 41 à 54 après Jésus-Christ, précisa Hiebermeyer en regardant le ventilateur, dont le voyant rouge clignotait toujours. Il est mort à Rome un quart de siècle avant l'éruption du Vésuve, probablement empoisonné par sa femme Agrippine.

— Il n'a pas eu de chance avec ses épouses, fit remarquer Jack. Son seul véritable amour a été la prostituée Calpurnia, mais elle a été tuée, elle aussi.

Il s'interrompit un instant pour admirer le portrait.

— Cette pièce a toujours été ma préférée parmi celles de Claude, confia-t-il. C'est même une de mes pièces romaines favorites. Elle est relativement rare et le portrait est saisissant. Regardez ce visage, cette expression. Claude n'a rien d'un infirme ici. Il a un beau visage, mais celui-ci n'est ni glorifié ni idéalisé. On reconnaît les traits typiques de la dynastie julio-claudienne, notamment le front et les oreilles de son grand-oncle Auguste et, avant lui, de Jules César. Il devait très bien connaître les portraits de ses ancêtres. Et il était sans doute fier de ce portrait de lui, de la dignité qui en émanait. Malgré ses difformités, il ressemblait à ses chers ancêtres. Et puis il y a de l'intelligence dans ce visage, une certaine ambition, mais aussi de la tristesse et de la douleur. L'expression de cet homme jeune est assombrie par la déception et le regard pourrait être celui d'un vieillard.

— Il était probablement atteint de paralysie agitante, avança Hiebermeyer. Une paralysie cérébrale causant une certaine spasmodicité. Il n'avait aucun espoir de guérison et le seul traitement palliatif était le vin en grandes quantités.

— Et l'opium ? intervint brusquement Costas. La morphine ?

Hiebermeyer se retourna vers lui et le gratifia d'un regard frôlant la pitié.

— Nous nous situons au Ier siècle après Jésus-Christ, martela-t-il. Laissons l'actuelle Naples en dehors de ça.

— Je ne plaisante pas, se défendit Costas. Tu sais ce qu'on a trouvé dans notre épave ?

— Plus tard, coupa Jack.

À cet instant, le ventilateur se remit miraculeusement en route.

— En parlant de l'actuelle Naples, se gaussa Hiebermeyer, quelqu'un a dû glisser un billet à l'opérateur du réseau électrique pour qu'il remette l'électricité. À moins que les gardes n'aient décollé de leur chaise. En tout cas, on peut y aller. Costas, après toi !

Il remonta ses lunettes et planta ses yeux chassieux dans ceux de Costas.

— Tu fais partie de la bande, après tout ! ajouta-t-il.

Jack réprima un sourire. Costas, de marbre, regarda longuement Hiebermeyer, puis Jack, puis Hiebermeyer de nouveau.

— Merci, dit-il.

Jack s'appuya contre la paroi irrégulière du tunnel pour laisser passer Maria en premier.

— Honneur à notre spécialiste ès manuscrits ! annonça-t-il.

— Moi, ça me va. Et toi, vieux ? demanda Hiebermeyer en lançant à Costas un regard interrogateur.

Au bord du fou rire, Costas leva les deux pouces en signe d'assentiment.

— Pour le moment, reprit Hiebermeyer plus sérieusement, nous devons toucher les rouleaux le moins possible. Même s'ils sont exceptionnellement bien préservés, ils seront sans doute fragiles. Même dans les tombes les moins humides d'Égypte, le papyrus, lorsqu'il n'est pas enduit de résine, peut s'effriter au moindre contact.

Il se tourna vers Costas d'un air entendu.

— Après tout ce que nous avons dû faire pour obtenir l'autorisation d'entrer ici, prévint-il, je ne veux pas que nous détruisions plus d'artefacts que nous n'en mettrons au jour. Tâchons d'être plus respectueux que nos prédécesseurs. Bon, le voyant vert est allumé. Allons-y.

Quelques instants plus tard, Jack était debout au milieu de la pièce. Il avait la certitude qu'ils étaient les premiers à se trouver ici depuis près de deux mille ans. Il retira son masque antipoussière et respira avec prudence. L'air avait une odeur douceâtre, mais il n'y avait pas beaucoup de poussière. Pour la première fois, il put observer la pièce attentivement. Ses compagnons virent sa lampe frontale balayer les quatre murs et revenir méthodiquement en arrière sur ce qu'elle venait d'éclairer.

— Est-ce qu'on peut éteindre le ventilateur maintenant, Maurice ? demanda-t-il à voix basse. J'ai peur que l'air porte nos voix et qu'on nous entende à la sortie du tuyau d'évacuation.

— C'est fait, répondit Hiebermeyer après avoir fermé l'interrupteur.

Tout devint sinistrement calme. Puis ils entendirent un tintement, des voix étouffées par la distance et le vrombissement de la foreuse électrique.

— Parfait, ce bruit devrait couvrir nos voix.

— Cette pièce est relativement austère, observa Costas. Il n'y a pas grand-chose ici.

— C'est le style romain, expliqua Jack. Le sol et les murs étaient très colorés et décorés, mais il y avait peu de meubles.

— Tout est en pierre, en marbre blanc visiblement, constata Maria.

Jack scruta de nouveau l'obscurité en s'imprégnant de tout ce qu'il discernait pour trouver une cohérence à la pièce. À droite, côté sud, le mur était percé de deux entrées, toutes deux bloquées par des matières volcaniques solidifiées. Elles ouvraient sans doute sur un balcon surplombant la cité d'Herculanum. La vue avait dû être spectaculaire, avec le Vésuve à gauche et la baie de Naples, à droite, dont la côte était visible jusqu'à Misène et Cumes. Jack se tourna un peu et sa lampe frontale éclaira une grande table en marbre, d'environ trois mètres de long et un mètre de large, ainsi que deux chaises en pierre. Sur la table étaient posés deux pichets en terre cuite et trois petits pots de la même matière. À peine visible dans l'obscurité, une petite amphore à vin était posée contre un pied de table. Jack regarda de nouveau les trois pots. Des encriers ! Son cœur se mit à battre la chamade. Puis il aperçut des formes poussiéreuses qui ressemblaient à du papier, du papyrus. Il plissa les yeux. Oui, il en était sûr. Il s'appliqua à rester concentré et orienta son faisceau lumineux plus à gauche. Il vit les étagères qu'ils avaient discernées depuis l'entrée et que Hiebermeyer avait découvertes la veille. Des étagères contenant encore des rouleaux. D'autres rouleaux étaient éparpillés sur le sol, comme Weber l'avait constaté au XVIIIe siècle, dans d'autres pièces de la villa. Jack se retourna complètement pour faire face à la fissure par laquelle ils étaient entrés. Un sac de cuir posé à côté de l'entrée contenait d'autres rouleaux encore, différents de ceux qui jonchaient le sol, car ils se terminaient par des pommettes arrondies. Cela ne faisait aucun doute, il s'agissait de livres achevés…

Jack revint un peu en arrière et dirigea sa lampe frontale entre le sac de cuir et les étagères. Il découvrit dans l'ombre deux bustes exposés sur des piédestaux et orientés en direction de la table. Il avança de quelques pas. Il avait besoin de savoir qui avait vécu ici, qui avait été la dernière personne à s'asseoir à cette table, près de deux mille ans auparavant. Il s'approcha des bustes et constata qu'ils étaient grandeur nature. L'espace d'un instant, ils prirent une apparence spectrale et lui donnèrent l'impression que les occupants de la villa avaient traversé les murs pour venir le fixer avec des yeux sans vie. Il s'efforça de garder la tête froide. Ces bustes étaient typiques du début de l'époque impériale, extraordinairement réalistes, comme s'ils avaient été créés à partir de masques funéraires en cire. Les personnages représentés, beaux, bien proportionnés, les oreilles légèrement décollées, étaient à n'en pas douter des membres de la famille impériale. Ils se ressemblaient tant qu'ils auraient pu être frères. Jack se pencha au-dessus des piédestaux et déchiffra le nom de chacun d'eux :

T. CLAVDIVS DRVSVS NERO
T. NERO DRVSVS SEMPRONIVS GERMANICVS.

— Drusus et Germanicus, murmura-t-il.

— Les deux types dont tu parlais tout à l'heure à propos de la pièce ? demanda Costas. Le père et le frère de Claude ?

— Cela paraît une coïncidence incroyable, dit Maria.

Jack resta concentré. Il avait toujours la pièce à la main. Il la leva devant lui, entre les deux bustes. La ressemblance était remarquable. Était-ce possible ?

— Cette pièce a quelque chose à nous dire, chuchota-t-il. Quelque chose qui est juste sous notre nez.

— Elle n'est pas forcément très signifiante, lui glissa Maria. Cette villa était semblable à une galerie d'art, à un musée. Dans l'Italie de la Renaissance, les propriétaires de grandes villas collectionnaient les médaillons, les pièces anciennes. Pourquoi pas les Romains ?

— Possible, répondit Jack en regardant autour de lui d'un air songeur. Mais à mon avis, la personne qui vivait ici était âgée et s'était dépouillée de tout, excepté de ce qui était essentiel à ses yeux. Ce n'est plus du minimalisme romain mais de l'austérité. Des livres, une table, quelques portraits vénérés, du vin. Pas de peintures murales, pas de mosaïques, rien de l'hédonisme que nous associons généralement à la baie de Naples. Cette personne était prête à franchir le pas vers l'au-delà. Au crépuscule de sa vie, elle avait déjà fait table rase du passé.

— Cela semble tout de même étrange pour une villa aussi immense, insista Costas. On se croirait dans une cellule de moine.

Hiebermeyer s'accroupit et observa un des rouleaux éparpillés sur le sol.

— Le papyrus est fabuleusement bien préservé, s'émerveilla-t-il en le prenant délicatement entre ses doigts. Il est même souple. On peut encore lire le texte en grec.

— Ah, c'est du grec, soupira Jack.

— Et alors ? demanda Costas.

— Rien. Rien du tout. On cherchait juste du latin.

— Je suis désolé, Jack, dit Hiebermeyer en étudiant attentivement le manuscrit avant de remonter ses lunettes. Je t'ai peut-être fait venir jusqu'ici pour rien.

— Philodème ?

— J'en ai bien peur.

— Je croyais que les philosophes grecs étaient très estimés, s'étonna Costas.

— Pas tous, loin de là, rectifia Jack. Beaucoup de Romains, de lettrés, comme Claude ou Pline l'Ancien, pensaient que la plupart des Grecs étaient des imposteurs, des parasites qui s'incrustaient dans les villas des riches. Mais la littérature grecque de second ordre était très présente, et on avait plus de chances de tomber sur un livre d'un auteur comme Philodème que sur un des grands noms que nous admirons aujourd'hui. Les textes classiques qui ont survécu, parce qu'ils ont été préservés et retranscrits à l'époque médiévale, ne représentent que le summum de la littérature ancienne et, donc, une toute petite partie de l'ensemble des écrits. On a tendance à croire que tous les penseurs de l'Antiquité étaient de grands esprits, mais c'est faux. Regarde le monde intellectuel d'aujourd'hui. Combien y a-t-il de grands penseurs qui se distinguent des médiocres et des imposteurs ? Pourtant, nous les considérons tous comme des intellectuels. Il est simplement regrettable que Calpurnius Piso ait manqué de discernement.

— Pourvu que cette pièce ne soit pas juste l'étude de Philodème ! s'écria Hiebermeyer. Il y avait un risque, mais je serais très embarrassé.

— Quel dommage qu'il s'agisse d'un philosophe de second ordre ! renchérit Maria. J'ai du mal à croire que quelqu'un ait tenté de sauver tous ces rouleaux éparpillés par terre.

— Peut-être n'a-t-on pas voulu les sauver mais s'en débarrasser, suggéra Costas. À moins que, comme le disait Jack tout à l'heure, notre momie ait cherché quelque chose de précis au milieu de tout ça.

Jack repensa au squelette macabre, dont un des bras semblait tendu vers les rouleaux.

— Il y a quelque chose de particulier dans cette pièce, pressentit-il. Je ne crois pas qu'elle ait fait office d'étude d'un philosophe grec, pas au moment de l'éruption en tout cas. Elle est trop romaine. C'est une pièce privée, l'expression d'un individu. Elle n'était pas conçue pour recevoir d'éventuels visiteurs. Je n'imagine pas qu'un Grec ait pu choisir deux bustes impériaux romains comme seule décoration. Ce sont les seuls objets d'art qu'il aurait vus depuis sa table de travail. Non, ça ne colle pas.

Hiebermeyer réactiva le ventilateur et le voyant rouge s'alluma.

— Mieux vaut le laisser en route pendant quelques minutes, dit-il. Je ne pense pas qu'ils puissent nous entendre avec le bruit de la foreuse.

Ils revinrent en arrière pour se rassembler à l'entrée. Jack examina de nouveau la pièce de monnaie. Il regarda les statues, puis encore la pièce. Il constata que celle-ci avait souvent été manipulée, au même endroit, des deux côtés.

— Peut-être était-ce un souvenir gardé par un vieux soldat, murmura-t-il. Un soldat qui avait servi sous le règne de l'empereur Claude, lors de l'invasion de la Bretagne insulaire, ou même sous Germanicus, soixante ans avant l'éruption. Un vieillard qui vénérait son général, ainsi que le frère et le père de celui-ci.

Il s'interrompit un instant, troublé.

— Mais tout de même, reprit-il, c'est étrange.

— Pourquoi ? demanda Costas. C'est un artefact précieux mais, comme l'a dit Maria, ce n'est qu'une pièce.

— C'était risqué. On ne s'accrochait pas aux anciennes pièces, à moins de les garder comme un trésor. Aujourd'hui, quand une pièce disparaît de la circulation, c'est parce que la monnaie a changé de nom ou qu'on lui a donné une autre forme. Mais, à l'époque romaine, il n'était pas prudent d'avoir une pièce de l'empereur précédent sur soi. La monnaie était un instrument de propagande très important. Elle véhiculait l'image du nouvel empereur et affirmait son pouvoir. Le revers des pièces, un peu comme les timbres-poste, était orné d'images commémoratives ouvertement propagandistes, qui célébraient les victoires nationales, c'est-à-dire les exploits de l'empereur et de sa famille.

— Le triomphe de Vespasien, se souvint Costas. *Judaea Capta.* La menora juive.

— Comment pourrions-nous l'oublier… Cette pièce a été frappée moins de dix ans avant l'éruption du Vésuve. Il existe d'autres exemples célèbres, notamment les pièces commémorant la conquête de la Bretagne par l'empereur Claude en 43 après Jésus-Christ.

— Mais celle-ci rend hommage au père de Claude, affirma Costas en la prenant des mains de Jack pour la regarder de plus près à la lumière de sa lampe frontale. C'est plutôt altruiste et même touchant pour un empereur. Ce type me plaît.

— Ne te méprends pas. Cette pièce date de la première année du règne de Claude. Or, celui-ci n'avait encore accompli aucun exploit. Rendre hommage à un ancêtre couronné de gloire était une façon pour lui de légitimer sa propre autorité, de rappeler au peuple les vertus de sa lignée. En 41 après Jésus-Christ, Rome sortait de quatre ans de folie infligée par Caligula, le neveu de Claude. Le peuple aspirait au retour des valeurs traditionnelles : honneur, intégrité, continuité familiale, volonté de se montrer digne de ses ancêtres, tout ce qui faisait la force de Rome. Du moins en théorie.

— La famille, murmura Costas. C'est une notion encore très présente en Italie...

— Claude s'est retrouvé empereur presque malgré lui. La garde prétorienne l'a trouvé derrière un rideau. À ce moment-là, il était déjà entré dans l'âge mûr et espérait couler des jours tranquilles en tant qu'homme de lettres et historien. Mais il vénérait la mémoire de son père et, toute sa vie, il a regretté de ne pas avoir été assez vigoureux pour entrer dans l'armée, comme l'avait fait son frère Germanicus, qu'il adorait également. En devenant empereur, il a eu sa chance. Chaque nouvel empereur, y compris Caligula et Néron, le successeur de Claude, a toujours promis le respect des valeurs traditionnelles, la fin de la débauche et de la corruption, le retour aux vertus ancestrales.

— Claude a-t-il tenu sa promesse ?

— Il aurait pu, s'il n'avait pas été manipulé par ses femmes, répondit Hiebermeyer.

— La Bretagne a été un grand triomphe, dit Jack. Claude était condamné à ne jamais se couvrir de gloire. Au lieu de surgir des vagues, sur le rivage de la Manche, et de conduire ses troupes à la bataille, il s'est rendu ridicule en chevauchant un éléphant de guerre. Lorsqu'il est arrivé, il n'a eu que le temps de voir les corps des Britanniques vaincus. Mais c'était un fin stratège et, d'une certaine façon, un visionnaire, qui avait passé sa vie à étudier l'Empire et la conquête. Il a su voir au-delà de son triomphe personnel. Le monde aurait été très différent s'il n'avait pas conquis la Bretagne. Pour les légionnaires, il n'y avait rien eu de pire que de défier Neptune, le dieu de la Mer, pour suivre Caligula au-delà de la Manche. Ils ne se souciaient guère d'être dirigés par un infirme, du moment qu'il était sain d'esprit. Claude s'était entouré d'hommes de terrain très compétents, de généraux tels que Vespasien, d'officiers comme Pline l'Ancien, qui lui étaient tous fidèles. De plus, les légionnaires vénéraient eux aussi la mémoire de son père et de son frère.

Jack s'interrompit un instant et regarda de nouveau les bustes.

— Tout comme l'occupant de cette pièce, ajouta-t-il.

— La fidélité de ses hommes n'a pas empêché Claude de mourir empoisonné, fit remarquer Hiebermeyer.

— C'est vrai mais, au Ier siècle après Jésus-Christ, cela faisait également partie des coutumes romaines.

— En parlant de poison, vas-tu finir par lâcher le morceau ? Raconte-moi cette histoire d'opium.

— Tu ne vas pas me croire.

— Je t'écoute, insista Hiebermeyer en enfonçant son casque sur la tête. Comme dirait notre ami Costas, je suis tout ouïe.

À cet instant, le voyant vert s'alluma. Hiebermeyer alla éteindre le ventilateur.

— Cela devra encore attendre, soupira-t-il.

Jack retourna dans la pièce et se dirigea directement de l'autre côté de la table, entre les deux chaises. Il ne s'était pas trompé. Elles étaient couvertes de poussière mais, cela ne faisait aucun doute, c'étaient des feuilles de papyrus, vierges. Un rouleau était ouvert, comme si quelqu'un allait s'attabler pour écrire. Des encriers et un calame, prêt à être trempé dans l'encre, étaient encore là où ils avaient été abandonnés lorsque l'enfer s'était déchaîné. Jack baissa les yeux, puis observa une nouvelle fois les bustes. *Drusus et Germanicus.* Des Romains vivant en 79 après Jésus-Christ attachaient encore de l'importance à ces figures du passé. Ces deux héros étaient morts prématurément et c'était sans doute la raison pour laquelle on avait entretenu leur mémoire pendant des générations. Jack repensa à ce qui lui était venu à l'esprit quelques minutes plus tôt. Les Romains vénéraient les portraits de leurs ancêtres. Et il s'agissait d'une pièce privée. Une pièce dans laquelle un individu avait conservé son plus précieux héritage : le portrait de ses ancêtres.

Jack commençait à imaginer l'impossible.

Le portrait de son père. De son frère.

Soudain, tout prit un sens. Jack se souvint de sa conversation de la veille avec Costas à propos de Pline l'Ancien. Il en eut le vertige. Il fouilla dans son sac, le cœur battant à tout rompre, et en sortit son petit livre rouge, qu'il posa sur la table. Puis il prit une feuille de papyrus, la secoua légèrement et regarda à travers avec sa lampe torche. Il sourit pour lui-même.

— Absolument fantastique, murmura-t-il.

— Qu'est-ce qu'il y a ? demanda Costas.

Jack tint la feuille dans la lumière afin que tout le monde puisse la voir.

— Regardez, on voit une seconde couche de papyrus, plus grossière que la première. La surface est de très bonne qualité, mais elle a été renforcée et se révèle moins transparente. Et sauf erreur de ma part, cette feuille mesure exactement un pied romain de large.

— Et alors ?

Jack posa la feuille avec précaution et prit son exemplaire de l'*Histoire naturelle*.

— Écoutez ce que Pline écrit à propos du papier au chapitre XXIV du livre XIII sur les plantes exotiques :

« L'empereur Claude changea la première qualité : le papier Auguste était trop fin, et ne résistait pas à la pression du calame ; en outre il laissait passer les lettres, et quand on écrivait sur le verso on craignait d'effacer le recto : dans tous les cas, la transparence en était désagréable à l'œil. On fit donc la chaîne du papier avec des bandes de seconde qualité, et la trame avec des bandes de première. Claude augmenta aussi la largeur : la dimension fut d'un pied pour le papier ordinaire. »

Hiebermeyer se pencha au-dessus de la table et, à l'aide d'une petite loupe, examina l'encre qui tapissait encore le fond d'un encrier.

— Visiblement, constata-t-il, il s'agit d'encre de galle, produite par le scarabée du désert. On ne trouvait pas mieux à l'époque. Je m'y connais, car j'ai étudié les différents types d'encre lorsque nous avons trouvé des papyrus autour de momies en Égypte. Pline en parle aussi dans l'*Histoire naturelle*.

— Il me vient une idée absolument extraordinaire ! s'exclama Jack. Je crois qu'il est possible, je dis bien possible, que nous nous trouvions dans l'étude d'un homme qui n'aurait jamais dû être là, dont l'Histoire nous dit qu'il est mort un quart de siècle avant l'éruption du Vésuve.

— Un homme qui a jadis dirigé un empire, souffla Maria.

Hiebermeyer hocha la tête lentement.

— Tiberius Claudius Drusus Nero Germanicus Caesar, affirma-t-il sans oser y croire.

Jack orienta la pièce dans le faisceau de sa lampe frontale, de sorte que la lumière accroche le portrait.

— Pas l'empereur Claude, précisa-t-il, pas le dieu Claude, mais Claude l'homme de lettres. Celui qui pourrait bien avoir simulé son empoisonnement et survécu pendant un quart de siècle après avoir disparu de Rome, caché dans cette villa. Celui qui, en réalité, a peut-être péri, tout comme Pline, dans le cataclysme de 79 après Jésus-Christ.

Tout le monde resta muet de stupeur, puis Costas rompit le silence.

— Eh bien, dit-il à voix basse, voilà encore tout un pan de l'Histoire que tu vas devoir réécrire.

— Et ce n'est pas le seul, intervint Maria, qui leur tournait le dos et fouillait dans les étagères. Il y a d'autres rouleaux, Jack, beaucoup d'autres. Des livres entiers.

Jack et ses compagnons la rejoignirent. Des dizaines de jarres cylindriques, d'environ quarante-cinq centimètres de haut, occupaient les deux rayons du bas.

— Ces jarres ont été fermées avec une sorte de mortier, observa Hiebermeyer. Il s'agit de pierre évidée, de marbre égyptien, semble-t-il. On dirait des canopes. Le propriétaire n'a pas lésiné sur les moyens.

— Celle-ci est ouverte, déclara Maria en sortant sa lampe torche.

Elle éclaira le haut d'une jarre posée sur le côté droit du premier rayon. L'intérieur évidé mesurait environ trente centimètres de diamètre. Ils discernèrent d'autres formes cylindriques, séparées par un espace, comme si l'une d'elles avait été retirée.

— Fascinant, murmura Hiebermeyer.

— Qu'est-ce que c'est ? demanda Costas.

— Des rouleaux de papyrus. Soigneusement enroulés.

— Jack, ils ne sont pas carbonisés ! s'exclama Maria. C'est un miracle.

— Peut-on savoir de quoi il s'agit ? s'enquit Costas.

— Il devrait y avoir des *sillybi*, répondit Jack, des étiquettes décrivant les livres. Les rouleaux n'ayant pas de dos, les livres étaient identifiés par des bandes qui pendaient généralement le long des rayons. Mais je n'en vois pas ici.

— Attends, dit Maria en scrutant le haut d'une jarre fermée, posée juste à côté de celle qui était ouverte. Il y a une inscription. Taillée dans la pierre. C'est du latin. *Carthaginia Historiae*.

— L'*Histoire de Carthage*, traduisit Jack. L'*Histoire de Carthage* de Claude, qu'on croyait perdue. Qui d'autre que Claude lui-même l'aurait dans sa bibliothèque privée ?

— Ce n'est pas tout, annonça Hiebermeyer, qui s'était faufilé jusqu'au sac de rouleaux laissé à côté de la porte et tenait une des baguettes ornées de pommettes. *Historiae Naturalis, Caius Plinius Secundus*. Il semblerait qu'il s'agisse d'une édition complète de l'*Histoire naturelle* de Pline.

— La voilà, votre bibliothèque latine ! s'écria Costas.

Jack fut envahi par un sentiment de certitude. Il regarda le rouleau et se rappela ce qu'il avait éprouvé en entrant dans la pièce et en découvrant les deux bustes. Il sentait une autre présence.

— Il y a quelque chose qui m'intrigue ici, confia-t-il. À propos des personnes qui se sont trouvées dans cette pièce.

— Quoi ?

— Nous avons visiblement une copie complète de l'*Histoire naturelle* de Pline, qui sort tout droit du scriptorium. Comment Claude se l'est-il procurée ?

— Peut-être a-t-il envoyé l'eunuque lui acheter des bouquins, suggéra Costas en hochant la tête en direction du squelette.

— Réfléchissons. Imaginons que j'aie raison, que Claude ait vécu ici en secret jusqu'à l'éruption du Vésuve, en 79 après Jésus-Christ. L'un des événements les plus célèbres de l'Antiquité est la mort de Pline l'Ancien dans l'éruption du volcan. Pline était amiral de la flotte romaine, basée à Misène, dans la baie de Naples, à quelques kilomètres d'ici.

— Tu penses qu'ils se connaissaient ?

— Voilà ce qui m'a mis la puce à l'oreille, répondit Jack en feuilletant l'index de son exemplaire de l'*Histoire naturelle*. Pline fait souvent référence à Claude et vante toujours ses exploits. Bien sûr, il lui devait sa carrière, mais ces passages sont presque trop élogieux pour un empereur censé être mort depuis un quart de siècle. Ici, il parle d'un tunnel que Claude a fait creuser pour drainer l'eau du lac Fucine jusqu'à Rome, un chantier colossal qui a mobilisé trente mille hommes et duré onze ans, une entreprise « qu'aucun mot ne peut décrire ». Cette phrase est étrange. Pour Pline, rien n'était indescriptible. Et puis, il aurait dû écrire *« divus Claudius »*, le divin Claude, en référence au statut d'empereur déifié de Claude, dont l'apothéose avait eu lieu des années auparavant. Or, il écrit *« Claudius Caesar »*. C'est presque trop familier, comme si Claude était encore vivant au moment où il s'exprime. Ce sont des indices précieux.

— Tout cela se tient, murmura Hiebermeyer.

— Claude semble avoir été un homme sociable, tout comme Pline. S'il a été contraint de vivre en reclus, il n'en aimait pas moins la compagnie. Quant à Pline, il devait être constamment à la recherche d'érudits susceptibles de l'aider à rédiger son *Histoire naturelle*. C'était un Romain pragmatique, qui avait la tête sur les épaules. Chacune de ses rencontres avec Claude devait être un véritable bol d'air dans ce repaire d'hédonistes épris de culture grecque, qui se laissaient séduire par des philosophes du dimanche comme Philodème.

— Et ce sentiment devait être réciproque, dit Maria.

— Claude avait sans doute beaucoup d'admiration pour Pline, qui était un homme droit, un militaire et un érudit extrêmement productif. Un jour, Pline a eu une vision du père de Claude, Drusus, qui l'invitait à écrire une histoire des guerres germaniques. Assis en face du buste de son père, Claude devait aimer à entendre cette anecdote de la bouche même de Pline autour de quelques pichets de vin.

— Claude devait être extraordinairement cultivé, lui aussi, fit remarquer Hiebermeyer en pointant le doigt vers les étagères. Ces rencontres étaient celles de deux grands esprits. Pline a dû consulter Claude à propos de la Bretagne, bien que je ne me rappelle pas avoir lu grand-chose sur ce pays dans l'*Histoire naturelle*.

— Peut-être est-il mort avant de pouvoir intégrer ces informations. Il n'a été affecté à Naples qu'un an avant l'éruption. Il a sans doute manqué de temps. Il était trop sociable pour rester constamment penché sur sa table de travail. Il devait sortir avec ses amis et fréquenter les femmes. Cependant, Claude a dû lui confier une information d'une importance exceptionnelle. Je crois que Pline est venu ici, dans cette pièce. Je le sens. Je pense qu'il est venu rendre visite à Claude et qu'ils ont commencé à travailler ensemble. Il lui avait donné sa dernière copie de l'*Histoire naturelle* mais s'apprêtait probablement à faire un ajout après avoir compris qu'il était tombé sur une mine d'or.

— Peut-être est-ce ici que Pline s'est précipité lorsqu'il a navigué vers le Vésuve, lors de l'éruption, suggéra Costas. Je me souviens de la lettre que tu m'as lue, mais peut-être Pline a-t-il dit à son neveu qu'il venait secourir une femme, alors qu'en réalité il voulait sauver Claude et cette fabuleuse bibliothèque.

— Mais il est arrivé trop tard, compléta Maria d'une voix impressionnée.

— Si Claude se trouvait vraiment là, songea Costas à voix haute, je me demande ce qui lui est arrivé.

— Il était là, affirma Jack avec enthousiasme. Je sens presque l'odeur du vin, renversé par une main tremblante. L'odeur du soufre, qu'il avait peut-être ramenée de ses visites nocturnes à la sibylle de Cumes, dont nous savons qu'il la consultait lorsqu'il était empereur. L'odeur de l'encre de galle. Il était là, c'est certain. J'en ai l'intime conviction.

Il retourna vers la table et découvrit un texte, là où il n'y avait rien quelques minutes auparavant. Stupéfait, il comprit que la feuille de papyrus située au-dessous de celle qu'il avait prise n'était pas vierge. Près de deux mille ans après avoir été écrits, les mots étaient encore parfaitement lisibles. Jack lut le titre à voix haute :

HISTORIA BRITANNORVM CLAUDIVS CAESAR

— Incroyable, murmura-t-il. Une *Histoire de la Bretagne par Claudius Caesar*. Vous imaginez les informations qu'elle peut contenir !

Il parcourut les lignes, apprécia l'écriture fine et précise, et revint au titre. Juste au-dessous, deux mots étaient écrits en plus petit mais de la même main :

NARCISSVS FECIT

— Bien sûr ! s'exclama Jack, au comble de l'excitation. *Narcisse a fait cela. Narcisse a écrit cela.*

Il regarda par la fissure de l'entrée et aperçut le bras tendu du squelette.

— Alors c'était bien toi, lâcha-t-il comme pour lui-même avant de se tourner vers ses compagnons. Je vous ai dit que Narcisse était l'affranchi de Claude. Mais son titre officiel était *praepositus ab epistulis*, responsable de la correspondance. Tout colle parfaitement ! Ce squelette est celui du copiste de Claude. Nous savons que Pline a toujours eu un scribe. Claude devait en avoir un, lui aussi, d'autant qu'il était atteint de paralysie agitante.

Jack observa les autres feuilles éparpillées sur la table. Elles étaient vierges mais couvertes de zones rougeâtres, sans doute des taches de vin.

— C'est fantastique ! s'écria-t-il. Si seulement on pouvait trouver un texte écrit de la main de Claude !

Le bruit de la foreuse, à l'entrée du tunnel, avait cessé. Une femme se mit à crier des ordres avec un fort accent anglais.

— Docteur Hiebermeyer ? Docteur Hiebermeyer ? Nous allons fermer le tunnel. Sortez immédiatement !

— Oui, oui ! répondit Hiebermeyer en italien.

Pendant ce temps, Maria, qui s'était empressée de sortir son appareil photo numérique, prenait méthodiquement des photos de tout ce qu'ils avaient vu. Elle termina par plusieurs gros plans du texte posé sur la table et replaça le papyrus vierge par-dessus.

— Il faut qu'on prenne une décision, Jack ! dit Hiebermeyer à voix basse. *Pronto* !

— Dès que nous serons sortis de la villa, décréta Jack, je téléphonerai à l'agence de presse Reuters. J'ai un ami là-bas. Maria a pris des tas de photos et nous n'avons plus qu'à les envoyer par courrier électronique. Mais, pour le moment, on ne dit rien. S'il y a la moindre fuite, nous ne reverrons jamais cette pièce. Continue à invoquer le facteur danger, Maurice, c'est le moment ou jamais. Nous n'avons rien trouvé d'extraordinaire. Nous avons passé tout notre temps à étudier des fragments de maçonnerie qui se sont détachés des parois. Il est bien trop dangereux de retourner au-delà de cette grille. Les vibrations de la foreuse ont aggravé l'instabilité de l'environnement et une partie du tunnel s'est effondrée. Mais dès demain matin, quand les images seront diffusées sur toutes les chaînes de télévision et feront la une des journaux, ils n'auront pas d'autre choix que d'ouvrir le site. Ce sera l'une des découvertes les plus sensationnelles de toute l'histoire de l'archéologie. Et au fait, Maurice et Maria, toutes mes félicitations !

— Ne nous félicite pas encore, Jack, marmonna Hiebermeyer en se frayant un chemin entre les rouleaux jonchant le sol jusqu'au ventilateur. J'ai eu trop souvent affaire à ces gens pour être aussi optimiste. Nous boirons le champagne lorsque nous aurons prouvé que cette pièce ne sort pas tout droit de notre imagination.

— Jack, il y a un rouleau ouvert, là, observa Costas, qui désignait un recoin derrière les jarres de marbre alignées sur les étagères.

— Il y a des rouleaux partout, dit Jack. C'est la caverne d'Ali Baba, ici !

— Tu as dit que tu voulais voir un texte écrit de la main de Claude. Celui-ci semble avoir été rédigé par deux personnes différentes, dont l'une avait une écriture en pattes de mouche. On dirait que quelqu'un a griffonné des notes dans la marge.

— Probablement ce vieux fou de Philodème ! le coupa Hiebermeyer.

— Je crois que Claude était en train de se débarrasser des œuvres de Philodème, déclara Jack.

Il rejoignit Costas, qui lui céda la place, et regarda derrière les jarres. Les deux extrémités du manuscrit n'étaient que partiellement enroulées et quelques centimètres d'écriture étaient visibles au milieu. Avec ses baguettes ornées de pommettes, le rouleau semblait identique à ceux de l'*Histoire naturelle* de Pline qui se trouvaient près de la porte. Quelqu'un avait dû le consulter et le mettre de côté en le laissant ouvert à cette page.

La voix de la femme, à la fois dure et stridente, résonna une nouvelle fois dans le tunnel. Maria et Hiebermeyer avaient déjà franchi l'entrée et sortaient le ventilateur de la pièce.

Jack se figea.

Il regarda de nouveau. Deux mots. Deux mots qui pouvaient changer toute l'Histoire. Son imagination s'emballa et son cœur se serra dans sa poitrine.

Pour la première fois de sa vie, il fit l'impensable. Il prit le manuscrit en laissant les deux extrémités s'enrouler. Puis il le glissa dans son sac kaki, dont il ferma soigneusement le rabat et les sangles. Costas le regarda sans piper mot.

— Tu sais pourquoi je fais ça, lui dit Jack à voix basse.

— Je te suis, répondit Costas.

Jack se tourna vers Maria et Hiebermeyer.

— Bien, annonça-t-il. Il est temps d'affronter l'Inquisition !

Un quart d'heure plus tard, Jack, Costas et Maria attendaient que le garde posté à l'entrée du site archéologique leur ouvre la porte donnant sur la ruelle de la ville nouvelle d'Ercolano. Dès leur sortie du tunnel, ils avaient été assaillis par la chaleur, mais l'aveuglant soleil qui sévissait à leur arrivée avait cédé la place à un ciel bas et gris. Des nuages sombres s'étaient accumulés autour du Vésuve et recouvraient la baie derrière eux. Ils avaient retiré leur casque de sécurité et laissé Hiebermeyer faire son rapport à Elizabeth et à un inspecteur qui l'avait rejointe et s'était montré très impatient de fermer le site. La statue égyptienne d'Anubis avait déjà été extraite de la roche volcanique. Disposée devant une rampe de spots, elle était prête pour le communiqué de presse qui allait avoir lieu prochainement. Une bétonneuse avait été apportée à l'entrée du tunnel et les ouvriers devaient déjà être en train de bloquer l'accès. Tout semblait se passer exactement comme Hiebermeyer l'avait prédit.

Le garde qui avait accueilli les archéologues traversait la cour d'un pas tranquille et se dirigeait vers eux, une cigarette aux lèvres et sa mitraillette en bandoulière. Il s'approcha de Costas, jeta sa cigarette au loin d'une chiquenaude et se posta devant lui en levant les mains. Jack comprit qu'il avait l'intention de le fouiller. Ce n'était pas le moment. Maintenant qu'ils étaient entrés, ils n'avaient plus rien à perdre. Cependant, Jack voulait éviter tout incident susceptible d'entraîner une fouille complète de l'équipe. Il posa la main sur son précieux sac et tenta d'attirer l'attention de Costas, mais celui-ci, les yeux rivés sur le garde, serrait et desserrait les poings.

À cet instant, une porte s'ouvrit et Hiebermeyer entra dans la cour, suivi d'Elizabeth et de l'autre inspecteur. Elizabeth rabroua le garde en italien, mais il se contenta de ricaner sans bouger d'un cheveu. Alors l'inspecteur ajouta quelque chose, qui le fit reculer de quelques pas. Il lui prit son trousseau de clés, se dirigea directement vers la porte, la déverrouilla et invita les archéologues à sortir. Maria et Costas s'exécutèrent. Jack s'apprêtait à les suivre, mais il se tourna vers Elizabeth, qui, pour la première fois, soutint son regard. Elle leva vers lui des yeux implorants et, sans réfléchir, l'attrapa par le bras et l'entraîna dans l'ombre, devant le garde attentif à ses moindres gestes. L'espace d'un instant, Jack revint des années en arrière et replongea dans ce regard sombre, toujours aussi séduisant au milieu de ce visage plus angoissé et plus marqué que le passage du temps ne pouvait l'expliquer. Il saisit à peine ce qu'elle lui murmura, quelques bribes de phrases, avant de le pousser vers la sortie et de retourner à la hâte d'où elle venait.

Cloué sur place, Jack entendit Costas l'appeler à travers la porte entrebâillée. Il passa d'un pas lourd devant le garde, qui parlait désormais à voix basse dans son téléphone portable en le suivant du regard, puis devant l'inspecteur, qui lui fit un signe de tête avant de refermer la porte derrière lui. Une fois dans la ruelle jonchée de détritus, il entendit le cadenas se refermer, observa la silhouette menaçante du Vésuve au-dessus des toits et suivit ses amis. Il serra son sac contre lui et sentit la forme de ce qui se trouvait à l'intérieur. Son cœur s'emballa. Il ne pouvait plus revenir en arrière.

Chapitre 10

L'homme en soutane noire longea le baldaquin en direction du pilier de Saint-André et se signa lorsqu'il passa devant le maître-autel. Grand, d'âge mûr, il avait les traits fins et aquilins, des lunettes discrètes, mais la rudesse vigoureuse d'un jésuite qui avait passé des années sur le terrain. Il salua sèchement le garde suisse posté à l'entrée du pilier et se retourna pour admirer le baldaquin. Les grandes colonnes noires avaient été fondues par le Bernin dans le bronze du Panthéon, le temple païen de tous les dieux, et le faste baroque se déployait sous la coupole de la plus grande église de la chrétienté. Pour l'ecclésiastique, cet endroit rendait insignifiant le sentiment que les Romains avaient de maîtriser la nature, comme semblait l'être quiconque se tenait sous le baldaquin. Ici, chacun pouvait constater l'ascendant du Saint-Siège sur une congrégation beaucoup plus vaste que n'auraient pu l'imaginer les empereurs contemporains du Christ.

L'homme renifla et fronça légèrement le nez. L'air était alourdi par le souffle de milliers de pèlerins et de touristes qui étaient venus ici ce jour-là, comme tous les autres jours. Le peuple représentait le pouvoir de l'Église. Pourtant, l'homme trouvait la base de l'humanité détestable et l'abandonnait toujours avec plaisir pour s'enfoncer dans les sanctuaires du clergé. Il ne devait pas oublier pourquoi il était ici, ce soir. Marchant d'un bon pas, il descendit avec détermination l'escalier qui menait sous la nef, dans une grotte située au niveau de la colline romaine où se trouvait jadis l'hippodrome de Caligula et de Néron, ainsi qu'une cité des morts, taillée dans le roc. Aujourd'hui, le sous-sol de l'église abritait le cimetière des papes et la dernière demeure de saint Pierre. Le visiteur se signa de nouveau en traversant ce lieu saint et se fraya un chemin entre les fondations de la basilique constantinienne jusqu'à un autre escalier, qui descendait dans les profondeurs de l'ancienne nécropole. On lui avait ouvert la porte mais, d'une main, il prit une clé sous sa soutane et, de l'autre, alluma une petite lampe torche. En bas de l'escalier, le faisceau lumineux dansait sur les murs de pierre rugueux, bordés de niches et de recoins obscurs. L'homme baissa la tête pour entrer dans une galerie, sur la droite, descendit quelques marches taillées dans le roc qui menaient à une tombe vide, tâtonna le long du mur et trouva rapidement ce qu'il cherchait. Il mit la clé dans la serrure et une porte dérobée s'ouvrit vers l'intérieur. Il entra, se retourna et referma derrière lui. Il était arrivé.

Il se souvenait encore des frissons qui l'avaient parcouru lorsqu'il s'était tapi ici pour la première fois. C'était lors des fouilles de la nécropole, lorsque tout le monde ne s'intéressait qu'à la tombe de saint Pierre. Un jeune initié et lui avaient découvert cette galerie, une catacombe paléochrétienne dont l'accès était condamné depuis l'Antiquité. Elle était mieux conservée que le reste de la nécropole. Les niches étaient encore bouchées et les sépultures, intactes. Ils étaient entrés à l'intérieur, tous les deux. Et ils avaient fait une découverte extraordinaire. Seuls quelques privilégiés, les membres du *concilium*, avaient été mis au courant : le souverain pontife, le doyen du collège des cardinaux et l'homme qui occupait le poste dont l'ecclésiastique avait actuellement la charge. C'était un des plus grands secrets du Saint-Siège, une arme qu'ils utiliseraient le jour où les forces des ténèbres seraient à leur porte, lorsque l'Église devrait mobiliser toute son énergie pour défendre sa propre existence.

L'homme se dirigea vers un puits de lumière vacillante, au bout de la galerie. En chemin, il retrouva les images qu'ils avaient vues la toute première fois. Il était toujours profondément ému par les expressions simples et sans affectation de la foi originelle, plus viscérales que les enjolivements ornant l'église. Le Christ assis à côté d'une femme à bord d'un bateau, un filet à la main. Le Christ embrasé, se dressant au-dessus des flammes avec les deux autres crucifiés, devant une montagne en feu. Et des noms partout sur les niches funéraires, de simples mosaïques enfoncées dans le plâtre. *Priscilla in pace. Zechariah in pace.* Le chi-rho, des paniers de pain, une colombe tenant une branche d'olivier. Des images gravées dans la pierre, qui devenaient de plus en plus fréquentes au fur et à mesure qu'il approchait de la source de lumière, comme si les morts avaient demandé à être ensevelis le plus près possible de cet endroit. La galerie s'élargit légèrement et il vit les cierges, qui diffusaient la lumière, disposés aux quatre coins du socle. La tombe, à peine surélevée sur une couche de plâtre, était de simple facture et recouverte de grandes tuiles romaines. Le nom était gravé sur la surface. L'homme se signa et murmura ce que d'autres avaient soupçonné mais dont seuls quelques privilégiés détenaient la preuve : *la basilique Saint-Pierre et Saint-Paul.*

Deux autres hommes étaient déjà là. Vêtus de leur soutane, ils étaient assis dans des niches taillées dans la pierre, de part et d'autre de la tombe, le visage dans l'ombre. L'ecclésiastique se signa de nouveau.

— *In nomine patris et filii et spiritus sancti*, dit-il en s'inclinant légèrement devant chacun des deux hommes. Éminences.

— Monsignor, asseyez-vous, je vous prie. Le *concilium* est au complet.

Les mots avaient été prononcés avec un léger accent d'Europe de l'Est.

La catacombe était humide et retenait la poussière, mais les volutes de fumée s'échappant des cierges lui piquaient les yeux et il ne pouvait s'empêcher de cligner des paupières.

— Je suis venu dès que j'ai été averti de votre requête, Éminence.

— Vous savez pourquoi nous sommes ici ?

— Le *concilium* ne se réunit que lorsque le Saint-Siège menace d'être profané.

— C'est ainsi depuis près de deux mille ans, depuis que saint Paul est venu rendre visite à ses frères et que le *concilium* s'est réuni pour la première fois, dans les Champs de feu. Nous sommes les soldats de Notre-Seigneur et suivons ses commandements. *Dies irae, dies illa. Solvet saeclum in favilla.*

— Amen.

— Nous n'admettons que la vraie parole du Messie, aucune autre.

— Amen.

— Nous nous sommes déjà réunis une fois cette année. Nous avons contrecarré la quête des trésors juifs du Temple. Mais aujourd'hui, une plus grande menace pèse sur nous, une hérésie qui risque de détruire l'Église. Nous la connaissons depuis des siècles. Nous avons usé de tout notre pouvoir et de toutes les ruses pour la combattre. Hélas, un nouveau démon s'est levé. Ce que nous croyions détruit, perdu à jamais, a été retrouvé. Un blasphème, un mensonge, une émanation du diable !

— Que suggère le *concilium* ?

La voix, froide comme l'acier, siffla sur un ton qui n'admettait pas d'objection :

— Trouvez-le.

Dans un ciel strié d'or, Jack ramenait l'hélicoptère Lynx vers les lumières de l'hélistation, sur la poupe de la *Seaquest II*. Maria se trouvait sur le siège du copilote et Costas était étendu à l'arrière, où il ronflait à pleins poumons. Ils avaient laissé Hiebermeyer à Herculanum, sous une pluie battante, une averse inattendue qui avait demandé à Jack une grande concentration au moment du décollage. Puis, pendant tout le vol, Jack avait été perdu dans ses pensées, tourmenté par sa rencontre avec Elizabeth et occupé à envoyer un e-mail via l'ordinateur de l'hélicoptère. Il lui avait fallu moins d'une heure pour longer la baie de Naples vers le sud, contourner les montagnes de Calabre et virer vers le large pour rejoindre le navire, qui mouillait à environ dix milles nautiques au nord du détroit de Messine. La soirée était claire, presque transparente. L'air était pur et la mer, légèrement ridée par une brise mourante. Mais le souffle de l'hélice créa bientôt un tourbillon et l'hélicoptère descendit en ligne droite au milieu d'une tornade scintillante. Après un atterrissage réussi, Jack attendit que le rotor s'arrête avant de déboucler sa ceinture, ouvrit la portière et fit un signe de tête au chef d'équipage, qui arrimait les flotteurs au pont. Il retira son casque puis, lorsque Costas et Maria l'eurent imité, il les conduisit au laboratoire de conservation principal du navire et referma la porte derrière lui. Il choisit une station de travail comprenant une console et une table lumineuse, alluma une lampe articulée en métal dotée d'une ampoule fluorescente au-dessus de la table, et s'assit sur la chaise. Enfin, il sortit une radio bidirectionnelle de sa combinaison de vol et activa le canal sécurisé de l'UMI.

— Maurice, c'est Jack, dit-il après une série de crépitements. Nous sommes à bord de la *Seaquest II*, sains et saufs. Je te tiendrai au courant. Terminé.

Il attendit la réponse de Hiebermeyer, posa la radio à côté du moniteur et son sac kaki sur ses genoux, avant de prendre une paire de gants en plastique dans un distributeur situé sous la table.

— Tu crois qu'il va s'en tirer ? demanda Costas.

— Maurice ? C'est un professionnel. Il saura comment s'y prendre pour faire boucler le chantier. Il lui suffit de dire que le tunnel est dangereux, qu'il y a un risque d'effondrement, et ils condamneront l'accès. Ils ne voulaient pas de cette fouille, de toute façon. Et il pourra amuser la presse avec Anubis. Cela suffira amplement à montrer que les archéologues ont fait leur boulot. On s'en tient à notre second plan : on prévient Reuters, mais on ne parle pas de la bibliothèque. Dès que nous en saurons plus, j'appellerai l'agence pour balancer toute l'histoire. Maria a pris des centaines de photos numériques et elles sont toutes là. Elles ressemblent aux premières images de la tombe de Toutankhamon. Il y a de quoi faire les gros titres ! Les autorités seront contraintes de rouvrir le site, pour que le monde entier puisse voir ce que nous avons vu.

— Je rejoindrai Maurice dès que nous aurons terminé, précisa Maria.

— C'est capital, Maria. C'est grâce à toi qu'il n'a pas perdu son sang-froid dans cette affaire. Vous faites une bonne équipe tous les deux.

Il lui sourit et ouvrit son sac.

— Bon, reprit-il, voyons ça de plus près.

Quelques secondes plus tard, le rouleau qu'il avait pris à la Villa des papyrus était ouvert devant eux sur la table lumineuse. Il était tel que Costas et lui l'avaient vu pour la première fois. Entre chaque extrémité enroulée autour d'une baguette de bois désignée sous le nom d'*umbilicus*, des lignes d'écriture ancienne étaient parfaitement lisibles. Jack attacha à chaque *umbilicus* des fils rétractables, qu'il fixa solidement à l'aide d'une pince aux quatre coins de la table lumineuse pour ouvrir davantage le rouleau.

Ils découvrirent ainsi toute la colonne de texte, semblable à une page d'un livre moderne.

— C'est ainsi que les Grecs et les Romains procédaient pour lire, fit remarquer Maria. Ils déroulaient le papyrus de façon à voir une seule page à la fois. Certaines personnes considèrent que les rouleaux n'étaient pas pratiques, car elles pensent que les lignes allaient d'une extrémité à l'autre et qu'on n'en découvrait qu'une partie à la fois. En réalité, ils étaient aussi commodes qu'un codex ou qu'un livre actuel.

— Nous avons une chance incroyable d'avoir ce manuscrit sous les yeux, murmura Jack. Il a fallu des années pour reconstituer, millimètre par millimètre, les rouleaux carbonisés qui ont été trouvés dans la Villa au XVIIIe siècle. Tout ce que nous avons vu dans cette pièce est exceptionnellement bien conservé. De plus, il semble y avoir dans le papyrus une sorte de résine ou de cire qui en a préservé la souplesse.

— On dirait qu'il y a deux paragraphes écrits de la même main, séparés par une partie intermédiaire rédigée par quelqu'un d'autre, observa Costas.

— Tu as raison, confirma Maria. Le texte principal est semblable à une page imprimée. On reconnaît la main exercée d'un copiste, d'un scribe. L'autre écriture, plus personnelle, est moins régulière. Elle est lisible, mais ce n'est certainement pas celle d'un copiste.

— Qu'est-ce que c'est que ces taches ?

— Au début, répondit Jack, j'ai cru que c'était du sang mais, quand je les ai reniflées, j'ai compris que c'était la même chose que ce que j'avais vu sur la table : du vin.

— Espérons que cette dernière nuit a été arrosée par un bon cru.

Costas montra du doigt la bande de papyrus accrochée en haut du rouleau, comme une étiquette.

— Alors c'est le titre ? demanda-t-il.

— Oui, le *sillybos*. *Plinius, Historiae Naturalis*. J'avais raison. Ce rouleau provient du sac qui se trouvait près de la porte. Il s'agit sans doute d'une version achevée. Je n'arrive pas y croire. La première édition d'une œuvre d'un des écrivains les plus célèbres de l'époque classique ! L'Antiquité ne nous avait jamais rien légué de tel jusqu'à aujourd'hui.

— Mais pourquoi tiens-tu à garder ce document secret ?

— Regarde, dit Jack en désignant la première ligne de la page. *Iudaea*. C'est d'abord ce mot qui a attiré mon attention. Pline l'Ancien fait plusieurs fois référence à la Judée. Il parle de l'origine et de la culture de l'arbre à baume et évoque une rivière qui tarit à chaque sabbat. C'est typique de Pline, qui mêlait les informations vérifiables et les légendes. Mais le principal passage concernant la Judée se trouve dans un chapitre sur la géographie, dans lequel Pline indique tout ce qui lui semble digne d'intérêt à propos de cette terre.

Il ouvrit son exemplaire de l'*Histoire naturelle* à une page qu'il avait marquée. Le texte latin et sa traduction étaient reproduits en vis-à-vis. Il lut la première ligne à haute voix : *« Supra Idumaeam et Samariam Iudaea longe lateque funditur. Pars eius Syriae iuncta Galilaea vocatur. »*

Il regarda la première ligne du rouleau, puis de nouveau celle du texte imprimé.

— C'est la même chose, déclara-t-il. Les moines du Moyen Âge qui ont retranscrit ce texte ont été fidèles à l'original.

Il lut la traduction :

— « Au-delà de l'Idumée et de la Samarie s'étend la Judée dans un grand espace. La partie qui tient à la Syrie s'appelle Galilée. »

Il poursuivit sa lecture en passant tour à tour du rouleau à la traduction et en s'attardant de temps à autre lorsque le manque de ponctuation, sur le rouleau, rendait la compréhension difficile.

— Pline était fasciné par la mer Morte, commenta-t-il. Ici, il indique que rien ne coulait au fond de l'eau et que même les corps des taureaux et des chameaux flottaient. Il était friand de ce genre de détails. Et c'est le problème. Il avait raison à propos de la mer Morte, mais d'autres curiosités qu'il décrit étaient complètement légendaires. Il n'était pas très doué pour distinguer la réalité de la fiction. Il n'était guidé que par la volonté d'inclure tout ce qu'il avait entendu dire. Pratiquement toutes ses informations étaient de seconde main.

— Au moins, Claude était un informateur fiable, affirma Maria. Toutes les sources le présentent comme un véritable érudit.

— Nous arrivons à la fin du premier paragraphe, juste avant le changement d'écriture. « *Iordanes amnis oritur e fonte Paneade* », ce qui signifie : « Le Jourdain sort de la source Paneas ». Ensuite, il y a une description plus longue :

> « *In lacum se fundit, quem plures Genesarem vocant,* $\overline{XVI}$ *p. longitudinis,* $\overline{VI}$ *latitudinis, amoenis circumsaeptum oppidis, ab oriente Iuliade et Hippo, a meridie Tarichea, quo nomine aliqui et lacum appellant, ab occidente Tiberiade, aquis calidis salubri.* »

> « Il s'épanche en un lac que beaucoup appellent lac de Génésara, long de 16 000 pas et large de 6 000, entouré de villes agréables, au levant Julias et Hippo, au midi Tarichée, dont quelques-uns donnent le nom au lac ; à l'occident Tibériade, qui a des sources thermales et salutaires. »

Jack montra une carte, qu'il avait dépliée à côté du rouleau.

— Cette fois, précisa-t-il, Pline ne parle plus de la mer Morte mais de la mer de Galilée, située à environ cent vingt kilomètres au nord, au bout de la vallée du Jourdain. Génésara ou Génésareth, qui a donné Kinneret en hébreu moderne, était le nom que les Romains donnaient à la Galilée. Aujourd'hui, Tibériade est la capitale touristique de la région. En ce qui concerne

Tarichée, il s'est trompé. Elle ne se situe pas au sud mais à l'ouest, à quelques kilomètres au nord de Tibériade. Tarichée était le nom romain de Magdala, la ville de Marie-Madeleine.

— Là où Jésus a commencé son ministère, indiqua Maria.

— Oui, sur le rivage occidental de la mer de Galilée.

Jack, pensif, s'adossa un instant.

— Nous arrivons au passage écrit d'une autre main, reprit-il, là où un blanc avait été laissé. Il n'y a pas de blanc dans la version imprimée moderne, basée sur la transcription médiévale. On passe directement au bitume de la mer Morte.

— Ce rouleau est donc une version ultérieure, réfléchit Costas. Peut-être était-ce la copie de travail de Pline, qui était en train de réaliser des ajouts ou des modifications lorsqu'il est mort.

— Pline a peut-être demandé à son scribe de lui faire une copie avec des blancs là où il avait l'intention d'apporter un complément d'informations, suggéra Maria. Et c'est peut-être cette copie qu'il a apportée lorsqu'il est venu rendre visite à Claude.

— L'*Histoire naturelle* a été en constante évolution, dit Jack. Pline était un homme curieux de tout et il a dû avoir du mal à y mettre un point final. Chaque année, les Romains partaient à la conquête de nouvelles régions du monde. Il y avait donc toujours quelque chose à ajouter. Claude devait avoir beaucoup d'informations à communiquer à Pline concernant l'actuelle Grande-Bretagne. De plus, nous savons qu'il pensait beaucoup à ce pays au moment de l'éruption puisqu'il était en train d'écrire sa propre histoire de la Bretagne. Et, à mon avis, si Pline avait survécu, nous aurions également eu droit à un tout nouveau chapitre sur la volcanologie.

— Est-ce que tu peux lire ce qui a été écrit dans le blanc ? l'interrogea Costas.

— Oui, je crois. L'écriture est totalement différente et je suis convaincu qu'il s'agit de celle de Pline l'Ancien.

Jack s'imagina dans cette pièce secrète de la villa, au pied du volcan menaçant, près de deux mille ans auparavant. L'encre était fraîche et les taches de vin sentaient encore le raisin et l'alcool. À côté de lui, Maria et Costas avaient cédé la place à Pline l'Ancien et à Claude, qui l'incitaient à les rejoindre pour explorer les dernières révélations de leur monde.

— Alors, vas-y ! s'écria Costas.

Jack sortit de sa rêverie et se pencha au-dessus du texte.

— D'accord, c'est là qu'apparaissent les mots que j'ai vus lorsque nous avons trouvé ce rouleau. Vous allez comprendre pourquoi je veux garder le silence sur cette découverte.

Il regarda Costas, se concentra, puis parcourut le texte pour repérer le début et la fin de chaque phrase et remettre les mots dans l'ordre logique de sa langue.

— Voici la première phrase, annonça-t-il avant de la traduire à voix haute.

> « Claudius Caesar s'est rendu avec Hérode Agrippa au bord de ce lac, où ils ont rencontré le pêcheur Joshua de Nazareth, celui que les Grecs nommaient Jésus, celui que les marins de Misène nomment désormais Christos. »

Jack eut l'impression d'avoir lâché une bombe. Le silence s'éternisa autour de lui.

— Claudius Caesar ? finit par demander Costas. L'empereur Claude ? Notre Claude ? Il a rencontré Jésus-Christ ?

— Avec Hérode Agrippa, renchérit Maria. Hérode Agrippa, le roi des Juifs ?

— Apparemment, répondit Jack d'une voix rauque en essayant de garder son sang-froid. Et ce n'est pas tout.

Il traduisit lentement la phrase suivante.

« Le Nazaréen a donné à Claude sa parole écrite. »

— Sa parole écrite, répéta Costas. Un serment, une sorte de promesse ?

— J'ai traduit ces mots littéralement, indiqua Jack. Je suis sûr que cela fait référence à un document écrit.

— Sa parole, murmura Maria. Son Évangile…

— L'Évangile de Jésus ? s'écria Costas. La parole écrite du Christ ?

Il resta muet de stupeur.

— Nom de Dieu, ajouta-t-il à voix basse. Je comprends… Le secret. Herculanum, l'Église, tout ! C'est ce qu'ils ont toujours redouté.

— Et pourtant, on a toujours eu l'espoir fou de le trouver un jour, souffla Maria. L'Évangile de Jésus de Nazareth, écrit de sa propre main.

— Pline mentionne-t-il ce qu'il est devenu ? demanda Costas.

Jack déchiffra mentalement les phrases suivantes et les traduisit à ses compagnons.

« Génésara, Kinneret dans la langue locale, viendrait du mot *kinnor*, qui désigne l'instrument à cordes que l'on nomme la lyre ; ou des *kinnara*, les fruits comestibles et sucrés des arbres épineux qui poussent alentour. Et à Tibériade, les sources ont des effets remarquables sur la santé ; Claudius Caesar dit que boire les eaux éclaircit et apaise l'esprit, ce qui n'est pas sans rappeler l'ingestion de *morpheum.* »

— Ah ! s'exclama Costas. Le *morpheum.* Il faut que Hiebermeyer voie ça.

Jack fit une pause dans sa traduction.

— Allez, Pline ! dit-il entre ses dents. Lâche le morceau !

Il lut en silence la phrase suivante, maugréa avec impatience et donna de nouveau sa traduction.

« Et le lac de Génésara se situe très au-dessous du niveau de la mer du milieu, la Méditerranée. Et si le lac de Génésara se compose d'eau douce, mon ami Claude me rappelle que la mer Morte est remarquablement salée et qu'elle ne se compose pas que d'eau mais aussi de bitume. »

— Mon ami Claude, répéta Costas en pesant chaque mot. Quelle gaffe ! Je croyais que la survie de Claude devait rester secrète.

— Nous avons ainsi la preuve qu'il n'est pas mort empoisonné, affirma Jack. Je pense que ce rouleau était la version personnelle et annotée de Pline. Celui-ci avait sans doute l'intention de l'emporter avec lui mais l'a peut-être laissé provisoirement dans l'étude de Claude. Je crois aussi que cette formule était avant tout destinée à Claude, qui lisait sans doute par-dessus l'épaule de son ami en sirotant et en renversant son vin. Car, comme nous pouvons le constater dans le texte qui est parvenu jusqu'à nous, Pline savait déjà parfaitement que la mer Morte était très salée et qu'elle produisait du bitume.

— Il cherchait à flatter Claude, en conclut Maria.

— C'est une technique d'interrogation classique, observa Costas. Moins on en dit, plus on en apprend.

— Y a-t-il autre chose ? questionna Maria. Sur Jésus ? Pline semble s'être égaré dans une digression.

— Peut-être, répondit Jack, mais il y a un problème.

— Quoi ?

— Regardez ça, dit-il en montrant la fin du paragraphe ajouté, puis la marge de droite. J'ai lu tout ce qui a été inséré dans le blanc mais, tout au bout, on voit que quelques lignes ont été masquées par une traînée d'encre. Et juste à côté, dans la marge, quelque chose a été griffonné en beaucoup plus petit. Pline n'a pas repris d'encre, peut-être délibérément, si bien que c'est à peine lisible. On dirait qu'il a écrit au bout du paragraphe une information qu'il voulait intégrer dans l'édition finale et qu'il s'est ravisé et l'a effacée. Ensuite, il a dû griffonner dans la marge une note qui n'était peut-être destinée qu'à son usage personnel et non à la publication.

— Est-ce que tu peux la lire ? demanda Costas.

— C'est difficile.

Jack fit pivoter la table lumineuse pour tourner le rouleau à quatre-vingt-dix degrés et tira une loupe articulée au-dessus des petites lignes qu'il discernait à peine dans la marge. Puis il poussa sa chaise en arrière, afin que Maria et Costas puissent regarder à leur tour.

— Dites-moi ce que vous en pensez, lança-t-il.

Costas, penché en avant, fut le premier à donner son avis.

— Ce n'est pas du latin, n'est-ce pas ? Je connais certaines de ces lettres. Il y a un lambda, un delta. C'est du grec ?

— Les lettres sont grecques, mais ce n'est pas du grec, murmura Maria. On dirait le premier alphabet grec, qui a été emprunté au Proche-Orient.

Elle se tourna vers Jack.

— Tu te souviens du cours du professeur Dillen à Cambridge, sur l'histoire de la langue grecque ? Ça remonte à loin, mais je pense reconnaître certaines de ces lettres. Tu crois que c'est une langue sémitique ?

— C'était toi la linguiste chevronnée, Maria, pas moi ! répondit Jack. Dillen serait fier de toi. D'ailleurs, il nous a envoyé ses félicitations pour la découverte d'Anubis. Je l'ai contacté par courrier électronique depuis le Lynx. Quand j'ai pris ce rouleau à Herculanum, j'ai aperçu ces petites lignes et j'ai eu un pressentiment. J'ai demandé à Dillen de mettre en ligne sa dernière version du projet Hanno. On devrait pouvoir la télécharger dès maintenant.

— Jack ! s'exclama Costas. Tu as pensé à l'informatique ! Belle initiative...

— Ne t'inquiète pas, répliqua Jack en lui montrant le clavier, je te laisse faire.

— Le projet Hanno ? demanda Maria.

— Il y a deux ans, nous avons fouillé une épave ancienne au large des Cornouailles, non loin du campus de l'UMI. Costas, tu te souviens de Mount's Bay ?

— Hein ? Oui. Temps froid, mais bon *fish and chips* à Newlyn.

Costas s'assit devant l'ordinateur en tapotant sur le clavier et leva les yeux vers Jack.

— Je suppose que tu veux un scan, ajouta-t-il.

Jack acquiesça et Costas poussa la loupe pour placer le bras d'un scanner mobile au-dessus de la marge du texte.

— C'était une épave phénicienne, poursuivit Jack. On n'en avait encore jamais trouvé dans les eaux britanniques. Elle datait de près de mille ans avant l'arrivée des Romains. Nous avons découvert des lingots britanniques en étain sur lesquels étaient estampées des lettres phéniciennes et une mystérieuse plaque en métal couverte de caractères phéniciens. Dillen travaille là-dessus depuis tout ce temps. Nous avons baptisé ce projet « Hanno », du nom d'un célèbre explorateur carthaginois.

— Alors, tu penses que c'est du phénicien ? demanda Maria.

— J'en suis sûr.

— Pline connaissait-il le phénicien ?

— Le phénicien ressemblait à l'araméen, qu'on parlait autour de la mer de Galilée à l'époque de Jésus, mais ce n'est peut-être qu'une coïncidence. Je pense plutôt que cela a un rapport avec Claude. Tu te souviens de ce qu'on a trouvé sur le rayon du bas, au milieu d'autres rouleaux ? L'*Histoire de Carthage*, la plus grande œuvre historique de Claude, que l'on croyait perdue et qui a miraculeusement refait surface. Claude a sans doute appris la langue parlée par les commerçants phéniciens qui ont fondé Carthage pour pouvoir lire les sources d'origine. C'était quasiment une langue morte à l'époque de la Rome impériale. Et j'imagine bien Claude l'enseigner à Pline pendant leur temps libre, après leurs travaux d'écriture, tout en jouant aux dés et en buvant du vin. C'est pourquoi, lorsqu'il a griffonné cette note, Pline a choisi le phénicien, comme une sorte de code. Claude a dû le regarder écrire et se sentir de nouveau flatté et satisfait.

— Ils devaient être les seules personnes de la région à pouvoir lire ces lignes.

— C'était le but.

— Ça y est ! s'écria Costas. En dehors des noms propres, qui ont été translittérés, tous les mots figurent dans le lexique de Dillen et sont indiqués en latin, puis dans notre langue. Il y en a même un que je connais : *bos*, taureau. Je l'ai appris quand nous étions au Bosphore.

Le cœur de Jack battait la chamade.

— La traduction va s'afficher à l'écran d'une seconde à l'autre, prévint Costas.

Maria et Jack s'approchèrent. Le manuscrit avait été agrandi et les lettres de style grec étaient plus visibles. La traduction apparut juste au-dessous :

« *Haec implacivit Claudius Caesar in urbem sub duo sacra bos iacet.* »

« Ce que Claudius Caesar m'a confié se trouve à Rome sous les deux taureaux sacrés. »

Jack se figea et lut encore une fois. Un jour seulement après la découverte du navire de saint Paul, ses compagnons et lui étaient tombés sur le plus grand de tous les trésors. Maintenant, il savait qu'il avait eu raison d'emporter le rouleau et de le cacher. Il ne dirait rien avant d'avoir suivi la piste jusqu'au bout.

La parole de Jésus… La dernière parole, celle qui éclipserait toutes les autres. Le dernier Évangile.

— Eh bien, dit Maria en levant les yeux vers Jack. Les deux taureaux sacrés ?

— Je crois que je vois où c'est.

— C'est parti ! s'enthousiasma Costas.

Chapitre 11

Le lendemain matin, Jack et Costas étaient à l'entrée de la Via dei Fori Imperiali, au cœur de la Rome antique. Ils avaient quitté la *Seaquest II* à bord de l'hélicoptère Lynx pour gagner l'aéroport Fiumicino, où se trouvait jadis le grand port qu'avait fait bâtir l'empereur Claude. Puis ils avaient pris le train et longé le Tibre jusque dans la ville. Jack venait de régler les dernières modalités par téléphone, en italien. Un fourgon transportant leur matériel les rejoindrait dans deux heures au pied du Palatin. Ils rejoignirent les nombreux touristes qui faisaient la queue au guichet, devant le Forum.

— Il y a quelque chose qui cloche, grommela Costas. Un célèbre archéologue et son acolyte viennent faire des fouilles. On devrait te payer pour ça !

Jack rangea son téléphone portable dans son sac kaki et sortit un appareil photo Nikon D90, qu'il se passa autour du cou.

— Sur les sites archéologiques, il est souvent préférable de garder l'anonymat. Comme ça, il y a moins de curieux qui regardent. De toute façon, tu t'es vu ? On ne m'aurait jamais cru.

Jack portait des chaussures montantes, un chinos et une chemise fluide. Quant à Costas, il arborait un costume hawaïen aux couleurs criardes, un chapeau de paille et ses chères lunettes profilées.

— Ils doivent avoir l'habitude du bon goût vestimentaire des archéologues grâce à Maurice.

Jack sourit, paya les tickets et conduisit Costas vers les vestiges d'un petit bâtiment circulaire comportant encore quelques colonnes fragmentaires.

— Voici le temple de Vesta, annonça-t-il. Il s'agit plutôt d'un sanctuaire car, pour une raison obscure, cet édifice n'a jamais été officiellement consacré. C'est là que les vierges vestales entretenaient le feu sacré. Elles vivaient juste à côté, dans ce grand bâtiment niché au pied du Palatin, une sorte de couvent.

— Un couvent d'un genre assez extravagant, commenta Costas. Alors c'est vrai, cette histoire de vierges vestales ?

— Absolument. Et c'est même vrai qu'on les enterrait vivantes. Il n'y a pas de témoin plus précieux que notre ami Pline le Jeune. Outre ses célèbres lettres sur l'éruption du Vésuve, il nous a légué un autre récit, dans lequel il fait part de la décision de l'empereur Domitien de faire enterrer la Grande Vestale vivante pour avoir rompu son vœu de chasteté. Domitien était un tyran cruel et c'était un coup monté. Mais c'était le châtiment traditionnellement infligé aux vestales accusées d'inconduite. La Grande Vestale a donc été emmurée vive.

— Cela ressemble à un problème de domination masculine qui aurait mal tourné.

— Tu as sans doute raison. Quand Auguste, le premier empereur, est devenu *pontifex maximus*, il s'est trouvé en concurrence avec la Grande Vestale. La déesse Vesta, gardienne du foyer, était très puissante. Le feu éternel, *ignis inextinctus*, symbolisait l'éternité de l'État. L'avenir de Rome était donc entre les mains des vestales. La déesse, que les Romains appelaient *Vesta Mater*, Vesta la Mère, était un peu comme la sibylle. Elle est née de l'alliance d'une ancienne divinité locale avec une figure de la tradition grecque, qui aurait été importée par Énée de Troie.

— Y avait-il d'autres points communs avec la sibylle ?

— Oui, des similitudes tout à fait remarquables. Par exemple, les vestales étaient sélectionnées dans leur enfance parmi les aristocrates de Rome. Et je pense que c'était également le cas des sibylles de Cumes. On en découvrira peut-être plus ici. Viens.

Jack et Costas remontèrent la Voie sacrée jusqu'à l'arc de Titus, où ils s'arrêtèrent un instant pour regarder en silence le bas-relief qui représentait les soldats romains portant la menora juive lors de la procession triomphale. Puis ils gravirent le mont Palatin, traversèrent les jardins Farnèse et se dirigèrent vers les vastes ruines du palais impérial, qui surplombait le Circus Maximus, sur le versant ouest de la colline. Lorsqu'ils arrivèrent au sommet, ils furent accueillis par une brise rafraîchissante. Mais la chaleur était tout de même étouffante. Ils allèrent s'asseoir à l'ombre d'un mur.

— Alors c'est là que Claude a vécu, dit Costas en retirant ses lunettes de soleil pour essuyer la sueur qui lui coulait sur le visage. Avant de disparaître comme Bilbo le Hobbit. Eh bien, rien à voir avec la cellule de moine d'Herculanum…

— C'est là qu'il a grandi et passé la majeure partie de sa vie en tant qu'empereur, à l'exception de son séjour en Bretagne. Mais ne te fie pas à l'image qu'Hollywood nous a donnée de cet endroit. Notre vision du passé est souvent altérée par des clichés et des anachronismes. Le Colisée n'existait pas encore. Il n'a été inauguré qu'en 80 après Jésus-Christ, un an après l'éruption du Vésuve. De même, la construction du palais impérial n'a débuté que sous Domitien, l'empereur qui s'en est pris aux vestales. C'est à cette époque-là que les empereurs ont versé dans la mégalomanie et commencé à vivre comme des dieux. Mais Claude et son grand-oncle Auguste tenaient encore aux valeurs de la République. Ils se considéraient comme les simples gardiens du peuple. Ils vivaient dans une modeste maison, qui était en réalité plus petite que la Villa des papyrus d'Herculanum.

— Et où était-elle ?

— Tu es adossé contre ce qu'il en reste.

— Ah ! s'exclama Costas.

Il se retourna et posa la main à plat sur le vieux mur de brique.

— Claude était juste là, murmura-t-il.

— Et Pline l'Ancien aussi, en 79 après Jésus-Christ.

— Je me demandais quand tu finirais par m'en parler.

— Le bâtiment situé en face de nous, entre la maison d'Auguste et le palais de Domitien, est le temple d'Apollon. Il n'en reste presque rien, mais il faut imaginer un superbe édifice en marbre blanc, orné de quelques-unes des plus célèbres sculptures de la Grèce classique, que les Romains s'étaient appropriées lorsqu'ils avaient étendu leur pouvoir à l'est. Là où nous sommes assis, se trouvait un portique, une structure à colonnade qui entourait le temple. Auguste avait fait bâtir une annexe à l'intérieur du portique, à côté de sa maison, juste là où nous nous trouvons. Elle comportait une bibliothèque, apparemment assez grande pour que le Sénat puisse s'y réunir. Cette annexe a pu être affectée à divers services administratifs. Elle pourrait même avoir abrité le bureau des amiraux de la flotte.

— Ha ha ! s'écria Costas. Pline l'Ancien était amiral à Misène.

— En effet. Il devait bien connaître cet endroit. Auguste a également fait construire un nouveau temple de Vesta, qui était sans doute destiné à remplacer celui du Forum.

— Juste sous ses fenêtres. Besoin de tout contrôler ?

— Les vierges vestales semblent avoir résisté. Elles ont continué à fréquenter l'ancien temple. Celui-ci contenait un *adytum*, une chambre secrète où étaient conservés plusieurs objets sacrés : le *fascinum*, le phallus qui écartait le mal ; les *pignora imperii*, de mystérieux talismans garantissant la souveraineté de Rome ; et le *palladium*, une statue de la déesse Pallas Athéna qui aurait été apportée par Énée de Troie. Seuls les vestales et le *pontifex maximus* étaient autorisés à y entrer et ces objets sacrés n'étaient jamais exposés au public.

— Une chambre secrète, songea Costas à voix haute. Si le nouveau temple était une réplique de l'ancien, il devait également contenir un *adytum*.

— C'est ce que je me suis dit, moi aussi.

— Mais si les objets sacrés sont demeurés dans le temple du Forum, la nouvelle chambre secrète est restée vide.

— Peut-être pas tout à fait…

— Tu penses à ce que je pense ?

Jack ouvrit son sac et sortit un porte-bloc sur lequel figurait une reproduction agrandie d'une pièce romaine.

— Voici la seule illustration connue du nouveau temple, le temple de Vesta du Palatin. Elle se trouve sur une pièce de l'empereur Tibère datant de 22 ou 23 après Jésus-Christ. On voit le bâtiment circulaire à colonnade, qui est clairement une imitation de l'ancien temple du Forum. La structure circulaire était censée rappeler la première maison de Rome, en forme de hutte, la maison de Romulus, précieusement conservée comme une relique sacrée de l'autre côté de la maison d'Auguste. On distingue encore des trous de poteaux dans la roche. Que vois-tu d'autre sur cette pièce ?

Costas prit le porte-bloc.

— Les lettres S et C au-dessus du temple. *Senatus Consultum*. Même moi, je sais ce que ça veut dire. Il y a une colonne de chaque côté, avec une statue sur un piédestal, qui représente un animal, peut-être un cheval ou un taureau.

— Absolument ! s'exclama Jack. On sait qu'il y avait deux statues à l'entrée du temple de Vesta du Palatin. Des statues d'animaux sacrificiels, destinés aux rites des vestales. Initialement grecques, elles ont été réalisées par Myron, célèbre sculpteur du ve siècle avant Jésus-Christ. Ce sont des statues de taureaux.

— Bien sûr…

— Souviens-toi de notre indice : *sub duo sacra bos*. Sous les deux taureaux sacrés. Ces deux statues formaient une paire unique. Il n'y avait rien de semblable à Rome. C'est forcément à elles que Pline faisait référence. C'est là qu'il a caché le rouleau, dans la chambre vide du nouveau temple de Vesta.

— Où exactement ? s'interrogea Costas.

Il sortit son GPS et regarda d'un air perplexe le sol sans relief et les murs poussiéreux autour de lui.

— À mon avis, nous sommes juste au-dessus, à dix mètres près. Il ne reste plus aucune trace du temple, mais il paraîtrait logique qu'il ait été bâti de ce côté du portique, juste à côté de la maison d'Auguste.

— Tu crois qu'avec un radar pénétrant…

— Inutile. Ici, les bâtiments ont été construits les uns sur les autres. Même le soubassement est complètement fissuré.

— Alors qu'est-ce qu'on fait ? On va chercher une pelle ?

— On n'y arrivera pas comme ça. Il faudrait beaucoup d'argent, beaucoup de paperasse et au moins un an pour obtenir un permis. Non, on ne va pas creuser.

— Mais qu'est-ce qu'on peut faire ?

— On peut peut-être y arriver par le bas.

— Quoi ?

Jack reprit le porte-bloc, referma son sac et se leva.

— Je t'expliquerai en chemin, dit-il en regardant sa montre. Allons-y.

Vingt minutes plus tard, ils se trouvaient sur une terrasse, sur le côté nord de l'enceinte archéologique du Forum romain. Ils avaient une vue magnifique sur le centre de la Rome antique et apercevaient, plus loin, la silhouette imposante du Colisée.

— C'est d'ici que l'on voit le mieux la topographie, annonça Jack. Si l'on fait abstraction de tous les édifices, on constate que le Forum a été bâti dans une vallée. À l'ouest, c'est le mont Palatin. À droite, la vallée décrit une courbe en direction du Tibre, au-delà du versant nord du Palatin. Nous sommes sur le mont Capitolin, le point culminant de la Rome antique, où les processions triomphales atteignaient leur apogée.

Et à notre droite, se trouve la roche Tarpéienne, d'où l'on précipitait les criminels.

— Et les vestales coupables ?

— D'après la tradition, leur lieu d'exécution se situait en dehors des remparts de la ville, mais Pline le Jeune fait uniquement référence à une chambre souterraine. C'était peut-être tout près.

— Alors parle-moi de la Rome souterraine, même si je n'ai pas spécialement envie de traverser trois mille ans de sédiments…

Jack sourit, ouvrit son sac et sortit de nouveau son porte-bloc. Il replia la feuille sur laquelle figurait la reproduction de la pièce et montra à Costas une copie d'une gravure ancienne, intitulée Roma.

— C'est ma carte préférée de Rome. Elle a été réalisée par Giovanni Battista Piranesi, dit le Piranèse, au XVIIIe siècle, à peu près au moment où la Villa des papyrus a été explorée pour la première fois. Les plans fragmentaires de bâtiments, sur le pourtour, sont des parties du célèbre Plan de marbre, une immense carte de la cité initialement exposée sur un mur du temple de la Paix de Vespasien et dont seul le dixième a survécu. La carte du Piranèse correspond exactement à ce que nous savons de la Rome antique. C'est une sorte de puzzle incomplet, avec des zones qu'on connaît en détail et d'autres, presque totalement inconnues.

— On voit bien la topographie.

— C'est justement ce qui me plaît. Le Piranèse a laissé les pièces du puzzle sur les côtés. Il ne s'est pas préoccupé des bâtiments, car il a préféré se concentrer sur les collines et les vallées.

Jack tourna la carte pour l'orienter dans le même sens que la vue qu'ils avaient sous les yeux.

— À l'époque préhistorique, quand Énée est arrivé ici, indiqua-t-il en pointant le doigt au centre de la carte, si l'on en croit la légende, la zone où a été bâti le Forum n'était qu'une vallée marécageuse, au bord d'une plaine inondable. Lorsque les premiers habitants se sont installés sur les versants des collines et jusque sur les terres marécageuses, les eaux stagnantes ont été canalisées et finalement asséchées grâce à la Cloaca Maxima, le grand égout, qui allait de l'emplacement actuel du Colisée au Tibre en traversant toute la zone du Forum. Cet égout était relié à plusieurs conduites tributaires et à des constructions souterraines artificielles, les canaux des aqueducs. Il est encore là. C'est un vaste labyrinthe souterrain, dont seule une partie a pu être explorée.

— Où se trouve le point d'accès le plus proche ?

— On y va. Suis-moi.

Ils quittèrent la terrasse et descendirent jusqu'à la Via di San Teodoro. À gauche, se dressaient les ruines du Palatin et, à droite, les bâtiments de la cité médiévale. Ils tournèrent à droite pour s'engager dans une rue étroite, qui aboutissait dans une cour en forme de V, au-delà de laquelle le trafic urbain battait son plein. Devant eux, un arc à quatre faces était fermement campé sur des piliers épais et robustes.

— L'arc de Janus, annonça Jack. Il ne fait pas partie des vestiges les plus glorieux de Rome et ne présente pas un grand intérêt, si ce n'est qu'il enjambe la Cloaca Maxima, le grand égout. Celui-ci débouche sur le Tibre à environ deux cents mètres d'ici, de l'autre côté de la route principale.

Ils franchirent l'ouverture pratiquée dans la balustrade en fer forgé qui entourait l'arc et passèrent sous la voûte de pierre blanche. De l'autre côté, le fourgon était garé dans l'avant-cour. Deux équipements de plongée étaient posés sur les pavés et deux techniciens de l'UMI effectuaient les vérifications d'usage sur un des recycleurs à circuit fermé.

— Ça m'a tout l'air d'être un coup monté, grommela Costas.

— J'ai préféré te motiver un peu avant de te faire la surprise. C'est merveilleux, nous allons avoir la chance d'explorer des sites complètement inconnus en plein cœur de la Rome antique !

— Jack, ne me dis pas qu'on va plonger dans un égout…

Un homme, qui était assis à côté de l'arc, s'approcha d'eux. Mince et sec, il avait les traits fins des Italiens mais semblait exceptionnellement pâle pour un Romain.

— Massimo ! s'exclama Jack. *Va bene ?*

— *Va bene*, répondit l'homme au teint gris, d'une voix un peu tremblante.

— Tu te souviens de Costas ?

Les deux hommes hochèrent la tête et se serrèrent la main.

— Nous nous sommes rencontrés à une conférence à Londres, rappela Costas. J'ai l'impression que c'était hier.

— Ce fut un plaisir, dit Massimo avec un léger accent. Nous travaillons sous les auspices de la Surintendance archéologique, mais nous sommes tous des amateurs. Ce fut un privilège pour nous d'être au contact de professionnels.

— Cette fois, observa Jack en souriant, les rôles sont inversés. Ce sera ma première expérience en archéologie sous-marine urbaine.

— C'est l'archéologie du futur, Jack ! s'écria Massimo avec passion. Nous intervenons sur des sites antiques souterrains en laissant la surface intacte. C'est l'idéal dans une ville comme Rome. C'est mieux que d'être à la merci des promoteurs, qui ne nous laissent qu'une chance infime de trouver quelque chose avant que les bulldozers ne le détruisent.

— Tu commences à parler comme un professionnel, Massimo.

— C'est un plaisir de pouvoir vous aider. Cela fait longtemps que nous voulons aller là-bas, mais nous n'avions pas l'équipement nécessaire.

— Quel est votre métier au juste ? demanda Costas.

— Nous sommes spéléologues urbains.

— Rats d'égout ! se moqua Jack.

— Méfie-toi de ce mot, Jack. Là où tu vas, il risque de te hanter.

— Tu marques un point.

Jack reprit son sérieux.

— Tu as une carte ? s'enquit-il.

— Elle se trouve à l'intérieur de l'arc, répondit Massimo. Tes techniciens vont apporter l'équipement. Suivez-moi.

Jack et Costas saluèrent les deux techniciens de loin et se dirigèrent vers une porte située dans l'un des piliers de pierre.

— Cet escalier monte jusqu'à un ensemble de pièces et de couloirs, qui ont été utilisés lorsque l'arc a été transformé en forteresse médiévale, expliqua Massimo. Mais personne ne savait qu'il descendait également au-dessous de l'arc, jusque dans la Cloaca Maxima. Nous avons pensé qu'il devait y avoir un point d'accès sous l'arc et nous avons pu le vérifier il y a quelques mois. La Surintendance nous a autorisés à retirer les pierres.

Il montra une plaque d'égout d'environ un mètre cinquante de diamètre, juste devant leurs pieds.

— Mais regardons d'abord la carte, suggéra-t-il.

Il tendit la main derrière la porte et prit un long tube en carton. Il en sortit une grande feuille, qu'il déroula contre la paroi du pilier.

— Voici un plan du sous-sol de ce quartier de Rome tel que nous le connaissons, annonça-t-il. Il va de l'entrée de la Cloaca Maxima, qui se trouve sous le Colisée, au Tibre, situé juste à côté de nous.

— Voilà la partie qui m'intéresse, précisa Jack en pointant deux branches partant de la conduite principale de la Cloaca Maxima.

— C'est justement là que nous avons fait la découverte la plus extraordinaire. Cela ressemble à un tunnel artificiel, qui mène juste au-dessous du Palatin. Nous pensons qu'il a été créé par l'empereur Claude.

— Claude ? répéta Jack, stupéfait.

— Il aurait adoré ça. C'est notre héros, rat d'égout honoraire à titre posthume ! Ses plus grands projets ont été menés en milieu souterrain et sous-marin. Il a fait creuser le tunnel destiné à drainer l'eau du lac Fucine. Il a fait bâtir le grand port d'Ostie. On lui doit également l'aqueduc Aqua Claudia. La construction d'un tunnel de drainage sous le Palatin aurait été tout à fait dans ses cordes. De plus, il était historien. Il a dû être fasciné par tout ce qui a pu être trouvé lors des travaux. Il est peut-être même descendu personnellement. C'est un des nôtres.

— Le monde est petit, murmura Costas.

— Pourquoi ?

— Eh bien, commença-t-il avant que Jack ne le fusille du regard. Eh bien, Jack m'a justement parlé de Claude et du port pendant notre trajet en avion. C'est un type fascinant.

— Laissons Claude de côté tant que nous n'avons rien trouvé de concret, coupa Jack avec fermeté. Massimo, ce qui nous intéresse et dont nous avons parlé au téléphone est antérieur de plusieurs centaines d'années à l'époque de Claude. Il s'agit de la grotte du Lupercal.

— Le Lupercal, répéta Massimo avec une pointe de révérence, avant de jeter un coup d'œil furtif autour de lui. La grotte sacrée des ancêtres de Rome, où la louve a nourri Romulus et Remus. Si nous trouvons le moyen d'y entrer par le sous-sol, nous pourrons écrire une nouvelle page de l'Histoire !

Costas lança un regard interrogateur à Jack.

— Toutes mes excuses, lui dit Jack en restant de marbre. J'ai préféré attendre la dernière minute pour te tenir au courant de nos véritables recherches.

Il dévisagea Massimo avec insistance.

— Je ne voulais pas qu'on nous entende ni risquer la moindre fuite, ajouta-t-il. C'est une découverte époustouflante. Des archéologues qui creusaient dans le sous-sol de la maison d'Auguste, sur le Palatin, sont tombés sur une chambre souterraine, une cavité d'au moins quinze mètres de profondeur. À l'aide d'une sonde, ils ont pu voir des murs incrustés de mosaïques et de coquillages, semblables aux parois d'une grotte. Il pourrait s'agir d'un lieu vénéré mais oublié par l'Histoire, de l'une des découvertes les plus sensationnelles de l'archéologie romaine. Nous sommes ici pour voir s'il existe une entrée souterraine. Massimo n'a même pas prévenu la Surintendance. Son équipe craint les pilleurs et préfère avoir le temps d'explorer avant que ce projet ne soit porté à la connaissance du public.

— Le Palatin est criblé de grottes et de fissures ! s'écria Massimo. Dieu seul sait ce qu'il peut y avoir là-dessous. Le Lupercal n'est peut-être que la partie visible de l'iceberg.

— Tu es sûr que cette entrée est la meilleure ?

— De l'autre côté du Palatin, le tunnel va de la Cloaca Maxima à un endroit proche de l'Atrium Vestae, la maison des vestales. Nous ne sommes pas allés plus loin. Il vaut mieux entrer de ce côté. La branche conduisant au Palatin se trouve sur le passage du Vélabre, une ancienne rivière qui traversait une autre zone marécageuse et fut canalisée au moment de la construction de l'égout, vers 200 avant Jésus-Christ. Nous sommes allés jusqu'au bord du Palatin mais, ensuite, le tunnel descend et se trouve complètement submergé. Nous ne sommes pas équipés pour faire de la plongée souterraine. Mais de là, d'après nos estimations, il suffit de continuer sur deux cents mètres et de remonter de trente mètres pour rejoindre le site du Lupercal.

— Quel est l'environnement géologique ? demanda Costas.

— Tuf volcanique. Facile à travailler mais solide. C'est une roche qui peut supporter de lourdes charges. On trouve également quelques formations de calcite, et même des stalactites et des stalagmites, là où l'eau phréatique riche en calcium s'est infiltrée goutte par goutte dans les conduites romaines.

— Jetons un coup d'œil derrière cette plaque, proposa Jack. J'aimerais avoir une idée de ce qui nous attend.

Massimo se baissa, la mine brusquement décomposée, comme s'il avait un haut-le-cœur.

— Respirez à fond, conseilla-t-il à Jack et Costas. Ça sent un peu fort là-dessous.

Lorsqu'il souleva la plaque d'égout, ils aperçurent les premières marches d'un escalier en spirale. Une odeur indescriptible leur parvint aux narines. Massimo s'empressa de remettre la plaque en place et tourna le dos, la main sur la bouche.

— D'accord, je vois ce que tu veux dire, déclara Jack. Nous allons nous équiper à l'extérieur.

— Vous verrez une corde orange fluorescente tout au long de la Cloaca Maxima et dans le Vélabre, jusqu'au point que nous avons atteint, indiqua Massimo d'une voix rauque. Au-delà, vous serez livrés à vous-mêmes.

— Tu ne viens pas avec nous ?

— J'aimerais bien, mais je serais un boulet. J'ai eu un petit souci hier, juste au-dessous du Forum de Nerva. Une conduite a brusquement déversé dans la Cloaca un liquide jaune, qui s'est aérosolisé comme de la brume. Je ne sais pas ce que c'était et je ne veux pas le savoir. Je n'avais pas mon respirateur. C'est stupide. Je vomis à peu près toutes les demi-heures depuis. Cela m'est déjà arrivé. J'ai juste besoin d'un peu de temps pour récupérer. C'est ce qu'on appelle un accident du travail…

— Vous prenez des risques, tes collègues et toi, murmura Jack. Qu'est-ce qu'il y a là-dedans ?

— Tu veux tout le menu ?

— À la carte.

— Eh bien, tout ce qui ruisselle le long des rues, tout ce qui vit traditionnellement dans les égouts et toutes sortes de résidus provenant de fuites.

— Des résidus, répéta Costas à voix basse. Génial.

— Boue, diesel, urine. Carcasses de rats pourries. Et une substance grise et filandreuse qui ne devrait pas être là, mais les égouts modernes ne sont pas aussi étanches qu'on pourrait le croire.

Massimo eut un petit sourire sinistre et se mit à tousser.

— Dans une vieille ville, reprit-il, c'est donnant-donnant.

— Donnant-donnant ? demanda Costas.

— Oui, une conduite apporte de l'eau claire, porteuse de vie, et l'autre évacue l'effluent urbain. Les égouts se déversent dans les anciennes canalisations, qui mènent au Tibre, lequel se jette dans la mer. Ici, c'est dans l'ordre naturel des choses.

— Quelle poésie, souffla Costas. Pas étonnant que le Tibre soit vert. D'ailleurs, j'ai l'impression de virer au vert moi aussi.

— Nous serons à l'abri dans la combinaison environnementale de l'UMI, le rassura Jack. Nous n'aurons pas la peau au contact de l'eau. Cette combinaison a été testée dans les conditions les plus extrêmes, n'est-ce pas, Costas ? Si tout se passe bien, Massimo, nous vous fournirons tout notre équipement.

— Ça serait génial, Jack ! s'exclama Massimo. *Perfetto !*

Il eut un vertige et sembla sur le point de vomir.

— Vous feriez mieux d'y aller, dit-il. Si incroyable que cela puisse paraître, la météo a annoncé de fortes pluies pour cet après-midi et la Cloaca pourrait se transformer en torrent. Il ne faudrait pas que l'eau vous chasse de l'égout et vous propulse dans le fleuve.

— Je n'aime pas le mot « chasse », grommela Costas.

— Ne vous en faites pas, dès que vous quitterez la conduite principale pour vous immerger dans le Vélabre, vous serez dans un environnement propre. Sous le Palatin, l'eau provient de sources naturelles. Et comme plus personne ne vit à cet endroit, il n'y a quasiment aucune pollution. Juste au-dessous de la colline, l'eau devrait être totalement transparente.

Jack retira son vieux sac kaki de son épaule et le passa autour du cou de Massimo.

— Je te confie ça, Massimo. Prends-en soin et je veillerai à ce que le conseil d'administration offre à Costas une affectation provisoire à la Cloaca, où il sera ton conseiller technique.

— Quoi ? s'indigna Costas.

— Un autre rat d'égout honoraire, plaisanta Massimo en adressant à Costas un sourire fébrile avant de lui taper sur l'épaule. Marché conclu ! Mais moi aussi, je vais vous donner quelque chose.

Il retourna à l'intérieur du pilier de pierre et en ressortit avec deux harnais d'escalade, des mousquetons en métal, un piolet, des pitons et deux cordes.

— Vous ne pensiez certainement pas que vous auriez besoin de ça à Rome, lança-t-il, mais croyez-moi, cet équipement peut vous sauver la vie.

— Merci beaucoup, dit Jack.

Il posa le matériel à côté des équipements de plongée et remercia d'un geste de la main les deux techniciens de l'UMI qui étaient retournés attendre près du fourgon. Il regarda de nouveau la plaque d'égout menant à la Cloaca Maxima, où ils s'enfonceraient dans quelques minutes, et respira profondément. Leurs plaisanteries lui avaient fait oublier son anxiété mais, maintenant, il allait devoir affronter la pire de ses peurs, la seule chose qui pouvait vraiment le déstabiliser. Il avait le sentiment que Costas, qui connaissait son point faible, le surveillait de très près. Il prit une combinaison environnementale et s'accroupit pour retirer ses chaussures. Il devait rester concentré. Un trésor extraordinaire les attendait peut-être non loin de là. Et on finissait toujours par voir le bout du tunnel…

Costas se tourna vers lui.

— On y va ? lui demanda-t-il.

— On y va.

Chapitre 12

Jack remit en place la plaque d'égout, qui résonna au-dessus de lui. La circulation faisait rage au-dehors, mais ils étaient complètement coupés du bruit. Ils avaient pris congé de Massimo et des deux techniciens de l'UMI quelques instants auparavant et Jack était rassuré de savoir que ceux-ci seraient là pendant toute la durée de leur plongée et attendraient leur retour. Pourtant, une fois enfermé à l'intérieur de Cloaca Maxima, il fut plus que jamais conscient des risques. Il n'y avait pas d'équipe de secours, pas de plongeur prêt à intervenir en cas de danger. C'était encore un risque calculé, comme lors de la plongée dans l'épave du navire de saint Paul. Et il savait d'expérience que le rôle des équipes de secours était plus psychologique que concret car, en général, les problèmes se réglaient sur place ou pas du tout. En réalité, son aptitude à mener à bien une plongée dangereuse ne dépendait que de lui et de son partenaire. De plus, tout supplément de matériel et de personnel aurait rendu l'opération plus visible et exigé un délai dont ils ne disposaient pas. Il regarda Costas, penché à côté de lui, et orienta sa lampe frontale vers le bas de l'escalier, plongé dans l'obscurité. Ils étaient de nouveau seuls.

— Je passe devant, annonça Costas à travers l'interphone.

— Je croyais que tu n'étais pas emballé.

— Maintenant que la décision est prise… je suis toujours prêt à essayer un nouveau bouillon.

— D'accord, vas-y.

Costas se redressa et s'engagea bruyamment dans l'escalier devant Jack. Le faisceau halogène de sa lampe frontale ondulait sur les murs anciens. Ils portaient la même combinaison environnementale que lors de la plongée sur le site de l'épave, une combinaison renforcée en Kevlar avec systèmes de climatisation et de flottabilité intégrés, qu'ils avaient utilisée de la mer Noire à l'Arctique. Le casque jaune avec masque intégral contenait un système d'affichage numérique sur commande des données vitales, notamment du mélange créé par ordinateur à partir du recycleur à circuit fermé qu'ils avaient sur le dos. Le seul élément nouveau, imposé par ces circonstances inhabituelles, était le harnais d'escalade que Massimo leur avait donné et qu'ils avaient enfilé et testé avant de raccorder leur recycleur.

— Cela me rappelle le jour où nous sommes entrés dans le sous-marin englouti de la mer Noire, fit remarquer Costas en descendant lourdement les marches de l'escalier. J'ai l'impression qu'on pourrait couper l'air avec un couteau.

Jack avala sa salive. Une bouffée d'air fétide s'était engouffrée dans son casque juste avant qu'il ne le ferme et il avait un goût écœurant dans la bouche. Il n'avait aucune envie de vomir dans son casque. C'était un des aléas de la vie que les ingénieurs de l'UMI n'avaient pas prévu.

— Tu sais, tu devrais peut-être suggérer aux gars du design d'intégrer un sac en papier.

— C'est exactement ce que j'étais en train de me dire.

Environ trente marches plus bas, l'escalier débouchait sur une petite plate-forme précédant une porte voûtée, noircie et dégoulinante de crasse. Jack rejoignit Costas et ils dirigèrent leur lampe frontale droit devant eux.

— Nous y voilà ! lança Jack en essayant d'adopter un ton joyeux. Le grand égout !

Une volée de marches descendait jusqu'à un vaste tunnel d'au moins huit mètres de large et cinq mètres de haut, dont les parois en pierre et en brique étaient tapissées d'algues. Un liquide sombre remplissait le tunnel à demi et se déversait plus loin avec fracas. Jack brancha son capteur audio externe et fut brusquement agressé par le son presque assourdissant du torrent. Il le désactiva et montra du doigt la corde orange fluorescente, fixée à l'endroit où les marches disparaissaient sous l'eau.

— C'est la ligne dont Massimo nous a parlé, annonça-t-il. Elle est fixée au mur par des pitons. Nous allons pouvoir nous y accrocher. Il y a un rebord environ un mètre cinquante plus bas. En général, il doit être au-dessus du niveau de l'eau mais, apparemment, nous allons devoir barboter. Le Vélabre n'est qu'à environ vingt mètres d'ici.

— Voilà un parc aquatique que je ne préfère pas essayer…

— L'eau se déverse dans le Tibre mais, d'après Massimo, il y a une grande grille en métal en travers du tunnel. L'arrivée risquerait d'être rocambolesque.

Costas posa un pied sur la première marche du tunnel. Une grosse masse sombre défila à toute vitesse devant lui.

— On dirait que Massimo a laissé un de ses amis derrière lui, observa Costas avec dégoût.

— Il affirme que la conduite menant sous le Palatin est propre et ne contient pas assez de matières organiques pour entretenir d'autres formes de vie.

— Ça me rassure.

Ils descendirent lentement et atteignirent la ligne fluorescente. Costas observa le torrent rugissant à la lumière de sa lampe frontale.

— On dirait un expresso, songea-t-il à voix haute. Cette mousse à la surface.

— La *schiuma*. C'est le mot que Massimo a employé.

Costas mit un pied dans le torrent en se cramponnant fermement des deux mains à la corde. Il créa un large sillage avec de l'écume de chaque côté. Lorsqu'il sortit son pied de l'eau, celui-ci était couvert d'une mousse marron, qui se transforma rapidement en une substance pâteuse. Costas le replongea immédiatement dans l'eau et le secoua avec répulsion.

— Jack, je viens de vivre la pire expérience de ma vie ! s'exclama-t-il, haletant. Pourquoi ? On pourrait se baigner dans les eaux transparentes de la Sicile, se prélasser au bord d'une piscine, prendre des vacances bien méritées. Mais non, on plonge dans les égouts !

— Fascinant, murmura Jack.

Accroupi sur la marche, derrière Costas, il observait un tas de débris rejetés par le torrent. Costas se retourna, le pied encore plongé dans l'eau.

— Tu l'as trouvé ? On peut y aller ?

Jack repoussa quelques ossements de rongeur et ramassa un morceau de poterie visqueux.

— Un tesson d'amphore romaine. Dressel 2-4, sauf erreur de ma part. Le même type que celui des amphores de l'épave et d'Herculanum. Les jarres contenant le vin que buvait Claude étaient omniprésentes.

Jack plongea la main dans la vase.

— Il y en a d'autres ! s'écria-t-il.

— Laisse ça, Jack.

— D'accord, obéit Jack en retirant sa main. Je suis archéologue, je ne peux pas m'en empêcher.

— Garde tes réflexes pour la chambre secrète. Si toutefois nous arrivons jusque-là.

Costas prit la corde enroulée qu'il tenait à l'épaule. Il en fixa une extrémité au piton retenant la ligne fluorescente et l'autre à son harnais.

— Je pense qu'on peut sacrifier une corde ici, déclara-t-il. Nous devons renforcer notre sécurité. Je refuse de finir mes jours dans un torrent de merde. Accroche-toi derrière moi.

Il descendit lentement jusqu'à ce qu'il ait de l'eau à mi-cuisse, tandis que l'écume éclaboussait sa visière.

— Je suis sur le rebord, annonça-t-il. Allez, on avance !

Jack le suivit. Il sentit la pression de l'eau contre ses jambes, puis autour de sa taille. Ils commencèrent à longer la ligne, lentement et péniblement, pas à pas. Le torrent avait un aspect écœurant. Des fils iridescents de matière huileuse brillaient à la surface et des masses marron et gris, une couleur de camouflage, étaient ballottées par le courant. Jack s'efforça de se concentrer sur les murs et le plafond, sur la maçonnerie, largement antérieure à l'Empire romain, qui datait de l'époque à laquelle le Vélabre avait été canalisé pour la première fois. Il tourna la tête et constata que le tunnel décrivait une légère courbe vers la droite. Les marches de l'escalier en spirale étaient désormais hors de vue. Il vérifia que son mousqueton était toujours bien accroché à la ligne, puis regarda de nouveau devant lui. Costas avait disparu. Jack cligna des yeux et essuya sa visière, mais il n'y avait toujours personne. L'espace d'un instant, il crut que Costas était tombé. Horrifié, il s'accrocha de toutes ses forces, s'attendant à être emporté par la corde. Puis il aperçut une faible lueur environ cinq mètres plus loin et vit apparaître un casque jaune.

— Le tunnel latéral est ici, annonça Costas. J'ai fixé l'autre extrémité de la corde à un piton.

Jack lutta contre le courant pour rejoindre Costas, qui lui tendit la main et le tira jusqu'à lui. Ils s'appuyèrent un moment à la paroi du tunnel secondaire, épuisés. Jack aspira une boisson énergisante et hydratante, stockée à l'intérieur de sa combinaison. Il la but jusqu'à la dernière goutte pour se débarrasser du goût désagréable qu'il avait dans la bouche, puis regarda autour de lui. Ce tunnel était plus petit que le précédent mais mesurait tout de même trois mètres de haut et de large. Sous le plafond voûté, l'eau propre et transparente s'écoulait sur le sol plat et se déversait dans la Cloaca Maxima.

— C'est le Vélabre, confirma Costas en consultant l'ordinateur de navigation qu'il portait au poignet. Il passe sous le mont Palatin. Je vois la ligne de Massimo, qui court le long du mur droit. Elle doit aller jusqu'à l'endroit où ils se sont arrêtés.

— C'est un ouvrage impressionnant, observa Jack en posant la main à plat sur la paroi. La Cloaca Maxima a été bâtie en pierre et en brique au cours de différentes périodes à partir du VIe siècle avant Jésus-Christ. Mais ici, tout a été construit en une seule fois. Les blocs de pierre sont réguliers et rectilignes. On croirait presque entrer dans l'un des grands aqueducs réalisés par les empereurs.

— Au fait, cette histoire de Lupercal ? La grotte de Romulus et Remus ? Je n'avais aucune idée de ce dont tu parlais.

— Désolé de t'avoir pris au dépourvu. Massimo et moi en avons discuté à la conférence de Londres, peu après l'annonce de la découverte faite sous la maison d'Auguste. Je lui ai dit que je serais heureux de me joindre à son groupe de spéléologues urbains pour aller jeter un coup d'œil. Et quand j'ai su hier que nous allions venir à Rome, j'ai sauté sur l'occasion. J'ai décidé d'utiliser ce prétexte dès que j'ai compris que Pline avait caché le rouleau sous le temple de Vesta du mont Palatin, juste à côté de la maison d'Auguste et du site où le Lupercal a été trouvé. Je ne suis pas fier d'avoir tenu Massimo à l'écart, mais peut-être nous pardonnera-t-il lorsqu'il prendra conscience du rôle qu'il a joué.

Costas acquiesça, se leva et se remit en route. L'eau claire lui ruisselait sur les chevilles.

— Je suis désolé de devoir te dire ça, souffla Jack, mais on dirait que tu traînes quelque chose.

Costas se retourna, regarda ses pieds et s'étrangla. Un amas de matières filandreuses marron, dans lequel une forme se terminant par une longue queue noire était prisonnière, allait de sa cheville à la Cloaca. Costas secoua de nouveau le pied frénétiquement et le tout glissa dans l'égout.

— Plus jamais, Jack ! cria-t-il. Tu m'entends ? Ne me refais jamais ça !

— Je te promets que je me rattraperai. La prochaine fois, on plongera dans un véritable paradis.

— Encore faut-il que nous sortions de cet enfer ! maugréa Costas en reprenant son ascension le long du tunnel.

Jack le suivit en silence. Il se sentait encore en contact avec le monde extérieur. En quelques minutes, il aurait pu regagner l'escalier en spirale. Mais à chaque pas, il avait l'impression que cet environnement souterrain se refermait derrière lui. Il faisait noir devant et derrière eux. Leur lampe frontale n'éclairait que les parois situées autour d'eux. Il se concentra et se mit à compter les pas pour estimer la distance qui les séparait du mont Palatin. Au bout de trente pas, il constata que la pente changeait d'inclinaison. Ils descendaient. Les murs semblaient défoncés. La ligne fluorescente se terminait brusquement à un piton, devant un bassin sombre. Le plafond s'affaissait pour rejoindre la surface environ cinq mètres plus loin.

— Étrange, murmura Costas. Le tunnel n'a pas pu être conçu ainsi. On dirait le résultat d'un séisme, comme les lignes de fracture à Herculanum.

— À Rome aussi, il y a des tremblements de terre.

— Celui-là a été important, mais il a eu lieu il y a longtemps. On ne pourra peut-être pas aller plus loin, même s'il semble y avoir beaucoup d'eau qui passe.

— C'est le moment de piquer une tête !

Costas sauta dans le bassin et disparut sous une nuée de bulles. Jack, quant à lui, s'accroupit et bascula en avant. Il entendit l'air se répandre dans sa combinaison, tandis que le système s'ajustait automatiquement pour atteindre une flottabilité neutre. L'eau était extraordinairement transparente, comme celle du cénote dans lequel ils avaient plongé dans le Yucatán. Même là, Jack éprouva l'euphorie qui l'envahissait toujours lorsqu'il plongeait, l'ivresse de l'inconnu. Il ramena en avant ses palmes, qui étaient rabattues derrière ses mollets, et s'élança à la suite de Costas. Il consulta son profondimètre. Trois mètres, six mètres. Le tremblement de terre avait créé une fosse dans le tunnel, mais ils étaient de nouveau en ascension. Costas était déjà remonté à la surface et le plancher du tunnel n'était plus qu'à un mètre de profondeur. Jack nagea le plus loin possible, rabattit ses palmes et sortit de l'eau à côté de son ami, qui regardait le tunnel se prolonger devant lui.

— J'ai encore cette impression, confia Costas.

— Quelle impression ?

— Une impression de déjà-vu, comme si je marchais dans le passé. Cela m'est déjà arrivé à Herculanum, et même dans l'épave.

— Toi aussi, murmura Jack.

— C'est peut-être la Force.

— On m'a expliqué ce phénomène. Ce n'est pas que tu es déjà venu ici mais tu as éprouvé une émotion identique dans des circonstances très similaires. Ton cerveau te joue des tours. C'est un court-circuit.

— Non, Jack. Je l'ai bien vu chez toi. C'est la Force.

— D'accord, c'est la Force. Tu as raison. Alors peut-être peux-tu l'utiliser pour nous aider à franchir le bassin suivant.

Jack montra une nouvelle étendue d'eau, là où une autre partie de la maçonnerie s'était effondrée. Ils devaient désormais se trouver au pied du mont Palatin, sous au moins quatre-vingts mètres de tuf fracturé. Costas sauta de nouveau et Jack le suivit. Cette fois, le tunnel retrouva sa forme initiale et se prolongea sous l'eau. Mais, environ dix mètres plus loin, il se rétrécissait. En s'approchant, Jack constata que cet étranglement était dû à la présence de deux colonnes anciennes. Au-delà de ces colonnes, le tunnel se transformait en une sorte d'aqueduc voûté, plus haut que large, dans lequel ils auraient pu se tenir debout, en file indienne. Jack posa la main sur la colonne de droite. Celle-ci était en granit gris, avec des mouchetures noires et blanches. C'était la pierre que l'on voyait partout dans les ruines de Rome, notamment dans les colonnes du Panthéon et dans la basilique de Trajan, près de l'ancien Forum. Elle provenait d'Égypte, du Mons Claudianus, la grande carrière ouverte sous l'empereur Claude, qui avait ainsi marqué de son sceau la Cité éternelle.

— Maurice adorerait voir ça, murmura Jack. Il a fait sa thèse sur les carrières de Claude en Égypte et c'est de là que provient cette pierre.

— Jack, regarde ça !

Jack pivota sur lui-même et se rendit compte que Costas était remonté à la surface, environ trois mètres plus haut, et barbotait au milieu d'un écran chatoyant sur lequel la lumière de sa lampe frontale se reflétait avec une inconstance kaléidoscopique. Il le rejoignit lentement en injectant de l'air dans sa combinaison pour atteindre une flottabilité positive, sans oublier d'expirer à mesure que la pression ambiante décroissait. Lorsqu'il eut la tête hors de l'eau, il demeura bouche bée. Le faisceau de Costas éclairait une paroi rocheuse qui s'élevait directement au-dessus des colonnes et de l'entrée de la conduite. Taillée dans la roche, elle se dressait loin au-dessus d'eux et mesurait certainement quatre mètres de haut et cinq mètres de large. Jack aperçut le pignon triangulaire d'un fronton, dont l'épaisseur était d'au moins cinquante centimètres. Il regarda de nouveau vers le bas et vit les colonnes. C'était une entrée monumentale. Il resta figé d'admiration. On aurait dit les grandes façades taillées dans le roc de Pétra, en Jordanie. Mais celle-ci se trouvait sous le Palatin. C'était un curieux mélange d'ostentation et de secret, l'œuvre d'une personne sensible à ses propres accomplissements mais pas à ce que les autres en pensaient.

— Ça alors ! s'écria Costas. Regarde sous le pignon.

Jack releva la tête au-dessus de la surface. Un tourbillon dans le courant l'ayant poussé plus près de la façade, il pouvait désormais la toucher. Il posa la main sur la pierre. Ce qui ressemblait à de la moisissure et à de la vase était dur comme de la roche. Il comprit qu'il s'agissait de concrétions de calcite, dues à l'infiltration des eaux phréatiques dont Massimo leur avait parlé. De fines gouttes, provenant de toute évidence des eaux de pluie, coulaient sur la pierre. Puis il vit les petites entailles régulières sous le pignon. Bien sûr, il y avait forcément une inscription monumentale. La calcite recouvrait les lettres comme un glaçage mais, au lieu de les effacer, les mettait encore plus en relief. L'inscription comptait quatre lignes et les caractères, qui ne mesuraient qu'environ sept centimètres de haut, étaient à peine visibles depuis le sol. Cette dédicace avait été réalisée pour la satisfaction de son auteur, pour respecter les convenances et sanctifier les lieux, non pour impressionner les foules. Jack ne s'était pas trompé. Il la lut à haute voix :

TI.CLAVDIVS.DRVSI.F.CAISAR.AVGVSTVS.
GERMANICVS PONTIF.MAXIM.TRIBVNICIA.
POTESTATE.XII.COS.V IMPERATOR.
XXVII.PATER.PATRIAE.AQVAS.VESTIAM.
SACRA.SVA.IMPENSA.IN.VRBEM.
PERDVCENDAS.CVRAVIT

— Cette inscription est authentique, déclara-t-il. Cela ne fait aucun doute. Le mot César est orthographié dans sa forme archaïque, qui remonte à l'époque glorieuse de Jules, à la République. Même chose pour la façade, sculptée dans un style rustique. Les surfaces n'ont pas été polies. Le manque de finition est presque exagéré. C'est tout à fait caractéristique de Claude, des bâtiments dans lesquels il s'est investi personnellement. L'exactitude des détails épigraphiques est également typique de lui.

— Tu parles de notre Claude ? C'est lui qui a fait ça ?

Jack traduisit l'inscription :

« Tiberius Claudius Caesar Augustus, Germanicus, fils de Drusus, Grand Pontife, revêtu de la puissance tribunitienne pour la douzième fois, consul pour la cinquième fois, salué *imperator* pour la vingt-septième fois, père de la Patrie, a veillé personnellement à la construction des Eaux sacrées des vestales. »

— Voilà qui va faire plaisir à Massimo, constata Costas. Ses rats d'égout et lui vont pouvoir faire la fête ici, devant l'œuvre de leur héros.

— On retrouve la formule de l'inscription que Claude a fait graver sur la Porta Maggiore, par laquelle l'aqueduc Aqua Claudia entrait à Rome. Mais la différence, absolument fascinante, réside dans trois mots : *Aquas Vestiam Sacra*. Les Eaux sacrées des vestales. Souviens-toi de l'autre itinéraire que Massimo a exploré. Il y a peut-être un lien avec la branche de la Cloaca menant à la maison des vestales, de l'autre côté du Palatin.

— Ce qui est étrange, c'est que nous nous trouvons dans une eau pure et transparente. C'est sans doute la même chose de l'autre côté de la colline. Il doit y avoir une grande source juste au-dessous du Palatin.

— Une sorte de source sacrée, murmura Jack, dont les vestales étaient peut-être les gardiennes.

— À en juger par l'orientation de ce tunnel et l'angle probable du tunnel situé sous le Forum, estima Costas en consultant de nouveau son ordinateur de navigation, le point de confluence devrait se trouver presque exactement sous le mur de la maison d'Auguste contre lequel nous étions assis ce matin. La grotte du Lupercal était peut-être l'entrée de la source, un passage secret partant du palais. Le mythe de Romulus et Remus pourrait être une… je ne sais plus comment tu appelles ça.

— Une concrétion, murmura Jack. Une concrétion historique.

— Une concrétion, voilà ! Et cette concrétion, ce mythe, aurait renforcé l'importance de la source. Les premiers habitants de Rome se sont installés sur le mont Palatin, n'est-ce pas ? Le contrôle de la source a peut-être été la clé de leur puissance. Nous sommes peut-être sur le point de découvrir la raison de la grandeur de Rome.

— Tu ne cesseras jamais de me surprendre. Cette théorie serait compatible avec l'implication des vestales, qui constituaient un clergé remontant à la fondation de Rome et sans doute même à une époque antérieure. En sanctifiant ce lieu, en le gardant secret et pur, c'était Rome qu'on préservait. C'était là le véritable but.

— Allons voir ça de plus près.

Costas s'éloigna de la façade et évacua une partie de l'air de son système de flottabilité pour redescendre entre les deux colonnes. Jack s'attarda un instant, les yeux rivés sur l'inscription, comme s'il n'avait plus conscience du temps. L'excitation le disputait à l'appréhension, qui ne s'était pas encore imposée à lui mais attendait son heure. Il descendit à son tour et suivit Costas, qui nageait dans le tunnel, de nouveau complètement immergé sous la voûte de tuf.

— C'est du béton étanche, observa Costas.

Quelques mètres devant lui, Jack voyait la lampe frontale de son ami éclairer une zone de la paroi du tunnel, qui s'était partiellement fissurée et effritée.

— Encore une spécialité de Claude, répondit-il en le rejoignant. C'est ce matériau qui a été utilisé pour la construction des môles du grand port d'Ostie, ainsi que pour le revêtement intérieur des aqueducs. Ici, il a probablement servi à prévenir les infiltrations d'eau phréatique dans le tunnel et donc la pollution de l'eau de source. Le béton hydraulique était fabriqué à partir d'une terre désignée sous le nom de pouzzolane, provenant de l'ancienne Pouzzoles, Puteoli, dans la baie de Naples, à côté des Champs Phlégréens.

— Décidément, le monde est petit.

Costas continua à avancer, puis s'arrêta de nouveau. Jack passa devant la zone endommagée et descendit plus bas, environ quinze mètres au-delà des colonnes situées à l'entrée de la conduite.

— Le tunnel est bouché, annonça Costas. On dirait qu'il s'est effondré.

— C'est une impasse ?

Costas se pencha en avant et fouilla dans une poche de sa combinaison environnementale. Il sortit un appareil de la taille d'une cuillère, l'activa et le tendit dans l'eau à bout de bras. Un voyant rouge clignota pendant quelques secondes puis céda la place à un voyant vert.

— D'après le moulinet hydrométrique, il y a toujours du courant. Cette source, où qu'elle soit, est toujours devant nous.

Costas rangea le moulinet et consulta son ordinateur de navigation.

— Et nous remontons à un angle d'environ dix degrés. Si l'angle est le même de l'autre côté de ces décombres, il ne nous reste que vingt mètres à parcourir avant d'arriver à la surface.

Jack observa les blocs de tuf amoncelés sur le plancher du tunnel. Il descendit tout au fond et parvint à déplacer un bloc, puis un autre.

— Regarde ça ! s'exclama-t-il. Il y a une fissure dans la base du tunnel. Elle a dû s'ouvrir lorsque le tremblement de terre a fait tomber le plafond. On peut peut-être passer par là.

Costas descendit auprès de Jack et regarda dans le trou en éclairant la voie le plus loin possible.

— Tu as peut-être raison. Elle s'élargit au-dessus et se prolonge, d'après ce que je peux voir. Les décombres semblent s'être compactés et ne sont pas tombés à l'intérieur de la fissure. Si nous parvenons à nous faufiler dans les premiers mètres, nous atteindrons peut-être une zone où il sera possible de nager.

— À mon tour de passer devant.

Costas se tourna vers Jack et le regarda droit dans les yeux, sa visière contre la sienne. Il hocha la tête. Les deux hommes se connaissaient si bien que les paroles étaient inutiles. Jack était toujours rattrapé par l'angoisse lorsqu'il se rendait compte que la sortie n'était plus directe, qu'il lui faudrait traverser plusieurs espaces immergés avant d'atteindre la dernière ligne droite vers la liberté. Le souvenir de l'horreur qu'il avait vécue dans sa jeunesse, au fond d'un puits de mine submergé, ne l'avait jamais quitté et s'imposait à lui à chaque fois qu'il se trouvait dans des circonstances similaires, à chaque fois que son esprit s'emmurait dans cette sensation de déjà-vu. Il avait déjà senti l'étreinte glacée de la claustrophobie avant de voir l'inscription et, maintenant, il avait besoin de toutes ses forces pour mener contre ce démon un combat secret que seul Costas connaissait. Passer le premier l'aidait à se concentrer, à considérer l'objectif à atteindre comme une quête personnelle et à se sentir responsable de son partenaire.

— Nous sommes encore à environ six mètres de profondeur, indiqua Costas. D'après mes estimations, nous ne sommes qu'à trente mètres du point situé sous la maison d'Auguste, où nous étions assis tout à l'heure.

— Bien, allons-y.

Jack se baissa et se faufila dans la fissure. Il avança le plus vite possible mais s'arrêta brutalement. Il commença à s'hyperventiler. Les yeux fermés, il eut conscience que son ami le secouait.

— Ta corde s'est accrochée à un bloc.

Jack sentit Costas le pousser de toutes ses forces et se mit à flotter librement à l'intérieur de la fissure, qui s'était rapidement élargie. Puis il se rendit compte qu'il chutait à toute allure. Il regarda son profondimètre. Quinze mètres déjà. Il avait dû désactiver le système automatique de contrôle de la flottabilité en se frayant un chemin dans la fissure. Il chercha les commandes sur le côté de son casque et entendit soudain un sifflement dans sa combinaison. Il ralentit dans sa chute et atteignit une flottabilité neutre à dix-huit mètres. Enfin, il put observer son environnement. L'eau était toujours complètement transparente et il voyait à au moins trente mètres devant lui, jusqu'à un point où les parois en tuf du tunnel semblaient se rejoindre. Il regarda vers le bas. Il n'y avait rien, excepté une obscurité béante, un abîme insondable, juste au-dessous de l'une des plus anciennes cités du monde.

Il entendit des grognements, suivis de jurons, et aperçut Costas encore à demi prisonnier de la fissure. Il se mit à nager vers lui pour aller l'aider, mais celui-ci se libéra et ils se rejoignirent à douze mètres de profondeur.

— Cet endroit est phénoménal ! s'exclama Costas en regardant vers le bas, encore épuisé par l'effort. C'est la fissure des ténèbres…

— Je ne vois pas le fond. Il doit se trouver à au moins cinquante mètres plus bas, peut-être même davantage.

— Je ne m'attendais pas à faire une plongée rapide d'intervention au-dessous de Rome. Nous n'avons pas assez de gaz pour ça.

Ils consultèrent l'affichage numérique de leur casque. Le mélange issu de leur recycleur s'adaptait à la profondeur.

— Nous n'en avons plus que pour une demi-heure, annonça Costas, pas plus, avec une profondeur maximale de vingt-cinq mètres. Si nous devons descendre plus bas, il faudra qu'on ressorte aussitôt.

— Nous allons peut-être avoir de la chance, dit Jack. Regarde le haut de la fissure.

Le faisceau de sa lampe frontale balaya la roche d'un côté à l'autre. Ils virent les reflets étincelants de l'eau là où ils étaient entrés, puis uniquement du tuf sur environ dix mètres, et enfin une autre tache blanche ondulante d'au moins trois mètres de long.

— Nous allons pouvoir remonter à la surface, en conclut Jack. Allons-y !

Ils remontèrent progressivement. Costas tourna sur lui-même en regardant le haut et le bas de la fissure, puis observa de près la roche située juste au-dessus d'eux.

— C'est très intéressant d'un point de vue géologique, murmura-t-il comme pour lui-même. Cette fissure est clairement d'origine sismique. Elle s'est ouverte il y a des dizaines, peut-être des centaines de milliers d'années. Il semble qu'elle ait toujours été baignée par l'eau de la source. Et juste au-dessus, il y a ce tunnel bâti par Claude et déformé par un tremblement de terre plus récent. Par endroits, on voit le plafond du tunnel taillé dans la roche. À mon avis, celui-ci n'a pas été conçu pour aboutir dans la fissure. Il a été creusé au-dessus de cette fissure jusqu'au bassin vers lequel nous nous dirigeons. C'est exactement ce que je pensais. Il devait s'agir d'une sorte de dégorgeoir, d'un trop-plein destiné à évacuer l'eau lorsque le niveau montait trop.

— Regarde ça ! l'interrompit Jack en montrant l'extrémité de la fissure. Il y a quatre ou cinq marches taillées dans la roche, qui mènent au bassin.

— On dirait une tête de puits. Peut-être était-ce ici que les Anciens avaient accès à la source. Nous arrivons quasiment juste au-dessous de la maison de Romulus, située environ soixante mètres plus haut, là où des huttes préhistoriques ont été retrouvées.

Jack arriva à la surface le premier et gravit doucement les quelques marches en se tordant le cou pour ne pas se cogner la tête. Il se retourna pour vérifier que Costas le suivait et rabattit ses palmes derrière ses mollets avant de sortir de l'eau pour atteindre une plate-forme rocheuse. Il se trouvait à l'intérieur d'un autre tunnel, spectaculairement différent de celui qu'ils avaient suivi jusque-là. Au nord, environ dix mètres plus loin, ce nouveau tunnel menait à une petite chambre, légèrement plus grande. De l'autre côté, à la même distance, il donnait sur une grotte plongée dans l'obscurité. Taillé dans la roche, il avait une forme trapézoïdale semblable à une pyramide tronquée et mesurait approximativement trois mètres de large et cinq mètres de haut. Jack pivota sur lui-même en balayant le tunnel du regard sur toute sa longueur. Puis il s'approcha d'une paroi pour observer les traces de pic. Cet endroit était beaucoup plus ancien que tout ce qu'ils avaient vu précédemment. Il regarda de plus près et comprit de quoi il s'agissait.

— Ça alors ! s'exclama-t-il.

— Un autre tunnel ? demanda Costas, encore dégoulinant d'eau, avant de rejoindre Jack.

— Pas un simple tunnel. Un *dromos*.

— Un quoi ?

— Cette forme ne te rappelle rien ?

Costas observa le tunnel, dont la silhouette rectiligne était éclairée par sa lampe frontale.

— L'âge du bronze ! s'écria-t-il d'un air triomphant. L'âge du bronze grec. Ça me rappelle les tombes que tu m'as montrées à Mycènes, en Grèce. Un *dromos* est un corridor sacré. On se situe à l'époque des guerres de Troie, d'Énée et tout ça !

— Ce qui permet peut-être de déterminer une fois pour toutes l'origine de Rome, murmura Jack. Nous sommes de nouveau remontés au cœur d'un mythe, Costas, comme dans l'Atlantide. Et le mythe va devenir réalité. Mais je pense aussi à un site plus proche d'ici. Ce *dromos* est quasiment identique à celui de la grotte de la sibylle de Cumes.

— La sibylle ? Elle aurait eu ses appartements à Rome ?

— Tout concorde. Le Lupercal, la grotte sacrée des origines de Rome. Je suis sûr que c'est elle que l'on voit au bout du tunnel. Nous sommes arrivés par la source, sanctifiée et protégée, qui était essentielle à la survie de Rome. On sait qu'il y avait des rites de purification à Cumes, avec des eaux lustrales. Et il ne faut pas oublier le côté obscur.

— La fissure des ténèbres…

— L'entrée des Enfers.

— Comme les Champs Phlégréens, à Cumes.

— C'est là que se tenait la sibylle.

— Je me demande si elle était déjà là lorsque les premiers Romains se sont installés ou s'ils l'ont amenée avec eux, songea Costas à voix haute. Et je me demande comment les vierges vestales ont fini par être intégrées dans cette histoire.

— Peut-être trouverons-nous des réponses dans la grotte. Viens, on y va !

— Je crois que tu devrais d'abord jeter un coup d'œil à l'autre extrémité du tunnel, Jack. Il y a quelque chose au milieu de cette chambre.

Jack se retourna pour suivre le regard de Costas. Dans la lumière de leurs deux lampes frontales, la chambre devint plus claire. Ils longèrent le tunnel dans sa direction. Les murs anciens étaient striés de concrétions, de dépôts de calcite qui recouvraient le tuf comme une fine couche de glaçage. Jack et Costas arrivèrent à la chambre. C'était un dôme parfait, d'environ huit mètres de circonférence, avec de petites ouvertures rectangulaires dans le plafond, aujourd'hui bouchées, qui avaient dû permettre la circulation de l'air. Au fond, ils aperçurent ce qui devait être les vestiges délabrés d'une statue sur un piédestal. Ceux-ci étaient cernés par une dépression dans le sol, d'environ trois mètres de diamètre, entourée d'un sillon taillé dans la roche et rempli d'une substance noire ressemblant à une matière résineuse emprisonnée sous une concrétion de calcite.

— Bien sûr, dit Jack à voix basse.

— Quoi ?

— Cette statue… On dirait qu'elle représentait une figure féminine. Une femme assise. C'était une statue cultuelle. Et ceci est un âtre. Un âtre sacré.

Jack sembla soudain avoir une révélation.

— C'est pour cette raison que les sanctuaires de Vesta, sur le Forum et le Palatin, n'ont jamais été consacrés ! s'écria-t-il. Il ne s'est jamais agi de temples à proprement parler. Ils ne constituaient que la face publique du culte. Le véritable temple de Vesta était ici.

— Jack, il y a une inscription sur la statue.

Jack fit le tour de l'âtre et suivit le faisceau de Costas. À la base de la statue, se trouvait une fine plaque de marbre d'environ trente centimètres de long.

— Étrange, commenta Jack en s'accroupissant pour la regarder. Ce n'est pas une inscription dédicatoire. Elle ne fait pas partie du piédestal. Elle était simplement posée avant d'être fixée par la calcite.

Il se pencha le plus possible, puis s'agenouilla. Les mots, écrits en latin, étaient encore visibles. Il lut l'inscription à voix haute :

COELIA CONCORDIA
VESTALIS MAXIMA
ANNO DOMINI CCCXCIV

— Bon sang ! s'exclama-t-il. *Coelia Concordia, Grande Vestale, 394 après Jésus-Christ.* Ce fut la dernière et c'est l'année où le culte a été abandonné. Elle a peut-être fait graver cette plaque elle-même pour la déposer ici. Ce qui est bizarre, c'est la formule « après Jésus-Christ ». L'Empire romain était chrétien depuis près d'un siècle à ce moment-là, mais je pensais que les vestales avaient résisté au christianisme jusqu'au bout. Cette religion les a mises sur la touche.

Costas garda le silence, le regard fixe.

— Tu es où, là ? lui demanda Jack.

— Jack, ce n'est pas une statue.

— Quoi ?

Jack se redressa péniblement avec tout son équipement et glissa sur le sol. Déséquilibré, il tomba sur la statue. Tout à coup, il sursauta et s'écarta tout en restant accoudé, le temps de replier le genou. Il regarda la forme délabrée, qui n'était plus qu'à quelques centimètres de son visage, et se figea. Ce n'était pas une sculpture. C'était une concrétion de calcite, une stalagmite informe qui s'était élevée à plus d'un mètre du sol autour d'un siège de pierre. Et ce qui avait fait sursauter Jack était un serpent de pierre vert, qui s'enroulait autour du dossier du siège et le fixait à travers un masque diaphane de concrétions.

— Je ne te parle pas de ça, Jack. Regarde à l'intérieur.

Jack se releva, fit un pas sur la gauche et vit la forme que Costas lui désignait, prisonnière de la calcite et penchée sur un côté. Un crâne humain. Jack resta bouche bée, recula, puis regarda de nouveau. Ce n'était pas tout. Il y avait un sternum, des côtes, des omoplates. Effectivement, ce n'était pas une statue. Costas avait raison. C'était un squelette, un squelette humain. Il était petit, comme celui d'un enfant, mais les mâchoires étaient celles d'une personne âgée, très âgée, qui avait perdu toutes ses dents. Celle-ci portait un collier, un torque en or massif. Cet objet, dont la présence était insolite en plein cœur de Rome, avait peut-être fait partie d'un butin en provenance du monde celtique. Au-dessus du crâne, enserré dans la concrétion, des fragments étincelants de feuilles d'or et de joyaux ornaient ce qui avait dû être la coiffure d'une riche Romaine.

Elle était venue mourir ici… Coelia Concordia, la dernière des vestales. Mais elle était entourée de serpents. Ce n'était donc pas une simple vestale. C'était une sibylle.

Jack ne savait plus quoi penser. La sibylle n'avait donc pas disparu dans l'éruption du Vésuve. Elle était revenue ici, dans la grotte située au-dessous de Rome, près d'une autre entrée des Enfers. Et l'oracle avait survécu plus de trois siècles après la mort de Claude, après que l'ancien monde de la sibylle de Cumes avait été consumé par le feu. Il avait assisté à l'essor et à la chute de Rome, au début et à la fin du monde païen, puis à l'établissement d'un nouvel ordre, dont il avait entrevu les balbutiements, des décennies auparavant, parmi les exclus des Champs de feu.

— Jack, regarde sa main.

Jack baissa les yeux. Il osait à peine respirer. C'était donc ce qui était arrivé aux sibylles… Elles étaient devenues ce qu'elles avaient prédit. Elles avaient accompli leur propre prophétie. Coelia Concordia portait une croix.

Soudain, un éclair de lumière jaillit dans la chambre. L'espace d'une seconde, Jack crut qu'il était pris d'hallucinations. Puis il fut traîné violemment sur le côté et couché par terre. Une main s'abattit sur son casque et sa lampe s'éteignit. Il était dans l'obscurité totale. L'étreinte se desserra et il entendit la voix tendue de Costas à travers l'interphone.

— Désolé, Jack, mais nous ne sommes pas seuls.

Chapitre 13

Pendant quelques instants, Jack et Costas restèrent sur le sol de la chambre, dans le noir complet. Leur voix était quasiment inaudible de l'extérieur, le haut-parleur externe de leur casque étant désactivé, mais ils se mirent à parler instinctivement à voix basse.

— Tu avais dit que rien ne pouvait vivre ici, se plaignit Costas en se traînant jusqu'à la paroi de la chambre.

Il regarda le long du *dromos* en direction de la grotte située à l'autre extrémité. Jack rampa derrière lui. Leur lampe était toujours éteinte, mais ils avaient activé leurs lunettes de vision nocturne à l'intérieur de leur casque. Il y avait juste assez de lumière naturelle pour que les capteurs fonctionnent. Jack parvenait à discerner la silhouette verte de Costas devant lui. La lumière provenait des fissures menant vers l'extérieur et par lesquelles les archéologues avaient pu introduire une sonde dans la grotte.

— Tu es sûr que c'était une lampe torche ? demanda Jack.

— Absolument. Pendant que tu communiquais avec les morts, je regardais dans la direction opposée. Il m'a suffit d'un regard pour m'en rendre compte. Et puis j'ai vu le faisceau. Il partait du côté gauche de la grotte.

— C'est-à-dire de l'endroit où doit déboucher l'autre tunnel, celui qui part de la maison des vestales. Mais comment quelqu'un a-t-il pu arriver jusqu'ici ?

— Si nous l'avons fait, d'autres ont pu le faire aussi.

— D'après le plan de Massimo, la Cloaca compte d'autres entrées sous le Forum de Nerva et sous le Colisée. Les rats d'égout ont été arrêtés par un écoulement dangereux et n'avaient pas l'équipement nécessaire. Une personne bien équipée a pu trouver un passage, mais ce n'était pas un des gars de l'équipe. Massimo nous l'aurait dit.

— Tu crois que c'est une coïncidence ?

— Tu te souviens d'Elizabeth, l'inspectrice de la Surintendance que nous avons croisée à Herculanum ?

— Qu'est-ce qu'elle vient faire dans cette histoire ?

— Je lui ai parlé quelques instants hier, à Herculanum, avant qu'on ne sorte du site.

— Maria et moi avons remarqué.

— Elle a pris des risques en faisant cela devant le garde. Maurice nous a dit que le personnel de la Surintendance était bâillonné par quelqu'un, qu'il n'était pas autorisé à parler. Or, Elizabeth a essayé de me dire quelque chose. À propos de l'adversaire auquel nous allons être confrontés. Une organisation profondément ancrée dans l'histoire de Rome, qui remonte à l'époque de saint Paul. Une organisation qui savait que la Villa recelait un secret menaçant sa propre existence, mais qui pensait qu'il avait été perdu à jamais lors de l'éruption de 79 après Jésus-Christ. Elizabeth m'a seulement murmuré quelques mots et je n'ai pas eu le temps de lui poser des questions. Toutefois, elle a dit que, pour les membres de cette organisation, les seules preuves recevables concernant Jésus et son ministère se trouvent dans les Évangiles du Nouveau Testament et que toute déclaration contraire est un blasphème, et même une œuvre du diable. Selon elle, ils feront tout ce qui est en leur pouvoir pour éradiquer cette menace.

— Tu crois que nous sommes suivis ?

— Si c'est le cas, ceux que je soupçonne ont des ramifications partout. S'ils savent que nous sommes là, ils en ont forcément déduit que nous cherchons quelque chose. Et s'ils ont une idée de ce dont il s'agit, ils seront prêts à mourir pour arriver avant nous.

— Et à tuer.

Jack se redressa derrière Costas et regarda par-dessus son casque. Il ne voyait que des mouchetures vertes avec des taches sombres au fond.

— Nous ne pouvons que faire bonne figure. Il s'agit probablement d'un type seul. Les entrées situées sur le Forum et au Colisée ne sont pas discrètes. Plusieurs hommes seraient difficilement passés inaperçus. Cela aurait été trop risqué.

— Peut-être que les autorités ont fermé les yeux.

— Nous sommes à Rome, pas à Naples, mais ce n'est pas impossible. En tout cas, l'individu que tu as vu dans la grotte s'en veut certainement d'avoir gardé sa lampe allumée en sortant du tunnel. Son périple jusqu'ici n'a pas dû être facile, à moins qu'il ne soit aussi bien équipé que nous. Et plus nous restons dans le noir, plus il pensera qu'il a été découvert.

— Tu crois qu'on devrait rallumer nos lampes frontales et faire comme si de rien n'était ?

— Il pense peut-être que nous nous sommes engagés dans une impasse et que nous allons revenir pour poursuivre nos recherches. Quoi qu'il en soit, nous allons avoir besoin de lumière pour escalader la grotte et trouver la chambre secrète située sous le sanctuaire.

Personne n'interviendra tant que nous ne l'aurons pas découverte.

— D'accord. On allume et on balaie les parois en partant du fond, comme si on venait de sortir de quelque part. Mais je ne suis pas armé, Jack.

— J'ai le piolet à la main, murmura Jack. Chat échaudé craint l'eau froide. Si je n'avais pas obligé Ben à prendre des vacances, je lui aurais demandé son Beretta. Il y a même une poche pour une arme dans la combinaison environnementale. Ce sera pour la prochaine fois.

— La prochaine fois ?

Ils rallumèrent leur lampe frontale, retournèrent dans le tunnel et longèrent le bassin par lequel ils étaient arrivés. Dix mètres plus loin, ils atteignirent le bout du tunnel et découvrirent une immense cavité d'au moins vingt mètres de haut. Sur la droite, un escalier taillé dans la roche s'enroulait autour des contours naturels de la grotte. Les marches en tuf étaient si érodées qu'elles étaient en pente. À mi-hauteur, les parois avaient été massivement fracturées et déplacées, mais les marches se poursuivaient presque jusqu'au plafond, au-dessus d'un précipice aux bords déchiquetés. Juste au-dessous, sur le plancher de la grotte, Jack et Costas aperçurent l'entrée d'un aqueduc identique à celui qu'ils avaient suivi, dans lequel ruisselait de l'eau.

— Une autre conduite, constata Jack en examinant les plissements rocheux autour de l'entrée de l'aqueduc. Tu vois quelque chose ?

— Pas encore.

— Heureusement que Massimo nous a donné des cordes. Il avait raison. On dirait que nous allons devoir faire de l'escalade.

— Vas-y, toi. Je vais chercher notre trésor sur la terre ferme, d'accord ? Je vais peut-être même éteindre ma lampe frontale. Ça sera mieux pour les contrastes. Par moments, tu ne me verras peut-être pas.

— Sois prudent. Ce type est sûrement armé.

— Il ne tirera pas tant que nous n'aurons pas trouvé le trésor.

— En théorie.

— Alors ne le trouve pas.

— Quand je l'aurai, je t'appellerai. Le plus fort possible.

Jack prit la corde qu'il tenait à l'épaule et commença à gravir les marches. Derrière les plissements rocheux, il perdit rapidement de vue Costas, dont le faisceau lumineux disparut également. Il détestait se sentir vulnérable, épié à chacun de ses mouvements. Il savait que Costas ne passerait pas inaperçu et que ce n'était pas un assassin. Il s'arrêta et regarda vers le haut de façon ostentatoire. S'ils jouaient bien la partie, ils avaient une chance. Mais ils ne pourraient éviter la confrontation. Il s'arma de courage et poursuivit son ascension en se concentrant sur l'escalade à laquelle il allait devoir se livrer. Au bout de trente marches, il arriva à l'endroit où le séisme avait poussé une énorme masse rocheuse, qui avait créé une falaise d'au moins dix mètres de haut. Il observa la pierre et estima la fiabilité des prises. Il y arriverait. Après avoir fixé la corde à son harnais, il se débarrassa de son recycleur et le posa sur une marche de l'escalier. Une fois les différents tuyaux retirés de son casque, il souleva sa visière et, pour la première fois depuis qu'il avait inspiré une bouffée de l'air fétide de l'égout, une heure auparavant, il respira l'air environnant. Celui-ci était humide et chaud, et Jack entendait de l'eau goutter tout autour de lui. Les fortes pluies dont Massimo leur avait parlé devaient s'abattre sur la ville. Il se hissa sur la paroi rocheuse. Le tuf semblait friable, mais il savait que c'était une roche volcanique solide, qui lui offrirait une bonne prise. Il commença à gravir la falaise, bras et jambes écartés. Environ cinq mètres plus haut, il planta le premier piton. Le bruit des coups résonna dans toute la grotte. Il en planta un autre trois mètres plus haut et, environ deux mètres plus loin, il atteignit le sommet de la falaise. Il retrouva les marches de l'escalier, qui se prolongeait dans la roche. Puis, sur la droite, il aperçut une large fissure ornée de mosaïques et de coquillages incrustés. Il devait s'agir de la fissure que les archéologues avaient repérée sous la maison d'Auguste. Il avait désormais la certitude que les dernières marches menaient à la chambre secrète du temple de Vesta situé sur le mont Palatin. Il n'était plus qu'à quelques mètres de son but.

Il se retourna et planta au bord de la falaise un dernier piton auquel il attacha l'autre extrémité de la corde, avant de redescendre les premiers mètres en rappel. Il s'arrêta un instant et entendit que le débit de l'eau, à l'intérieur du tunnel menant vers le Forum, s'était considérablement intensifié. La pluie avait dû faire monter le niveau du réservoir d'eau issu de la source et le tunnel conçu par Claude pour évacuer le trop-plein devait remplir son office. Jack écouta gronder le torrent et prit une profonde inspiration. C'était le moment. Il cria de toutes ses forces.

— Costas, je l'ai trouvé ! Je descends !

Il rebondit sur encore quelques mètres, le piolet à la main gauche. Soudain, on lui serra la cheville gauche comme en un étau et il se mit à tourner dans le vide. Il regarda vers le bas, en s'accrochant fermement à la corde de la main droite. Un homme portant une combinaison noire et un masque de plongée le retenait, les jambes enroulées autour de la corde, juste au-dessus de la marche. D'une main, il tenait la cheville de Jack et la corde ; de l'autre, un pistolet muni d'un silencieux pointé vers la tête de Jack.

— Donne-le-moi ! ordonna l'homme d'une voix froide, avec un fort accent italien.

Jack le dévisagea sans rien dire. Une balle lui passa devant le visage et le bruit sourd du silencieux résonna dans la grotte. C'était un avertissement. Du coin de l'œil, Jack aperçut une silhouette. Il se balança, comme s'il avait perdu l'équilibre, et visa la tête de l'homme pour le neutraliser. Mais le bras qui lui retenait la cheville était plus près. Il abattit le piolet sur le poignet de son agresseur et envoya le pistolet tournoyer dans les airs. Au même moment, Costas attrapa l'homme par les jambes et le fit tomber violemment à terre. Celui-ci tenta de se relever, mais il trébucha et s'effondra dans un craquement horrible à l'entrée de l'aqueduc. Il fut aussitôt happé par le torrent. Jack s'empressa de rejoindre Costas, qui avait également retiré son respirateur et sa visière.

— Ça va ? demanda-t-il.

— Oui, mais j'aurais bien aimé que tu plantes ton piolet entre les deux yeux de ce salaud !

— Je pense que nous en sommes débarrassés pour de bon.

Costas essuya le sang qui lui coulait le long de la bouche et se pencha vers le bas.

— Oui, on a tiré la chasse. Il doit déjà être dans les égouts.

Il regarda de nouveau en haut de la falaise.

— Bien, allons-y ! ajouta-t-il. Cette péripétie m'a achevé. Plus tôt on sortira d'ici, mieux ce sera.

Vingt minutes plus tard, ils se trouvaient dans un espace étroit, au-dessus des dernières marches de l'escalier. Jack se faufila le plus haut possible dans la fissure, les bras tendus au-dessus de lui dans une cavité creusée dans la roche. Il ne sentait rien. Il essaya de se rapprocher, en vain. Il ne faisait que se cogner la tête contre le sommet de la fissure, dont il ne voyait que les parois rugueuses à quelques centimètres de son visage. Il chercha à tâtons mais ne trouva rien. Il se voûta et parvint à se hisser un peu plus haut. Soudain, ses doigts rencontrèrent une résistance. C'était de la pierre mouillée, polie, différente de la roche irrégulière de la fissure. Il écarta les mains pour palper les parois de la cavité. C'était une chambre circulaire, d'environ soixante centimètres de diamètre, immergée dans le tuf. Il baissa les mains le plus possible pour toucher le plancher, sur lequel il promena lentement ses doigts, le long des parois. Rien.

La chambre était vide. Jack s'affaissa légèrement et se tourna vers le visage de Costas, qu'il discernait à peine au-dessous de ses pieds.

— J'ai passé la main sur le plancher et les parois, dit-il d'une voix qui résonnait dans la chambre avant d'être étouffée par la fissure. C'est un trou cylindrique creusé dans la roche. Je peux atteindre tout le pourtour du sol. Il n'y a rien.

— Essaie au milieu, lui suggéra Costas. Peut-être y a-t-il une autre cavité au-dessous.

Jack se déplaça le plus possible vers la droite et passa la main gauche sur le plancher. Celui-ci était mouillé, visqueux et hérissé de petites irrégularités, comme si le polissage n'avait pas été tout à fait terminé. Il atteignit l'autre côté. Soudain, il revint en arrière. Il y avait un certain ordre dans les irrégularités. Il les tâta du bout des doigts, les yeux fermés, pour essayer de comprendre ce dont il s'agissait. Il n'y avait aucun doute.

— Tu as raison ! s'écria-t-il. Je sens le pourtour d'un autre cercle, plus petit, sur le plancher de la chambre. Je crois que c'est un couvercle, un couvercle en pierre sur lequel des signes ont été gravés.

— Il y a une poignée ?

— Non, la surface est plate. Je ne vois pas comment je vais pouvoir l'ouvrir.

— Et ces signes ?

— J'en ai compté vingt jusque-là. Attends !

Jack enfonça le coude dans la paroi rugueuse de la fissure pour tenter de sentir chaque partie du couvercle et tressaillit de douleur.

— Non, vingt-trois. Ces signes sont disposés en cercle, sur tout le pourtour du couvercle. Ces sont des lettres, des lettres en relief sculptées sur de petits blocs de pierre qui semblent traverser la surface. C'est curieux. Je peux les enfoncer légèrement.

— Tu peux les lire ?

Jack passa les doigts sur les lettres.

— C'est l'alphabet latin ! s'exclama-t-il. L'alphabet de la fin de la République romaine et du début de l'Empire. Vingt-trois lettres, d'alpha à zêta.

— Jack, je pense que c'est une serrure à combinaison, de style romain.

— Quoi ?

— S'il n'y a pas de poignée, le couvercle doit être poussé par un ressort situé au-dessous. Il s'agit sans doute d'un ressort en bronze fixé sur le pourtour de la cavité intérieure. Les lettres doivent faire partie d'une serrure à combinaison, probablement reliée à des pivots en pierre ou en métal qui maintiennent le couvercle dans la roche. La combinaison est peut-être même réglable afin que le code puisse être changé. Il te suffit de la trouver pour que le couvercle s'ouvre.

— Vingt-trois lettres, murmura Jack. Et nous ne savons même pas combien le code en contient. Je préfère ne pas essayer de calculer les probabilités…

— Commençons par le plus simple. C'est Pline l'Ancien qui a déposé le rouleau ici. Quel était son nom complet ?

Jack réfléchit un instant.

— Caius Plinius Secundus, répondit-il.

— Bien, essaie les initiales.

Jack s'efforça de visualiser l'alphabet latin et passa le doigt sur le cercle jusqu'à ce qu'il trouve les lettres C, P et S. Il appuya sur les blocs dans l'ordre et ils ne s'enfoncèrent que légèrement. Il essaya de nouveau, dans un autre ordre. Toujours rien.

— Ça ne marche pas.

— Alors à toi de deviner. Tu pourrais essayer des combinaisons au hasard. Cela ne devrait pas nous prendre plus d'une semaine…

— Non, attends ! s'écria Jack, plein d'espoir. Ton idée est bonne. Réfléchissons. Pline s'est vu confier ce document par Claude. Il lui a promis de le mettre en lieu sûr. Il tient toujours ses promesses et ne remet jamais rien à plus tard. Il a bien trop de choses à faire. Il s'occupe de la base navale et écrit ses livres. Il va donc à Rome sur-le-champ, à bord d'une galère rapide. Il remonte le Tibre et se rend directement au coffre de l'amirauté, ici même. Puis il retourne sans attendre à

Misène, dans la baie de Naples, juste à temps pour l'éruption. Quel nom a-t-il en tête ?

— Tu penses au Nazaréen ?

— Non, il n'y a pas de quoi faire un code et ce serait trop évident. Je pense à Claude. Tiberius Claudius Nero Germanicus.

Jack ferma les yeux de nouveau, passa la main sur les lettres et appuya sur T, C, N et G. Rien. Il recommença. En vain.

— Ça ne marche pas non plus, soupira-t-il.

— Tu as peut-être oublié une lettre. Empereur ?

— *Imperator*.

Jack trouva la lettre initiale et l'enfonça. Toujours rien. Il se laissa retomber dans la fissure. Soudain, une idée lui vint à l'esprit.

— Non ! cria-t-il à Costas. Pas *Imperator* ! Claude n'était plus empereur. Et il devait souvent le rappeler à Pline. Il était devenu autre chose, quelque chose qui devait les amuser tous les deux.

— Le divin Claude, murmura Costas.

— *Divus !*

Jack tendit la main et, lorsqu'il l'eut trouvée, appuya le plus fort possible sur la lettre D. Le bloc céda et s'enfonça d'au moins deux centimètres. Le couvercle s'ouvrit brusquement et Jack retira sa main pour éviter qu'elle ne reste coincée.

— Bingo ! s'exclama-t-il.

Il tendit de nouveau la main et sentit un gros ressort en bronze, qui maintenait désormais le couvercle à environ trente centimètres du plancher. Au milieu, il découvrit une forme cylindrique. Le cœur battant à tout rompre, il saisit l'objet et le fit passer entre les spires du ressort. Le cylindre, d'environ quinze centimètres de diamètre et vingt-cinq centimètres de long, était lourd pour sa taille. Il était en pierre.

— Je l'ai ! exulta Jack en le sortant de la chambre pour le tenir dans le faisceau de sa lampe frontale. C'est un vase de pierre égyptien tourné à la main. On a trouvé le filon, Costas ! Il est de la même facture que les grandes jarres que nous avons vues sur les étagères de Claude. Le couvercle est scellé avec de la résine. Pline n'y a apparemment pas touché. C'est peut-être notre jour de chance.

Il confia le cylindre à Costas, qui tendit la main pour le récupérer, et se laissa descendre le long de la fissure. Ils s'accroupirent tous deux dans l'obscurité. Le faisceau lumineux de leur lampe illuminait la surface marbrée de l'objet, que Costas tournait entre ses mains.

— Qu'est-ce qu'on fait maintenant ?

— On l'ouvre, décida Jack.

— Sans le contrôle du laboratoire ?

— J'en prends la responsabilité.

Jack prit le cylindre d'une main et tourna le couvercle de l'autre. La résine s'effrita facilement et se répandit sur le sol. Une fois le couvercle ouvert, Jack le posa par terre et regarda à l'intérieur du récipient.

— Pas de papyrus, annonça-t-il sur un ton neutre. Mais il y a autre chose.

Il glissa les doigts dans le cylindre et en sortit un artefact en pierre plat d'environ quinze centimètres de long et dix centimètres de large, dont les dimensions rappelaient celles d'un petit miroir cosmétique. L'objet se décomposait en deux moitiés repliées l'une contre l'autre, reliées par une charnière et verrouillées par un loquet en métal. Jack posa le pouce contre le loquet.

— C'est une tablette d'écriture, constata-t-il. Un diptyque, deux feuillets qui s'ouvrent comme un livre. La surface interne doit être recouverte de cire.

— Tu crois que le texte a survécu ?

— Il pourrait, lui aussi, nous faire le coup d'Agamemnon. Il est peut-être encore là, mais l'oxygène va sans doute le dégrader immédiatement. Je prends le risque. Nous ne pouvons pas nous permettre d'attendre.

— D'accord.

Costas sortit un carnet étanche et un crayon. Jack souleva le loquet et sentit les feuillets s'écarter l'un de l'autre.

— Allons-y, souffla-t-il.

Il ouvrit la tablette. La surface interne était dure et lisse. C'était de la cire, parfaitement préservée, mais elle se mit à foncer dans la seconde. Le texte était encore visible.

— Vite ! s'exclama Jack.

Il tendit la tablette à Costas et saisit le carnet, sur lequel il nota fébrilement tout ce qu'il voyait.

— Ça y est, annonça-t-il moins d'une minute plus tard.

La cire était toujours là, mais les incisions avaient presque disparu. Costas referma la tablette aussitôt et l'enveloppa dans un film à bulles, puis dans un sac imperméable, qu'il glissa dans la poche avant de sa combinaison.

— Alors ? demanda-t-il en se tournant vers Jack, qui fixait le carnet.

— C'est du latin, répondit Jack, qui essayait de rassembler ses pensées. Je ne sais pas qui a écrit ça, mais ce n'était pas un Nazaréen de Galilée. Le texte aurait été en araméen, ou en grec à la rigueur.

— Alors ce n'est pas le précieux document de Claude ?

— Ces quelques lignes ont peut-être été écrites par Claude lui-même ou par Narcisse. Il est impossible de dire, à partir de lettres gravées sur une tablette de cire, si l'écriture est la même que celle du papyrus signé par Narcisse, que nous avons vu dans l'étude de Claude. Surtout quand ces lettres disparaissent en quelques secondes.

Il se tourna vers Costas.

— Non, confirma-t-il, ce n'est pas le document que nous cherchons. Mais c'est une piste.

Il arracha la page du carnet et réécrivit proprement les mots qu'il avait griffonnés sur une nouvelle feuille. Puis il éclaira le texte à l'aide de sa lampe frontale, afin qu'ils puissent tous deux le lire.

Dies irae dies illa
Solvet saeclum in favilla
Teste David cum Sibylla

Inter monte duorum
Qua respiciatam Andraste regia
Uri vinciri verberari
Ferroque necari

— C'est un poème ? interrogea Costas. De Virgile, peut-être ? Il a écrit à propos de la sibylle, non ?

— Vieux renard, murmura Jack.

— Qui ça ?

— Je crois que Claude avait fait une promesse. Il l'a tenue, mais il s'est adonné à un petit jeu. Et il semble avoir lui-même été mené en bateau par la sibylle.

— Je t'écoute.

— Eh bien, les premiers vers sont célèbres. Il s'agit de la première strophe du *Dies Irae*, le cantique faisant partie des messes de requiem de l'Église catholique dont je t'ai parlé. C'est une découverte incroyable, car la version la plus ancienne de ces vers date du XIIIe siècle. La plupart des experts pensent que c'est un texte médiéval, notamment en raison des rimes, un usage que l'on ne retrouve pas dans la poésie latine, dans les poèmes de Virgile, par exemple.
Jack écrivit la traduction usuelle des vers à côté du texte en latin.

Jour de colère que ce jour-là
Où le monde sera réduit en cendres
Selon les oracles de David et de la sibylle

— Je me souviens ! Décidément, cela ressemble vraiment à une prémonition de l'éruption du Vésuve.

Jack hocha la tête.

— Je crois qu'il s'agit d'une prophétie sibylline rendue à Claude, à Cumes. Elle a également dû être rendue à d'autres, qui l'ont retenue et gardée secrète jusqu'à ce qu'elle refasse surface dans la liturgie catholique.

— Et qui est David ? demanda Costas.

— C'est justement ce qui rend cette découverte incroyable. On considère généralement que ce nom fait référence à Jésus, qui aurait été un descendant de David, le roi des Juifs. Si c'est bien le cas, maintenant que nous savons que ces vers datent du début de l'ère chrétienne, on peut en déduire que la sibylle connaissait Jésus. La sibylle aurait donc bien été associée aux débuts du christianisme d'une façon ou d'une autre.

— Et la deuxième strophe ?

— C'est notre indice, qui a tous les atours d'une prophétie sibylline, d'une énigme écrite sur des feuilles à l'entrée de la grotte de Cumes.

Entre deux collines
Où repose la reine Andraste
Être brûlé, enchaîné, frappé
Et tué par le fer

— Ce qui signifie ?

— La deuxième partie est connue. Surprenante, mais connue. C'est le *sacramentum gladiatorum*, le serment des gladiateurs. *Uri, vinciri, verberari ferroque necari* signifie « Je suis prêt à être brûlé, enchaîné, frappé et tué par le fer ».

— D'accord… Des gladiateurs ? Très bien. Plus rien ne m'étonne. Et la première partie ?

— Andraste était une déesse de Bretagne, avant que les Romains n'annexent le pays. C'est l'historien romain Dion Cassius qui nous l'a fait connaître. Il écrit que Boadicée l'a invoquée avant une bataille. Tu connais Boadicée ?

— Boadicée ? Bien sûr. La reine rousse au tempérament sanguin.

— Elle a conduit la révolte contre l'occupation romaine en 60 après Jésus-Christ. Ce fut le plus grand massacre de toute l'histoire britannique.

Jack regarda le mot de nouveau et fut brusquement frappé par un éclair de lucidité, comme s'il venait de se réveiller.

— Bien sûr ! s'écria-t-il. La sibylle la qualifie de reine. La reine-prêtresse. Boadicée était Andraste.

Il survola rapidement les dernières lignes.

— Le serment des gladiateurs, songea-t-il à voix haute. *Ad gladium*, par le glaive. On nous oriente vers une arène de gladiateurs, un amphithéâtre.

— Le Colisée ? Ici, à Rome ?

— Il y en a beaucoup d'autres.

Jack parcourut de nouveau le texte.

— Un lieu bâti entre deux collines, là où repose une grande reine, murmura-t-il.

Soudain, il leva les yeux vers Costas, un large sourire aux lèvres.

— Je connais ce regard, dit Costas.

— Je sais exactement où nous devons aller, déclara Jack triomphalement. Viens ! Mieux vaut que tu ne le saches pas avant qu'on n'ait revu la lumière du soleil.

Costas plissa les yeux et le dévisagea d'un air suspicieux.

— D'accord.

Ils se relevèrent et reprirent l'escalier en sens inverse. Arrivés à la falaise, ils descendirent en rappel l'un après l'autre et se munirent de nouveau de leur recycleur. Ils jetèrent un œil vers la conduite dans laquelle leur agresseur avait disparu, mais le débit de l'eau avait encore augmenté et il n'y avait aucune chance qu'il en ressurgisse. Ils se rendirent d'un pas lourd jusqu'en bas des marches pour atteindre le plancher de la grotte. Une fois au bord de l'eau, ils vérifièrent leur équipement et fermèrent leur casque. Costas évita soigneusement de regarder, à l'autre bout du tunnel, le personnage macabre assis au milieu de la chambre sacrée. Mais Jack ne put s'empêcher de l'admirer, conscient de l'importance de cette découverte. Le bassin qui leur permettrait de regagner la Cloaca Maxima semblait désormais moins menaçant. Ce n'était plus une porte ouvrant sur l'inconnu mais une issue pour sortir des Enfers. Avant de rabattre sa visière, Costas se tourna vers Jack.

— Nous allons finir par bien le connaître, ce cher Claude.

— C'est un ami, maintenant. Tout à l'heure, j'avais l'impression qu'il était avec nous, qu'il nous incitait à aller de l'avant.

— Alors, finalement, il n'a pas fait confiance à Pline.

— Il lui faisait sans doute confiance en tant qu'ami, mais il savait que sa curiosité risquerait de l'emporter. Si Pline avait survécu à l'éruption du Vésuve, il ne fait aucun doute qu'il serait revenu ici un jour et qu'il aurait ouvert le cylindre. Claude lui a donc donné une énigme. Une prophétie sibylline. Mais aucun d'eux ne savait que le Vésuve leur couperait l'herbe sous le pied. Cette tablette de cire a passé près de deux mille ans ici, depuis le jour où Pline l'a déposée, sans que personne ne la lise.

— Elle nous attendait.

— Je crois que c'est ce que Claude a voulu. Il ne souhaitait pas passer le relais à Pline, ni à un autre de ses contemporains, mais aux générations futures, à quelqu'un qui pourrait suivre ses indices et découvrir son trésor à une époque où celui-ci ne serait plus menacé.

— Ce qu'il n'avait pas prévu, c'est que cette menace ne disparaîtrait jamais, murmura Costas. Alors, où est-ce qu'on va maintenant ?

Jack se contenta de regarder Costas d'un air contrit.

— Je le savais, dit Costas avec résignation. Je le savais. On va encore s'enfiler dans un trou à rats.

— Il faut qu'on retrouve une tombe perdue depuis longtemps.

Chapitre 14

Vingt-quatre heures plus tard, après être passés devant l'imposante cathédrale Saint-Paul, au centre de Londres, Jack et Costas s'enfonçaient dans le dédale de rues et de ruelles composant le cœur de l'ancienne cité. Ils avaient dormi à bord de la *Seaquest II*, en Méditerranée, et s'étaient rendus à l'aéroport de London City tôt dans la matinée. Avant toute chose, Jack avait eu un entretien avec Ben Kershaw, le chef de la sécurité de l'UMI. Après ce que Costas et lui avaient vécu à Rome, leurs recherches archéologiques secrètes avaient pris une tout autre dimension. Tant qu'ils poursuivaient leur quête, tant qu'il était clair pour les poursuivants que Rome leur avait uniquement fourni une piste et non l'objet de leurs recherches, ils étaient relativement en sécurité. Ils ne savaient pas ce qu'était devenu l'homme qui avait pointé un pistolet sur Jack sous le mont Palatin. Mais, d'après Massimo, les chances de survie dans la Cloaca Maxima d'une personne non équipée d'un respirateur étaient minces. Il semblait inconcevable qu'ils aient pu être filés jusqu'à Londres, mais Jack préférait ne pas prendre de risques. Ils seraient le plus discrets possible. De plus, Ben et deux de ses collègues resteraient dans leur entourage, prêts à bondir si la mésaventure de Rome devait se répéter.

— Bienvenue sous le soleil de Londres ! s'exclama Costas.

Une file de taxis noirs passant à toute allure venait de lui éclabousser copieusement les chevilles avant qu'il n'ait eu le temps de s'éloigner du bord du trottoir. Les deux hommes portaient une parka en Goretex bleue, dont ils avaient relevé la capuche, et Costas se débattait maladroitement avec un parapluie. Le temps avait été couvert dès le matin et, désormais, le crachin s'était installé pour de bon, ne cédant la place qu'à de fortes averses passagères. Costas renifla bruyamment et éternua.

— Alors c'est là que Claude a déposé son précieux secret ? demanda-t-il. Ce n'est pas tout près de la Judée.

— Cela n'a rien de surprenant, répondit Jack en essayant de couvrir le bruit de la circulation. Les premiers chrétiens de la Bretagne romaine pensaient qu'ils avaient avec la Terre sainte un lien direct, exempt de toute dénaturation due à l'Empire. Cela leur a causé de graves problèmes lorsque l'Église de Rome a tenté d'asseoir son pouvoir sur leur territoire.

— Et là, nous sommes à l'emplacement de la Londres romaine ?

— Nous venons d'y entrer. L'actuelle City of London, le quartier des finances, est l'ancienne cité médiévale. Et celle-ci a été bâtie sur les ruines de Londinium. On retrouve le tracé des remparts romains dans l'agencement des rues.

— Ça devait être un trou perdu, déclara Costas en traversant la rue mouillée derrière Jack. Qui aurait pu vouloir vivre ici ?

— Regarde les visages autour de toi, répondit Jack, tandis qu'ils se frayaient un chemin entre les citadins pressés. Londres était tout aussi cosmopolite à l'époque romaine. Elle a été fondée pour le commerce. Et elle a attiré des marchands des quatre coins de l'Empire.

Il tourna à gauche et slaloma entre les voitures, coincées dans un embouteillage, puis conduisit Costas vers une ruelle, située de l'autre côté de la rue.

— Ce n'était pas du tout un trou perdu, reprit-il, même si la tradition celtique conférait à la Bretagne un cachet particulier, qui pouvait avoir quelque chose d'exotique et d'effrayant pour certains Romains.

— Et c'est Claude qui a envahi ce pays, rumina Costas en plissant les yeux dans le crachin et en tirant sur sa capuche. Il a quitté l'Italie pour ça…

Jack s'essuya le visage et s'engagea dans Lawrence Lane, qui menait au Guildhall.

— Claude était en mission. Près d'un siècle auparavant, son arrière-grand-oncle Jules César était venu ici avec ses légions, à la fin de la conquête de la Gaule. C'était plus une démonstration de pouvoir qu'une véritable invasion, une sorte de politique de la canonnière à l'ancienne, afin que les Bretons restent de leur côté de la Manche.

— Tu veux dire que César est venu jeter un coup d'œil, qu'il s'est ravisé et qu'il est reparti ? demanda Costas en tournant la tête à l'intérieur de sa capuche.

— Il avait d'autres choses en tête, mais il a ouvert la voie aux marchands. Avant même l'invasion de Claude, il y avait un établissement romain dans la capitale tribale de Camulodunum, l'actuelle Colchester, à environ soixante-quinze kilomètres au nord-est de Londres. Les Romains ont apporté des cargaisons entières de vin dans des amphores en terre cuite semblables à celles que nous avons vues dans l'épave et à Herculanum. Et ils ont découvert l'alcool préféré des Bretons.

— Ravi de voir que celui-ci est toujours là, observa Costas, dont la voix semblait venir de loin.

Jack se retourna et le vit debout devant un pub, en train de retirer sa capuche, prêt à entrer. Il secoua la tête et lui fit signe de le suivre.

— Nous y sommes presque. On verra ça plus tard.

— Tu dis toujours ça, grommela Costas.

Il rejoignit Jack, fit quelques pas en silence à ses côtés, puis l'attrapa par le bras pour l'arrêter.

— Il y a quelque chose qui m'intrigue depuis Rome, avoua-t-il.

— Quoi ?

— Elizabeth, ta brève conversation avec elle à Herculanum. Tu m'as dit qu'elle avait voulu te prévenir, t'inciter à te tenir sur tes gardes.

— Elle m'a juste murmuré quelques mots.

— Je me pose des questions concernant l'homme qui nous a agressés dans la grotte de Rome. Je ne sais pas de qui il s'agissait ni pour qui il travaillait, mais comment a-t-il pu savoir où nous nous trouvions ?

— Je suppose que nous avons été suivis. Après coup, je me suis dit qu'il n'avait pas dû être difficile de nous suivre à la trace d'Herculanum à Rome en passant par la *Seaquest II*. Il suffit d'intercepter quelques appels téléphoniques ou même de pirater un système de surveillance par satellite. Nous avons été discrets mais, s'ils ont su que nous allions nous faire livrer des équipements de plongée au centre de Rome, nos adversaires n'ont sans doute pas eu de mal à en déduire que nous allions explorer la Cloaca Maxima.

— Cela exigerait tout de même un système de surveillance très sophistiqué.

— Et pourquoi pas ? Il ne faut négliger aucune possibilité.

— En tout cas, ils semblent savoir précisément ce que nous cherchons. Le type dans la grotte t'a dit : « Donne-le-moi ! »

— Est-ce que tu insinues qu'Elizabeth est derrière tout ça ?

— Je n'insinue rien du tout.

Jack sembla troublé.

— Elle a dit autre chose, se rappela-t-il. J'ai pensé que c'était personnel, que c'était à propos de nous, mais j'ai peut-être eu tort.

— Quoi ?

— Elle a dit qu'elle savait.

— Qu'elle savait quoi ?

— Aucune idée. C'est tout ce qu'elle a dit. C'est même la dernière chose qu'elle m'ait dite.

— Est-ce que tu penses qu'elle savait ce que nous avions trouvé à Herculanum ? Qu'elle était allée jusqu'au bout du tunnel avant notre arrivée ?

— Maurice était convaincu que personne n'avait franchi cette fissure dans le mur avant nous. Et il sait reconnaître mieux que personne les traces laissées par les importuns, les pilleurs de tombes. Cela dit, Elizabeth a pu entrer secrètement dans le tunnel la nuit précédant notre arrivée. Elle a pu voir Narcisse et les rouleaux carbonisés, regarder par la fissure et constater qu'il y avait d'autres rouleaux.

— Pourquoi ne t'en aurait-elle pas parlé ?

— Il y avait de la peur dans ses yeux. Une véritable frayeur. Et pourtant, c'est une femme solide, qui a grandi dans les bas quartiers de Naples. Je lui ai laissé plusieurs messages à la Surintendance et je n'ai toujours pas de réponse. Je crois qu'elle m'a dit tout ce qu'elle pouvait et qu'elle a pris un grand risque.

— Alors tu crois qu'elle est de notre côté ?

— Je ne sais pas quoi penser, Costas. Cela fait des années que je ne sais plus quoi penser d'elle. Mais, quoi qu'il en soit, je suis persuadé que ce n'est pas elle qui tire les ficelles. Quelqu'un ou quelque chose de très puissant la manipule et l'empêche de parler. Et cela commence à me faire peur à moi aussi.

Costas hocha la tête lentement et leva les yeux dans le crachin.

— Enfin, on n'a pas le choix, de toute façon ! On va continuer. Mais j'ai vraiment l'impression d'être un appât.

— Ben et ses collègues sont juste derrière nous.

— Bien, alors revenons-en à la Londres romaine. Des tas d'étrangers passaient par ici, donc des tas de nouvelles idées circulaient.

— Exactement.

Ils arrivèrent à Gresham Street et Jack montra l'église, de l'autre côté de la rue.

— Nous y voilà ! s'exclama-t-il. Elle n'est pas aussi remarquable que la cathédrale Saint-Paul, mais elle a été bâtie par le même architecte et date de la même période. C'est une des églises de la cité de Londres rebâties par Sir Christopher Wren après le grand incendie de Londres, en 1666.

— Saint-Lawrence Jewry, annonça Costas après avoir consulté une carte touristique déjà trempée qu'il venait pourtant de sortir de sa poche.

Un taxi déboula à toute allure et Jack attendit qu'il passe.

— Ici, c'était le quartier juif de Londres, avant que les Juifs ne soient expulsés, au XIIIe siècle. Saint-Lawrence Jewry est anglicane. Elle appartient à l'Église d'Angleterre. Mais un peu plus loin, il y a des églises catholiques, des chapelles non conformistes, des synagogues, des mosquées, tout ce que tu veux. Et qui sait quels cultes nos contemporains peuvent rendre, en secret, derrière des écrans d'ordinateur ? C'était la même chose dans la Londres romaine. Aujourd'hui, c'est souvent le même dieu, sous des traits différents, que nous prions. Mais d'une certaine façon, nous ne sommes pas très loin du polythéisme que les Romains ont connu. Nous avons de nombreux types de temples et de rituels.

— N'y avait-il pas également un culte de l'empereur ?

Jack hocha la tête et s'arrêta un instant contre un mur pour éviter d'être éclaboussé par un train de voitures.

— Les Romains ont bâti un temple dédié à Claude, à Colchester. Il y en a peut-être eu un à Londres également. Je pense que Claude, s'il a vraiment survécu, s'il a été témoin de son propre culte, ne s'est jamais pris pour un dieu. Il n'était pas comme son fou de neveu, Caligula, ni comme Néron, le successeur de celui-ci. Mais dans les provinces, le culte impérial avait des objectifs pratiques. Il ne s'agissait pas seulement d'idolâtrer l'empereur en tant qu'individu, mais d'obliger les autochtones à rendre des comptes à Rome.

— Les Romains n'ont pas essayé d'éradiquer les religions concurrentes ?

— En général, non. C'est tout l'intérêt du polythéisme, d'un point de vue politique. Quand un peuple a déjà plusieurs dieux, il est facile de lui en imposer d'autres. C'est moins compliqué que d'éradiquer ses croyances. Et puis les nouveaux dieux absorbent les anciens. C'est ce qui s'est passé dans la Bretagne romaine. Le dieu celte de la Guerre a été absorbé par Mars, son homologue romain, qui avait déjà absorbé Arès, le dieu de la Guerre grec. La déesse associée à Boadicée, Andraste, a été assimilée à Diane et Artémis. Même le christianisme a adapté les rites cultuels païens, notamment l'idée d'un temple et d'un clergé. Les premiers chrétiens ne connaissaient pas l'Église. La notion même d'une religion organisée autour d'actes de culte leur était étrangère. Pour certains, cela aurait été une hérésie.

— Peut-être même pour le Messie en personne.

— C'est de la provocation, Costas…

— J'ai été élevé par une famille grecque orthodoxe. Je sais de quoi je parle. Les Grecs pensent que c'est à Jérusalem, dans l'église du Saint-Sépulcre, qu'ils sont le plus proches du Christ. Ils sont les gardiens du Tombeau. Mais c'est aussi ce que pensent les Arméniens, les catholiques et qui sais-je encore. Ils jouent tous des coudes autour du Tombeau. C'est un peu ridicule, non ? Les arbres leur cachent la forêt.

Jack et Costas passèrent devant l'église et se dirigèrent vers Guildhall Yard. Devant eux, un grand arc de pierre sombre semblant faire partie d'un immense cadran solaire s'étendait sous les bâtiments environnants. Jack entendit son téléphone portable sonner. Il décrocha puis entraîna Costas vers l'entrée de la Guildhall Art Gallery, sur le pourtour de l'arc.

— Jeremy est déjà sur place, annonça-t-il. Souviens-toi de la forme de cette cour pavée. Cela t'aidera à comprendre ce que nous allons voir.

Dix minutes plus tard, ils avaient retiré leur parka et se trouvaient presque au même endroit, mais huit mètres plus bas, dans un vaste espace souterrain. L'éclairage illuminait des ruines en brique et en pierre. Costas lisait une plaque descriptive.

— L'amphithéâtre romain, murmura-t-il. Je ne savais pas qu'il y en avait un ici.

— C'est une découverte récente. La majeure partie du quartier bâti sur la Londres romaine a été détruite par un bombardement allemand au cours de la Seconde Guerre mondiale. Pendant la période de déblaiement et de réhabilitation, de nombreuses fouilles archéologiques ont été effectuées. Mais les archéologues n'ont pas pu intervenir au-dessous de Guildhall Yard avant la fin des années 1980. Cet amphithéâtre a été leur plus étonnante découverte.

— Je comprends maintenant pourquoi la cour était en arc de cercle.

— Ses contours correspondent à ceux de l'arène, l'aire centrale de l'amphithéâtre.

— De quand date cette construction ?

— Tu te souviens de la révolte de Boadicée ? C'était en 60 après Jésus-Christ, à peu près à l'époque du naufrage de saint Paul. La Londres romaine avait été fondée une quinzaine d'années auparavant, peu après l'invasion de Claude, en 43. Boadicée a détruit cet endroit, mais il a été restauré. L'amphithéâtre était en bois. Il a disparu, mais il reste ce mur de pierre et de brique, qui a dû être bâti autour de l'arène dans les années 70.

— Juste à temps pour le second séjour de Claude, celui qu'il a effectué incognito.

Jack sortit sa traduction de l'extraordinaire énigme écrite sur la tablette de cire qu'ils avaient trouvée à Rome.

— « Entre deux collines », dit-il à voix basse. Cela ressemble au paysage de Londres, qui était alors traversée par un ruisseau, le Walbrook. Ensuite, nous avons le serment des gladiateurs. « Être brûlé, enchaîné, frappé et tué par le fer. » C'est forcément ici.

— « Où repose la reine Andraste », murmura Costas.

— Pendant des siècles, on a cherché la tombe de Boadicée. Mais personne n'a jamais pensé qu'elle pouvait être juste sous le nez des Romains, au cœur de la capitale.

— Mais où exactement ?

— Il y a un endroit qui n'a jamais été fouillé, entre l'amphithéâtre et l'église Saint-Lawrence Jewry. Juste derrière le mur, là-bas.

À cet instant, Jack entendit des pas résonner derrière lui et se retourna anxieusement.

— Voilà quelqu'un qui pourra peut-être nous en dire plus, annonça-t-il en se détendant aussitôt.

Chapitre 15

Un jeune homme à lunettes, grand et élancé, souriait sous une tignasse blonde et bondissait vers eux en leur faisant signe de la main. Avec sa veste Barbour et son pantalon en velours côtelé, il avait l'air d'un authentique châtelain anglais mais parlait avec un accent américain.

— Salut, les gars ! J'arrive tout juste d'Oxford par le train. Heureusement que tu as pu me joindre à l'Institut hier, Jack. J'allais partir une semaine à Hereford pour étudier la bibliothèque de la cathédrale. Maria m'en a confié l'entière responsabilité, tu sais. C'est une chance pour moi et cela m'ennuie un peu d'avoir dû annuler sans la prévenir. Je n'ai pas réussi à la joindre sur son portable.

— Elle doit encore être à Naples, lui expliqua Jack. Elle est avec Hiebermeyer, dans la paperasse jusqu'au cou. Ne t'inquiète pas, je lui en toucherai deux mots.

— J'ai pu passer quelques heures au Balliol College hier soir. Il se trouve que l'église Saint-Lawrence Jewry y a été rattachée entre le XIIIe siècle et le XIXe siècle et que les archives sont encore sur place. J'ai cherché ce que tu m'as demandé. Et je crois que j'ai trouvé assez d'indices pour te permettre d'aller de l'avant. Mais il faudra que j'y retourne, car je suis tombé sur une piste intriguante que j'aimerais suivre.

— Ça me fait plaisir de te revoir, Jeremy, dit Costas. Je ne pensais pas que ça arriverait aussi tôt.

— J'ai l'impression d'avoir rêvé. Notre quête du trésor juif, Harald Hardrada et les Vikings, les grottes souterraines du Yucatán… Je devrais écrire un livre, mais personne ne me croirait !

— Écris un roman ! Mais ne parle pas de nous. En ce moment, nous essayons de garder l'anonymat. Nous avons fait une mauvaise rencontre à Rome. Sous terre.

— C'est ce que Jack m'a dit. C'est une habitude chez vous. Je crois que j'ai reconnu là-haut, dans la galerie d'art, un gars qui était à bord de la *Seaquest II*.

— Ils sont là, murmura Jack. Tant mieux.

— On ne peut pas aller dans la crypte avant une demi-heure.

— La crypte ? demanda Costas.

— Ne crains rien, le rassura Jeremy. Elle est vide. La première, en tout cas.

Costas le regarda d'un air perplexe, s'assit sur une chaise et s'adossa en étendant les jambes.

— Bon, puisqu'on a du temps devant nous, mettez-moi au parfum. Comment était-ce ici, avant l'arrivée des Romains ? Parlez-moi de Boadicée.

Jack s'approcha de son ami.

— À l'époque préhistorique, commença-t-il, Londres était une terre étrange. Ce n'était pas un établissement, d'après ce que l'on sait, mais il s'y passait déjà quelque chose. Il s'agissait sans doute d'une sorte de site sacré. Malheureusement, on ne sait pas grand-chose concernant la religion à l'âge du fer. Les hommes ne bâtissaient pas de temples et n'avaient pas de représentations de leurs dieux. Ou du moins, rien de tel n'a survécu. Nous ne pouvons nous fier qu'aux récits de seconde main des historiens romains, dont la plupart étaient tendancieux.

— Il y avait des druides, déclara Jeremy en s'asseyant sur le mur de l'amphithéâtre. Des druides et des sacrifices humains.

— En effet. Lorsqu'il a entendu parler de la révolte de Boadicée, le général romain Suetonius Paulinus était en train d'attaquer l'île lointaine de Mona, l'actuelle Anglesey, au nord du pays de Galles. C'était le dernier refuge des Bretons qui avaient refusé de passer sous le joug de Rome et le bastion sacré des druides.

— Les types en robe blanche, murmura Costas.

— C'est l'image qu'on en a aujourd'hui. On se les représente comme Gandalf et Merlin, en train de cueillir du gui et de voyager sans heurts entre les royaumes en guerre. L'idée d'un clergé qui aurait servi de médiateur est sans doute fondée, mais tout le reste n'est que pure imagination.

— Tacite en dresse un tableau terrifiant, dit Jeremy.

Jack sortit un livre de son sac kaki et le feuilleta rapidement.

— Tacite, précisa-t-il, tenait ses informations d'Agricola, son beau-père, qui avait été gouverneur de Bretagne. Lorsqu'ils sont arrivés à Mona, les Romains ont été confrontés à un grand nombre d'ennemis postés le long du rivage. Parmi ceux-ci, se trouvaient des druides, qui, selon Tacite, « levaient les mains vers le ciel avec d'horribles prières ». Après leur victoire, les Romains ont détruit leurs bois sacrés, « car ils prenaient pour un culte pieux d'arroser les autels du sang des prisonniers, et de consulter les dieux dans des entrailles humaines ».

— Cela me rappelle d'autres prêtres, intervint Costas. Le pouvoir par la terreur.

— Il y a beaucoup de parallèles historiques.

— L'Église au Moyen Âge, par exemple, observa Jeremy. Soumission, obéissance, confession, vengeance, châtiment.

— Autant de choses que les premiers chrétiens devaient abhorrer, fit remarquer Jack.

— Et il n'y avait pas que les druides à Anglesey.

— Ce qui a vraiment horrifié les Romains, commenta Jack en rouvrant son livre, ce qui les a littéralement paralysés, ce sont les femmes.

— De mieux en mieux, marmonna Costas.

— « Couraient, semblables aux Furies, des femmes échevelées, en vêtements lugubres, agitant des torches ardentes. » Des hordes de fanatiques. Ce fut le pire cauchemar des Romains. L'image de l'amazone, de la reine guerrière, est celle qui les a le plus marqués. Tacite a peut-être exagéré cet aspect de la Bretagne pour jouer sur les fantasmes des Romains à propos du monde barbare, un monde impossible à contrôler, un monde échappant apparemment à la raison. Cependant, tout porte à croire que, pour les Romains, cette terre d'amazones aux cris funestes fut une véritable vision de l'enfer.

— Boadicée, se rappela soudain Costas. Est-ce que tu es en train de dire que c'était une sorte de druidesse ?

— Nous connaissons une autre reine bretonne : Cartimandua, reine des Brigantes. Mais peut-être y en a-t-il eu plusieurs autres. Il est même possible que les femmes aient souvent détenu le pouvoir. Et, en général, la reine était grande prêtresse. L'empereur de Rome était *pontifex maximus*, les pharaons égyptiens étaient rois-prêtres, et les reines et les rois d'Angleterre sont les défenseurs de la Foi.

— Une reine guerrière et grande druidesse rousse ! s'exclama Costas. Il valait mieux ne pas faire partie de ses ennemis.

— Et que vient faire Londres dans tout ça ? s'enquit Jeremy.

— C'est là qu'intervient l'archéologie, répondit Jack en dépliant un plan sur le sol, ou plutôt l'absence d'éléments archéologiques.

Jeremy s'agenouilla pour tenir les coins du plan.

— Voici la région de Londres à l'âge du fer, reprit Jack. Comme vous pouvez le voir, rien n'indique la présence d'un établissement sur le site de Londinium, où nous nous trouvons actuellement. On n'a retrouvé que des tessons de poterie, des pièces en argent que les tribus avaient commencé à fabriquer quelques dizaines d'années avant la conquête romaine, mais pas grand-chose d'autre.

— Qu'est-ce que c'est que ça ? demanda Costas en montrant un objet représenté au milieu de la Tamise, à l'ouest de la ville romaine. Une armure ?

— C'est le bouclier de Battersea, un des plus beaux artefacts en métal que nous ait légués l'Antiquité. Exposé au British Museum, il rivalise avec les productions romaines. Il a probablement été réalisé un siècle avant l'arrivée des Romains et explique peut-être ce qui s'est passé ici.

— Je t'écoute.

— Presque toutes les grandes villes de la Bretagne romaine ont été bâties sur les capitales tribales de l'âge du fer, souvent juste à côté d'anciens ouvrages de terre. Camulodunum, où les Romains ont élevé un temple à Claude, a été érigée sur la capitale tribale des Trinovantes. Elle était peuplée de vétérans. Verulamium se trouvait juste à côté de la capitale des Catuvellauni. C'était une stratégie ingénieuse, destinée à asseoir l'autorité de Rome dans le monde tribal tout en préservant le rôle politique des anciens chefs tribaux, devenus les nouveaux magistrats. Sous ce régime de décentralisation, les autochtones jouissaient d'un simulacre de pouvoir, comme les Indiens sous l'Empire britannique.

— Mais Londres a fait figure d'exception, dit Jeremy.

— Exactement. Simple port fluvial, Londres est devenue la capitale de la province lorsqu'elle a été reconstruite, après la révolte de Boadicée. Mais il s'y passait déjà des choses étranges avant l'arrivée des Romains. Le bouclier de Battersea était sans doute un objet de valeur, délibérément jeté dans le fleuve en tant qu'offrande votive ou dépôt rituel. On a découvert d'autres artefacts de ce genre dans la Tamise et ses affluents, dans les rivières et les lacs, notamment des épées, d'autres boucliers et des lances. C'est une tradition qui remonte au moins à l'âge du bronze et qui a duré jusqu'à l'époque médiévale.

— Excalibur et la Dame du Lac, murmura Jeremy.

— Les offrandes semblent avoir été déposées aux frontières tribales, peut-être pour armer le dieu de la tribu. C'était une sorte de revendication territoriale, un peu comme le rituel médiéval qui consistait à marquer les limites d'une paroisse lors des rogations. Londres était le plus grand site frontalier. Celui-ci comptait au moins cinq zones tribales tournées vers la Tamise. Anglesey était peut-être considérée comme le bout du monde à l'âge du fer, mais Londres pouvait très bien être le centre rituel de la région.

— Pourtant, on n'a retrouvé aucun temple, objecta Costas.

— Souviens-toi du récit de Tacite, des bois sacrés d'Anglesey. Londres était très boisée à l'époque de l'invasion romaine, jusqu'au bord de l'eau. À l'intérieur de la forêt, le long du fleuve et de ses affluents, il y avait des clairières et des bosquets, qui ont ensuite disparu sous les rues de la ville.

Costas regarda fixement le plan.

— J'ai une théorie, annonça-t-il. En 60 après Jésus-Christ, lorsqu'elle a mené la révolte, Boadicée voulait avant tout chasser les Romains de Londres, bâtie sur un site sacré. C'est pour cette raison qu'elle a été impitoyable.

Jack acquiesça avec enthousiasme.

— Tacite révèle l'importance de ce site sans s'en rendre compte. Après avoir ravagé Camulodunum et conduit les survivants romains au temple de Claude, les guerriers celtes entendirent un augure. Puis ils virent un village fantôme, en ruine, à l'embouchure de la Tamise, ainsi qu'une mer couleur de sang et des silhouettes de forme humaine gisant dans le reflux. Pour Boadicée, ce fut un signe lui indiquant où elle devait poursuivre sa mission.

— Que s'est-il passé lorsqu'elle s'est attaquée à Londres ?

— Il n'y a eu aucun survivant. Tacite affirme que Suetonius et son armée, alors à Anglesey, sont arrivés à Londres avant Boadicée. Mais, voyant qu'il ne pouvait compter que sur des effectifs réduits, le général a renoncé à défendre la ville. À force de lamentations et de supplications, les habitants ont été autorisés à partir avec lui. Ceux qui sont restés, les vieillards, les femmes et les enfants, ont tous été massacrés par les Bretons.

— L'*Abrégé de l'histoire romaine* de Dion Cassius donne encore plus de détails, affirma Jeremy en prenant un autre livre, que Jack avait également sorti de son sac. Si mes souvenirs sont bons, c'est la seule autre source dont nous disposions concernant Boadicée. Dion Cassius a écrit ce récit plus d'un siècle après les événements mais s'est peut-être inspiré de témoignages directs.

Il feuilleta l'ouvrage jusqu'à ce qu'il tombe à la bonne page.

— Voici ce que les Bretons ont fait à leurs prisonniers, annonça-t-il.

« Il n'est pas d'horreurs qui ne furent infligées à leurs prisonniers. Mais voici ce qu'ils firent de plus horrible et de plus féroce : ils pendirent les femmes les plus nobles et les plus distinguées ; ils leur coupèrent les mamelles et les leur cousirent sur la bouche, afin de les leur voir pour ainsi dire manger, après quoi ils leur enfoncèrent des pieux aigus à travers le corps de bas en haut. Et tous ces outrages, c'est pendant leurs sacrifices et leurs festins qu'ils s'y livraient dans leurs temples et notamment dans le bois sacré d'Andraste (c'est ainsi qu'ils nomment la Victoire). »

— On dirait une scène d'*Apocalypse Now*, souffla Costas.

— On n'en est peut-être pas très loin, admit Jack. Boadicée signifiait « Victoire ». C'était peut-être autour d'un lac, en amont du fleuve, que se trouvait son bois sacré, son saint des saints.

— Son enfer privé, tu veux dire.

— Geoffrey de Monmouth pense qu'il y a eu des décapitations massives, renchérit Jeremy. Au XIIe siècle, à l'heure où il écrivait, des crânes humains venaient d'être découverts le long du Walbrook. On ne cessait d'en trouver d'autres en creusant dans le lit de la rivière, des centaines de crânes, emportés par les eaux et prisonniers des sédiments, juste au-dessous de Londres, où le

Walbrook se jetait dans la Tamise. Geoffrey de Monmouth a été le premier à associer ces crânes à Boadicée.

— Je ne comprends pas… dit Costas en prenant le livre de Tacite.

Il survola les pages et s'arrêta sur un passage.

— Et voilà ! s'exclama-t-il. Encore des sacrifices. Des orgies de massacre. Des villes entières rasées. Tout le monde se fait tuer, les hommes, les femmes, les enfants ! Corrigez-moi si je me trompe, mais ce ne sont pas des actes de charité. Je ne vois pas pourquoi Claude aurait déposé son précieux document dans la tombe d'une déesse païenne.

— On ne sait pas ce qui a pu se passer à l'époque, nuança Jack. Jésus était peut-être considéré comme un énième rebelle s'opposant à l'autorité romaine, comme un iconoclaste. C'est peut-être pour cette raison que les Bretons se sont montrés bien disposés envers les premiers chrétiens. Par ailleurs, si l'on en croit Tacite et Dion Cassius, les Romains avaient violé les filles de Boadicée. Celle-ci avait donc de nombreux motifs d'être en colère. Elle a assouvi sa vengeance par des actes barbares, car elle savait parfaitement ce qui faisait peur aux Romains.

— Elle n'ignorait certainement pas que son opération était suicidaire, qu'elle n'en reviendrait pas. Tout cela l'a peut-être rendue dingue, comme le colonel Kurtz dans *Apocalypse Now*. La cause était noble mais les méthodes confinaient à la folie. Boadicée a peut-être été engloutie dans ses propres ténèbres.

— Bon, c'est l'heure ! déclara brusquement Jeremy en se relevant. Le pasteur ouvre la crypte spécialement pour nous pendant le concert de midi donné à l'église. Venez.

Quelques minutes plus tard, ils se trouvaient dans le portique de la Guildhall Art Gallery et regardaient la cour, qui suivait le contour elliptique de l'amphithéâtre romain. Sur leur droite, ils pouvaient admirer la façade médiévale du Guildhall et, sur leur gauche, la silhouette massive et fonctionnelle de Saint-Lawrence Jewry, reconstruite après la Seconde Guerre mondiale dans un souci de fidélité à l'architecture originale, conçue par Sir Christopher Wren après le grand incendie de Londres, en 1666.

— Cet endroit est en parfait état, observa Jack en plissant les yeux pour voir à travers le crachin. Pourtant, l'enfer s'y est déchaîné à trois reprises. Il y a eu la révolte de Boadicée en 60 après Jésus-Christ, le massacre et probablement les sacrifices humains. Puis le grand incendie de 1666. De tous les bâtiments qui sont là, seul le Guildhall n'a pas été complètement détruit, car le vieux chêne n'a pas brûlé. Un témoin a déclaré qu'on aurait dit un morceau de charbon incandescent, comme s'il s'était agi d'un palais d'or ou d'un monument en cuivre bruni. Et, près de trois siècles plus tard, l'enfer est arrivé du ciel.

— 29 décembre 1940, précisa Jeremy. Le Blitz.

— Une nuit parmi tant d'autres. Mais, cette fois, la Luftwaffe a visé la City. Ma grand-mère était là. Elle travaillait comme coursier pour le ministère de l'Air. D'après elle, le bruit des bombes incendiaires était lugubrement doux, comme celui de la pluie, mais les bombes hautement explosives avaient été dotées d'un tube de manière à provoquer un bruit perçant plutôt qu'un simple sifflement. Des centaines d'hommes, de femmes et d'enfants ont été tués ou blessés. La célèbre photo de la cathédrale Saint-Paul, entourée de flammes mais miraculeusement intacte, a été prise cette nuit-là. Saint-Lawrence Jewry n'a pas eu autant de chance. Elle s'est embrasée comme une torche. Les flammes jaillissaient au-dessus de la ville. Parmi les hommes qui regardaient les églises brûler depuis le toit du ministère de l'Air, aux côtés de ma grand-mère, se trouvait le vice-maréchal de l'Air, Arthur Harris, surnommé « Bomber Harris ». C'est sans doute cette nuit-là qu'il est devenu l'architecte de l'offensive aérienne britannique contre l'Allemagne.

— Un autre cercle de l'enfer.

— Ma grand-mère a entendu un cri terrible, effroyable, qui l'a hantée tout le reste de sa vie.

— Elle a dû voir des scènes horribles, murmura Costas.

— Le cri venait de l'église. L'orgue était en feu et l'air chaud traversait les tuyaux à toute allure en émettant des sons stridents, comme si l'église hurlait dans son agonie.

— Nom de Dieu…

— On ne pourrait même pas mettre ça dans un film d'horreur. Personne n'y croirait.

— Cet endroit commence à donner la chair de poule, Jack.

— Tout est encore là, sous nos pieds. La couche de la révolte de Boadicée, de la terre carbonisée, des tessons de poterie et des ossements humains. Puis les décombres de l'ancienne église médiévale, détruite en 1666, sur laquelle a été érigé le nouvel édifice de Sir Christopher Wren. Et enfin, la couche de tous les bâtiments bombardés lors du Blitz, dont la reconstruction est encore en cours.

— Reste-t-il des bombes qui n'ont pas explosé ? demanda Costas plein d'espoir. Tu m'en dois une, tu te souviens ? Tu ne m'as pas laissé toucher celles qu'on a vues au large de la Sicile.

Jack posa sur lui un regard lourd de sous-entendus et se dirigea vers Guildhall Yard.

— N'oublie pas où nous sommes, souviens-toi de la forme de l'amphithéâtre, dit-il avant de montrer le mur occidental de Saint-Lawrence Jewry, environ huit mètres plus loin. Et pense à la proximité de l'église.

Ils arrivèrent à l'église et entrèrent sans tarder. Le concert de midi était sur le point de débuter. Jeremy conduisit Jack et Costas le long de la nef remplie de spectateurs, jusqu'à une petite porte en bois, située sur le bas-côté ouest. Il l'ouvrit, jeta un coup d'œil de l'autre côté et fit signe à ses compagnons de le suivre. Costas lui emboîta le pas. Tandis qu'il refermait la porte derrière lui, Jack entendit le concert commencer. Le programme se composait de concertos reconstitués pour violon de Bach et il reconnut le *Concerto en ré mineur pour violon, cordes et basse continue*. La musique était limpide, éclatante et joyeuse. Le rythme baroque rigoureux apportait de l'ordre à la confusion, de la structure au chaos. Jack s'attarda un instant, tenté d'aller s'asseoir parmi les spectateurs. Il avait toujours aimé les concertos reconstitués, qui résultaient d'une sorte d'archéologie musicale semblable à son propre processus de découverte. De petits fragments d'incertitude, rassemblés par des experts se fiant à leur intuition, fusionnaient en une formidable explosion de clarté et d'euphorie. Pour le moment, Jack n'était sûr de rien. Il ne savait pas si les pièces qu'ils avaient rassemblées finiraient par s'emboîter, si la piste qu'ils suivaient aboutirait à un résultat plus important que la somme de ses parties.

— Jack, viens ! chuchota Costas.

Jack descendit les marches d'un escalier qui menait sous la nef. La musique était désormais à peine audible, mais il en sentait encore les vibrations. Il arriva à une autre porte, qui ouvrait sur une petite pièce sombre, dont les murs étaient beaucoup plus anciens que ceux de l'église de Wren. Une ampoule émergeait de la voûte en brique. Lorsque le retardataire fut entré, Jeremy ferma la porte et tourna le verrou.

— C'est une chambre funéraire médiévale, annonça-t-il en passant la main sur les murs. Autrement dit, une crypte privée. Elle a été trouvée au cours de fouilles récentes. On ne peut pas être plus près de l'amphithéâtre.

— Ça doit être là, affirma Jack. Qu'est-ce que tu en penses, Jeremy ?

— Je suis de ton avis.

Costas les regarda tous les deux.

— Bon, Jack, vas-tu finir par m'expliquer ce qu'on fait là ? s'impatienta-t-il.

Jack hocha la tête et s'accroupit contre le mur. Il était si excité qu'il dut prendre une profonde respiration.

— Lorsque nous avons déchiffré cette énigme à Rome et déterminé le lieu dont il était question, j'ai immédiatement pensé à Sir Christopher Wren et à cette église. Quand j'étais gosse, je venais souvent ici. J'allais sur les sites bombardés et je participais aux fouilles. Ma grand-mère faisait partie des bénévoles. Elle avait voulu revenir sur les lieux pour tenter d'expier, en contribuant aux travaux de reconstruction, le sentiment d'impuissance qu'elle avait éprouvé des dizaines d'années auparavant. Elle m'a emmené à mon premier chantier de fouilles et c'est à ce moment-là qu'elle m'a raconté ce qu'elle avait vécu la nuit du bombardement. Sa description de l'enfer de 1940 m'a fait penser à la révolte de Boadicée, au feu, au sang et aux râles effrayants de la souffrance humaine. Dès cet instant, la révolte de Boadicée et les recherches pour retrouver la dernière demeure de la reine guerrière n'ont cessé de m'obséder. Ma grand-mère a fini par se passionner également pour l'histoire de cette femme et c'est la dernière chose dont nous avons parlé avant sa mort. Je lui ai fait une promesse, que je pensais ne jamais pouvoir tenir. Plus tard, pendant mes études, j'ai constaté que le bombardement et les travaux avaient mis au jour une partie de la ville romaine. C'est là que j'ai commencé à m'intéresser à Wren. J'ai été fasciné à l'idée de ce qu'il avait pu découvrir dans les couches romaines et préhistoriques, après le grand incendie de 1666. À cette époque-là, l'archéologie n'existait pas et la plupart des découvertes n'étaient pas reconnues, et encore moins consignées.

— À quelques exceptions près, précisa Jeremy.

— En effet, Wren s'intéressait aux antiquités. Et il avait affirmé qu'il avait découvert un artefact romain sous la cathédrale Saint-Paul. C'est ce qui m'a donné envie d'en savoir plus. Ensuite, j'ai appris que Saint-Lawrence Jewry appartenait au Balliol College d'Oxford. Un de mes oncles, qui était membre de l'université, m'a ouvert la porte des archives. J'ai donc été voir si des découvertes avaient été consignées après 1666. Mais c'était il y a des années et je n'ai pas pris de notes détaillées. C'est pourquoi j'ai envoyé Jeremy vérifier sur place.

— Et vous avez mis dans le mille, dit Costas.

— Jack m'avait parlé d'un simple bout de papier, issu du journal du maître d'œuvre, mais je l'ai retrouvé, raconta Jeremy en sortant un carnet de la poche de sa veste. C'est fantastique. La découverte a été faite alors que les hommes retiraient les décombres, brûlaient le bois et cherchaient des cavités dans le sol pour enterrer les débris : des puits désaffectés, des fosses d'aisance, d'anciennes caves. Un des ouvriers est tombé sur une crypte, qui était certainement celle dans laquelle nous nous trouvons. Celle-ci menait à une autre crypte, où il a vu une rangée de tuyaux en terre cuite avec des poignées, posés debout contre un mur de terre. Il a pensé qu'il s'agissait de drains qui faisaient peut-être partie d'un puits, alors il n'y a pas touché. Les ouvriers ont déversé autant de décombres qu'ils pouvaient dans cette partie de la crypte et l'ont murée. Une fois ressortis, ils ont également muré l'accès donnant sur la première crypte.

Il montra un mur qui s'effritait, au fond de la pièce, en face de l'escalier.

— Ça doit être là, déclara-t-il. Le briquetage semble avoir été fait rapidement. Et il est de toute évidence postmédiéval. Il paraît intact.

— Des drains. Où cela nous mène-t-il ? demanda Costas d'un air perplexe.

Jack sortit une photo de son sac et la lui tendit.

— Cela nous mène tout droit à l'époque de Boadicée, répondit-il.

— Ah, je comprends. Ce n'étaient pas des drains mais des amphores.

— Et pas de simples amphores. Cela aurait déjà été une découverte fantastique, mais c'est surtout le contexte qui compte.

— L'amphithéâtre ! Il y avait peut-être une taverne, comme à Herculanum.

— Bien vu, mais cette photo a été prise à Sheepen. Quand les archéologues sont entrés, tout était exactement comme ça. Il y avait une rangée de cinq amphores à vin intactes, des coupes, ainsi que d'autres objets. Or, il s'agissait d'une tombe.

— Alors nous nous trouvons dans une tombe romaine ?

— Pas romaine, non. Les Celtes ont rapidement apprécié ce breuvage importé par les Romains. C'était un produit de prestige, réservé aux riches jouissant d'un certain rang social. Non, c'est la tombe d'un noble, d'un guerrier celte.

Jack ne put retenir son enthousiasme.

— Je le savais ! exulta-t-il. Il y a des années, quand j'étais étudiant, je savais que j'étais tombé sur quelque chose de crucial. Je ne sais pas où va nous mener cette piste, mais il se pourrait bien qu'un autre de mes rêves se réalise. Si seulement ma grand-mère était encore là…

Costas observa attentivement la photo, puis le mur de brique. Il s'apprêta à parler mais y renonça brusquement, comme paralysé. Il regarda de nouveau la photo, puis Jack.

— Bon sang ! s'exclama-t-il.

Jack se tourna vers lui en hochant la tête vigoureusement.

— Tu comprends ?

— Il ne s'agit pas d'un guerrier mais d'une guerrière. Une reine guerrière.

Jack acquiesça en silence.

— Alors qu'est-ce qu'on fait ? demanda Jeremy.

— Si tout va bien, répondit Jack en consultant sa montre, la fourgonnette transportant le matériel sera là dans une heure. Le concert sera terminé et nous pourrons intervenir discrètement, si le personnel de l'église est d'accord.

— J'ai encore une personne à voir, indiqua Jeremy. Après, on pourra y aller.

— On ne va pas prendre de risques, annonça Jack. J'ai demandé l'équipement complet. On va peut-être passer sous la nappe phréatique. Et on ne sait pas ce qu'on peut trouver là-dessous. Je préfère que nous ne nous attaquions pas au mur avant d'être équipés. En attendant, je remonterais bien écouter la musique.

— Tu ne vas nulle part, intervint Costas. J'ai encore beaucoup de choses à éclaircir. Je n'ai toujours pas compris le rapport entre le christianisme et cette histoire de reine guerrière.

— S'il s'agit du début du christianisme en Bretagne, je peux peut-être t'aider, proposa Jeremy. Qu'est-ce que tu veux savoir ?

— Avant de te rejoindre ici, nous sommes allés à la British Library, ce matin. Jack avait besoin de renseignements à propos de l'église. Pendant qu'il était occupé, j'ai jeté un coup d'œil aux manuscrits anciens qui étaient exposés. J'ai vu une des bibles apportées par saint Augustin en Grande-Bretagne en 597 après Jésus-Christ, c'est-à-dire près de deux cents ans après le départ des Romains. Je ne comprends plus rien. Je me suis dit que c'était Augustin qui avait apporté le christianisme ici. Mais alors, comment pouvait-il y avoir des chrétiens dans la Bretagne romaine ?

— C'est une méprise courante, répondit Jeremy en se penchant vers Costas. Et c'est ce que les historiens de l'Église anglo-saxonne auraient voulu nous faire croire, y compris Bède le Vénérable.

— Pourquoi ?

— L'Église d'Angleterre, l'*Ecclesia anglicana*, était en réalité l'Église anglo-saxonne. Elle entretenait des liens étroits avec la royauté et Rome. Ses origines remontent à la mission d'Augustin, qui est censé avoir apporté le christianisme à la population païenne. Mais même les Anglo-Saxons savaient qu'il y avait eu une

Église plus ancienne, datant de l'époque de la domination romaine.

— L'Église bretonne, murmura Jack. L'*Ecclesia britanniae*. L'Église celte.

— Pour avoir une idée de ce qu'a été cette Église, il faut se référer à Gildas. C'est un moine breton qui a vécu au début du VIe siècle, environ un siècle après le départ des Romains et quelques générations avant l'arrivée d'Augustin. Parmi les Bretons passés à la postérité, Gildas est le seul qui pourrait avoir été un contemporain du roi Arthur. Si Arthur a vraiment existé, à cette époque, il combattait les envahisseurs anglo-saxons.

— Une sorte de frère Tuck, en conclut Costas.

— Le livre de Gildas s'intitule *De Excidio Britanniae*, précisa Jack en plongeant la main dans son sac. Il a été écrit en latin, mais j'en ai une traduction, *Décadence de la Bretagne*. C'est une diatribe contre les rois de Bretagne investis après le départ des Romains, qui ont manqué à leurs devoirs de chrétiens. Je l'ai ici parce que Gildas mentionne Boadicée. C'est ma grand-mère qui me l'a offert quand j'étais gosse.

— « La perfide lionne », se rappela Jeremy en souriant.

— C'est tout ce qu'il dit mais, s'il y fait référence, c'est que le souvenir de Boadicée a perduré. Pourtant, il ne connaissait visiblement rien à l'histoire romaine et n'en savait guère plus sur l'histoire du christianisme.

— On ne peut pas en vouloir à ce pauvre Gildas. Il a vécu dans une période de ténèbres.

— Il se plaignait sans cesse. Rien n'était jamais à la hauteur de ses espérances. Il avait une sorte de vision à la fois romantique et assez floue de la Bretagne. Pour lui, c'était un pont vers le paradis, « en équilibre dans la divine balance qui pèse toute la terre », mais une terre remplie d'ingrats qui ne vivaient pas dans la crainte de Dieu et refusaient son autorité. Aujourd'hui, Gildas aurait été un adepte du courrier des lecteurs, un blogueur compulsif. Il aurait adoré Internet. Écoutez ça : « Par ces douloureuses plaintes je déplore de voir d'une façon générale le bien abandonné et le mal couronné. »

— Quelle entrée en matière ! s'exclama Costas.

— Cela dit, il nous a légué le tout premier récit de la fondation de l'Église bretonne, nuança Jeremy, l'Église celte.

— Tu as raison, admit Jack avant de lire le passage correspondant à voix haute :

> « Alors, sur cette île figée par un froid glacial, tel un coin perdu de l'univers, trop éloignée du soleil visible pour le voir, Lui, le vrai soleil, le Christ, envoie pour la première fois ses rayons, c'est-à-dire sa Parole. Il fait resplendir sur toute la terre sa lumière éclatante. Elle vient non seulement du firmament temporel, mais du haut même de la voûte céleste qui transcende tous les temps. Cela se passait, comme nous le savons, aux temps du règne de Tibère, quand la religion se propageait sans obstacle et que l'Empereur allait jusqu'à menacer de mort, contre l'avis du sénat, les délateurs des soldats du Christ. »

— Au moins, il ne s'est pas trompé sur le climat, grommela Costas. Mais qu'est-ce que c'est que cette histoire à propos de l'empereur Tibère ?

— Tibère était empereur au moment de la Crucifixion, lui glissa Jeremy.

— L'oncle de Claude, expliqua Jack en refermant son livre, a régné de 14 à 37 après Jésus-Christ. Gildas semble penser qu'il était chrétien et en opposition avec le sénat, alors païen. Tout cela est très confus. La plupart des experts pensent qu'il s'agit d'un anachronisme. En réalité, Gildas fait sans doute référence aux problèmes que les empereurs chrétiens ont eus avec le sénat païen au IVe siècle après Jésus-Christ, après que Constantin le Grand a fait du christianisme la religion de l'État. Rien n'indique que Tibère ait été chrétien. Mais tout ce que nous avons découvert ces derniers jours à Herculanum, à Rome et à Londres m'a fait réfléchir.

— Il ne s'agirait pas de Tibère, mais d'un autre empereur, murmura Jeremy.

— L'Église celte n'a laissé aucun document écrit. Et s'il y en avait eu, les Anglo-Saxons les auraient détruits. Mais il se peut que le récit de Gildas repose sur une tradition populaire, voire sur un secret transmis oralement parmi les adeptes de l'Église celte pendant plus de cinq siècles. Peut-être peut-on en déduire qu'il y a effectivement eu un empereur officiellement chrétien ou bien disposé à l'égard de Jésus, non pas Tibère, mais un autre empereur, qui aurait vécu à l'époque du Christ.

— Claude, souffla Costas.

— C'est tout à fait possible, confirma Jack, devenu rouge d'excitation. À l'époque de Gildas, la véritable identité de l'empereur était peut-être devenue floue. De plus, Claude a dû rester dans les mémoires comme l'envahisseur de la Bretagne, l'empereur déifié à qui on avait élevé un temple à Colchester. Il n'avait pas le profil d'un chrétien. En revanche, Gildas avait dû lire dans les Évangiles que Tibère avait présidé à la mort de Jésus. Affirmer que Tibère lui-même était un converti a dû constituer pour Gildas le triomphe ultime du christianisme. C'était totalement extravagant mais, à cette époque, l'histoire des événements entourant la vie de Jésus subissait de nombreuses adaptations fantaisistes.

— Je ne vois toujours pas le rapport avec la Bretagne, insista Costas.

— Gildas laisse entendre que le christianisme a été apporté en Bretagne dès cette époque, au Iᵉʳ siècle après Jésus-Christ, commenta Jeremy. Il insinue même qu'il a été apporté par l'empereur en personne. Son *De Excidio Britanniae* concernait exclusivement la Bretagne, pas l'Histoire en général.

— Existe-t-il des preuves archéologiques de la présence du christianisme sur cette île dès le Iᵉʳ siècle ? s'enquit Costas.

— Rien de concluant avant le IIᵉ siècle. Et ce n'est qu'au IVᵉ siècle qu'apparaissent les églises et les sépultures, symboles évidents du christianisme, alors déclaré religion d'État. Mais le paléochristianisme était une religion orale, qui ne connaissait ni les idoles ni les temples. Elle était secrète, car ses adeptes étaient souvent persécutés. Si nous ne disposions pas des Évangiles et de quelques sources romaines, nous ne saurions absolument rien du christianisme au Iᵉʳ siècle après Jésus-Christ. Tu te souviens du chi-rho que nous avons vu dans l'épave ? Ce symbole est la seule preuve tangible d'un lien avec le christianisme. Et pourtant, il s'agit du navire de saint Paul, dont le naufrage est un des épisodes clés de l'histoire du paléochristianisme.

— Et n'oublions pas à qui nous avons affaire, ajouta Jeremy pensivement. Certes, il y avait des immigrants, des marchands, des soldats, qui peuvent avoir apporté l'idée du christianisme avec eux et développé progressivement le culte du Christ, comme celui de Mithra ou d'Isis. Cela dit, la population se composait essentiellement d'autochtones, relativement romanisés mais encore attachés à leur mode de vie et à leur culture celtes. Et d'après ce que Jack nous a dit, les Celtes n'ont laissé quasiment aucune trace archéologique de leur religion. Ils n'étaient pas du genre à bâtir des temples et des autels à leurs dieux ni à sculpter des statues. L'archéologie ne nous aurait pas révélé grand-chose de toute façon.

— D'accord, admettons que le christianisme ait existé dès les premiers temps de la Bretagne romaine, proposa Costas, encore sceptique. Mais, dans ce cas, pourquoi l'Église anglo-saxonne l'aurait-elle nié ? Pourquoi ne se serait-elle pas réjouie de la présence de sa religion sur cette terre des centaines d'années avant sa fondation ?

— Mais ce n'était pas sa religion !

— Quoi ?

— L'époque de Gildas, celle du roi Arthur, a été très formatrice dans l'histoire politique de la Bretagne. Mais elle a vu naître un conflit historiquement lourd de conséquences entre les communautés chrétiennes. Tout le monde a entendu parler du roi Henri VIII, de sa rupture avec l'Église de Rome. Mais rares sont ceux qui savent que les origines de la Réforme du XVIe siècle remontent à l'époque où l'Église celte s'est opposée à Rome en proclamant son lien direct avec la Terre sainte, avec Jésus en tant qu'homme.

— L'hérésie pélagienne, murmura Jack.

— Beaucoup de schismes religieux sont obscurs, mais celui-ci a été à la fois clair et profond. Il a touché la foi chrétienne et l'Église en tant qu'institution. Les tenants du pouvoir, au sein de l'Église de Rome, se sont sentis menacés. Et ils sont toujours sur leurs gardes.

— Qu'est-ce que c'est que cette hérésie pélagienne ? demanda Costas.

— Pélage est un autre moine breton, peut-être irlandais, né vers 360 après Jésus-Christ, lorsque les Romains contrôlaient encore la Bretagne. À cette époque, l'Empire s'efforçait d'établir l'Église de Rome en Bretagne, l'empereur Constantin s'étant converti au christianisme des dizaines d'années auparavant. Pélage, qui est allé étudier à Rome, a été très choqué par ce qu'il y a vu. Et il est entré en conflit direct avec un des plus grands défenseurs de l'Église de Rome.

— Saint Augustin d'Hippone, précisa Jack.

— Exactement, confirma Jeremy. Il s'agit de l'auteur des *Confessions* et de *La Cité de Dieu*. Rien à voir avec l'Augustin qui a apporté les bibles que tu as vues à la British Library. Augustin d'Hippone, lui, croyait en la prédestination. Selon lui, les chrétiens étaient entièrement dépendants de la grâce divine, de la faveur de Dieu. Le royaume des cieux ne pouvait être atteint que par l'intermédiaire de l'Église et non par une volonté propre. C'était une doctrine théologique, mais elle présentait des avantages non négligeables pour l'Église de Rome, pour l'État chrétien.

— La domination, le contrôle, souligna Jack.

— Les fidèles étaient asservis à l'Église, unique vecteur de la grâce divine, ce qui a permis à l'État de mieux contrôler les masses. L'Église et l'État ont fusionné pour devenir une puissance intouchable, qui a fait le lit du monde médiéval européen.

— Mais Pélage n'a pas avalé ça.

— Pélage se considérait probablement comme un membre de la communauté chrétienne qui existait en Bretagne avant l'instauration officielle de l'Église de Rome et dont l'origine remontait aux premiers disciples de Jésus, au Ier siècle après Jésus-Christ. Les idées de Pélage constituent quasiment la seule information sur la nature des croyances professées par l'Église celte, qui se composait sans doute en grande partie de Bretons romanisés d'ascendance celte. Il paraît plausible que ces premiers chrétiens bretons aient pris la notion de paradis sur terre au pied de la lettre, qu'ils aient cherché l'Éden autour d'eux, dans leur vie mondaine. Pour eux, le message du Christ était peut-être de trouver la beauté dans la nature et de l'exalter, de chercher l'amour et la compassion comme une fin en soi. Cette vision moralement responsabilisante était aux antipodes de la lassitude dont Pélage avait été témoin à Rome. C'est pourquoi le moine, s'élevant contre la doctrine de la prédestination et du péché originel enseignée par Augustin d'Hippone, a défendu la bonté innée et le libre arbitre de l'homme. La bataille était perdue d'avance. Mais Pélage est resté une figure de la résistance et son nom a retenti à travers les siècles, lors de rencontres clandestines dans des lieux tenus secrets, alors que la moindre allusion à cet hérétique pouvait être synonyme d'arrestation, de torture et peut-être pire encore.

— Que lui est-il arrivé ? s'enquit Costas.

— C'est une histoire sinistre, qui a inauguré les horreurs à venir, répondit Jack. Le pélagianisme a été déclaré hérétique lors du concile de Carthage en 418 après Jésus-Christ. Pélage a été excommunié et banni de Rome. On ne sait pas s'il a jamais remis les pieds en Bretagne. Certains experts pensent qu'il est allé en Judée, à Jérusalem, à l'emplacement du tombeau du Christ, et qu'il y a été tué.

— Il y avait déjà des forces obscures au sein de l'Église, prêtes à tout pour appliquer ce qu'elles appelaient la justice divine, expliqua Jeremy. Mais elles n'ont pas pu contrôler ce qui s'est passé en Bretagne. Après le retrait des Romains, en 410 après Jésus-Christ, après l'abandon et l'effondrement des villes, l'Église de Rome, dont la doctrine avait été importée par les évêques de Constantin, semble avoir périclité. C'est ce que regrettait Gildas. Il était sans doute un des derniers moines bretons de l'Église de Rome, au VIe siècle, même si c'était un personnage confus. L'édifice de l'État étant ébranlé, l'Église de Rome n'avait plus d'emprise sur le peuple, qui n'avait jamais été attiré par la doctrine augustinienne. Puis les Anglo-Saxons ont envahi l'île. Ils étaient païens. C'est là qu'intervient le second Augustin : saint Augustin de Canterbury. Il a été envoyé par le pape Grégoire en 597 après Jésus-Christ, avec quarante moines, pour convertir Ethelbert, le roi de Kent. À partir de cette date, l'Église de Rome s'est établie définitivement.

— Mais le christianisme celte a survécu, avança Costas.

— Il a survécu au premier Augustin et au second. Il y avait quelque chose dans cette philosophie qui touchait les Bretons au plus profond de leurs racines celtes, qui leur semblait fidèle aux enseignements originels de Jésus et qui paraissait faire écho à une vérité universelle : le besoin de liberté et d'aspiration individuelle. Quelque chose qui leur avait été transmis par les premiers disciples de Jésus ayant atteint ces rives, peut-être par l'empereur dont Gildas avait entretenu le vague souvenir. Une sagesse soigneusement préservée, une réminiscence sacrée.

— La possibilité pour chacun de contrôler son destin en assumant la responsabilité de ses actes, affirma Jack.

— Le fondement même du pélagianisme. Les objections de Pélage, énoncées dans son *Commentaire des épîtres de saint Paul*, remontent aux tout débuts de l'Église. Lorsqu'il est arrivé à Rome, Pélage a constaté un relâchement moral et une décadence qu'il a mis sur le compte du concept de grâce divine. Si tout était écrit, si l'homme était le jouet des caprices de Dieu, à quoi bon prendre la peine de faire de bonnes actions ou essayer de rendre le monde meilleur ? Pélage s'est élevé contre la notion de soumission, qui avait transformé l'homme en automate et qu'Augustin avait professée en disant : « Donnez-moi, Seigneur, ce que vous me commandez, et commandez-moi ce que vous voudrez. » Il détestait le postulat du péché originel et de la culpabilité. Pour lui, l'homme avait les moyens d'éviter de pécher. Il n'était pas entaché par le péché dès sa naissance. Et il pouvait choisir librement d'obéir à Dieu, de mener une vie pieuse. Le pélagianisme était entièrement fondé sur l'individu, le libre arbitre et la force morale. Selon Pélage, ce qu'il fallait retenir de Jésus, c'était avant tout son enseignement et non son sacrifice. Jésus avait montré l'exemple et les chrétiens pouvaient choisir de mener une vie meilleure en s'en inspirant. Et ce qui est absolument fascinant, c'est que cette vision s'inscrivait dans la continuité du paganisme celte, qui semble avoir mis en avant l'aptitude de chacun à triompher en tant qu'individu, y compris sur le surnaturel.

— Ce que je ne comprends pas, dit Costas, c'est comment l'Église celte a pu survivre à l'âge des ténèbres, après les invasions successives des Anglo-Saxons, des Vikings et des Normands. La population d'ascendance celte a dû finir par devenir minoritaire.

— Elle a survécu, mais pas uniquement chez les Bretons d'ascendance celte. Pense aux personnes qui ont choisi de s'installer ici et d'y rester, pas simplement aux envahisseurs, mais aux immigrants, comme les juifs séfarades et les huguenots. Tous ces gens avaient en commun des traits de caractère nécessaires à leur épanouissement sur cette terre : l'indépendance, la volonté, l'obstination, la résistance à l'autorité et l'endurance face à la souffrance. Tout ce qui a fait l'histoire de ce pays.

— En ce qui me concerne, je crois que ça a plutôt à voir avec le temps, marmonna Costas. Il faut avoir quelque chose de plus que les autres pour survivre dans ce pays ! Et vous croyez que cette église, Saint-Lawrence Jewry, renferme toute cette histoire ?

— Rien ne prouve qu'il y a eu une église ici avant l'arrivée des Normands, au XIe siècle, répondit Jack. Cela dit, personne ne sait où se trouvaient les églises de Londres à la fin de la période romaine. Avant, les chrétiens se rencontraient clandestinement et, même après que le christianisme est devenu la religion officielle, le culte congrégationaliste ne s'est jamais vraiment ancré dans la Bretagne romaine. Mais cet endroit est plausible. Il est situé à côté de l'amphithéâtre, un lieu qui a dû être associé au martyre des chrétiens. De plus, les églises étaient souvent bâties sur des sites sacrés du rituel païen. Et peut-être y a-t-il eu quelque chose de véritablement sacré ici. Il se pourrait même que cet endroit recèle un extraordinaire secret.

— Au cœur des ténèbres, murmura Costas en se tournant vers le mur de brique, au fond de la crypte.

Jack suivit son regard, envahi par une bouffée de fébrilité. Puis il regarda sa montre. En haut, la musique s'était tue et il entendit quelqu'un frapper à la porte. Il se leva, respira profondément et jeta son sac sur son épaule.

— Je crois que nous sommes sur le point de le découvrir, souffla-t-il.

Chapitre 16

Quatre heures plus tard, Jack et Costas étaient accroupis dans la chambre funéraire, dans la lumière de deux lampes en tungstène portatives. Un De Havilland Dash-8 de l'UMI avait transporté du campus de Cornouailles à l'aéroport de London City tout le matériel dont ils avaient besoin, y compris de nouvelles combinaisons environnementales pour remplacer celles qu'ils avaient laissées à Massimo à Rome. Jeremy avait obtenu du personnel de l'église une autorisation immédiate pour une exploration de reconnaissance de l'autre côté du mur de brique. Lorsque le pasteur était descendu dans la crypte, il l'avait convaincu de garder le secret sur leurs activités. De plus, ils s'étaient fait livrer leur matériel par un camion emprunté à une chaîne de télévision afin de passer pour une équipe de tournage. Le concert étant terminé, ils entendaient des choristes s'entraîner sur des chants grégoriens dans la nef, ce que Jack trouva étrangement rassurant au moment de plonger de nouveau dans l'inconnu.

— Voilà ! s'exclama Jeremy. Il y a effectivement un espace là derrière, mais je ne vois rien d'ici.

Le mur avait été construit à la hâte avec un mortier qui n'avait pas pris. Il n'avait donc eu aucun mal à retirer quelques briques.

— Merci, dit Jack. Maintenant, ta mission va consister à monter la garde.

Jeremy hocha la tête, retourna à la porte pour vérifier qu'elle était verrouillée, puis s'assit contre le mur en observant ses compagnons s'équiper.

— Nous allons peut-être descendre au-dessous de la nappe phréatique, indiqua Costas, qui regardait l'écran d'un ordinateur portable tout en fermant le col de sa combinaison. Nous nous situons à environ trois mètres au-dessous du niveau actuel de Guildhall Yard et à deux mètres au-dessus des couches romaines. En deçà, il y a un affluent du Walbrook, juste devant nous. Avec toute cette pluie, le débit devrait être assez important.

— Nous aurons besoin de nos combinaisons environnementales, de toute façon, déclara Jack. L'air pourrait être toxique.

— Tu crois qu'il peut y avoir des fuites de gaz ?

— Deux mille ans d'occupation humaine, Costas. Je ne vais pas te faire un dessin.

— Non, merci.

Costas ferma la visière de Jack et ajusta le détendeur sur le côté de son casque pour vérifier le flux d'oxygène. Il s'empressa de faire de même sur son propre casque et ils furent brusquement coupés du monde.

— Les recycleurs d'oxygène devraient nous donner quatre heures, peut-être quatre heures et demie, annonça Costas à travers l'interphone.

— Nous serons peut-être de retour dans dix minutes. C'est peut-être une impasse.

— Si seulement on avait le matériel de télédétection de la *Seaquest II*, on aurait pu faire passer une caméra et voir ce qui se trouve derrière ce mur.

— Rien ne vaut l'œil humain ! s'écria Jack. Allez, viens !

Il fit un signe de tête à Jeremy, qui avait sorti un portable de son sac et étalé toutes ses notes. Puis il se mit à quatre pattes et s'enfila dans le trou, tandis que sa lampe frontale éclairait l'obscurité devant lui. Costas le suivit et le rejoignit rapidement. Ils se trouvaient désormais sur une plate-forme de pierre et, juste en face d'eux, une dizaine de marches menait à une autre entrée, une porte voûtée d'environ un mètre vingt de hauteur. Jack descendit les marches prudemment, sa lampe torche à la main.

— Espérons que le plafond ne va pas céder, murmura Costas.

— C'est une voûte encorbellée, observa Jack. Il n'y a rien de plus solide. La maçonnerie semble être la même que dans la partie ancienne de la chambre funéraire. XIVe siècle, peut-être même avant. Ces tuiles et ces moellons schisteux datent de l'époque romaine. Ils ont dû être récupérés dans les ruines de l'amphithéâtre.

Penché en avant, il continua à descendre et arriva devant la porte voûtée en pierre. L'entrée était bloquée par ce qu'il restait d'une vieille porte en bois pourrie, percée d'une fenêtre grillagée d'environ vingt-cinq centimètres de large. Jack orienta sa lampe frontale dans l'ouverture.

— On dirait une cellule de prison, dit Costas, qui l'avait rejoint.

— C'est une crypte. Une autre chambre funéraire. Cela correspond exactement à ce qui est décrit dans le journal du maître d'œuvre. Tout a l'air intact.

— Comment ça, intact ? Je croyais que les gars de Wren étaient entrés ici.

— Je veux dire que la pièce est encore pleine.

— Oh, non…

Jack poussa prudemment la porte, qui céda légèrement.

— Il fait humide, les conditions sont idéales pour la survie organique. On va peut-être faire des découvertes extrêmement bien préservées.

— Parfait…

Jack poussa des deux mains et la porte s'entrebâilla. Ils jetèrent un coup d'œil avant d'entrer. Ils aperçurent une pièce voûtée, aussi large que la précédente mais trois fois plus longue. Des cavités en pierre étaient alignées de chaque côté. Certaines avaient été grossièrement recouvertes de briques, tandis que d'autres étaient ouvertes et débordaient de débris. Ils virent ensuite de vieux cercueils en bois. De même, certains étaient encore bien fermés, mais d'autres avaient pourri et s'étaient partiellement décomposés pour laisser apparaître des formes indistinctes. Jack fit quelques pas en avant. Costas, quant à lui, resta cloué sur place, le regard fixe.

— C'est mon pire cauchemar, Jack, murmura-t-il.

— Viens ! Tout cela fait partie de la vie.

Costas hésita, puis avança résolument pour examiner un des cercueils éventrés, en se disant qu'une approche scientifique était sans doute la meilleure thérapie.

— Intéressant, remarqua-t-il en se raclant la gorge. Un tube en terre cuite émerge du couvercle de ce cercueil. Il a noirci au bout. Je ne savais pas que les chrétiens faisaient des libations lors des funérailles.

— Bien essayé, mais faux. Puisque c'est toi qui en parles, je suis obligé de te donner une explication. Ces tubes étaient destinés à l'évacuation des gaz.

— Quoi ? Non.

— On en voit dans les catacombes victoriennes. Le problème avec les cercueils qui ont un revêtement en plomb, c'est qu'ils peuvent exploser, surtout quand le corps y est placé trop tôt après la mort. Le dégagement gazeux est la première étape de la décomposition.

— Le dégagement gazeux, répéta Costas, qui semblait osciller légèrement mais gardait les yeux rivés sur le cercueil.

— Les tubes étaient enflammés pour faire brûler les gaz. C'est pour cette raison que la terre cuite a noirci.

Costas eut un mouvement de recul et dérapa sur le sol. Il se rattrapa de justesse au rebord d'une niche pratiquée dans le mur. Il se redressa et décolla son pied d'une flaque gluante qui s'était répandue sous une autre niche.

— Nous devons nous trouver plus près de la nappe phréatique que je ne le pensais, déclara Jack. L'humidité est trop importante pour être uniquement due à la condensation. J'ai bien peur d'avoir encore une mauvaise nouvelle pour toi.

Costas regarda la flaque et la substance noire qui dégoulinait sur le mur de pierre depuis la niche funéraire.

— Oh, non ! se lamenta-t-il.

— C'est la saponification ! annonça Jack sur un ton allègre. Sir Thomas Browne, une sorte de Pline du XVIIe siècle qui adorait déterrer les vieilles tombes, nous a légué un récit fascinant de ce phénomène. Hiebermeyer et moi l'avons découvert lors d'un stage sur la momification au département médico-légal du Home Office et je m'en souviens encore mot pour mot : « Nous avons rencontré une concrétion grasse où le nitre de la terre et les sels et les dissolutions liquides du corps s'étaient coagulés en larges morceaux de graisse de la consistance du plus dur savon blanc, dont une partie nous est demeurée. » De la liqueur corporelle, en somme !

— De la liqueur corporelle ! s'indigna Costas en s'essuyant frénétiquement le pied sur une brique tombée à terre. Sors-moi de là, Jack !

— Du gras de cadavre, si tu préfères. La lente hydrolyse des graisses en adipocire est favorisée par les milieux alcalins, où les corps échappent aux bactéries, et par l'humidité. Je te l'ai dit, les conditions de préservation sont optimales.

— Ça ne peut pas être pire.

— Détrompe-toi.

Sur les blocs de pierre situés au-dessous des niches creusées au milieu des murs de brique, Jack discerna des inscriptions.

— Fascinant, murmura-t-il. En général, les cryptes des églises londoniennes ont été très utilisées pendant plusieurs dizaines d'années, peut-être un siècle. Et, une fois pleines, elles ont été fermées. Mais celle-ci est très étrange. Toutes les inscriptions emploient quasiment la même formule, alors qu'elles embrassent une très longue période. Elles comportent toutes le chi-rho, suivi d'un nom latin. Regarde ici : Maria de Kirkpatrick. Et là : Bronwyn ap Llewellyn. Ce sont des traductions en latin de noms britanniques. Et il y a des dates, en chiffres romains. La niche qui se trouve en bas près de la porte est la plus récente. Elle date de 1664, deux ans avant le grand incendie qui a détruit l'église médiévale.

Costas regardait dans le vague et essayait visiblement de se concentrer sur quelque chose d'autre que les horreurs qui l'entouraient.

— Le journal, se rappela-t-il. Il dit que la crypte a été fermée par les hommes de Wren dans les années 1680. C'est la raison pour laquelle il n'y a pas de sépultures plus récentes.

Jack se dirigea de l'autre côté de la pièce en prenant soin de contourner la flaque gluante répandue sur le sol. Il scruta la pierre à la recherche d'autres inscriptions.

— Les premières inscriptions sont incroyablement anciennes. Les toutes premières ont disparu, mais il y en a deux qui comportent des noms anglo-saxons : Aelfrida et Aethelreda. Ici, je ne peux pas lire le nom, mais je discerne la date : 535 après Jésus-Christ. Fantastique… C'est l'âge des ténèbres, l'époque du roi Arthur, de Gildas. Une époque antérieure à l'arrivée d'Augustin, qui a officiellement instauré le christianisme romain en Bretagne. Et pourtant, le symbole chrétien est déjà présent.

— Ce ne sont que des noms féminins, observa Costas.

— Cette chambre est bien plus ancienne que l'église médiévale, affirma Jack en continuant son inspection. Elle a certainement été entretenue au Moyen Âge, jusqu'au grand incendie, mais les assises semblent romaines.

Il s'agenouilla et passa la main sur l'angle de la chambre, sous la dernière niche du fond.

— Cela ne fait aucun doute, reprit-il. Nous nous trouvons dans une catacombe romaine. La seule qui ait jamais été découverte en Grande-Bretagne.

— Regarde l'inscription au-dessus de la porte.

En levant les yeux, Jack repéra immédiatement la ligne de lettres gravées dans la pierre et recouvertes de concrétions noires.

VRI VINCIRI VERBERARI FERROQVE NECARI

— Ça alors ! s'écria-t-il, figé de stupeur. Le serment des gladiateurs. Le *sacramentum gladiatorum*.

— La prophétie sibylline. C'est bien ce qui était écrit sur la tablette de cire que nous avons trouvée à Rome ?

— Tout à fait. « Être brûlé, enchaîné, frappé et tué par le fer. »

Sacré Claude ! Je crois que nous nous trouvons exactement là où il a voulu nous emmener.

— Et où la sibylle l'a envoyé.

— Initialement, il s'agissait sans doute d'un dépôt mortuaire destiné aux gladiateurs, d'une chambre funéraire où les corps mutilés étaient disposés avant d'être emportés pour être brûlés. Ensuite, cette pièce est devenue une crypte funéraire chrétienne et l'est restée pendant plus de mille ans. Elle était apparemment réservée aux femmes. Des femmes qui ont été réunies par quelque chose pendant toutes ces années.

— Elles faisaient peut-être partie d'une société secrète, d'une guilde. Peut-être ont-elles voulu être enterrées près de ce qui se trouve de l'autre côté de ce mur.

— D'après le journal, c'est là que les amphores romaines ont été trouvées. C'est sans doute ce mur-là.

Costas examina les briques et les poussa prudemment des deux mains. Plusieurs d'entre elles cédèrent.

— Il n'y a pas de mortier. On dirait qu'elles ont juste été empilées.

— Cela paraît logique. Les ouvriers ont décidé de condamner toute la crypte une fois de retour dans la première chambre funéraire, où nous avons laissé Jeremy. Ils ont donc dû renoncer à monter solidement ce mur-ci. Nous allons devoir retirer les briques une par une.

Costas poussa le mur un peu plus fort et une des briques qui avaient bougé tomba de l'autre côté. Soudain, toute la construction s'effondra et ils reculèrent dans un nuage de poussière rouge. Costas évita de justesse la flaque poisseuse.

— D'un autre côté, allégua Jack en essuyant sa visière, nous n'avons pas vraiment le temps de faire dans la dentelle.

— Allons voir, suggéra Costas en reprenant ses esprits.

Jack tendit sa torche dans le trou béant où le mur de brique s'élevait encore quelques secondes auparavant. Au-delà, sur la gauche, étaient alignés des cylindres en terre cuite qui ressemblaient à des fragments de drain. Jack enjamba le tas de briques et les montra à Costas.

— Tu reconnais ? demanda-t-il, fou de joie.

— Des amphores. Des amphores romaines. Exactement ce qu'on cherchait.

— Ce sont les mêmes que les amphores à vin que nous avons trouvées dans le navire de saint Paul, celles qui venaient de Campanie, près de Pompéi et d'Herculanum. Tu te souviens de la date du naufrage ?

— 58 après Jésus-Christ. Environ.

— Exact. Ce sont des amphores à vin typiques de cette période. Et nous nous trouvons dans la Londres romaine, où elles étaient troquées. La révolte de Boadicée date de 60 ou 61 après Jésus-Christ. Si des amphores à vin avaient été déposées dans la tombe de la reine, celles-ci seraient tout à fait conformes à l'époque.

Costas se faufila derrière Jack et regarda autour de lui.

— Et après, on va où ? Il y a une sorte de puits, ici.

Jack se retourna. À sa gauche, se trouvait un tas de décombres, composé essentiellement d'éclats de brique et de morceaux de bois brûlés, rassemblés en une masse compacte. Derrière, un puits en bois d'environ deux mètres de diamètre et trois mètres de profondeur descendait jusqu'au niveau de l'eau.

— Bon, dit Jack, ces décombres sont les vestiges du grand incendie de 1666. Ils ont été entreposés ici lors de la reconstruction de l'église par Wren. Si un ouvrier a pu aller au-delà de cette crypte, il est forcément passé par là. Or, nous ne traverserons jamais ce mur de débris sans entreprendre des fouilles majeures. Ce puits est notre seul espoir.

— À quoi servait-il ?

— À puiser de l'eau. Il y avait des sources sous le gravier, à côté de la Tamise. L'eau de Londres était remarquablement propre avant d'être souillée par les déchets. En général, les puits étaient en bois, comme celui-ci.

Jack se pencha et inspecta les planches.

— Fascinant ! s'émerveilla-t-il. C'est l'ancien bordage d'un navire. Un bordé à clins, typique des Vikings. Tu te souviens de notre drakkar pris dans la glace ?

— Je n'aurais jamais cru que je dirais ça un jour mais, franchement, j'aimerais mieux y être en ce moment.

— J'y vais.

Jack s'élança au-dessus du puits en se tenant au bras de Costas, penché vers lui. Ses pieds se balançaient à environ un mètre de la surface de l'eau.

— Espérons que ce n'est pas une fosse sans fond, dit-il.

Il se laissa tomber et fendit la surface pour atterrir sur les genoux, dans la boue, le haut du corps encore émergé.

— À toi, cria-t-il en se pressant contre la paroi. Tu ne risques rien.

Costas grommela et descendit à son tour dans le puits, la visière contre le bois humide de la paroi. Il se déplaça un peu pour éviter d'échouer sur Jack et arriva à un endroit de la paroi où un morceau de bois pourri s'était détaché. Il se figea brusquement.

— Qu'est-ce qu'il y a ? interrogea Jack.

Après un long silence, Costas répondit d'une voix rauque, étranglée par l'émotion :

— Ce puits n'a pas été creusé dans le gravier.

— Quoi ?

— Il a été creusé dans des ossements, Jack. Dans des milliers d'ossements humains, empilés autour de nous.

— Il s'agit peut-être d'une fosse de pestiférés, mais c'est plus probablement un ossuaire, des ossements issus d'un site funéraire. Heureusement qu'on a les combinaisons environnementales !

Costas se laissa tomber et atterrit avec fracas à côté de Jack. Après avoir disparu complètement dans l'eau, il émergea en provoquant d'énormes remous de boue.

— De la bonne vieille crasse ! s'exclama-t-il en regardant ses gants couverts de traînées de boue. J'ai eu mon compte de résidus humains.

— Ce que tu dis me fait réfléchir. On n'a pas pu creuser un puits dans un ancien ossuaire. C'est peu probable. Je crois que je me suis trompé. En réalité, il doit s'agir d'une fosse d'aisance.

Costas essuya sa visière tant bien que mal et fixa Jack sans un mot.

— C'était très hygiénique, s'empressa d'ajouter Jack. Il y en avait une dans chaque maison. Le seul problème, c'était en cas d'inondation, lorsque les habitants continuaient à utiliser un système saturé.

— Tu en as d'autres, comme ça ? demanda Costas, qui semblait au bord des larmes. Plongez avec Jack Howard ! Aucune latrine ne vous sera épargnée.

Il essaya de se relever puis disparut dans la boue avant de refaire surface.

— C'est bien ce que je pensais, déclara-t-il. De l'eau coule juste au-dessous de nous. Cette cavité débouche directement sur une rivière souterraine.

— L'affluent du Walbrook. Peut-être avons-nous une chance. Si nous parvenons à le suivre et à trouver un autre accès, nous pourrons peut-être voir ce qui se trouve de l'autre côté du tas de décombres.

— Ou rejoindre définitivement la cité des morts.

— Il y a toujours un risque.

— D'accord.

Costas sortit son GPS étanche et fit apparaître à l'écran un relevé topographique en 3D qu'il avait programmé en attendant que le matériel arrive à l'église.

— La rivière coule vers l'est, précisa-t-il, en direction du Walbrook, qui va rejoindre la Tamise, au sud. L'amphithéâtre romain n'est qu'à cinq mètres au nord. Si, pour une raison ou une autre, nous dépassons cette limite, il vaudra mieux revenir en arrière. Nous nous trouverons dans la zone mise au jour lors des fouilles effectuées récemment.

— Je te suis.

— On se retrouve de l'autre côté.

Costas descendit la tête la première et ses pieds brisèrent la surface avec maints remous. Puis tout redevint calme et l'eau se remit à étinceler dans l'obscurité. Jack s'accroupit, immergé jusqu'à la poitrine, et écouta la respiration de Costas à travers l'interphone. Ses angoisses secrètes lui revinrent à l'esprit. Il pensa, un instant, à la claustrophobie qu'il combattait vaillamment pour garder le contrôle de la situation. Jusqu'ici, il avait mentalement déroulé une sorte de fil d'Ariane. Il aurait facilement pu sortir de cette crypte, puis de la suivante, et remonter dans l'église. Mais il ne savait pas ce qui se trouvait au-delà de la fosse. Il respira profondément et fixa la surface de l'eau. Soudain, il sentit des vibrations, qui lui traversèrent tout le corps, et vit l'eau s'agiter légèrement. Il comprit qu'un métro venait de passer dans un tunnel, non loin de là. Cette sensation le ramena à la réalité du XXIe siècle, et toutes les images du passé, les rituels lugubres de la préhistoire, l'amphithéâtre gorgé de sang, le grand incendie, le Blitz, défilèrent dans son esprit. Il ferma les yeux, puis les rouvrit. Il activa l'affichage numérique à l'intérieur de son casque et consulta les chiffres indiquant la quantité d'oxygène présente dans son recycleur et les niveaux de toxicité. C'était un moyen de garder les pieds sur terre qui fonctionnait toujours. Il se releva difficilement et constata qu'il avait failli rester piégé dans un mètre de boue. Après s'en être libéré, il se laissa flotter à la surface, sur le ventre, et scruta l'obscurité tourbillonnante jusqu'à ce qu'il aperçoive la faible lueur de la lampe frontale de Costas, juste au-dessous de lui. Il pencha le buste en avant et plongea à son tour. Environ deux mètres plus bas, il sentit le courant de la rivière souterraine, un flux d'eau transparente qui balayait les sédiments sur son passage. Il ne voyait toujours qu'à quelques centimètres devant lui, mais c'était déjà mieux que la soupe noire croupissant au fond de la fosse.

— Il y a un obstacle droit devant, annonça Costas. Je vais essayer de le contourner.

Jack sentit les pieds de Costas s'agiter dans l'eau tandis que celui-ci s'orientait vers le bas. Il garda ses distances pour ne pas recevoir de coups et, lorsque les remous se dissipèrent, il se laissa tomber en avant dans le tunnel, les mains tendues pour repérer les éventuels obstacles. Deux mètres plus loin, il sentit un objet lisse, métallique, et sa poitrine vint se poser sur les jambes de Costas. Celui-ci se tortilla, puis ne bougea plus. Jack entendit un bruit sourd, puis plus rien, excepté le son de leur respiration.

— C'est une amorce série 17. Bien.

— Quoi ? Qu'est-ce qui est bien ?

— Ça, répondit Costas avant de faire retentir un bruit métallique, suivi d'un juron.

— Qu'est-ce que c'est ? Je ne vois rien.

— Une bombe.

— Comment ça, une bombe ! s'écria Jack, accablé.

— Une SC250 aérienne d'origine allemande. Une bombe GP. Les Stukas, les Junkers 88 et les Heinkel 111 en ont largué des milliers ici. C'est un modèle basique.

— C'est-à-dire ?

— Ce n'est pas une bombe à retardement.

Jack resta de marbre. Il repensa aux vibrations du métro. Soudain, il eut l'impression que tout était prêt pour que l'Histoire se répète.

— Ne me dis surtout pas ce que tu es en train de faire.

— Tout va bien. C'est déjà fait. J'ai fait ce que je pouvais, en tout cas.

Costas descendit les jambes à la verticale et Jack put avancer d'un mètre.

— La poche avant de l'amorce était juste sous mon nez et il se trouve que j'avais l'outil adéquat. Le problème, c'est la poche arrière. Je la sens, mais elle est complètement rouillée. Même si ce n'est pas mon style, je crois que je vais devoir la laisser.

— Bon, le danger est-il important ?

— En général, une bombe comme celle-ci contient seulement cent soixante kilos d'amatol et de TNT, un mélange soixante-quarante.

— Seulement ?

— Bien sûr, on serait cuits, mais la plate-forme financière de la planète resterait sans doute intacte.

— Il a dû y avoir suffisamment de sacrifices humains ici. Quelle est la stabilité des explosifs ?

— La corrosion de l'amorce complique les choses. La charge est restée en état de latence pendant près de soixante-dix ans, mais notre arrivée risque de l'avoir perturbée.

— Notre arrivée ? Tu veux dire ton intervention !

Une partie des sédiments s'étant redéposée, Jack voyait désormais la bombe à environ dix centimètres de son visage. Elle était corrodée, profondément attaquée par la rouille, aussi menaçante que possible. Aucune inscription n'était visible. Jack se livra à un rapide calcul mental. Les risques étaient énormes.

— On ferait mieux de s'en aller, dit-il.

— Oh, non !

— Comment, non ? Ce truc est encore vivant. Il faut qu'on se tire d'ici.

— Je ne parle pas de ça mais de ce qui se trouve en face de moi. Encore un cauchemar. Toujours le même, mais pire à chaque fois.

— J'arrive.

Jack se laissa glisser plus profondément le long de la bombe, qui semblait dangereusement suspendue entre deux eaux. Une fois arrivé au niveau du nez de l'engin, il s'allongea sur le dos en faisant le moins de remous possible pour passer au-dessous. Puis il se redressa et, alors qu'il s'attendait à voir les ailettes de la bombe, il émergea brusquement à la surface, le visage à quelques centimètres seulement d'un mur boueux. Tout se passait bien tant que les sédiments tournoyaient autour de lui mais, en dehors de l'eau, il se sentit angoissé. En acquérant davantage de visibilité, il constata pleinement à quel point l'espace était restreint. Il devait garder son sang-froid et se concentrer sur ce qu'il faisait. Il tourna sur lui-même en veillant à ne pas faire bouger la bombe et se trouva aux côtés de Costas, qui regardait dans la même direction que lui. Il sentit les graviers du lit de la rivière sous ses pieds, ce qui signifiait qu'ils avaient franchi toutes les couches archéologiques. Il orienta sa lampe frontale vers le haut. Ils étaient dans une sorte de pièce. Des troncs d'arbre non taillés soutenaient le plafond, environ deux mètres au-dessus d'eux. Le long des murs, Jack discerna ensuite d'énormes poutres de chêne noircies, reliées par une structure en bois. Puis il baissa la tête et vit ce à quoi Costas venait de faire allusion, juste devant eux. Il ferma les yeux, respira profondément et regarda de nouveau.

C'était un crâne humain noirci par le temps, qui regardait vers le haut. La mâchoire était toujours en place. Au-dessous, les vertèbres du cou et les omoplates reposaient sur une matière fibreuse rougeâtre. Ces fibres semblaient provenir du crâne. C'étaient des cheveux. *Des cheveux roux.*

Jack s'appuya sur une poutre mouillée et se hissa pour voir de plus près quelque chose qui l'avait intrigué sur les os du cou. Il resta bouche bée. C'était de l'or, étincelant, un collier en or massif. Le même que celui qu'ils avaient vu la veille, sur un autre corps, dans le sous-sol de Rome. *Un torque.* Jack comprit alors qu'il ne s'agissait pas d'une des sépultures de la crypte médiévale. Il n'y avait plus aucun doute. Ils venaient de trouver quelque chose que les hommes cherchaient depuis des centaines d'années, en plein cœur de la cité de Londres, dans un petit coin intact d'une des zones les plus fouillées et les plus bombardées du monde.

Jack examina de nouveau le crâne. Il se pencha au-dessus des orbites vides et découvrit que la couche qui recouvrait le crâne n'était pas noire mais bleu foncé.

— *Isatis tinctoria*, murmura-t-il, interdit. Incroyable…

— Quoi ?

— De la guède. Du bleu de guède. Elle s'était peint le corps en bleu.

Il se tourna vers Costas, oubliant soudain toute appréhension.

— Tu viens de trouver une reine de l'âge du fer, souffla-t-il.

Costas, cloué sur place contre le mur de la pièce inondée d'eau boueuse, fixait le crâne les yeux grands ouverts.

— Qu'est-ce qu'il y a ? lui demanda Jack. Tu as vu quelque chose ? C'est encore le coup d'Agamemnon ?

— Ce truc n'est pas un fantôme. Il est bien réel. Après la liqueur corporelle et tout le reste, je ne pourrai plus jamais m'endormir.

— Allez ! C'est extraordinaire ! Cela dit, je ne compte pas rester trop longtemps en compagnie d'une bombe rouillée.

Jack se hissa sur la plate-forme rocheuse où se trouvait la dépouille et Costas finit par le suivre. L'eau dégoulinait le long de leur équipement et la boue collait à leur combinaison comme une couche de peinture marron. Jack élargit le faisceau de sa lampe frontale et sortit une torche halogène. Ils découvrirent avec stupéfaction le contenu de la tombe.

C'était un spectacle époustouflant. Jack reconnut immédiatement des artefacts qui lui étaient familiers, ainsi que la disposition des objets funéraires. Mais il savait qu'aucune des tombes trouvées en Grande-Bretagne n'était aussi bien conservée. Celle-ci ressemblait aux tombes de la noblesse scythe, entourées de bois massif et miraculeusement préservées dans le permafrost, qu'il avait visitées dans les steppes de Russie. Mais, ici, il se trouvait en plein cœur de Londres.

L'atmosphère très humide et la couche épaisse d'argile qui entourait la cavité avaient dû empêcher le bois de pourrir et la tombe d'imploser.

Le corps avait été déposé sur un brancard, une plate-forme de bois d'environ trois mètres carrés, située à environ un mètre des murs. Des formes étranges, incurvées, se trouvaient de part et d'autre des jambes. Jack comprit tout à coup de quoi il s'agissait.

— C'est un char funéraire ! s'exclama-t-il. Il s'agit de deux roues inclinées vers le corps. On voit les rayons, la jante en fer et le chapeau de moyeu.

— Regarde ça, dit Costas en lui montrant les jambes du squelette. On voit des entailles sur les os, qui ont dû se ressouder après diverses fractures. Notre reine ne s'est pas ménagée. Sacrée bonne femme ! On dirait qu'elle repose sur une sorte de canoë.

Jack prit du recul. Costas avait raison. Le squelette reposait sur un bateau creusé dans le bois.

— Fantastique ! Il y a eu des bateaux funéraires à partir de l'époque anglo-saxonne, des navires funéraires vikings, mais je n'ai jamais rien vu de tel dans une tombe de l'âge du fer.

— Cette embarcation a peut-être été utilisée pour conduire la reine jusqu'à son sanctuaire. Elle a peut-être été tirée le long de la rivière pour remonter le courant jusqu'ici.

Jack s'approcha de la dépouille et se pencha en avant pour observer le torse. Tout était si bien conservé qu'il eut l'impression de regarder une image de synthèse reconstituant une sépulture de l'âge du fer. Il fit un pas sur le côté, dérapa dans la boue et tomba sur un genou à côté d'une des roues du char.

— Attention ! le prévint Costas. Il y a une tige en métal qui sort du moyeu.

La gorge serrée, Jack fixa la tige corrodée sur laquelle il avait failli s'empaler. Il ferma les yeux et s'efforça de rester concentré. Trois tiges comme celle-ci, d'environ un mètre, avaient en effet été fichées dans le moyeu et semblaient tordues au bout comme les pales d'une hélice. Ce char n'était pas ordinaire. Jack se releva avec précaution et se glissa aux côtés de Costas, qui l'avait contourné pour se pencher à son tour au-dessus du torse.

— Je crois qu'elle se préparait à combattre les dieux, murmura Costas. Et qu'elle avait l'intention de gagner.

Ils détaillèrent tous deux l'arsenal dont le squelette était entouré. Des pointes de lance en forme de feuille étaient éparpillées au milieu de pommes de pin, qui avaient noirci après avoir été brûlées comme encens. Une grande épée de fer dégainée, flanquée de son fourreau en bronze finement ciselé, longeait le corps du cou à la hanche gauche. Les ornements de la poignée en bronze de l'épée, des lignes dorées s'entrelaçant jusqu'à une grosse pierre précieuse verte enchâssée dans le pommeau, étaient assortis à ceux du fourreau. Un gourdin en bois, semblable à une baguette magique, était aligné le long du côté droit du corps. Plus extraordinaire encore, sur le torse du squelette, se trouvait un grand bouclier en bronze en forme de huit, dont l'ombon était entouré d'entrelacs en émail et d'ornements repoussés.

— Le bouclier ! s'exclama Jack. Il est presque identique au bouclier de Battersea trouvé dans la Tamise au XIXe siècle.

— C'est une mince feuille de bronze, indiqua Costas en l'observant de côté. Pas très pratique pour le combat.

— Il était sans doute cérémoniel. Le bouclier de Battersea a toujours été considéré comme un objet rituel, déposé dans la rivière comme offrande aux dieux, à l'image des crânes trouvés à quelques centaines de mètres d'ici dans le Walbrook.

— L'épée, en tout cas, c'est une vraie, de même que ces faux fixées aux roues du char.

Brusquement, Jack vit quelque chose qu'il n'avait pas décelé jusque-là et qui semblait lier entre eux tous les artefacts disposés devant lui. Il y avait des chevaux partout, entremêlés dans les lignes courbes ornant le bouclier, gravés sur le fourreau de l'épée ou sculptés dans le bois du brancard. L'esprit en ébullition, Jack n'osait pas croire à l'incroyable. *Des chevaux, le symbole de la tribu des Icéniens, la tribu de la grande reine guerrière*. Il aperçut également des pièces sous le bouclier et tendit la main pour en prendre une. L'excitation monta en lui. Il vit exactement ce qu'il s'attendait à trouver : d'un côté, un cheval aux lignes abstraites, crinière au vent, et de mystérieux symboles ; de l'autre, une tête, qui semblait à peine humaine, avec de longs cheveux ébouriffés. Il n'existait aucune représentation de cette reine. Elle avait été vénérée comme une déesse et personne n'avait eu l'audace d'en dresser un portrait ressemblant. Jack reposa la pièce et regarda autour de lui. Il essaya de rassembler ses pensées tout en restant ouvert à l'inattendu.

— L'assemblage à queue d'aronde de la charpente laisse supposer que cette tombe a été réalisée après l'arrivée des Romains, par des charpentiers qui connaissaient les techniques romaines, analysa-t-il. Mais il n'y a pas d'artefacts romains ici. La reine a dû s'y opposer. Les amphores devaient se trouver en dehors de la tombe. Il s'agissait sans doute d'offrandes faites après l'inhumation.

— Tu te trompes, Jack. On dirait qu'elle faisait une fixation sur les gladiateurs.

Costas, désormais aux pieds du brancard, avait les yeux rivés vers le bas. Jack le rejoignit. Médusé, il découvrit une rangée de casques : cinq casques ornementés, tournés vers le squelette et alignés juste au-dessous du brancard.

— Incroyable… Rien à voir avec les gladiateurs, cela dit. Ce sont des casques de légionnaires romains, de haut rang visiblement. Des casques de centurions, ou peut-être de commandants de cohorte. Et ils ont vécu.

Jack inclina vers lui un des casques, dont le sommet était fortement cabossé. L'objet se révéla plus lourd qu'il ne le pensait et resta coincé dans le bois. Jack tira plus fort et, lorsqu'il céda, le laissa tomber en reculant brusquement, sous le choc.

Ils étaient encore là.

— Je veux sortir d'ici, murmura Costas.

Jack reprit ses esprits et observa attentivement les casques. Chacun d'eux contenait un crâne humain, parfois écrasé ou brisé en éclats. Un crâne parfaitement blanc. De toute évidence, les têtes avaient été exposées et avaient pourri avant d'être placées à l'intérieur de la tombe.

— Des trophées de guerre, comprit Jack, ramassés sur le champ de bataille ou, plus probablement, après l'exécution de prisonniers.

Il pensa à la dernière bataille de la reine guerrière et se souvint des récits de Tacite et de Dion Cassius. C'étaient des trophées de guerre vivants, amenés avec la reine guerrière pour être sacrifiés dans le lieu le plus sacré, en signe de soumission éternelle.

Tout à coup, Jack aperçut d'immenses masses informes qui émergeaient du mur du fond et semblaient se débattre et se cabrer comme les chevaux du Parthénon d'Athènes. Seulement, loin d'être sculptés, ces chevaux étaient bien réels. Leur peau noircie et leur crinière étaient encore suspendues à leur crâne. Toutes dents dehors, effroyablement menaçants, ils étaient condamnés pour toujours aux affres de la mort. Ce spectacle était encore plus terrifiant que la rangée de crânes romains et Jack se sentit de nouveau nerveux, conscient de ne pas être à sa place dans ce lieu sacré.

— On y va ? suggéra Costas, étreint par une brusque anxiété. Ce cri que ta grand-mère a entendu… Il ne venait peut-être pas de l'orgue finalement.

Jack s'arracha à cette vision d'horreur.

— Nous n'avons pas trouvé ce que nous sommes venus chercher, répondit-il. Il y a forcément quelque chose ici. Je le sais. Accorde-moi encore quelques minutes.

Il se rapprocha du brancard et étudia de nouveau le squelette et les armes. Costas sortit sa boussole et l'orienta dans le sens de la dépouille.

— Elle repose très exactement dans l'axe nord-sud, indiqua-t-il. Elle semble désigner l'arène de l'amphithéâtre.

— L'amphithéâtre a été bâti plus tard. S'il s'agit bien de Boadicée, elle a été enterrée au moins dix ans avant le début des travaux.

— Tu as vu l'essieu ? Il se trouve juste au-dessous de ses épaules. Avec l'axe du char qui passe sous son corps, il forme une croix.

— L'essieu était généralement placé sous les pieds, répondit Jack, qui n'écoutait qu'à moitié.

Soudain, il se figea et tendit la main vers le bouclier.

— Je le savais ! s'écria-t-il. Il était juste devant nous. Il l'a posé pile sur l'ombon du bouclier.

— Qui ça ?

— Celui qui est venu ici avant nous.

Jack tendit la main vers l'objet, un cylindre métallique, puis interrompit son geste.

— Tu dois être le seul archéologue à avoir des scrupules à prendre un artefact dans une sépulture.

— Je ne peux pas profaner la tombe de Boadicée.

— Je te comprends, admit Costas. Franchement, je n'ai pas envie de faire revenir cette grande dame du royaume des morts. D'ailleurs, si elle nous poursuivait, nous ne pourrions nous enfuir nulle part. Mais, si tu as vu juste, ce cylindre ne faisait pas partie des objets funéraires d'origine. Je ne crois pas que ce soit une profanation. Et je suis prêt à prendre le risque.

Il saisit le cylindre et le donna à Jack.

— Voilà ! s'exclama-t-il. Le charme est rompu.

Jack fit tourner lentement l'objet entre ses mains. Une chaîne était suspendue à un rivet. Le cylindre avait été fabriqué dans une feuille de bronze enroulée et martelée. Un disque de bronze formait la base et un autre, en émail rouge, fermait le sommet. Des ornements curvilignes étaient gravés sur toute la surface du métal. Jack se rendit compte qu'ils dessinaient un loup touchant sa queue avec son museau, lové autour du cylindre.

— C'est de la ferronnerie bretonne, cela ne fait aucun doute, affirma-t-il. On a trouvé un cylindre en bronze semblable à celui-ci dans la tombe d'un guerrier située dans le Yorkshire. Et le loup, comme le cheval, fait partie des symboles des Icéniens, la tribu de Boadicée.

— Et le couvercle ?

— La corrosion est importante, répondit Jack, comme sur tous les objets en bronze. Mais tu as raison, c'est un couvercle. Il n'est pas fixé au tube comme la base. Il y a une sorte de matière résineuse tout autour, mais elle semble craquelée.

Il poussa du doigt la couche de corrosion qui s'était formée à la surface et tressaillit en la voyant se briser comme du verre.

— Heureusement que nos conservateurs ne m'ont pas vu faire ça, souffla-t-il.

Il orienta le cylindre de façon à ce qu'ils puissent voir le haut du couvercle. À un endroit, l'émail rouge avait été gratté jusqu'à la feuille de bronze et remplacé par des motifs gravés dans le métal. Ces motifs étaient anguleux et nettement séparés les uns des autres, contrairement aux lignes courbes du loup ornant le corps du cylindre. Ils ressemblaient davantage aux graffitis tracés sur les amphores romaines qu'ils avaient vues dans l'épave. Jack les observa attentivement et n'en crut pas ses yeux.

C'était un nom.

— Bingo ! s'écria Costas.

Ce nom était suivi d'un autre mot. Les lettres étaient grosses, irrégulières. Elles s'incurvaient le long du couvercle, comme une inscription sur une pièce.

CLAVDIVS DEDIT

— « Claude a donné ceci », traduisit Jack, soudain transporté de joie. On avait raison ! Claude est bien venu ici. Et il a déposé cet objet dans la tombe de Boadicée.

Jack soupesa le cylindre avec révérence. Il fixait le nom et le joint effrité du couvercle, n'osant penser à ce qui pouvait se trouver à l'intérieur.

— Comment un cylindre de bronze fabriqué en Grande-Bretagne a-t-il pu se retrouver entre les mains de Claude ? demanda Costas.

— Peut-être Claude l'a-t-il ramené de sa conquête de la Bretagne, la première fois qu'il a mis les pieds sur l'île. Peut-être est-ce Boadicée en personne qui le lui a donné. Ensuite, il l'aurait utilisé pour y cacher son trésor. Ce cylindre attire moins l'attention que les jarres de pierre égyptiennes.

— Il aurait tout juste tenu à l'intérieur de ces jarres, y compris dans celle que nous avons trouvée à Rome. Peut-être y en a-t-il d'autres ici.

— Pas si personne d'autre n'est entré.

— On l'ouvre ?

— Sans le contrôle du laboratoire ?

— J'ai déjà entendu ça quelque part…

Jack se tourna vers l'eau boueuse par laquelle ils avaient accédé à la tombe. Elle clapotait contre la pierre et remuait des particules marron.

— Je crains que le joint ne soit plus étanche. Si nous ramenons le cylindre en passant par là, nous risquons de détruire irrémédiablement ce qui se trouve à l'intérieur. Je préfère ne pas prendre le risque d'aller chercher un contenant étanche. Nous n'aurons peut-être jamais la possibilité de revenir ici. Et la tombe menace d'être pulvérisée.

— À tout instant, confirma Costas en regardant les ailettes de la bombe, qui affleuraient à la surface. Alors, ouvrons-le ici.

Jack acquiesça et posa la main sur le couvercle. Il ferma les yeux et prononça quelques mots à voix basse, comme pour lui-même. Tous leurs efforts avaient convergé vers cet instant. Il rouvrit les yeux et tourna le couvercle. Celui-ci céda facilement. Trop facilement. Jack inclina le cylindre et regarda à l'intérieur.

Il était vide.

Chapitre 17

Tôt le lendemain matin, Jack était assis dans la nef de la cathédrale Saint-Paul, à Londres, sous la grande coupole située devant le maître-autel. La cathédrale, qui n'avait été ouverte au public que quelques minutes auparavant, était encore presque vide. Cependant, Jack avait choisi un siège éloigné de l'allée centrale de la nef, pour que personne ne les entende. Il consulta sa montre. Il avait donné rendez-vous à Costas à neuf heures et celui-ci serait là dans cinq minutes, tandis que Jeremy reviendrait d'Oxford aussi tôt que possible. Jack avait proposé à Costas de passer la nuit dans l'appartement de l'UMI, dans le centre de Londres, où il dormait souvent entre deux projets, lorsqu'il avait besoin de faire des recherches dans une bibliothèque ou un musée de la ville. Ils s'étaient sentis trop fatigués pour parler, trop abasourdis pour être déçus. C'était seulement maintenant que Jack subissait le contrecoup. Il s'adossa, s'étira et ferma les yeux. Il se sentait encore épuisé par l'exploration extraordinaire de la veille et le café qu'il avait pris au petit déjeuner commençait tout juste à agir. Il était quelque peu déconcerté et se demandait s'ils étaient allés aussi loin qu'ils le pouvaient dans leur quête, s'ils devaient simplement se réjouir des découvertes qu'ils avaient réalisées sans les considérer comme des indices menant à un trésor encore plus précieux. Il rouvrit les yeux et admira la magnifique coupole de la cathédrale, qui ressemblait tant à celle de Saint-Pierre, au Vatican, et à celle du Panthéon de Rome, antérieure de plus de mille cinq cents ans. Malgré cette continuité dans l'architecture, il avait conscience du talent unique de Sir Christopher Wren. La coupole hémisphérique se trouvait au-dessous de la coupole ovoïde de l'extérieur. Ainsi la cathédrale était plus élevée à l'extérieur et la coupole intérieure se situait à bonne distance des yeux de ses admirateurs. Cet agencement était dû au génie d'un seul homme.

— Salut, Jack !

Costas longea la rangée de sièges depuis l'allée centrale. Dans l'appartement, il avait emprunté à Jack un de ses pulls marins, à la fois beaucoup trop long et trop étroit aux entournures, dont les manches retroussées découvraient ses avant-bras musculeux. Le nez rouge, les yeux larmoyants, il paraissait un peu pâle. Jack posa sur lui un regard inquiet.

— Ne m'en parle même pas ! lança Costas en se laissant tomber sur une chaise située à côté de Jack.

Mal en point, il renifla et chercha un mouchoir dans sa poche.

— C'est le seul décongestionnant que j'aie trouvé, précisa-t-il. Je suis au bord de la noyade. Je ne sais pas comment tu fais pour respirer dans une atmosphère aussi humide. Et froide.

Il éternua et renifla bruyamment.

— Je suppose que la voie est libre sur le site, dit Jack.

— Ils sont en train de retirer les barrières. L'équipe de déminage a foré directement dans la cour du Guildhall. Ils ont sorti la bombe à l'aide d'une grue, avant de l'évacuer par hélicoptère au milieu de la nuit pour la faire exploser sous contrôle. Une sacrée déflagration. Je leur ai dit de creuser à l'est afin de ne pas endommager la tombe.

— J'ai contacté les autorités archéologiques de Londres. Cette tombe est un véritable défi. Il va falloir fabriquer une sorte de bulle protectrice autour du site pour maintenir les conditions atmosphériques à l'intérieur de la tombe et éviter la décomposition. Une des meilleures équipes de conservation est sur le coup. Cela va sans doute prendre des mois, mais ce sera fantastique. J'ai suggéré de laisser la tombe *in situ* et de faire un musée sur place. Il pourrait s'agir d'un espace complètement souterrain, auquel on accéderait par l'amphithéâtre.

— Il ne faut pas troubler le repos de Boadicée. Surtout pas !

— As-tu pu te joindre à l'équipe de déminage ?

— Il se trouve que le commandant de l'unité de plongée est un de mes vieux amis. C'est un officier du Corps des ingénieurs royaux, de l'école de plongée du génie. Nous nous sommes rencontrés lors d'un stage à l'école du déminage et des explosifs, à Devonport, il y a deux ans. Je lui ai dit que la deuxième amorce était trop corrodée et qu'il allait d'abord falloir la neutraliser. Mais il n'a pas pu m'autoriser à l'accompagner. Tu connais le règlement en matière de sécurité.

Costas éternua de nouveau.

— C'est le problème de ce pays, ajouta-t-il. Il est trop réglementé.

— Tu préférerais que le siège de l'UMI se trouve en Italie, on dirait.

Une lueur éclaira le regard de Costas.

— À propos, quand est-ce qu'on retourne voir l'épave du navire de saint Paul ? En ce qui me concerne, j'ai eu mon compte de tunnels sombres et humides. Quelques semaines en Méditerranée viendraient à point. Et puis il n'y a rien de tel pour soigner un rhume.

— La *Seaquest II* est toujours en position et le jet Embraer est prêt à décoller. Je viens de téléphoner à Maurice pour discuter avec lui de la diffusion dans la presse des découvertes d'Herculanum. À moins que Jeremy n'ait trouvé autre chose, je ne vois pas ce qu'on peut faire de plus ici. Tout ce que nous avons découvert à Rome et ici, à Londres, constitue déjà un apport historique fabuleux. Quant au manuscrit, son emplacement restera peut-être un des plus grands mystères de tous les temps.

Jack soupira et leva de nouveau les yeux vers la coupole.

— Ce n'est pas mon genre d'abandonner, reprit-il. Mais une impasse est une impasse. Nous allons peut-être contacter la presse dès cet après-midi. Ensuite, l'institution archéologique publique prendra le relais et nous n'aurons plus qu'à faire ce que nous faisons le mieux.

— Boire un gin tonic au bord de la piscine de mon père ?

— On ira après avoir exploré le navire de saint Paul. Et quand nous serons rentrés de la mer Noire.

Costas grommela et posa les yeux sur l'écran de l'ordinateur portable que Jack avait ouvert sur ses genoux.

— Tu regardes les photos que Maria a prises à Herculanum ? demanda-t-il en pointant son mouchoir trempé vers les images affichées en miniature.

Jack acquiesça et dévisagea son ami avec insistance.

— Toi, tu as quelque chose derrière la tête, affirma Costas.

— Je faisais défiler les photos pour en sélectionner une à envoyer à la presse et je me suis brusquement rappelé quelque chose. Tu te souviens de la feuille de papyrus posée sur la table, sous la feuille vierge, et qui commençait par *Historia Britannorum. Narcissus fecit* ?

Jack cliqua sur une photo et le texte ancien s'afficha à l'écran.

— Par chance, Maria a pris des tas de photos, se réjouit-il.

— J'étais sûr que tu avais trouvé quelque chose.

— Dans un premier temps, je n'ai pas accordé beaucoup d'importance à cette feuille, car je me suis dit qu'elle faisait partie d'un traité de stratégie militaire, le genre d'écrit dont un stratège en chambre comme Claude devait se délecter. J'y ai seulement vu un moyen pour Claude de montrer qu'il connaissait son affaire et qu'il était digne de son père et de son frère. J'ai pensé que ce texte se bornait à décrire de façon méthodique les événements ayant conduit à l'invasion de la Bretagne et le plan d'attaque élaboré avec les commandants de légion. Mais je me suis imaginé dans cette pièce, à Herculanum. Dans les semaines qui ont précédé l'éruption du Vésuve, Pline l'Ancien a rendu visite à Claude dans la villa. Pline était lui aussi un historien militaire et un ancien vétéran mais, à ce moment-là, il ne s'intéressait qu'à son *Histoire naturelle* et aux anecdotes qu'il pouvait y intégrer.

— Comme les notes qu'il a prises concernant la Judée.

— Exactement. Et ce qui le passionnait chez Claude, c'étaient peut-être ses connaissances à propos de la Bretagne. Pas la campagne militaire ni l'invasion, mais tout ce que Claude pouvait lui dire sur l'histoire naturelle, la géographie, le peuple, tout ce qui était extraordinaire et dépaysant. Je le vois très bien assis avec Claude dans cette pièce, le harcelant de questions, écartant les événements touchant au triomphe pour mieux l'interroger sur les détails, tandis que le vieux Narcisse consignait patiemment toutes les paroles de son ancien maître. Après tout, nous savons que Claude a vu deux fois la Bretagne de ses propres yeux : d'abord lors de son triomphe, puis lorsqu'il s'est rendu secrètement dans la tombe, peu de temps avant l'éruption. La Bretagne a été son plus grand accomplissement et il a dû apprécier de pouvoir en parler à Pline, de jouer le vieux général qui se souvient de sa conquête pour la gloire de Rome et l'honneur de sa famille.

— Continue, dit Costas avant d'éternuer violemment.

— J'ai lu cette feuille et elle fait clairement partie d'un préambule, d'un chapitre introductif, qui plante le décor. Le latin est fluide, bien écrit. C'est à Narcisse que nous le devons. Le texte traite de la religion et des rituels, ce qui devait tout à fait correspondre aux attentes de Pline.

— Et aux nôtres… Car il nous reste encore beaucoup de points à éclaircir concernant la Bretagne à l'âge du fer et Boadicée.

— La première partie m'a sidéré. Elle décrit un grand cercle de pierres que Claude est allé voir. « J'ai vu cela de mes propres yeux », dit-il.

— S'agit-il de Stonehenge ?

— Il raconte que les pierres ont été disposées en cercle par le peuple breton en hommage à une race de géants venue de l'Est et fuyant une grande inondation.

Elles représentent les prêtres-rois et les prêtresses-reines qui ont ensuite gouverné l'île.

— L'exode de la mer Noire, murmura Costas. Les prêtres de l'Atlantide. Cela prouve qu'on n'a pas essayé de faire avaler des mensonges à Claude.

— « Ces géants sont venus avec une déesse mère, à qui les Bretons ont ensuite rendu un culte », traduisit Jack. « Les descendants de ces prêtres-rois et de ces prêtresses-reines sont les druides, qui prennent pour un devoir sacré de couvrir leurs autels du sang de leurs victimes. Je les ai moi-même vus au cercle de pierres, le lieu qu'ils appellent *Druidum Circulus*, le Cercle des druides. »

— Bien. On avait déjà les Toltèques, les Carthaginois et voilà maintenant les Bretons. Qui n'a pas pratiqué le sacrifice humain ?

— C'est fantastique ! Les premiers antiquaires pensaient que Stonehenge était un cercle druidique et ils avaient raison. Mais voici le plus incroyable. Écoute ça : « Ils choisissent la grande prêtresse parmi les familles nobles des Bretons. J'ai moi-même rencontré l'élue, la jeune Andraste, qui s'appelle également Boadicée, qui a été amenée devant moi en tant qu'esclave mais que la sibylle m'a ordonné de libérer. Car la sibylle de Cumes affirme que la grande prêtresse de ces druides est la treizième d'entre elles, l'oracle de toutes les tribus de Bretagne. »

— Arrête-toi là !

— C'est la fin de la page, de toute façon.

— Tu es en train de me dire que Boadicée, la reine guerrière que nous avons vue hier, était la grande prêtresse. Que Boadicée était une druidesse ? La grande druidesse ?

— Ce n'est pas moi qui le dis. C'est Claude.

— Et que la grande prêtresse des druides était une des sibylles ?

— C'est ce qu'il dit. Et il était bien placé pour le savoir. Tous les écrits indiquent qu'il rendait souvent visite à la sibylle de Cumes.

— Évidemment, c'était son dealer !

— Je crois qu'il s'est passé quelque chose d'extraordinaire ici, quelque chose que l'on a pressenti sans jamais pouvoir le prouver.

Jack posa l'ordinateur sur la chaise située à côté de lui et s'efforça de se concentrer.

— Revenons en arrière, proposa-t-il. Un Galiléen, un Nazaréen confie un document à Claude.

— Nous savons très bien de qui il s'agit, Jack.

— Tu en es sûr ? Il y avait une foule de messies potentiels autour de la mer de Galilée à cette époque-là. Jean le Baptiste, pour commencer. Ne tirons pas de conclusion hâtive.

— Allez, Jack ! Ne te fais pas l'avocat du diable.

— Laissons le diable en dehors de ça. Avec tout ce qui se trouve dans cette église, nous avons les moyens de lutter contre lui. Donc, à la fin de sa vie, Claude effectue un voyage secret en Grande-Bretagne, à Londres. Il a le manuscrit avec lui, dans un cylindre en métal qu'une princesse de la tribu des Icéniens lui a donné lors d'un précédent séjour.

Jack tapota sur son sac. Costas le regarda, interdit.

— Ça devient une habitude !

— C'était juste une précaution, au cas où la bombe exploserait. Il fallait bien qu'on ait une preuve de ce qu'on avait vu.

— Inutile de te justifier auprès de moi, Jack.

— Comme toutes les personnes qui cachent un trésor, Claude laisse un indice. Ou plutôt une série d'indices, dont certains ont été transmis par son ami Pline.

— Il a dû bien s'amuser.

— Il adore lire les prophéties dans les feuilles. Il l'a fait toute sa vie, lors des nombreuses visites qu'il a rendues à la sibylle. Celle-ci le mène par le bout du nez, bien sûr. Il devient accro aux énigmes et à la cryptologie. Du reste, cette tendance semble faire partie de la psychologie des détenteurs de trésor. Lorsqu'ils cachent leur trésor, ils le font dans le plus grand secret. Toutefois, ils ont besoin de savoir que, s'ils venaient à disparaître, quelqu'un d'autre pourrait le retrouver. C'est une façon pour eux de s'assurer de leur propre immortalité, même deux mille ans plus tard.

— Donc, Claude trouve la tombe de Boadicée et y dépose son trésor. Les lieux les plus improbables sont toujours les meilleures cachettes. C'est ainsi que la parole du Messie se retrouve entre les mains d'une défunte reine païenne.

— C'est un des fils conducteurs de notre histoire, qui nous renseigne sur les motivations de Claude. Mais il y en a un autre, qui ne cesse de me fasciner : les femmes.

— Katya, Maria, Elizabeth ? Attention, Jack ! C'est quelque chose que tu ne sembles pas capable de contrôler.

— Les femmes du passé ! De notre lointain passé.

— La déesse mère ?

— Si le clergé de l'époque néolithique a survécu, nous avons toutes les raisons de penser que le culte de la déesse mère s'est poursuivi. *Magna Mater*, la Grande Mère, figure dans le panthéon gréco-romain, dans le temple de Vesta que nous avons trouvé à Rome, et parmi les dieux celtiques également. Cela dit, je ne pense pas seulement aux déesses, mais aussi aux praticiennes de la religion, comme les prêtresses et les oracles.

— Les sibylles ?

— Quelque chose est en train de se mettre en place. Et c'est tellement fantastique qu'on a peine à y croire. La prophétie sibylline dont parle Virgile, le *Dies Irae*... c'était sous nos yeux depuis des siècles. Et nous venons de trouver un indice qui donne du crédit à tout cela et fait pencher la balance vers la réalité.

— Je t'écoute.

— C'est quelque chose qui remonte aux débuts du christianisme, commença Jack en frissonnant à l'idée de ce qu'il allait dire. Et qui concerne les femmes.

— La Vierge Marie ?

— Le culte de la Vierge Marie est probablement un amalgame de croyances païennes débouchant sur la vénération d'une déesse mère, répondit Jack. Mais je pense plutôt aux premiers croyants, aux premiers disciples de Jésus.

Il fouilla dans son sac et en sortit son vieux livre rouge.

— Comme je te l'ai déjà dit, reprit-il, les écrits relatifs aux débuts du christianisme sont à la fois rares et vagues. Quasiment rien n'a survécu en dehors des Évangiles. Mais parmi les exceptions, figure un texte de Pline. Pas Pline l'Ancien, mais son neveu, Pline le Jeune.

— Celui qui a raconté l'éruption du Vésuve et le châtiment infligé à la Grande Vestale.

— Le récit concernant le Vésuve a fait l'objet d'une lettre adressée à l'historien Tacite et rédigée environ vingt-cinq ans après la catastrophe. Ici, il s'agit d'une autre lettre, que Pline a écrite peu de temps avant sa mort, survenue en 113 après Jésus-Christ. À l'époque, il est gouverneur de Pont-Bithynie, une province romaine située dans l'actuelle Turquie, au bord de la mer Noire. Et il envoie à l'empereur Trajan une missive détaillant les activités des chrétiens de cette province. Il n'approuve pas le christianisme mais ne fait qu'appliquer les consignes officielles. Ce qui n'était qu'un culte obscur à l'époque de Claude, une de ces mystérieuses religions venues d'Orient, est devenu, cinquante ans plus tard, un véritable casse-tête pour les empereurs romains. Contrairement aux autres cultes orientaux, comme le mithriacisme ou le culte d'Isis, le christianisme a acquis une dimension politique. Les Romains ont vite compris que l'Église allait devenir un foyer de dissidence, d'autant que le christianisme attirait les esclaves, la vaste sous-classe de leur société. Or, depuis Spartacus, ils avaient toujours redouté le soulèvement des esclaves. De plus, ils étaient déconcertés par le fanatisme des chrétiens, prêts à mourir pour leurs croyances. Aucun autre culte ne poussait à de telles extrémités. Et il y avait autre chose qui effrayait les Romains.

— Les femmes, suggéra Costas entre deux éternuements. La classe politique romaine se constituait uniquement d'hommes.

Jack acquiesça et ouvrit son livre.

— Écoute ça. C'est une lettre de Pline à Trajan. Pline sollicite l'empereur à propos des poursuites encourues par les chrétiens, car il manque d'expérience en la matière. Il considère leur culte comme une « mauvaise superstition portée à l'excès ». Il fait exécuter les chrétiens refusant de se repentir, mais épargne généreusement ceux qui offrent de l'encens et du vin à la statue de Trajan, le dieu vivant. Et surtout, afin de connaître les activités politiques des chrétiens, il tente d'arracher la vérité par la torture à *« duabus ancillis, quae ministrae dicebandur* », « deux filles esclaves qu'ils disaient être dans le ministère de leur culte ».

— Des prêtresses.

— Voilà ce que les Romains craignaient par-dessus tout. Et, en Bretagne, ils avaient peur de Boadicée. Celle-ci les fascinait, les ensorcelait mais, surtout, elle les terrifiait. À Rome, c'étaient souvent les femmes qui tiraient les ficelles en coulisse, notamment Livie, l'épouse d'Auguste, ou les femmes intrigantes de Claude, mais la société était dominée par les hommes. Le *cursus honorum*, le rite de passage auquel les élites romaines, à l'instar de Pline et de son oncle, se soumettaient pour gravir les échelons militaires et administratifs, n'aurait jamais admis de femme. Tout comme l'horrible reine guerrière des Bretons, l'idée que le ministère de ce nouveau culte puisse être exercé par des prêtresses et, qui plus est, par des esclaves prêtresses, a dû terroriser les Romains.

— Mais je croyais que l'Église chrétienne était elle aussi dominée par les hommes.

— C'est justement ce qui est fascinant dans cette lettre de Pline. Cette bribe d'information est précieuse. Cela signifie qu'au début du christianisme, la prêtrise n'était pas réservée aux hommes. À un moment donné, peut-être à l'époque de Pline, les chefs les plus politisés de l'Église ont dû comprendre qu'ils ne feraient jamais le poids face à Rome et qu'ils risquaient de disparaître complètement. Par conséquent, ils ont dû décider de conquérir le système de l'intérieur, de convertir des hommes dont l'Église pouvait servir les ambitions personnelles et la carrière politique. Et ils sont allés jusqu'à convertir l'empereur, Constantin le Grand, deux cents ans après cette lettre de Pline. C'est une histoire d'hommes mais, au début du christianisme, avant que l'Église ne devienne une puissance politique, c'était différent. Le message de Jésus était porté aussi bien par les femmes que par les hommes.

— Mais pourquoi me parlais-tu de la sibylle ? Je ne vois pas le rapport avec le christianisme.

Jack referma son livre et regarda de nouveau la coupole.

— D'accord, voici ma théorie. Elle repose à la fois sur des faits et sur une hypothèse.

— Bien.

— À la fin du Ier siècle avant Jésus-Christ, au début de l'Empire romain, le pouvoir des sibylles commençait à décliner. Pour la sibylle de Cumes, l'occupation par les Romains d'une ancienne colonie grecque de la baie de Naples était à double tranchant. D'un côté, elle gardait un rôle dans la société. Les Romains se rendaient aux Champs Phlégréens pour se soigner et connaître ses prophéties, muets de stupeur face au spectacle de l'entrée des Enfers. D'un autre côté, pour beaucoup d'entre eux, elle était devenue un ersatz, une simple attraction, un ornement grec comme les statues de la Villa des papyrus ou ces pseudo-philosophes invités pour animer les dîners. Elle vivait sans doute davantage de son trafic de stupéfiants que de ses prophéties divines, que plus personne ne prenait au sérieux.

— Le poète Virgile, lui, la prenait certainement au sérieux. La prophétie, l'avènement de l'âge d'or, figure dans son poème.

— Il est difficile de savoir s'il la prenait vraiment au sérieux ou s'il a juste eu envie d'agrémenter sa poésie de paroles sibyllines. Mais je crois que la sibylle a vu en lui un homme dont l'œuvre lui survivrait, un homme destiné à un accomplissement suprême, comme elle l'a vu en Claude, une génération plus tard. Elle lui a confié ce qu'elle voulait voir immortalisé à travers ses écrits. Les sibylles étaient très rusées. Comme tous les grands mystiques, elles devaient s'efforcer d'avoir toujours une longueur d'avance sur les autres, d'en savoir plus sur eux que ce qui semblait simplement plausible. Je suis persuadé qu'elles disposaient d'un réseau d'informateurs, qui les tenaient au courant de tout ce qui se passait. Souviens-toi de la grotte que nous avons trouvée sous le mont Palatin, en plein cœur de la cité. Si ce que Claude a écrit à propos des prêtresses de Bretagne est vrai, les sibylles de Cumes étaient peut-être également choisies parmi les familles nobles, comme les vestales, peut-être même au sein de la famille impériale. Peut-être étaient-elles élevées dans la grotte de Rome. Leur formation consistait sans doute à apprendre à soutirer des informations personnelles à leurs visiteurs sans que ceux-ci s'en rendent compte.

— Rien de plus facile, vu qu'ils étaient drogués.

— C'est sans doute ainsi que Claude a révélé son secret à la sibylle.

— Je ne vois toujours pas le lien avec le christianisme.

— C'est là que ça devient amusant. Lorsque Virgile se rend à Cumes, à l'époque du premier empereur, Auguste, les sibylles savent déjà que leurs jours sont comptés. Rome a fini par dominer le monde et elles voient le panthéon des dieux romains prendre corps autour d'elles, dans les temples et les palais de la cité, bâtis dans la pierre pour durer un millier d'années. Mais elles sont attentives à ce qui se passe en Orient, au-delà même de la Grèce, et perçoivent de nouvelles forces prêtes à engloutir le monde romain, des forces tenues à distance tant que Rome est occupée à ses querelles intestines et à la conquête des territoires jadis annexés par Alexandre le Grand. Elles voient le culte oriental du souverain divin arriver à Rome et l'empereur devenir un dieu vivant. Mais elles anticipent également autre chose, qu'elles entrevoient chez les esclaves et les exclus venus se réfugier dans les Champs Phlégréens, chez les Orientaux affluant dans la baie de Naples depuis la paix augustéenne, et que Pline l'Ancien découvrira parmi les marins de Misène : de nouveaux mouvements religieux venus d'Orient, de nouveaux prophètes, un messie. Un monde sur lequel les sibylles n'auront plus aucune emprise, où le peuple n'aura plus besoin des oracles ni des prêtres pour connaître la parole divine.

— L'avènement de l'âge d'or, murmura Costas.

— À l'époque de Virgile, la sibylle avait deviné tout cela. À l'époque de Claude, elle en a la certitude. Le culte de Jésus et son ministère sont arrivés à Rome.

— Et la sibylle entend la terre qui gronde. Littéralement.

— Il y a eu un immense séisme dans la baie de Naples en 62 après Jésus-Christ. À Pompéi, des bâtiments endommagés étaient encore en reconstruction dix-sept ans plus tard, lors de l'éruption du Vésuve. Au fond de sa grotte, dans les Champs Phlégréens, la sibylle a dû avoir conscience de l'imminence d'une catastrophe. Peut-être a-t-elle même fait le rapport avec le Vésuve, sur la foi de simples observations empiriques. Il n'est du reste pas exclu que le souvenir d'une ancienne catastrophe volcanique ait pu faire partie de la tradition transmise aux sibylles. L'éruption de Théra à l'âge du bronze, par exemple, ou des éruptions plus anciennes au nord-est, à l'aube de la civilisation. Malgré tout, il est possible que la sibylle ait cru à une certaine puissance divine lui inspirant ses prophéties et vu des signes, des présages de sa propre fin. Avec l'éruption du Vésuve, son dieu Apollon allait disparaître à tout jamais.

— Il était temps pour elle de tirer sa révérence.

— Tu imagines ! s'exclama Jack. Les Champs Phlégréens rougeoyants, le Vésuve en éruption et les nuages noirs défilant dans le ciel, comme une scène tirée de l'Enfer de Dante, dirigée par la sibylle !

— La grande fête de la fin du monde. Je me demande si Claude a été invité.

— Il était probablement l'invité d'honneur. Âgé de quatre-vingt-neuf ans, il était sans doute prêt à partir aux Enfers. Cela dit, il ne devait pas s'attendre à y être propulsé ce jour-là puisque, de toute évidence, il travaillait encore à son histoire de la Bretagne. Ce fut peut-être le dernier tour que lui a joué la sibylle, qui prenait plaisir à manipuler cet homme vénéré comme un dieu. En tout cas, la fête n'a commencé que lorsqu'elle a su qu'il avait accompli sa volonté.

— C'est-à-dire déposé son précieux secret dans la tombe de Boadicée.

— Un véritable coup de maître ! Lorsque Claude était empereur, la prophétie concernant la naissance d'un enfant, l'imminence de l'âge d'or, s'était accomplie. La sibylle avait vu des chrétiens dans les Champs Phlégréens. Elle avait entendu parler de Jésus et de Marie-Madeleine. Elle savait que les chrétiens étaient aussi bien des hommes que des femmes. Et elle avait constaté qu'il n'y avait pas de prêtres.

— Nous en revenons aux femmes, n'est-ce pas ? C'est là que tu veux en venir, à la puissance des femmes ?

— En effet. Je savais que tu comprendrais ! Il ne s'agissait pas de déesses mères mais de vraies femmes. Et c'est précisément ce que la sibylle a entrevu. À

Rome, le pouvoir des femmes dans la religion était sur le déclin. Les vierges vestales étaient pratiquement emprisonnées dans les murs du palais, comme pour répondre à un fantasme despotique de soumission féminine. Le culte impérial, le culte de l'empereur, ne concernait que les hommes et le clergé était exclusivement masculin. Or, les sibylles n'avaient pas pour seule vocation de servir Apollon ni les dieux qui l'ont précédé. Elles représentaient le matriarcat, la continuité du pouvoir féminin, qui remontait à l'âge de pierre, à l'époque où les femmes dirigeaient leur famille et leur clan. Aussi, la sibylle de Cumes a vu dans le christianisme un espoir pour l'avenir, pour la préservation du matriarcat.

— Mais pourquoi la Bretagne ? demanda Costas.

— Car c'est toujours à la périphérie que les plus grands changements ont lieu. À Rome, alors le centre du monde, la civilisation s'était figée. Elle était devenue corrompue et tendait déjà vers son déclin. Le christianisme était venu de la périphérie, de la frontière orientale de l'Empire. Et c'est dans la périphérie, loin vers le nord-ouest, que la sibylle a placé tous ses espoirs concernant le développement de cette religion. La Bretagne devait être perçue comme une sorte de Nouveau Monde. Les Bretons étaient farouchement indépendants, indomptables. Leur mystérieuse religion ne serait jamais complètement récupérée et manipulée par les Romains. Les dieux romains ne pourraient jamais s'imposer définitivement. De plus, les tribus de Bretagne étaient dirigées par de grandes reines guerrières, par Boadicée et d'autres avant elle. Et, comme nous le savons désormais, c'était aussi une femme, une grande prêtresse, qui était à la tête de leur clergé. Par conséquent, c'étaient les femmes qui assuraient la cohésion des tribus guerrières dans le monde celtique, comme d'autres avaient détenu le pouvoir pendant des milliers d'années.

— Tu crois que Boadicée connaissait le christianisme ?

— Elle avait probablement entendu parler de cette religion. C'est peut-être même Claude qui lui en a révélé l'existence lorsqu'elle a été amenée devant lui, adolescente, lors de l'invasion de la Bretagne. En la voyant, et sachant ce qu'il savait sur les coutumes de ce peuple, il a peut-être eu envie de lui raconter son histoire, son séjour en Judée et sa rencontre avec le Nazaréen. Le souvenir de cet empereur romain qui aurait secrètement apporté le christianisme en Bretagne serait resté gravé dans les mémoires et ancré dans la tradition des premiers chrétiens de l'île. La sibylle de Cumes a peut-être même soufflé à Claude l'idée de l'invasion afin de rapprocher la Bretagne de son monde, dans l'espoir de préserver le pouvoir des sibylles. Elle pourrait lui avoir écrit un message dans les feuilles.

— C'est incroyable ce que les gens peuvent faire pour leur dealer ! s'écria Costas.

— Dans les années qui ont suivi le premier séjour de Claude en Bretagne, Boadicée a dû en apprendre davantage sur le christianisme. Comme les filles et les fils de la plupart des princes vaincus, elle a dû recevoir une éducation romaine et apprendre le latin. Peut-être s'est-elle rendue à Rome, voire dans la baie de Naples et dans la grotte de Cumes. À Londres, comme à Misène, les marins et les soldats devaient véhiculer les idées venues d'Orient, le mithriacisme, le culte d'Isis et le christianisme. Et, lorsqu'elle est entrée dans le clergé pour endosser son rôle de grande prêtresse, en tant que sibylle de Bretagne, Boadicée a dû intégrer un réseau secret faisant le lien entre les treize sibylles du monde romain. Puis peut-être a-t-elle mis dans le christianisme les mêmes espoirs que la sibylle de Cumes, surtout au moment de sa révolte contre les Romains. Il se serait agi, en quelque sorte, d'une religion d'opposition aux Romains, qui l'avaient maltraitée, qui avaient violé ses filles. En outre, l'idée d'un paradis sur terre n'était pas totalement étrangère aux Bretons, dont les croyances étaient en accord avec le monde qui les entourait, avec la nature, et non fossilisées dans les temples ni figées par les prêtres. Sans en faire étalage, Boadicée a dû adopter ce point de vue pour servir sa propre cause, la survie du matriarcat.

— Le christianisme avant l'Église de Rome, murmura Costas. C'est ce dont Jeremy et toi m'avez parlé dans l'amphithéâtre. Les pélagiens.

— Exactement. Et je crois que c'est pour cette raison que la sibylle de Cumes a fait en sorte que Claude aille déposer son précieux document sur cette île. Elle a voulu transmettre un secret aux premiers chrétiens de Bretagne pour les aider à combattre ce qu'elle voyait se profiler dans les Champs Phlégréens, quelques années après l'arrivée de Paul.

— L'instauration d'une Église, une Église organisée, comprit Costas.

— Il y avait dans le document de Claude une information capitale, qui a donné de l'espoir à la sibylle et que nous ne pouvons que deviner. Une information qu'il a dû lui révéler lorsqu'il était en transe à l'entrée de sa grotte. Ce document extraordinairement précieux devait donc être protégé pour survivre et servir la cause des sibylles. Car, dans l'entourage de Claude, il y avait des personnes qui étaient prêtes à tout pour l'obtenir et le détruire.

— Les premiers prêtres du culte de Jésus, des hommes. La sibylle les craignait, car elle voyait que le christianisme allait suivre la même voie que les autres cultes de Rome.

— Tu as tout compris !

— Alors elle a menacé Claude de ne plus lui fournir de drogue s'il ne se pliait pas à sa volonté.

— Peut-être bien, admit Jack en souriant, mais je crois que cela n'a pas été aussi simple que cela. La sibylle savait très exactement pourquoi Claude revenait sans cesse la voir. Elle avait compris ce qui le soulageait vraiment, même s'il n'en avait pas tout à fait conscience. Tout ce que Claude savait, c'était qu'il devait se plier à sa volonté et que, à chaque fois qu'il se rendait à l'entrée de cette grotte enfumée, il se sentait mieux. Sans doute la sibylle lui a-t-elle offert en retour ce qu'il venait vraiment chercher auprès d'elle, à l'entrée des Enfers. Peut-être lui a-t-elle proposé, comme à Énée dans l'histoire de Virgile, de l'emmener aux Enfers afin qu'il y revoie son père et son frère. Les véritables motivations de Claude devaient être là et, comme tous ceux qui pratiquent la divination, elle connaissait les ressorts psychologiques de son visiteur. Elle l'avait écouté pendant des années lui confier des détails intimes de sa vie qu'il avait lui-même oubliés et en savait assez sur lui pour le convaincre qu'elle possédait une sorte de sixième sens.

— De plus, elle savait qu'il aimait les énigmes.

— Elle a rendu une prophétie devant lui. Elle lui a laissé un message dans les feuilles. Claude l'a crue et il a voulu relever le défi. Il s'agissait de la prophétie de malheur et d'espoir que nous avons trouvée à Rome : le *Dies Irae*. Claude connaissait Andraste ainsi que l'emplacement de sa tombe, et la sibylle le savait. Il a copié la prophétie et l'a glissée dans le cylindre de pierre, celui que Pline a caché à Rome. Et, pour que la prophétie soit accomplie, il a déposé le manuscrit dans la tombe d'Andraste. La sibylle n'avait plus qu'à tenir sa promesse : l'emmener aux Enfers.

— Un grand moment, murmura Costas.

— Quand le jour est venu, dans ses derniers instants avant que l'enfer ne se déchaîne, Claude a dû éprouver une certaine satisfaction. Peut-être a-t-il fermé les yeux pour ne plus voir que les statues trônant dans son étude, l'image de son père et de son frère, gravées dans son esprit.

— Jack, je crois que tu as trouvé une autre âme sœur. Oublie Harald Hardrada, roi des Vikings. Vive Claude, empereur de Rome !

— J'éprouve exactement la même chose que sur cette petite île au nord de Terre-Neuve, soupira Jack. Harald nous a entraînés dans une aventure extraordinaire lorsque nous sommes partis à la recherche de son trésor, plus loin que nous n'aurions osé l'imaginer. Et aujourd'hui, je ressens la même chose. Mais je crois que Claude nous a quittés, qu'il nous a emmenés aussi loin qu'il le pouvait. Et j'ai le sentiment de devoir continuer à chercher des indices pour arriver là où il voulait que j'aille. Je lui dois bien ça, mais je ne vois aucune piste.

— En parlant d'âme sœur, voici la mienne, annonça Costas en reniflant, tandis qu'une silhouette sombre se frayait un chemin le long de la rangée de chaises. Et peut-être a-t-elle un nouvel indice.

Chapitre 18

La femme trébucha lorsqu'ils la traînèrent hors de la voiture avant de la pousser sur le sol rugueux. Elle avait les yeux bandés mais savait très bien où ils se trouvaient. Elle avait senti l'odeur dès qu'ils avaient ouvert la portière de la voiture, les relents âcres du soufre qui lui brûlait le bout de la langue. Elle perçut le gouffre devant elle, le souffle chaud de la fournaise, dans les entrailles de la terre. Elle savait ce qui l'attendait. Soit ils le feraient ici, soit ils l'emmèneraient en bas. Elle était souvent venue ici quand elle était petite, lorsqu'ils avaient essayé de l'endurcir. Elle avait connu la terreur, l'imploration, l'incontinence et parfois la sérénité, l'acceptation des traditions telles qu'elles avaient toujours été, la vanité de la résistance.

Une main la tira vers la gauche et l'entraîna dans un sentier rocheux. Ainsi, cela se passerait en bas. Ils ne prenaient pas de risques. Soudain, ils s'arrêtèrent et lui retirèrent brutalement son bandeau. Elle cligna des yeux et regarda vers l'obscurité. Elle sentit la présence du Vésuve de l'autre côté de la baie, derrière elle, mais elle savait que, si elle se retournait pour l'admirer une dernière fois, ils la gifleraient et lui remettraient son bandeau. S'ils le lui avaient retiré, c'était uniquement parce qu'il leur serait ainsi plus facile de la conduire le long du sentier jusqu'au fond du cratère. Toutefois, elle espérait pouvoir garder les yeux ouverts jusqu'à la fin. Elle redoutait de devoir faire l'expérience de cet instant dans l'obscurité, de ne pouvoir distinguer la cécité de la mort.

Les poings liés derrière le dos, elle regardait droit devant et ne s'autorisait qu'à baisser les yeux lorsqu'elle trébuchait. Ils arrivèrent en bas. L'un d'eux resta en arrière pour monter la garde. C'était la règle. Un jour, elle s'était trouvée à cette place, lorsqu'ils avaient tenté de l'intégrer pleinement à la famille, avant de lui attribuer un rôle dans lequel elle pourrait mieux les servir. Elle se rappela son entretien à Rome avec l'homme tapi dans l'ombre, celui qu'elle n'avait jamais vu et à qui elle n'avait plus jamais parlé. Ensuite, il y avait eu quelques coups de fil, des requêtes, des consignes, des menaces qu'elle savait réelles, et enfin l'ordre de prendre le poste de Naples. Puis plus rien pendant plusieurs années mais, avec ce tremblement de terre, le cauchemar avait recommencé. Les appels téléphoniques au milieu de la nuit avaient repris, ainsi que les sommations et les menaces contre sa fille. Tout son univers professionnel s'était écroulé. Elle pensa à l'époque où elle s'était crue libérée de tout cela. Elle repensa à Jack, à toutes ces années perdues depuis qu'on l'avait forcée à le quitter, au moment où elle l'avait revu, deux jours plus tôt, et aux quelques mots qu'ils avaient échangés dans la Villa. Elle aurait voulu lui dire autre chose mais, désormais, seule sa fille le saurait, dans trois ans, lorsqu'elle aurait l'âge de connaître la vérité. Il était trop tard maintenant. L'autre individu, dont les pas résonnaient dans le cratère, la poussa devant lui. Puis il l'arrêta de nouveau et lui remit le bandeau sur les yeux.

— *No !* cria-t-elle en italien. Pas ça ! J'avais si peur de cela lorsque nous étions enfants, lorsque je m'occupais de toi, petit frère. Tu te souviens ?

Aucune réponse. L'homme interrompit son geste et se ravisa. Le bandeau resta pris dans la ficelle du badge de la Surintendance qu'elle portait autour du cou. Il le tira violemment et elle eut l'impression de recevoir un coup de fouet dans la nuque. Elle regardait toujours résolument devant elle mais aperçut un plâtre autour du poignet de son agresseur.

— Que t'est-il arrivé, *mio caro* ? demanda-t-elle.

Toujours pas de réponse. L'homme la saisit par son chignon et la poussa violemment en avant. Elle chancela et, cinquante pas plus loin, il l'attrapa de nouveau par les cheveux et lui décocha un coup de pied derrière le genou droit. Elle s'effondra sur le sol du cratère. Ses genoux heurtèrent la lave dans un craquement douloureux. Elle garda son calme en s'efforçant de rester droite. Un objet froid vint s'enfoncer dans sa nuque et un frisson la parcourut de part en part.

— Attends ! dit-elle d'une voix ferme qui ne faiblit pas. Détache-moi les mains. Je dois être en paix avec Dieu. *In nomine patris et filii et spiritus sancti.*

Pendant quelques instants, il ne se passa rien. Le canon de l'arme était toujours contre sa nuque. Elle se demanda si c'était fini, si c'était fait, si c'était cela la mort, rester figée dans l'instant du trépas. Puis elle ne sentit plus le canon et entendit un bidon en métal résonner sur le sol. Son cœur s'emballa. Ses genoux flageolaient. L'homme lui délia les poignets. Elle ferma les yeux, respira profondément en savourant cette dernière bouffée d'air, malgré la puanteur de l'endroit. Elle ne flancherait pas. Elle ne décevrait pas sa famille. *La famille.* Elle aurait dû penser à autre chose, à ceux qu'elle aimait vraiment, à sa fille, mais elle n'y parvenait pas. Elle rouvrit les yeux et regarda devant elle. La fissure était là, noire comme de l'encre, entourée de lave solidifiée. Elle savait ce qui allait se passer : le bruit sourd du silencieux, le jet de sang, et le cerveau, étrangement indépendant, qui palpiterait encore au rythme des derniers battements du cœur. Le corps poussé dans la fissure, le bidon d'essence dont il serait arrosé et la cigarette jetée de loin. Elle aurait voulu être happée par la fissure, qu'elle prenne vie comme lorsque le volcan s'était mis à battre, tel le cœur embrasé des Enfers. Elle aurait voulu qu'elle s'enflamme et qu'elle l'emporte.

Elle sentit, dans un dernier sursaut de douleur, le ruban adhésif qu'il lui arrachait des poignets. Elle laissa tomber sa main gauche et la secoua pour faire revenir la circulation. Puis elle leva lentement la main droite, fit un signe de croix et se toucha le front. Son geste était sûr et elle ne tremblait pas. Satisfaite, elle laissa sa main retomber. Les yeux grands ouverts, elle fixa la fissure et joignit les deux mains en sentant la bague que la grand-mère de Jack lui avait donnée, un joyau ancien qui avait fait partie du trésor des ancêtres marins des Howard. Le canon s'enfonça de nouveau dans sa nuque. Elle inclina légèrement la tête. L'angle serait meilleur. Tout irait plus vite. Elle entendit la sonnerie d'un téléphone et une voix derrière elle, une voix qui la ramena dans la chaleur de l'enfance et qu'elle avait aimé entendre chaque matin, tandis qu'elle caressait le front de son frère pour le réveiller.

— Éminence ? *Va bene*. Nous nous apprêtons à exécuter votre ordre.

Le bruit d'un pistolet qu'on arme.

Puis plus rien.

Costas éternua de nouveau et laissa passer Jeremy. Celui-ci était arrivé à la cathédrale quelques minutes plus tôt mais, ayant vu un ecclésiastique, il était allé directement lui parler. Vêtu d'une veste en Goretex rouge, il avait à la main un porte-documents et un parapluie encore dégoulinant de pluie. Jack et Costas venaient de regagner leur place après avoir fait un saut dans une pharmacie du Strand. Une fois qu'il se fut bruyamment pulvérisé des gouttes dans le nez tout en lisant l'étiquette d'un flacon, Costas avala plusieurs cachets avec une gorgée d'eau et se pencha en arrière pour que Jeremy puisse s'installer entre Jack et lui. Le jeune homme retira sa veste, s'assit et huma l'air. Puis il ôta ses lunettes pour essuyer les gouttes de pluie et huma de nouveau l'air autour de lui. Finalement, il se pencha vers Costas puis recula légèrement.

— Il y a quelque chose qui sent mauvais ici, fit-il remarquer.

— Content de te voir également, dit Costas d'une voix nasillarde.

— Ça me soulève le cœur. Vraiment, c'est nauséabond.

— Ah ! s'exclama Jack. C'est la liqueur corporelle. Difficile de s'en débarrasser…

— Ah ! s'écria Jeremy à son tour. J'avais oublié où vous étiez hier. Les cadavres, c'est ça ? Je suis ravi que ce soit toi qui t'y colles, Costas. Je préfère les bibliothèques.

— Ne me parle pas de me coller à quoi que ce soit, le supplia Costas d'un air dégoûté.

— Venez par ici, suggéra Jeremy, qui rassembla ses affaires et se leva en s'éloignant ostensiblement de Costas. J'ai demandé à ce que nous puissions nous concerter en privé dans une pièce à part.

— Comment se fait-il que tu connaisses tous ces gens ? questionna Costas.

— Je suis expert en manuscrits médiévaux, tu te souviens ? Les documents les plus importants appartiennent encore à l'Église. Cela m'ouvre des portes.

Jack rangea rapidement son ordinateur portable et suivit Jeremy et Costas jusqu'à une chapelle latérale. Jeremy fit un signe de tête à un homme en soutane, qui attendait discrètement à l'entrée, un lourd trousseau de clés à la main. Une fois que l'ecclésiastique eut ouvert la grille, les trois amis se glissèrent à l'intérieur. Ils se trouvaient dans la chapelle des Âmes, qui abritait un monument aux morts de la Première Guerre mondiale et une effigie de Lord Kitchener, ainsi qu'une pietà de la Vierge Marie portant le corps du Christ. Jeremy entraîna ses compagnons derrière le monument aux morts pour se mettre à l'abri des oreilles indiscrètes et s'accroupit, dos à la sculpture. Puis il sortit un carnet de son sac et se tourna vers Jack, les yeux pétillants.

— Bon, Jack, tu m'as raconté au téléphone ce que vous avez découvert. La tombe de Boadicée ! C'est incroyable. Maintenant, à mon tour !

— Je t'écoute.

— J'ai passé presque toute la journée à Oxford hier. J'ai suivi la piste dont je vous avais parlé. L'archiviste du Balliol College est un ami et nous avons cherché ensemble tous les documents non publiés concernant l'église Saint-Lawrence Jewry. Nous avons trouvé un registre comptable datant de la reconstruction des années 1670. Personne n'y avait vraiment prêté attention, car il semblait reproduire les livres comptables de Wren, qui avaient déjà été publiés. Mais quelque chose m'a intrigué et nous avons approfondi nos recherches. Il s'agit d'un addenda de 1685. Une ancienne chambre funéraire située sous l'église avait été déblayée et, lorsqu'ils sont allés vérifier les fondations, les hommes de Wren y sont retournés pour en condamner l'accès. À ce moment-là, ils sont tombés sur une crypte fermée. Ils ont réussi à forcer la porte et l'un d'eux est entré.

— Génial ! s'exclama Jack. C'est notre crypte, Costas. Sait-on de qui il s'agissait ?

— Tous les maîtres artisans se trouvaient dans la chambre funéraire. C'était une simple inspection. En 1685, cela faisait déjà cinq ans que la reconstruction de l'église était achevée. Il y avait Edward Pierce, maçon, sculpteur et ciseleur ; Thomas Newman, briqueteur ; John Longland, charpentier ; et Thomas Mead, plâtrier. Christopher Wren, qui avait pris un moment de répit dans son travail à la cathédrale Saint-Paul, était également là en personne. Et il y avait un autre homme, un nom que je ne connaissais pas : Johannes Deverette.

— Un Français ? demanda Jack.

— Un Flamand. L'archiviste avait déjà vu ce nom quelque part et nous avons réuni suffisamment d'informations pour déterminer de qui il s'agissait. Deverette était un réfugié huguenot, un protestant calviniste qui avait fui les Pays-Bas quelques mois auparavant. En 1685, le roi de France avait révoqué l'Édit de Nantes, qui accordait la liberté de culte aux protestants.

— Jusque-là, rien d'étonnant. Beaucoup de huguenots ont participé à la reconstruction de Londres à cette époque. Dans l'équipe de Wren, plusieurs sculpteurs sur bois célèbres étaient huguenots, notamment

Grinling Gibbons, dont on peut admirer les œuvres ici, à Saint-Paul.

— Ce qui n'était pas courant, en revanche, c'était le métier de Deverette. Je suis allé à la Bibliothèque bodléienne et j'ai fait une recherche par mot clé. Deverette se disait *Music Meister*, maître de musique. Apparemment, Wren l'a recruté sur les conseils de Grinling Gibbons pour apaiser Billy, son jeune fils, qui était handicapé mental. Deverette chantait des chants grégoriens.

— La musique grégorienne était la musique traditionnelle de la liturgie catholique romaine, non ?

— Justement ! s'écria Jeremy. C'est là que je voulais en venir. Comme les anglicans, les huguenots rejetaient l'Église de Rome, mais beaucoup d'entre eux avaient conservé les traditions anciennes uniquement pour des raisons esthétiques. Deverette était issu d'une grande lignée de musiciens prétendant trouver son origine à l'époque de saint Grégoire, le pape qui a officialisé le répertoire du plain-chant au VIe siècle. Ce qui est vraiment intriguant, c'est que Sir Christopher Wren ait apprécié cette esthétique. Regardez autour de vous ! Cette cathédrale n'a rien de l'austérité protestante. Elle rappelle plutôt la grandeur de la basilique Saint-Pierre du Vatican.

Il tendit un morceau de papier à Jack.

— Cette citation constitue quasiment tout ce que nous savons sur les opinions religieuses de Wren, reprit-il, mais elle est très révélatrice. Lorsqu'il était jeune, Wren se rendait souvent dans la maison de campagne d'un ami. À propos de cette demeure, il déclare : « La piété et la dévotion d'un autre âge, mises en déroute par notre impiété et nos crimes, ont trouvé un refuge, dans lequel les vertus sont non seulement respectées mais honorées. » Personne n'a jamais pensé qu'il pouvait être secrètement catholique, mais il déplorait certainement le côté rabat-joie de la Réforme.

— Les origines du plain-chant ne sont-elles pas beaucoup plus anciennes ? demanda Jack. Il me semble qu'elles remontent aux rituels juifs.

— Le chant a cappella est sans doute antérieur à la fondation de l'Église de Rome. Il existait déjà chez les premiers chrétiens, à l'époque des apôtres. Il s'agissait probablement d'un chant responsorial, de vers chantés par un soliste en alternance avec les répons d'un chœur. Ces chants ont peut-être constitué l'un des tout premiers rituels de cette religion naissante. Ils devaient être chantés dans des lieux secrets où les premiers disciples de Jésus se réunissaient, avant même de se dire chrétiens. D'ailleurs, c'est écrit dans les Évangiles.

Jeremy tourna une page de son carnet.

— Matthieu, chapitre vingt-six, verset trente annonça-t-il. « Après avoir chanté les cantiques, ils se rendirent à la montagne des oliviers. »

— Alors ce Deverette était à Londres lors de la reconstruction de la cathédrale Saint-Paul par Sir Christopher Wren, résuma Costas.

— Il est arrivé en Angleterre en 1685. Les hommes de Wren avaient terminé la nouvelle structure de l'église Saint-Lawrence Jewry depuis plusieurs années, mais c'est en 1685 qu'ils sont tombés sur la crypte. C'est là que ça devient très intéressant. Deverette avait une autre passion : grand amateur d'antiquités, il collectionnait les reliques romaines et paléochrétiennes. Lorsqu'il l'a appris, Wren lui a confié une autre tâche, une sorte de mission archéologique. Il montrait lui-même un grand intérêt pour tous les objets anciens qu'il trouvait. Il a donc chargé Deverette de mettre de côté tous les artefacts présents sur le site.

— C'est notre homme ! s'écria Jack. Quelqu'un est entré dans la tombe et a trouvé le cylindre. Ça doit être lui.

— A-t-il consigné ses trouvailles quelque part ? demanda Costas, qui ne put se retenir de tousser.

— J'ai cherché partout, répondit Jeremy. J'ai relu toutes les publications de Wren à propos des églises et tous ses documents personnels. Rien. Et puis j'ai eu une idée. Je suis allé aux Archives nationales, à Kew. Je suis arrivé juste à temps hier après-midi. J'ai fait une recherche sur l'ensemble des actes de la Cour des prérogatives de Canterbury.

— Tu as trouvé son testament ! s'exclama Jack.

— De nombreux testaments ecclésiastiques sont en ligne, mais le sien faisait partie d'un dossier découvert récemment, qui avait été mal archivé et vient juste d'être référencé. J'ai eu beaucoup de chance.

— Montre !

Jeremy tendit à Jack une image scannée. C'était une copie d'une page jaunie comportant une vingtaine de lignes parfaitement lisibles. Le texte manuscrit s'achevait sur une série de signatures, suivie d'un sceau rouge et d'une note griffonnée attestant l'homologation du testament. Jeremy commença à lire :

« Au nom de Dieu, amen. Moi, Johannes Deverette, maître de musique de Sir Christopher Wren, chevalier, surveillant général des travaux de Sa Majesté, publie et déclare ceci être mes dernières volontés et mon testament. Je souhaite que mon corps soit décemment enterré, sans pompe, à la discrétion dudit Sir Christopher Wren, que je nomme mon unique exécuteur testamentaire et curateur. »

— Fascinant… commenta Jack. Wren était son exécuteur testamentaire. Il devait connaître tous les objets antiques que Deverette possédait et tout ce que celui-ci avait trouvé à Londres et mis de côté pour la postérité.

— Deverette est mort quelques mois après avoir rédigé son testament, alors que son fils et héritier était encore mineur. Wren a donc dû récupérer tous les biens faisant partie de la succession. Mais ce n'est pas tout. Après le topo habituel sur les biens meubles et immeubles, Deverette termine par un paragraphe absolument incroyable.

Jeremy reprit sa lecture :

« Je donne et lègue à mon fils John Everett tous mes livres, ma musique et mes instruments de musique. À mon fils aussi, je lègue tous mes objets rares anciens, mon Cabinet de curiosités et de reliques issues des divers travaux menés à Londres par ledit Sir Christopher Wren, y compris le Godspelle que j'ai pris des mains de l'ancienne prêtresse. Ce dernier bien, qui devra être en sécurité et nécessitera la confiance la plus sacrée, sera légué par mon fils à son propre fils et héritier, qui le léguera ensuite à son fils et héritier, à perpétuité, au nom du Christ, *Jesu Domine*. Signé et scellé par Johannes Deverette voulant que cette dernière volonté prenne son effet comme testament en la présence des témoins soussignés, lesquels ont signé en sa présence, le sixième jour du mois d'août de l'an mille sept cent onze. Chris. Wren. Grinling Gibbons. »

— Le Godspelle ? demanda Costas. Qu'est-ce que c'est que ça ?

Jack avait senti son cœur battre la chamade depuis que Jeremy avait prononcé ce mot.

— C'est du vieil anglais, répondit-il d'une voix rauque. Cela signifie « bonne nouvelle », c'est-à-dire « évangile ». Deverette a trouvé le rouleau dans le cylindre. Et il l'a forcément lu.

— C'est la seule raison qui explique qu'il lui ait donné ce nom, déclara Jeremy. Dans le cas contraire, il aurait parlé d'un manuscrit ou d'un texte ancien.

— C'est une avancée extraordinaire, murmura Jack. C'est le premier élément qui indique la nature de ce manuscrit.

Il se tourna vers Jeremy.

— J'ose à peine te demander si tu as pu aller plus loin, lui avoua-t-il.

— Je n'ai pas eu de mal à retrouver les descendants de Deverette. Les huguenots gardaient des traces de leurs origines. Deverette a lui-même anglicisé son nom et donné à son fils le nom d'Everett. La tradition musicale semble avoir perduré, mais les descendants sont devenus bâtisseurs et architectes. Pendant plusieurs générations, ils ont été des notables des Compagnons charpentiers, l'une des guildes les plus importantes de Londres. Ils se sont établis à Lawrence Lane, à proximité de l'église, à seulement quelques mètres de la crypte où Deverette avait fait sa découverte.

— Les gardiens du tombeau, souffla Costas.

— Tout prend un sens, songea Jack à voix haute. Ces femmes dont nous avons trouvé les sépultures dans la crypte secrète étaient les héritières, depuis l'époque romaine jusqu'au grand incendie. Elles devaient constituer une secte secrète, qui connaissait l'emplacement de la tombe de la reine guerrière. Elles ont été les premières gardiennes. Puis le grand incendie de 1666 a interrompu cette lignée. L'église a brûlé et l'entrée de la crypte et de la tombe a été ensevelie.

— Cette catastrophe a peut-être été pour ces femmes ce que l'éruption du Vésuve a été pour les sibylles, risqua Costas. Le feu, le monde réduit en cendres, tout ça. La fin des temps.

— Ensuite, poursuivit Jack, la tombe est redécouverte par hasard. Deverette s'empare du trésor sacré, le dépose dans un lieu secret et la garde du tombeau reprend.

— La forte tradition familiale entretenue par les huguenots a joué en notre faveur, affirma Jeremy. Les reliques ne sont mentionnées dans aucun autre testament, mais l'originalité du legs de Deverette a dû laisser son empreinte pendant des générations. Au début du XIXe siècle, l'arrière-petit-fils de Deverette, John Everett, avait des accointances avec une société victorienne qui prétendait suivre les enseignements du moine rebelle Pélage : les Nouveaux Pélagiens. Ceux-ci se considéraient comme les héritiers de la première tradition chrétienne de la Bretagne insulaire, non pas celle qui avait été importée par Augustin au VIe siècle, mais la toute première, apportée au Ier siècle après Jésus-Christ par ceux qui avaient transmis la parole de Jésus.

— Claude, murmura Jack. Peut-on vraiment remonter jusqu'à lui ?

— Jusqu'à celui qu'il a rencontré en Judée ? renchérit Costas.

— Au XIXe siècle, continua Jeremy, les Everett ont gardé une position importante dans la cité de Londres, toujours à proximité de Saint-Lawrence Jewry et du Guildhall. John Everett, le pélagien, était membre du conseil de la Corporation de Londres et citoyen de Londres. Son fils, Samuel, était maître des Compagnons. Mais ensuite, il s'est passé quelque chose d'étrange. Lorsque Samuel est mort, en 1912, son fils aîné, Lawrence Everett, qui était architecte comme lui, a cessé son activité, quitté sa famille et disparu. Un autre cycle allait s'éteindre, comme si le cataclysme des guerres mondiales qui s'annonçait allait provoquer, comme le disait Costas tout à l'heure, une nouvelle éruption de feu et de soufre. Le dernier des gardiens semble avoir rompu la succession et emporté le trésor loin d'ici, avant que l'enfer ne se déchaîne de nouveau lors du Blitz.

— Mais où ? demanda Jack.

— Archives de l'immigration, liste des passagers, il reste beaucoup de recherches à faire. Mais j'ai une piste prometteuse.

— Comme toujours… Tu deviens vraiment indispensable, tu sais.

— Je vais retourner aux Archives nationales pour essayer d'en savoir plus. Cela va prendre encore une journée.

— Alors ne perdons pas de temps.

Cinq minutes plus tard, ils se trouvaient à la sortie de la cathédrale Saint-Paul. Debout devant le rideau de pluie, ils cherchaient une brèche dans le déluge. Jack avait l'impression d'être sur une île. La robustesse de la cathédrale et l'environnement voilé qui l'entourait reflétaient parfaitement son état d'esprit. Grâce aux étonnantes découvertes de ces dernières heures, leur quête avait considérablement progressé et pris une consistance aussi réelle que l'immense monument s'élevant derrière eux. Cependant, leur but final ressemblait à un phare encore invisible derrière la pluie et ils ne savaient pas quelle direction suivre. Jack se revit dans la bibliothèque d'Herculanum mais, dans son esprit, cette image se transforma en une infinité de pièces dont les portes ouvraient sur un objectif hors de portée. Jeremy était leur unique espoir. Seule une nouvelle découverte aux Archives leur ouvrirait la dernière porte et leur permettrait de trouver ce que Claude avait voulu leur transmettre.

— Ne me dis pas qu'on va prendre le métro, Jack, maugréa Costas. Je ne veux plus jamais aller sous terre.

— Il se trouve que j'ai toujours eu envie de voir la Grande Canalisation, répondit Jack en faisant un clin d'œil à Jeremy. C'est un canal souterrain bâti au XIIIe - siècle pour alimenter la ville en eau douce à partir du Tyburn, à seulement trois kilomètres d'ici. Les citernes en pierre semblent impressionnantes, mais les ingénieurs qui ont travaillé sur les aqueducs de Rome auraient été consternés. Le canal fuyait et les flux de gravité avaient été mal calculés. Un grand exemple de la marche du progrès, la marche arrière… Bref, ça vaut le détour !

— Hors de question, déclara Costas sur un ton catégorique. Tu y vas si tu veux, mais moi, je prends un taxi.

Jack sourit et, profitant d'une accalmie, s'élança sous les dernières gouttes de pluie. À cet instant, un homme vêtu d'un costume sortit d'un groupe de personnes s'abritant à l'entrée de la cathédrale et marcha d'un bon pas pour dépasser Jack et lui barrer la route.

— Docteur Howard ? interrogea-t-il en regardant Jack droit dans les yeux.

Jack le dévisagea mais ne le reconnut pas. Inquiet, il recula d'un pas. L'homme lui glissa un morceau de papier.

— Demain, onze heures, annonça-t-il. Votre vie pourrait en dépendre.

Il s'éloigna rapidement, dévala les escaliers et disparut parmi la foule de citadins qui venaient travailler dans la City. Jack retourna s'abriter sous la colonnade, lut la note et la tendit à Jeremy.

— Tu l'as reconnu ? lui demanda-t-il.

— Non, je ne vois pas qui ça peut être, répondit Jeremy en observant anxieusement les personnes agglutinées autour d'eux. Mais si on t'a suivi jusqu'ici, c'est préoccupant.

— Je sais.

Jeremy regarda le morceau de papier et pinça les lèvres.

— En plein cœur de l'action ! s'écria-t-il en le rendant à Jack. Tu vas y aller ?

— Je crois que nous n'avons pas le choix.

— Je viendrais bien, mais je dois rester pour trouver le maximum d'informations sur Everett.

— Tu as raison.

— Emmène Costas. Tu auras peut-être besoin d'un garde du corps.

Jack regarda la silhouette affalée contre une colonne en pierre, à côté d'eux. Il s'approcha de Costas, qui se mouchait et éternuait, et le saisit par les épaules en le conduisant vers les escaliers. La pluie avait repris de plus belle et Costas donnait l'impression d'être à deux doigts de se dissoudre.

— Allez, viens ! s'exclama Jack en tendant le visage vers le ciel pour laisser la pluie ruisseler sur sa peau. Je pense que nous allons pouvoir faire quelque chose pour ce rhume.

Chapitre 19

Le lendemain matin, à onze heures moins cinq, Jack et Costas traversaient la place Saint-Pierre du Vatican et se dirigeaient vers l'Ufficio Scavi, le Bureau des fouilles, situé sur le côté sud de la basilique. Ils avaient quitté l'Angleterre quelques heures plus tôt à bord de l'Embraer de l'UMI et atterri à l'aéroport Léonard-de-Vinci, loin des regards indiscrets. Jack avait la certitude qu'ils n'avaient pas été suivis. Dans l'immensité de la place et de la colonnade qui l'entourait, la multitude de touristes et de pèlerins ressemblait à une fourmilière grouillante. Jack fit le maximum pour passer inaperçu et, lorsqu'ils arrivèrent à proximité du Bureau des fouilles, il commença à balayer les visages du regard à la recherche d'un signe. Il ne savait pas du tout à quoi s'attendre. Soudain, il se rendit compte qu'un jeune homme surgi de nulle part marchait à côté de lui. Vêtu simplement, celui-ci portait un jean et des lunettes de soleil.

— Docteur Howard ? demanda-t-il à voix basse.

Jack le regarda et hocha la tête.

— Suivez-moi, je vous prie, dit le jeune homme.

Jack se tourna vers Costas et ils suivirent leur guide, qui avançait à grandes enjambées. L'homme passa devant le Bureau des fouilles et s'approcha d'un garde suisse posté devant l'Arc des cloches en lui montrant son badge.

— Ce sont mes invités, lança-t-il en italien. Il s'agit d'une visite privée.

Le garde acquiesça et rabattit son fusil automatique contre son épaule pour les laisser passer. Ils traversèrent une petite place et entrèrent dans l'annexe sud des grottes situées sous la basilique Saint-Pierre. Arrivé dans la troisième pièce, le jeune homme se retourna vers Jack et Costas et leur fit signe d'attendre. Il se dirigea vers une porte fermée.

— Nous ne serons pas dérangés, déclara-t-il en anglais. Le Bureau des fouilles a fermé cette partie des grottes car de nouvelles fouilles sont en cours. Attendez-moi là.

Il sortit un trousseau de clés, ouvrit la porte et se glissa de l'autre côté en laissant Jack et Costas seuls dans le silence des vieux murs.

— Qu'est-ce qui se passe ? demanda Costas d'une voix nasillarde.

— Aucune idée, répondit Jack.

— Tu sais où on est ?

— Ces murs sont quasiment les seuls vestiges de la première basilique, bâtie par l'empereur Constantin le Grand lorsqu'il s'est converti au christianisme au début du IVe siècle après Jésus-Christ. Avant, c'était un cirque romain qui se trouvait ici. Et notre guide se trouve actuellement à l'entrée de la nécropole, une ruelle longée de mausolées taillés dans la pierre datant du Ier siècle après Jésus-Christ et mis au jour au début des fouilles entreprises dans les années 1940. La plus grande découverte fut le tombeau de saint Pierre, situé juste devant nous, sous le maître-autel.

Le jeune homme réapparut à la porte et revint auprès de Jack et Costas. Il leur donna à chacun un cierge, qu'il alluma avec son briquet.

— Lorsque vous verrez le cierge posé par terre, murmura-t-il, tournez à droite, mais éteignez-le et emportez-le avec vous. Il y a douze marches à descendre. Ensuite, vous verrez un autre cierge derrière une porte. Franchissez cette porte et refermez-la. Je vous attends ici. Allez-y.

— On va encore descendre sous terre, Jack, se plaignit Costas.

— Une cité des morts, c'est exactement ce qu'il te faut, rétorqua Jack.

— Génial…

Jack dévisagea le jeune homme un instant et décida de ne rien dire. Il lui adressa simplement un signe de tête et s'éloigna, suivi de Costas. Dès qu'ils eurent tous deux franchi la porte, celle-ci se referma derrière eux. L'obscurité épaisse n'était transpercée que par leurs cierges et une faible lueur vacillant quelque part devant eux. Dehors, il faisait chaud et sec mais, au fur et à mesure qu'ils descendaient, l'air véhiculant une légère odeur de moisi devenait frais et humide. Jack était passé le premier et posait prudemment les pieds sur les marches. Ils arrivèrent à un plancher de pierre et constatèrent que la lueur provenait d'un cierge posé par terre. Suivant les instructions à la lettre, Jack l'éteignit entre ses doigts et le ramassa. Puis ils tournèrent à droite, descendirent un autre escalier et débouchèrent dans une pièce taillée dans le roc. De toute évidence, il s'agissait d'un ancien mausolée débarrassé depuis longtemps de son contenu. À gauche, se trouvait une porte en pierre derrière laquelle ils aperçurent une autre lueur, semblable à la précédente. Ils la franchirent et Jack la referma. Elle se fondit totalement dans le mur, comme une sorte de passage secret.

— Incroyable, murmura Jack en regardant dans la lumière vacillante du cierge les niches et les ornements qui se découpaient sur les murs. Ce sont des catacombes. Les mausolées que nous venons de voir se trouvaient au niveau du sol à l'époque romaine. Il s'agissait d'une allée ou d'une rue longée de tombes. Mais cette partie taillée dans le roc a sans doute toujours été souterraine. Le Vatican n'a jamais révélé son existence.

— Du coup, on se demande ce qu'il a encore bien pu garder pour lui, dit Costas.

Jack avança un peu. Il discernait des images autour de lui, des inscriptions, des peintures. Il s'arrêta et leva son cierge devant lui.

— Ça alors ! Ces catacombes sont intactes. Les sépultures sont encore là.

— On ne pouvait pas rêver mieux…

— Elles sont scellées avec du plâtre. Regarde, il y a une inscription sur celle-ci : *In pace*.

Jack chancela.

— C'est une tombe chrétienne, paléochrétienne, largement antérieure à l'époque de Constantin le Grand, annonça-t-il. Ceci est un site funéraire secret que les chrétiens de Rome utilisaient lorsqu'ils étaient proscrits, persécutés. C'est une découverte fantastique. Je ne comprends pas pourquoi elle n'a pas été révélée au public.

— Peut-être à cause de ça, indiqua Costas, qui se trouvait à proximité du cierge posé à terre.

Jack le rejoignit avec précaution.

— Il y a une zone surélevée dans le sol, recouverte de tuiles en terre cuite, lui signala Costas.

Jack s'approcha par la gauche et s'accroupit à côté du cierge.

— C'est une tombe, affirma-t-il. On en trouve parfois dans le plancher des catacombes, tout comme sur les côtés. Dans certains cas, il s'agit des plus importantes.

— Jack, je crois que j'ai des hallucinations. J'ai l'impression d'être revenu en arrière. J'ai encore ce sentiment de déjà-vu… Peut-être un effet secondaire tardif de l'azote.

— Qu'est-ce qu'il y a ?

— Une inscription a été gravée sur cette tuile, là, juste au-dessous du cierge. Soit j'ai des visions, soit c'est un mot que nous avons déjà lu quelque part.

Jack s'approcha de Costas et discerna sur le pourtour de la tuile des entailles semblant représenter une guirlande de vigne. Et au centre, il vit ce qui avait fait frissonner Costas. C'était un nom, facilement reconnaissable, qu'ils avaient vu sur une poterie, au milieu d'une épave ancienne, perdue pendant près de deux millénaires au fond de la Méditerranée, à des centaines de kilomètres d'ici.

PAVLVS.

Était-ce possible ? Jack regarda autour de lui et vit d'autres tombes entassées autour de celles-ci, comme si les défunts avaient voulu s'en rapprocher en signe de révérence. Il aperçut des symboles chrétiens partout, une colombe à peine visible sur le mur près de lui, un poisson et cette formule chrétienne, *In pace*, encore et encore. Et lorsque Costas passa son cierge au-dessus de la tuile, il reconnut le chi-rho, gravé en surface à côté du nom. *Le signe du Christ.* Il n'y avait plus aucun doute.

— La tombe de saint Paul, souffla Jack, incrédule, en posant la main sur une des tuiles. Saint Pierre et saint Paul, enterrés au même endroit, *ad catacumbus*, comme le dit la tradition.

— En effet.

Jack sursauta. C'était une voix inconnue qui avait parlé, une voix provenant d'une niche plongée dans l'ombre, juste en face d'eux, dans le mur situé près de la tête de la dépouille. Jack parvint à discerner le bas d'une soutane mais pas le haut du corps. La voix était autoritaire et quelque peu tendue. L'homme s'exprimait avec un léger accent, peut-être est-européen.

— Ne tentez pas de vous approcher de moi. Veuillez éteindre vos cierges. Asseyez-vous sur le banc en pierre qui se trouve derrière vous.

Jack réfléchit un instant et fit un signe de tête à Costas. Ils obéirent. Le cierge de la tombe était désormais la seule source de lumière et tout le reste n'était qu'ombres vacillantes. L'homme bougea légèrement et ils aperçurent sa tête, recouverte d'une capuche, et ses mains, posées sur ses genoux.

— Je vous ai fait venir ici aujourd'hui dans le plus grand secret. Je voulais vous montrer ce que vous venez de voir.

— Qui êtes-vous ? demanda Costas.

— Vous ne saurez ni comment je m'appelle ni qui je suis. N'insistez pas.

— Est-ce vraiment la tombe de saint Paul ? s'enquit Jack.

— Oui, confirma l'homme.

— Et l'église Saint-Paul-hors-les-Murs ?

— Selon la tradition, c'est là que Paul a été enterré, dans un vignoble. Il y a effectivement été emmené après sa mort, mais il a été ramené ici secrètement, afin qu'il repose auprès de Pierre, à l'endroit de leur martyre.

— Alors c'était vrai…

— Ils ont tous deux été martyrisés par l'empereur Néron, dans le cirque bâti ici même par Caligula.

Pierre a été crucifié la tête en bas et Paul a été décapité. En donnant aux deux principaux pères de l'Église primitive le statut de martyr, les empereurs païens ont contribué à l'instauration du Saint-Siège en ces lieux. *In nomine patris et filii et spiritus sancti. Amen.*

— Et vous nous avez fait venir ici pour nous montrer cette tombe ?

L'homme ne répondit pas immédiatement et changea de position. Le cierge oscilla, l'ombre s'agrandit et le plongea dans une obscurité totale, puis la flamme se redressa.

— Vous devez désormais savoir que l'empereur romain Claude a simulé son empoisonnement et survécu en secret bien au-delà de son règne, qui a pris fin en 54 après Jésus-Christ.

Jack scruta l'obscurité, ne sachant pas ce qu'il pouvait divulguer.

— Comment savez-vous cela ?

— En faisant les révélations que je m'apprête à vous faire, je mets à l'épreuve mon engagement envers le caractère sacré de l'Église, mais il en sera ainsi.

L'homme tendit la main dans le noir, à côté de lui, et posa sur ses genoux un volume ancien relié en cuir. Jack et Costas voyaient maintenant ses mains, fines et longues, qui avaient dû connaître le dur labeur, mais ils ne discernaient toujours pas son visage.

— En 58 après Jésus-Christ, Paul, qui venait d'Orient, est arrivé en Italie après avoir survécu au célèbre naufrage de son navire. C'est ce qui est dit dans les Actes des Apôtres, sauf que ce naufrage a eu lieu au large de la Sicile et non de Malte.

Costas lança un regard interrogateur à Jack, qui se tourna vers lui sans comprendre. Aucun d'eux n'osa ouvrir la bouche.

— Saint Paul s'est d'abord rendu dans la baie de Naples, à Misène, reprit l'homme, qui parlait à voix basse, presque dans un murmure. Et il a rencontré des frères chrétiens qui se trouvaient là-bas, comme le rapportent les Actes. Après la Crucifixion, ce fut l'événement le plus important de l'histoire du paléo-christianisme. Paul fut le premier à porter la parole de Jésus au-delà de la terre des Juifs. Ce fut le premier véritable missionnaire. Lorsqu'il quitta Misène pour se rendre à Rome, ceux qu'il avait instruits constituèrent un *concilium*, le *concilium ecclesiasticum sancta Paula*.

— Le concile de l'Église de saint Paul, chuchota Jack.

— Ils étaient trois alors, et sont encore trois aujourd'hui.

— Aujourd'hui ? répéta Jack, interdit. Le *concilium* existe encore ?

— Pendant des générations, près de trois siècles, le *concilium* a été une organisation secrète, qui s'est révélée d'un grand soutien pour l'Église lorsque celle-ci a dû lutter pour sa survie, alors que le christianisme n'était encore qu'un culte clandestin. Au départ, il s'est réuni secrètement dans les Champs Phlégréens, près de Misène, puis il s'est établi dans la grotte de la sibylle de Cumes, lorsque celle-ci a disparu. Plus tard, quand le christianisme s'est imposé, il a été transféré à Rome, dans les catacombes où nous nous trouvons actuellement, là où les disciples de saint Paul avaient secrètement enterré la dépouille de leur maître après sa décapitation, près du site funéraire sacré de saint Pierre.

— Et il se réunit toujours ici depuis tout ce temps ? demanda Costas.

— À l'époque de Constantin le Grand, le *concilium* s'était considérablement développé et comptait des membres dans toutes les villes de l'Empire romain. Mais sa force et sa détermination s'étaient affaiblies d'autant. Avec la conversion de l'Empire romain sous Constantin, au IVe siècle, les chefs du *concilium* ont considéré que celui-ci n'avait plus lieu d'exister et l'ont dissous en condamnant l'accès à la catatombe de saint Paul. L'emplacement de la tombe a été perdu et n'a été redécouvert qu'au cours des fouilles réalisées dans la nécropole après la Seconde Guerre mondiale. Ce n'est qu'à ce moment-là que le *concilium* s'est de nouveau réuni ici.

— Le *concilium* a été recréé à notre époque ? s'étonna Jack.

— Non, il a été reconstitué dans le plus grand secret par Constantin le Grand, vers la fin de son règne. En tant que fondateur, l'empereur faisait partie des membres, limités au nombre de trois, comme à l'origine. Il s'est beaucoup investi dans la conversion de Rome au christianisme. En tant qu'homme d'État et en tant que soldat, il a saisi la nécessité de défendre l'Église et de créer un conseil de guerre, qui enverrait des hommes se battre au nom du Christ, n'aurait aucune pitié face au démon et n'obéirait à aucune autre règle. Au fil des siècles, le *concilium* a combattu les hérésies les plus pernicieuses, dont l'Inquisition du Saint-Siège n'avait pas pu venir à bout. Il s'est attaqué à ceux qui, en Bretagne, ont tenté de saper l'autorité de l'Église : les pélagiens. Il les a persécutés afin de les détruire et d'anéantir leurs travaux, allant jusqu'à jeter Pélage dans le feu des Enfers. Il a lutté contre les protestants, après la Réforme, en se livrant secrètement à une guerre de terreur et à une série de meurtres qui ont failli dévaster l'Europe. Dans sa colère contre le démon, il a ordonné l'annihilation des Mayas, des Aztèques et des Incas, à cause d'une prophétie de la sibylle qui prédisait une période de ténèbres venant de l'Ouest.

— Et les membres de ce *concilium* prétendaient être des hommes de Dieu, dit Costas.

— Ils croyaient en Dieu et, surtout, au caractère sacré et au pouvoir de l'Église, laquelle représentait à leurs yeux le seul espoir de salut et la seule voie vers le royaume des cieux. Constantin le Grand était un homme d'État rusé. Il savait que la survie de l'Église nécessitait une loyauté indéfectible, une foi inébranlable dans l'institution en tant qu'unique intermédiaire entre Dieu et les hommes. En recréant le *concilium*, il a trouvé les appuis dont il avait besoin.

— Pouvez-vous prouver tout cela ? demanda Costas.

L'homme souleva légèrement le volume dans la lumière.

— Tout est là, dans le registre du *concilium ecclesiasticum sancta Paula*. Un jour, le monde saura. L'Histoire sera réécrite.

— Quel rapport avec Claude ? l'interrogea Jack.

L'homme se pencha légèrement en avant et la lueur du cierge oscilla sur les contours de son visage plongé dans l'ombre.

— Il a représenté la plus grande menace et la plus grande peur auxquelles le *concilium* ait jamais été confronté. C'est la raison pour laquelle je vous ai fait venir ici. Vous et votre équipe courez un grand danger, dont vous n'avez pas pleinement conscience.

— Nous avons pleinement conscience de ce que ça fait d'être menacé avec un Beretta 93, lança Costas, notamment à l'intérieur d'une grotte sous le mont Palatin.

— Il avait l'ordre de ne pas tirer.

— Alors peut-être le *concilium* devrait-il recruter des hommes de main plus obéissants.

— Comment avez-vous su ? questionna Jack. Comment le *concilium* a-t-il su que nous irions plonger sous Rome ?

L'homme garda le silence, mais Jack s'obstina.

— Y avait-il quelqu'un qui nous écoutait dans ce tunnel à Herculanum ? Était-ce l'inspectrice, le Dr Elizabeth d'Agostino ?

— Nous savons qu'elle vous a parlé devant l'entrée de la Villa.

— Comment le savez-vous ? demanda Jack, brusquement parcouru d'un frisson. Où est-elle ?

— Il y a des espions partout.

— Y compris à bord de la *Seaquest II* ? s'enquit Costas.

— Faites le maximum pour trouver ce que vous cherchez et pour le révéler au monde entier avant qu'ils ne mettent la main sur vous. Une fois qu'ils sauront où le trésor se cache, ils feront tout ce qui est en leur pouvoir pour vous détruire. J'ai fait tout ce que je pouvais, mais je ne peux plus les arrêter.

— Où est le Dr d'Agostino ? insista Jack.

— Je vous l'ai dit, j'ai fait tout ce que je pouvais.

— Pourquoi voudriez-vous nous aider ?

L'homme prit son temps avant de répondre.

— D'abord, laissez-moi vous parler de Claude.

Il ouvrit le volume à la première page. Jack et Costas parvinrent à discerner le texte ancien, annoté et visiblement écrit par deux personnes différentes, de même que la feuille de l'*Histoire naturelle* de Pline qu'ils avaient trouvée à Herculanum. Cependant, comme si du vin avait été renversé à plusieurs reprises sur le papyrus, celui-ci était taché et encore plus abîmé.

— Ce texte décrit la fondation du *concilium* d'origine, commença l'homme en refermant le volume, celui qui a été créé au Ier siècle après Jésus-Christ. Les trois premiers membres comptaient parmi eux un homme nommé Narcisse, un affranchi de l'empereur Claude.

— Incroyable, murmura Jack.

— L'eunuque ? demanda Costas. Nous l'avons vu, couché en travers de la porte de l'étude de Claude. On aurait dit qu'il allait chercher quelque chose. Mais il a flambé en cours de route.

— Ah… vous avez trouvé son étude, constata l'homme. Pendant près de deux mille ans, nous nous sommes demandé où elle se trouvait.

— Je comprends maintenant ce que Narcisse faisait là, souffla Jack.

— Comme vous le savez certainement, Narcisse était depuis longtemps le *praepositus ab epistulis* de Claude, autrement dit, son scribe. Lorsqu'il a décidé de disparaître de Rome, Claude a également orchestré le faux empoisonnement de Narcisse afin que celui-ci puisse l'accompagner dans son refuge à Herculanum et l'aider à écrire ses livres. Mais, en 58 après Jésus-Christ, Narcisse a eu une autre raison de rester auprès de son maître. Lorsque celui-ci rendait nuitamment visite à la sibylle pour chercher un remède à sa paralysie agitante, il l'accompagnait toujours. Il a donc vu les chrétiens qui se cachaient dans les Champs Phlégréens et, après avoir rencontré saint Paul, il s'est lui-même converti. Il savait déjà que Claude était allé en Judée dans sa jeunesse, qu'il avait rencontré Jésus et qu'il était revenu avec un précieux document. N'ayant lui-même jamais rencontré Jésus, Paul s'est étonné de ce qu'un document écrit de la main du Messie ait survécu. Il a donc chargé Narcisse de le trouver et de le lui apporter à Rome, sa prochaine destination. Bien sûr, l'Histoire a rattrapé Paul, qui a été martyrisé, et Narcisse n'a jamais eu l'opportunité d'être seul suffisamment longtemps dans l'étude de son maître pour fouiller dans ses étagères. Mais les frères des Champs Phlégréens ont fini par connaître l'existence de ce document et une rumeur, selon laquelle Claude était un élu parce qu'il avait touché le Christ, a commencé à se répandre à Misène. Les deux autres membres du *concilium* ont compris que cela représentait une menace envers leur autorité. Ils ont imploré Narcisse de trouver le document et de le détruire. Ils pensaient que c'était un faux, une hérésie, une fable sortie tout droit de l'imagination de Claude. Finalement, un jour, Narcisse a laissé Claude seul à l'entrée de la grotte de la sibylle, puis il est retourné à Herculanum avec l'intention de brûler l'étude et tous les livres qu'elle contenait. C'était le 24 août 79 après Jésus-Christ.

— Et tout a brûlé, sauf cette pièce, murmura Costas.

— Le *concilium* n'avait aucun moyen de savoir si Narcisse avait accompli sa mission mais, Herculanum ayant disparu dans l'éruption, il a pensé que la menace s'était tue pour toujours. Le document, le faux Évangile, est resté dans les mémoires comme la première des nombreuses contrefaçons hérétiques visant à anéantir l'Église. Ce fut aussi la première des nombreuses batailles gagnées par le *concilium*. Et puis, plus d'un millier d'années après la chute de Rome, les rois Bourbon de Naples ont entrepris des fouilles sur le site d'Herculanum et l'odieuse vérité a été révélée. Herculanum n'avait pas été détruite dans l'éruption. Elle avait été miraculeusement préservée. Pire, l'un des premiers sites explorés fut la villa de Calpurnius Piso, la Villa des papyrus. Le *concilium* savait que c'était l'ancien refuge de Claude. Et, pire encore, des livres ont été trouvés. Il s'agissait de rouleaux carbonisés, mais certains étaient encore lisibles. Le *concilium* fut contraint d'intervenir. Pendant plus de deux siècles, il a usé de tout son pouvoir pour empêcher la poursuite de l'exploration d'Herculanum, notamment de la Villa des papyrus. Il a fait pression par tous les moyens en infiltrant les autorités archéologiques, le service des musées, la police, la mafia. La corruption ne serait pas aussi endémique à Naples si le *concilium* ne l'avait pas favorisée. Et la mafia n'aurait pas autant de pouvoir s'il ne l'avait pas soutenue. Il bénéficiait de la richesse et de l'ensemble des ressources de l'Église, ce qui était largement suffisant pour stopper les fouilles. Hélas, comme en 79 après Jésus-Christ, une nouvelle catastrophe naturelle a eu lieu. Le tremblement de terre du mois dernier a mis au jour le tunnel menant à l'étude de Claude, qui avait été fermé au XVIIIe siècle. La presse du monde entier étant sur les lieux, il est devenu impossible d'empêcher les recherches. Depuis, l'œuvre du démon risque de voir le jour. Et vous êtes les pièces maîtresses de l'échiquier.

— Tout s'explique ! s'exclama Costas.

— Sauf que nous ne savons toujours pas qui vous êtes et pourquoi vous nous racontez tout ça, fit remarquer Jack. Êtes-vous un des membres du *concilium* ?

Après un long silence, l'homme reprit la parole.

— Pendant de nombreuses années, déclara-t-il, j'ai été un simple jésuite missionnaire. Un jour, à bord d'un canoë sur le lac de Petén, dans le Yucatán, j'ai eu une révélation. Quand on est sur l'eau, le mouvement semble favoriser à la fois la concentration et la libération de l'esprit, jusqu'à ce que l'on ne pense plus à rien, excepté à l'expérience que l'on vit, aux sensations que procure l'instant présent.

L'homme s'interrompit une seconde et Jack eut le sentiment qu'il pouvait peut-être lui faire confiance.

— J'ai commencé à m'imaginer Jésus sur la mer de Galilée, reprit-il. Je me suis dit que cette mer était son royaume des cieux, que son message consistait à dire que l'on pouvait, tout comme lui, trouver ce royaume, le royaume des cieux sur terre.

— En quoi cela vous a-t-il incité à vous détourner du *concilium* ?

— Aime ton prochain, car c'est plus facile que de le haïr. Tends l'autre joue, car c'est plus facile que de résister. Libère ton esprit de ces préoccupations et consacre ton énergie à la recherche du royaume des cieux. Voilà le message de Jésus. Le *concilium* avait une cause sacrée, mais il n'a pas tenu compte de la parole de Jésus. La poursuite de l'hérésie et du blasphème l'a consumé et il a perdu de vue son objectif. Ses méthodes sont devenues malsaines. Et aujourd'hui, un de ses membres a glissé dans les ténèbres, comme d'autres avant lui. Le démon s'est emparé de lui.

— Qui est-ce ? Et comment nous connaissez-vous ?

— Le *concilium* avait déjà entendu parler de vous. Celui dont je parle était également membre de la confrérie norroise qui gardait le secret du trésor du Temple, le *félag*.

— Et qui a assassiné le père Patrick O'Connor, un de mes amis et un homme d'une culture remarquable, massacré au nom de l'Église, si je comprends bien.

— Le *concilium* a toujours eu recours à des procédés radicaux, mais il est désormais habité par une force obscure où Dieu n'a plus sa place.

L'homme s'adossa dans l'ombre et ajouta dans un murmure :

— Le père O'Connor était mon ami. Ce n'était qu'un jeune initié lorsque lui et moi avons trouvé cette catacombe, la tombe de saint Paul. Mais il a remué un passé que le *concilium* avait tout fait pour enfouir. Il connaissait l'existence du livre que je tiens en ce moment entre mes mains. Et il pensait que les chrétiens devaient vivre dans la vérité. Tout comme moi.

— Vous avez pris des risques.

— J'ai fait tout ce que j'ai pu pour vous protéger. Vous devez me jurer de garder le secret jusqu'à ce que je dévoile mon rôle. Il faut que je continue à travailler de l'intérieur. Et surtout, sachez que, si la vraie parole de Jésus devait être trouvée, le *concilium* s'en réjouirait. Mais si cette parole devait se révéler fallacieuse, ce dont il est d'ores et déjà convaincu, une guerre sans merci serait déclenchée contre ceux qui oseraient la porter au monde et propager un tel blasphème. Aussi, soyez prudents et n'essayez pas de me revoir. Partez, maintenant.

Une demi-heure plus tard, Jack et Costas, qui étaient montés sur la terrasse de la basilique Saint-Pierre, à côté de la coupole, se désaltéraient dans le soleil de l'après-midi en admirant la vue sur l'immense place du Bernin. Au-delà de la colonnade semi-circulaire qui entourait la place, ils discernaient le château Saint-Ange, l'ancien mausolée des empereurs romains situé au bord du Tibre et, encore plus loin, vers le sud, le cœur de l'ancienne cité, le Capitole et le mont Palatin. Costas renversa la tête en arrière, les yeux clos derrière ses lunettes de soleil.

— À tout prendre, je préfère être en altitude que sous terre, déclara-t-il. J'en avais assez de ces souterrains humides

Il se tourna vers Jack.

— Tu fais confiance à ce type ? demanda-t-il.

— Nous savions déjà presque tout ce qu'il nous a dit et le reste semble parfaitement logique, mais j'ai des doutes.

— Je préfère ne pas miser sur quelqu'un qui envoie un homme armé à nos trousses, qu'il ait retourné sa veste ou pas. En ce qui me concerne, je me méfie de lui. Il joue la comédie. Il nous a fourni des informations plausibles et vérifiables pour obtenir notre confiance et nous inciter à lui révéler ce que nous savons.

— Il ne m'a pas répondu concernant Elizabeth. Je commence à être très inquiet.

— Maria et Hiebermeyer pourront peut-être te renseigner.

— Je les ai déjà contactés, affirma Jack en détournant le regard en direction de la ville. Enfin ! On saura ce qu'il en est si l'on finit par trouver quelque chose.

— Ou s'il devient évident qu'on ne trouvera rien de plus. Je suppose que le *concilium* n'aimerait pas nous voir révéler au monde ce que nous savons. S'il nous a mené en bateau, ce type a signé notre ordre d'exécution dès l'instant où il a commencé à nous raconter toute l'histoire. Il a pris un risque en nous parlant mais, s'il a dit vrai, il pourra nous réduire au silence d'un simple claquement de doigts.

— Tu envisages vraiment le pire.

— Je me fais l'avocat du diable, mais nous devons garder la tête froide, Jack. Il ne s'agit pas que de nous. La liste noire s'allonge à chaque fois que nous impliquons quelqu'un d'autre. Hiebermeyer et Maria doivent déjà figurer en bonne place, ainsi qu'Elizabeth. Et Jeremy a été vu avec nous par le type qui t'a glissé le message à Londres. Qui sait si nous n'avons pas été espionnés pendant que nous parlions à la cathédrale ? Nous aurions dû être plus prudents.

— Je pourrais téléphoner à Reuters.

— On n'a aucune preuve tangible, Jack. Le *concilium* pourrait être le fruit de ton imagination. Ce ne serait qu'une théorie du complot parmi tant d'autres. Elle ferait les gros titres et tomberait dans l'oubli dès le lendemain. De plus, n'importe quel reporter d'investigation y réfléchirait à deux fois avant d'endosser une telle responsabilité.

— Il ne nous reste qu'à espérer que notre mystérieux interlocuteur soit bien ce qu'il prétend être. Et que Jeremy trouve une nouvelle piste à Londres…

Jack avait encore du mal à croire tout ce qu'ils venaient d'entendre. Ils avaient une heure à tuer avant de prendre un taxi pour se rendre à l'aéroport. Il avait déjà téléphoné à Hiebermeyer et à son vieux mentor, le professeur Dillen, pour les tenir au courant de leurs dernières découvertes, tout en prenant soin d'omettre les informations transmises par l'homme en soutane. S'ils avaient déjà bien avancé dans leurs recherches, ils commençaient seulement à se rendre compte de l'énormité des enjeux. Il se concentra sur la vue pour se vider la tête, sachant qu'ils ne pourraient rien faire tant que Jeremy ne serait pas allé au bout de toutes les pistes qu'il pourrait trouver en Angleterre.

— L'autre jour, tu me demandais quelle était la taille du navire de saint Paul, dit-il à Costas. Jette un coup d'œil au centre de la place.

Costas regarda par-dessus le parapet.

— Quoi, l'obélisque ?

— Il a été ramené d'Égypte par l'empereur Caligula pour décorer l'allée centrale du cirque qui se trouvait à cet endroit, là où Pierre et Paul ont été exécutés. Vingt-cinq mètres de haut, au moins deux cents tonnes. Il donne une idée de la taille des grands navires romains, y compris des navires céréaliers comme celui qui a amené Paul à Rome. Le vaisseau qui a transporté l'obélisque a fini par être coulé par Claude dans le port d'Ostie avec du ciment hydraulique, pour faire un môle. C'est ce que Pline l'Ancien raconte dans son *Histoire naturelle*.

— Ce cher Pline, murmura Costas avant de fermer de nouveau les yeux pour mieux profiter du soleil.

Jack observa les autres personnes qui étaient montées sur la terrasse. Il redoublait de vigilance depuis l'avertissement qu'ils avaient reçu dans la catacombe. Cependant, ils n'avaient aucune raison de croire qu'ils avaient été suivis et se trouvaient davantage en sécurité ici que dans la cité. Il se détendit un peu et regarda de nouveau au-dessus du parapet. Il avait une vue plongeante sur la place, dont la grandeur égalait, sans l'éclipser, celle des monuments de la Rome païenne. Tandis qu'il regardait les touristes traverser la place, il eut l'impression de voir une image de synthèse issue d'un péplum hollywoodien. C'était Rome telle que les gens la voyaient, et non telle qu'elle était, comme si les touristes n'étaient pas de véritables personnes en chair et en os mais des personnages éphémères et sans vie, de simples ornements venant s'ajouter à l'architecture. Jack prit son portefeuille et en sortit un sachet en papier contenant la pièce de Claude qu'ils avaient trouvée à Herculanum. Il fit glisser la pièce dans le creux de sa main et l'observa attentivement.

— C'est moi qui l'ai trouvée ! s'écria Costas en ouvrant un œil. Tu l'as juste volée. Cela dit, personne ne l'aurait jamais revue si nous l'avions laissée là-bas.

— Je l'ai empruntée.

— C'est ça…

— Je pense aux hommes et aux femmes de ce monde. Ce sont eux qui font l'Histoire. Celle-ci n'est pas soumise à de simples processus. Ces gens qu'on voit en bas ont une existence propre, qui n'est pas subordonnée à tout ça. Parmi eux, il y a quelqu'un qui pourrait soit créer quelque chose d'encore plus splendide que la basilique Saint-Pierre, soit la détruire. L'Histoire s'écrit au rythme de nos propres décisions, de nos caprices. Et le plus beau, c'est que nous y prenons plaisir. Regarde jusqu'où Claude nous a emmenés.

— Là, à brûle-pourpoint, je ne dirais pas que j'y ai pris du plaisir. Voyons, nous avons eu droit aux rats morts, aux égouts, à la liqueur corporelle, à une reine guerrière terrifiante…

— Tu as eu une bombe !

— Je n'ai pas pu la désamorcer.

Jack entendit son téléphone portable sonner. Il rangea rapidement la pièce et décrocha. Après avoir écouté attentivement son interlocuteur, il se tourna vers Costas, un large sourire aux lèvres.

— Quoi ? demanda Costas. Que se passe-t-il ?

— C'était Jeremy. Il a eu une intuition. Il a consulté tous les registres de décès disponibles sur le Web dans tous les pays où Everett aurait pu disparaître en 1912 : l'Australie, le Canada et les États-Unis. Tu vas adorer. L'Embraer de l'UMI est déjà en train de se ravitailler en carburant.

— Dis toujours.

— Ça te dirait, un petit détour par la Californie du Sud ?

Chapitre 20

La tête posée contre le hublot, Jack commençait à avoir conscience des vibrations du jet et s'efforçait de sortir de son rêve. Les images se succédaient dans son esprit pour le ramener à leurs découvertes extraordinaires de ces derniers jours. Le chi-rho dans l'épave ancienne, le nom de Paul gravé sur l'amphore, la tête d'Anubis surgissant dans le tunnel comme un démon pour les inciter à aller jusqu'au bout. Et puis des images plus sombres : la grotte de la sibylle, le labyrinthe souterrain de Rome, le crâne noirci de la reine bretonne, qui le fixait de ses yeux vides depuis sa tombe. Des images à la fois vivaces et opaques, indépendantes mais toutes reliées par quelque chose. Elles lui revenaient à l'esprit encore et encore, comme s'il était tombé dans une spirale infernale. Il était comme Énée dans les Enfers, mais la sibylle n'était pas là pour le ramener vers la sortie. Au contraire, une force maléfique le tirait vers le bas, tandis qu'il luttait pour trouver la lumière, et l'emprisonnait dans un dédale ténébreux sorti de sa propre imagination. Perturbé, décontenancé, il ouvrit les yeux avec soulagement et vit la silhouette rassurante de Costas, qui était affalé sur le siège d'en face. Il constata que les vibrations qui lui avaient martelé le crâne étaient dues à l'augmentation de la pression atmosphérique liée à la descente de l'avion. Il se boucha le nez et souffla pour équilibrer la pression. Le vrombissement du bimoteur à réaction chassa toutes ces images de son esprit et la réalité reprit le dessus. Il se pencha en avant et regarda par le hublot.

— Tu as fait un cauchemar ? s'enquit Jeremy, assis près de lui, côté couloir.

Il referma le carnet écorné qu'il était en train de consulter et dévisagea Jack avec sollicitude.

— J'ai l'impression que tous les ingrédients sont là mais que la mayonnaise ne veut pas prendre, répondit Jack. Ce voyage est notre dernière chance. Si nous ne trouvons rien aujourd'hui, je n'ai plus d'idées.

Il respira profondément, se détendit et désigna du regard le carnet de Jeremy.

— Tu fais de la cryptographie ? demanda-t-il.

— C'était une de mes passions quand j'étais gosse. J'ai rassemblé tous les codes décryptés par les Alliés au cours de la Première Guerre mondiale. Je me remettais juste à niveau. Je regardais quelques acrostiches paléochrétiens. On n'en sait jamais trop dans ce domaine.

— Il semblerait, observa Jack en grattant sa barbe de trois jours, que tu aies l'étoffe d'un archéologue. Maria avait raison. Je devrais peut-être tout abandonner dès maintenant et te confier l'ensemble du projet.

— Peut-être dans une vingtaine d'années, répliqua Jeremy d'un air songeur. Cela devrait me laisser le temps d'être sélectionné pour intégrer les forces spéciales, d'apprendre tout ce qu'il y a à savoir en matière de plongée, d'armement et d'hélicoptères, pour ne citer que quelques exemples, de vaincre toutes mes angoisses et, surtout, de comprendre comment manager ton cher collègue.

Costa grogna et ronfla dans son sommeil.

— Personne ne peut le manager, déclara Jack en riant. C'est lui le patron, ici !

— Le problème, c'est que, dans vingt ans, tous les mystères du monde auront été éclaircis.

— Là, tu te trompes. Si j'ai appris quelque chose, c'est que le passé est aux archéologues ce que le Nouveau Monde a été aux premiers colons. On croit qu'on a tout trouvé et, au virage suivant, on découvre un autre eldorado qui étincelle à l'horizon. Et regarde où nous en sommes aujourd'hui. Peut-être ne parviendrons-nous pas à percer ces grands mystères.

— Si tout se réglait toujours et si tous les efforts étaient récompensés, ce serait trop beau.

— Avec moi, tu ne risques pas d'en arriver là. J'ai également appris que le trésor que l'on trouve est rarement celui que l'on pensait chercher.

— On arrive.

Comme le jet virait à bâbord, Jeremy montra le littoral à Jack, trente mille pieds plus bas.

— J'ai demandé au pilote de nous emmener à Los Angeles par le nord, expliqua-t-il, car la vue sur Malibu est assez spectaculaire.

— Des plages, s'émerveilla Costas. On peut surfer ?

Il avait dormi pendant tout le trajet depuis l'aéroport JFK de New York et même pendant une bonne partie du voyage transatlantique depuis l'Angleterre. Le front posé contre le hublot pour regarder en bas, il semblait sortir d'une longue hibernation.

— Pour le surf, ça ne doit pas être mal, répondit Jeremy, mais je n'ai jamais essayé, bien sûr. Quand j'étais ici, je travaillais sur ma thèse.

— Bien sûr…

Costas avait encore une voix nasillarde mais semblait presque guéri de son rhume.

— Je suis impatient de savoir ce qu'on fait ici, lança-t-il, mais je ne me plains pas.

— J'ai raconté toute l'histoire à Jack pendant que tu dormais comme une souche. J'ai trouvé Everett dans les registres de décès de l'État de Californie. Mêmes date et lieu de naissance, aucun doute sur l'identité. Il vivait à Santa Paula. Il est arrivé ici directement après avoir quitté l'Angleterre. Me fiant à une intuition, j'ai appelé un ami à la Villa Getty. Et il se trouve qu'il va pouvoir nous en dire plus, beaucoup plus. Pour commencer, Everett s'était converti au catholicisme.

— Quoi ! s'écria Costas en se frottant les yeux. Je croyais qu'on était en pleine hérésie pélagienne, au sein de l'Église bretonne.

— C'est pourquoi j'espère que ce voyage va nous permettre d'éclaircir les choses.

— Alors on ne va pas surfer ?

— Nous sommes sur une nouvelle piste, Costas ! le sermonna Jack.

— Ça y est, on voit la Villa Getty dans les collines qui surplombent la mer, indiqua Jeremy.

Jack regarda les bâtiments qui s'élevaient juste derrière la route côtière. Soudain, il eut l'impression d'être retourné à Herculanum, de regarder le plan de la Villa des papyrus dessiné par Karl Weber plus de deux siècles auparavant. Il discerna la grande cour à péristyle, qui s'étendait vers la mer, et la partie principale de la villa, nichée au fond de la vallée.

— La seule chose qui diffère, c'est l'orientation, précisa Jeremy. La villa d'Herculanum est parallèle au rivage. La cour et le bâtiment principal longent le littoral. À part cela, la Villa Getty est tout à fait conforme au plan de Weber. C'est une création fantastique, que seule la philanthropie américaine, dotée d'une vision débridée et d'une richesse illimitée, pouvait réaliser. C'est aussi un des plus beaux musées d'antiquités du monde. Je ne sais pas ce qui nous attend ici, mais vous n'allez pas être déçus.

Trois heures plus tard, ils se trouvaient devant une piscine rectangulaire miroitante de soleil, dans la cour principale de la Villa Getty. Après être entrés discrètement par une petite porte du côté ouest, ils étaient restés cloués sur place comme les statues ornant le jardin, pétrifiés par les rayons du soleil et la brillance du cadre. C'était comme s'ils étaient entrés dans le décor d'un péplum romain, tout en bénéficiant d'une intimité et de détails rarement vus dans les travellings de l'Histoire. La piscine mesurait presque cent mètres de long et s'étendait de la façade de la villa au bord de mer, qu'ils avaient longé par la route côtière. De chaque côté, se dressaient des répliques de bronzes anciens trouvés dans la Villa des papyrus, un Silène ivre avec un faune endormi et, en face, un Hermès assis d'un réalisme si saisissant qu'on s'attendait à le voir se glisser dans la piscine à tout instant. Entre la piscine et le portique à colonnade entourant la cour, la profusion d'arbres et de plantes donnait l'impression que le marbre était une extrusion naturelle du soubassement, abritée par un écrin de végétation. L'ensemble du jardin était un prolongement ordonné de l'environnement extérieur, protégé et choyé par l'ingéniosité humaine. La piscine reflétait les colonnes et les arbres, créant ainsi un décor en trompe-l'œil pareil aux peintures murales qu'ils discernaient à l'intérieur du portique, comme pour les attirer au-delà du jardin vers une création imaginaire de l'esprit humain et leur épargner le désordre de la réalité extérieure. Jack repensa à la peinture murale représentant le Vésuve qu'il avait montrée à Costas lorsqu'ils se rendaient vers le volcan. C'était la synthèse de tous les rêves arcadiens de la Rome antique, un voile jeté sur la réalité qui s'était imposée dans une formidable explosion, près de deux mille ans auparavant.

— Tout est authentique, affirma Jeremy. Le bâtiment est construit selon le plan de la Villa des papyrus et les statues sont des répliques exactes des originaux trouvés sur les lieux au XVIIIe siècle. Même la végétation est authentique. Les grenadiers, les lauriers et les palmiers ont été importés de la Méditerranée.

Jack ferma les yeux un instant et les rouvrit. Les collines de Californie avaient la même beauté brunie par le soleil que les paysages méditerranéens et l'odeur des plantes et de la mer n'avait de cesse de le ramener en Italie. La villa n'était pas une interprétation du passé mais une reproduction parfaite, pleine d'ombres et de lumière, d'hommes et de femmes bien vivants. Les reconstitutions historiques aussi vivaces étaient rares. Tandis qu'il regardait autour de lui, assailli par tant de couleur et de précision, Jack voyait les bâtiments d'Herculanum se dessiner en arrière-plan comme sur un négatif. Il se rappela les moments où il avait vu la mort, cet instant de transition où le corps devenait brusquement une coquille vide, où la couleur cédait la place au gris. Herculanum était trop proche de cette transition pour qu'on s'en console. Elle était plus difficile à affronter que les sites décomposés et blanchis par le temps comme de vieux squelettes. C'était le corps foudroyé d'une cité, encore fumant et suintant tel un grand brûlé après un terrible accident. Ici, à la Villa Getty, c'était comme si on avait injecté une dose d'adrénaline dans ce corps, comme si le site ancien était miraculeusement revenu à la vie, palpitant et éblouissant de clarté.

— L'Amérique... songea Costas à voix haute. J'imagine qu'avec Hollywood à seulement quelques kilomètres d'ici, cela n'a rien d'étonnant.

— Lorsque la Villa a été ouverte au public, en 1974, les réactions ont été très étonnantes, raconta Jeremy. Beaucoup de critiques l'avaient descendue en flammes. Les Romains ne sont pas spécialement admirés ici en raison de l'influence de la Bible telle qu'elle est présentée par Hollywood : le méchant Ponce Pilate, des empereurs débauchés, les chrétiens jetés aux lions. Mais lorsque la Villa a ouvert ses portes, ce fut une révélation. Cette couleur, cette brillance, ce goût ! Certains intellectuels ont même refusé de croire qu'il s'agissait d'une reconstitution fidèle.

— C'est une question de contexte, expliqua Jack. Lorsqu'on remet l'art là où il était censé être vu, c'est souvent un choc pour notre sensibilité actuelle. C'est ce que les aristocrates européens qui ont pillé la Grèce et Rome ont pensé faire lorsqu'ils ont exposé des statues antiques sur des piédestaux dans leur maison de campagne néoclassique. Mais leur idée du contexte classique s'inspirait des ruines blanchies de la Grèce et non de la réalité de Pompéi et d'Herculanum. Ici, on a une vision réaliste, où les œuvres comme ces bronzes font partie d'un tout, où la Villa est une œuvre d'art en elle-même. Les experts de l'époque classique ont trop longtemps vénéré ces sculptures comme des œuvres d'art en tant que telles, au sens moderne du terme. Ce que les critiques n'ont pas apprécié, c'est que cette villa leur renvoie l'image de leur propre futilité, car l'ensemble est beaucoup plus fantaisiste et agréable qu'ils ne s'y attendaient. Or, c'est le pur reflet de la réalité.

— Et c'est justement ce qui me plaît, déclara Costas.

Il s'accroupit, tenant une pièce entre le pouce et l'index, et regarda la piscine dans le sens de la longueur.

— Si les Romains s'amusaient, pourquoi pas nous ? s'écria-t-il.

Jack lui décocha un regard assassin. Un homme venait d'apparaître à l'entrée et avançait d'un bon pas dans leur direction. De taille moyenne, le visage à moitié enfoui sous une barbe courte, il portait un chinos, une chemise et une cravate. Les manches relevées jusqu'au coude, il leva la main pour saluer Jeremy.

— Permettez-moi de vous présenter Ieuan Morgan, dit Jeremy. Un vieil ami, mon mentor lorsque j'étais ici. Il a été détaché par l'université de Brigham Young. Définitivement, on dirait.

Costas et Jack serrèrent la main de Morgan.

— Merci de nous recevoir aussi rapidement, dit Jack chaleureusement. Ta présence ici a-t-elle quelque chose à voir avec le projet de l'université concernant les papyrus d'Herculanum ?

— Absolument, répondit Morgan. Je suis un spécialiste de Philodème et la spectrométrie infrarouge utilisée sur les rouleaux anciens m'inondait d'informations. J'avais besoin d'espace pour respirer et prendre du recul.

— Et il n'y avait pas de meilleur endroit que la Villa des papyrus elle-même ! s'exclama Jack. Je t'envie.

— Si tu as envie de prendre un congé sabbatique ici, n'hésite pas à m'appeler. Ta réputation te précède…

— C'est gentil, merci.

Jack lança un rapide coup d'œil à Jeremy.

— Peut-être dans vingt ans, ajouta-t-il.

— Je sais que l'UMI bénéficie également de fonds privés.

— Tu connais Efram Jacobovich, notre bienfaiteur ?

— Il siège également à notre conseil d'administration.

— Il m'a dit qu'il avait proposé de financer les fouilles de la Villa des papyrus, en totalité.

— Il n'est pas le seul. Les philanthropes font la queue à l'entrée.

— Et se heurtent à un mur de pierre, marmonna Costas.

— Avec un peu de chance, lança Jack, tu vas peut-être pouvoir nous aider à briser ce mur !

Morgan plissa les yeux et acquiesça.

— Jeremy m'a dit que vous n'aviez pas beaucoup de temps devant vous, alors suivez-moi, suggéra-t-il.

Il conduisit ses hôtes le long du péristyle et ils franchirent la porte en bronze de l'entrée principale du musée. Puis ils gravirent une série de marches en marbre jusqu'à l'étage supérieur et débouchèrent dans une autre cour intérieure, tout aussi colorée, verdoyante et odorante, dans laquelle résonnait le clapotis de plusieurs fontaines. Sous le toit en tuiles, des colonnes se succédaient pour entourer un jardin proportionné à la romaine, au centre duquel les statues en bronze de cinq vierges semblaient puiser de l'eau dans un bassin. Jack fut de nouveau assailli par l'extraordinaire immédiateté du passé. Même si cette visite n'offrait pas de nouvelle piste, la villa romaine de Californie avait été une révélation inattendue, une autre fenêtre sur le monde antique.

Costas s'arrêta devant la balustrade.

— Sauf erreur de ma part, c'est à peu près là que devrait se trouver ce cher Anubis, conjectura-t-il.

— Jeremy m'en a parlé, intervint Morgan. C'est une découverte incroyable. Elle pourrait ajouter un côté obscur à la Villa, à moins qu'il ne s'agisse d'une simple curiosité que Calpurnius Piso a achetée à un marchand en Grèce ou à Alexandrie. Personnellement, je pense qu'elle vient de Saïs, sur le delta du Nil, où il y avait, d'après Hérodote, toute une galerie d'objets de ce genre. Si vous avez la possibilité de retourner à la Villa, je serais ravi d'en avoir un scan laser.

— Je vais mettre notre collègue Maurice Hiebermeyer sur le coup.

— Ah, ce bon vieux Maurice !

— Tu le connais ?

— Nous nous sommes rencontrés il y a environ trois mois, à une conférence. Il était tout excité à propos d'une découverte au bord de la mer Rouge, mais il n'a pas voulu m'en dire plus. Il allait t'en parler. Tu étais à Istanbul à ce moment-là, je crois.

Jack eut brusquement l'air coupable.

— C'est notre prochain projet, assura-t-il. Depuis que Maurice a trouvé le papyrus de l'Atlantide, nous savons que toutes ses découvertes sont précieuses. En attendant, il se bat avec la bureaucratie italienne.

— Cela fait partie des nombreux charmes de l'Italie. La gloire du passé est intacte, mais l'archéologie moderne n'y a pas sa place.

— Au fond, j'espère que cela ne changera pas, avoua Jack en admirant la vue.

Il ferma les yeux un instant et se mit à réciter un texte de mémoire :

— « De magnifiques jardins, de fraîches colonnades et de somptueux massifs de lys s'étendaient aussi loin que l'œil ravi pouvait voir. » Ce sont les mots que Robert Graves, dans *Le Divin Claude*, prête à Hérode Agrippa dans une lettre à sa femme Cypros. Je n'ai jamais oublié cette merveilleuse description depuis que j'ai lu Graves pour la première fois, lorsque j'étais étudiant. Hérode, le roi de Judée, est toujours présenté comme l'ennemi des chrétiens, comme l'homme qui a ordonné l'exécution de Jacques, mais il me semble que ces mots pourraient décrire le paradis.

— Hérode Agrippa, l'ami de Claude ? demanda Costas.

— Lui-même.

— Si c'est dans cette villa que Claude a terminé ses jours, il n'a pas complètement renoncé aux plaisirs de la vie.

— Il jouissait en effet d'une vue magnifique, mais je crois que cela ne l'intéressait guère. Du moment qu'il avait ses livres et les statues de son père et de son frère, il aurait probablement pu vivoter dans une grotte puante du Vésuve.

— Claude ? répéta Morgan d'un air perplexe. Quel Claude ?

— L'empereur romain Claude.

— Jeremy ne m'a pas parlé de ça.

Morgan lança à Jack un regard interrogateur.

— Je crois que vous allez devoir m'expliquer certaines choses, en conclut-il.

— En effet, admit Jack en souriant. On te suit.

Morgan les conduisit dans une pièce située derrière le portique. Il ouvrit la porte, s'effaça pour les laisser entrer et leur indiqua une table en marbre.

— J'ai demandé au personnel du café de nous monter de quoi nous restaurer. Vous avez faim ?

— Tu parles ! s'écria Costas en se précipitant vers une assiette de croissants.

Morgan servit le café, désigna à ses hôtes les trois chaises qui se trouvaient d'un côté de la table et s'installa de l'autre côté avec sa tasse.

— Bon, commença Jack, qui s'était assis au milieu. Tu sais pourquoi nous sommes ici ?

— Jeremy m'a mis au courant mais, apparemment, il ne m'a pas tout dit, répondit Morgan avant de boire une gorgée de café. Lorsqu'il a eu sa bourse universitaire, nous avons beaucoup travaillé ensemble et, quand il m'a téléphoné hier, il a découvert que je m'intéressais à Lawrence Everett. Je n'en avais jamais parlé à personne mais, bien sûr, je le lui ai dit lorsqu'il m'a posé des questions à ce sujet. C'est incroyable. Je croyais être le seul à m'y intéresser et on m'a encore interrogé là-dessus ce matin.

— Qui ? demanda Jack sur un ton inquiet.

— C'était une adresse Hotmail anonyme.

— Tu as répondu ?

— Après ma conversation avec Jeremy, j'ai jugé prudent de prétendre n'avoir aucune information. Mais j'ai eu l'impression que cet individu ne renoncerait pas si facilement. J'ai consulté les réservations en ligne pour la visite du musée et j'ai vu qu'une personne ayant la même adresse électronique avait réservé un ticket pour demain.

— C'est peut-être une coïncidence, murmura Jeremy. Comment auraient-ils pu savoir ?

— Qui ? De qui parles-tu ?

Jeremy hésita, se tourna vers Jack puis se décida à répondre.

— Tu as raison, je ne t'ai pas tout raconté. Je t'ai dit que nous pensions qu'Everett avait quelque chose d'extraordinaire à cacher, un manuscrit paléochrétien. C'est l'élément clé de cette affaire. Dis-nous d'abord ce que tu sais, et on t'expliquera de quoi il retourne.

Morgan sembla perplexe.

— Je n'ai rien à cacher, déclara-t-il. Mes connaissances, comme les collections qui se trouvent ici, sont à la disposition de tous. C'est la politique de ce musée.

— Malheureusement, ce n'est pas une question de partage des connaissances, intervint Jack. Les enjeux sont beaucoup plus graves. On t'écoute et on ne quittera pas cette pièce avant de t'avoir tout raconté.

— Très bien, dit Morgan en tirant une boîte à archives vers lui. Je peux déjà vous donner un aperçu de la biographie d'Everett.

— Parfait.

— Si je connais Everett, c'est parce qu'il a correspondu avec John Paul Getty, le fondateur du musée. Les religieuses qui l'ont veillé à la fin de sa maladie ont trouvé un papier à en-tête de Getty dans ses affaires personnelles, ainsi que des croquis architecturaux. Elles ont pensé que cela pourrait intéresser le musée. Je suis tombé sur ces documents alors que je faisais des recherches sur l'histoire de la Villa Getty. Je me suis dit qu'ils pourraient contenir des informations expliquant l'intérêt de la famille Getty pour les antiquités.

Morgan ouvrit la boîte et en sortit une liasse de papiers jaunis couverts de chiffres et de mots écrits d'une main minutieuse, avec un plan tracé à la règle d'une structure absidiale.

— Everett était fasciné par les problèmes mathématiques, les échecs, les grilles de mots, poursuivit-il. Il y en a une multitude dans ces papiers et, dans la plupart des cas, je serais bien incapable d'apporter le moindre embryon de solution. Mais, avant d'arriver en Amérique, Everett était architecte. Et il a laissé un manuscrit inachevé, que j'ai annoté en vue de le publier. Il s'intéressait à l'architecture des premières églises, notamment aux premières preuves archéologiques attestant l'existence de lieux de culte chrétiens.

— Fascinant ! Mais pourquoi a-t-il contacté Getty ?

— Les deux hommes avaient énormément de choses en commun. Getty avait étudié à Oxford et Everett à Cambridge. Getty, qui était un grand anglophile, a dû se réjouir de trouver une âme sœur en Californie. Ils avaient tous deux renoncé à leur carrière professionnelle : Getty était devenu un dandy millionnaire à Los Angeles et Everett un catholique ascétique. Ils pouvaient sembler aux antipodes l'un de l'autre, mais leur correspondance montre qu'ils s'étaient tous deux libérés de la même façon. Mais ils avaient aussi autre chose en commun.

— Quoi ?

— Getty était allé à Pompéi et à Herculanum avant la Première Guerre mondiale. Il avait visité la Villa des papyrus, qui l'avait fasciné. Puis, au début des années 1930, Everett a entendu parler d'une découverte extraordinaire à Herculanum, à propos de laquelle il a voulu connaître l'avis de Getty. Cette découverte l'intriguait tellement qu'elle l'obsédait.

— La maison du Bicentenaire ?

— Exactement.

Jack se tourna vers Costas.

— Je te l'ai montrée lorsque nous avons fait le tour du site d'Herculanum la semaine dernière, lui rappela-t-il.

— Aucun souvenir, désolé, avoua Costas d'un air contrit. Je ne devais pas être réveillé…

— Le terme « Bicentenaire » fait référence au deux centième anniversaire de la découverte d'Herculanum, qui a eu lieu en 1738, expliqua Morgan. Cette maison avait été mise au jour lors d'une des rares fouilles menées sur le site depuis le XVIIIe siècle. Dans son désir de rendre à l'Italie la grandeur de la Rome antique, le dictateur Benito Mussolini favorisait les fouilles, mais l'Église semble avoir opposé une forte résistance à ses grands projets archéologiques et le chantier d'Herculanum n'a pas été plus loin.

— Curieusement, cela ne me surprend pas, marmonna Costas.

— Les archéologues avaient découvert une pièce qu'ils avaient baptisée « la chapelle chrétienne » parce qu'ils avaient trouvé une croix dans le plâtre, au-dessus d'un meuble en bois ressemblant à un prie-Dieu. De plus, dans une maison avoisinante, ils avaient vu le nom de David gravé sur un mur. Les noms hébraïques n'étaient pas rares à Pompéi et à Herculanum, mais ils étaient généralement latinisés. Jésus étant considéré comme un descendant de David, le roi des Juifs, certains ont pensé que les premiers chrétiens utilisaient secrètement ce nom pour faire référence à l'objet de leur culte, avant d'opter pour *Christos*, mot grec signifiant « messie ».

Morgan s'interrompit un instant, perdu dans ses pensées.

— Par la suite, ajouta-t-il, ces découvertes ont été très controversées et de nombreux experts n'admettent toujours pas cette interprétation, mais elles constituent peut-être la preuve archéologique la plus ancienne de l'existence d'un lieu de culte chrétien.

— À quelques centaines de mètres de la Villa des papyrus, murmura Jack. Je me demande si Everett savait à quel point il était proche de l'origine de ce qu'il possédait.

— De quoi parles-tu ?

— Termine d'abord ton histoire, insista Jack. Sais-tu autre chose sur Everett ?

Morgan lui tendit une feuille.

— L'intérêt qu'Everett a montré pour Herculanum a peut-être contribué à la fascination de Getty pour le site et même à la création de cette villa. Mais, après leur brève correspondance, Everett a replongé dans l'anonymat. La seule image que nous ayons de lui est cette photocopie d'une vieille photo prise par sa sœur. Celle-ci avait fini par retrouver sa trace. Elle lui a rendu visite en 1955, un an avant qu'il ne décède.

Jack regarda la photo défraîchie en noir et blanc. On y voyait un vieil homme, bien habillé, penché sur des cannes mais dans une attitude digne. Il était presque impossible de voir son visage. Il se tenait devant une cabane en tôle ondulée recouverte de lierre et entourée d'une végétation luxuriante.

— Cette photo a été prise à proximité du couvent, devant la cabane où il a vécu pendant plus de trente ans, précisa Morgan. Les religieuses se sont occupées de lui et l'ont assisté lorsqu'il est devenu trop malade pour se débrouiller seul. En contrepartie, il entretenait le jardin et effectuait des travaux divers. Il avait fait de la chorale à haut niveau dans sa jeunesse et chantait des chants grégoriens pour les religieuses. Il accueillait des vagabonds, des laissés-pour-compte, avec qui il partageait ses repas et à qui il donnait des vêtements. Il était animé d'une véritable charité chrétienne.

— Cela semble presque trop messianique, grommela Costas.

— Je ne crois pas qu'il se soit pris pour un messie. Seulement, à cette époque, la Californie était le monde de Steinbeck, de *Cannery Row* et de *Tortilla Flat*. Elle accueillait une subculture en marge de la société. Et les exclus, les marginaux, les hommes qui, comme lui, avaient renoncé à leur milieu et à leur rang étaient ceux dont Everett appréciait le plus la compagnie.

Morgan réfléchit un instant.

— Que savez-vous des pélagiens ? demanda-t-il.

— Nous savons que le grand-père d'Everett faisait partie des Nouveaux Pélagiens, une société secrète victorienne, répondit Jack.

— Bien, cela va m'épargner de nombreuses explications. Everett avait établi un lien étrange entre le pélagianisme et le catholicisme, pourtant radicalement opposés. Dans une de ses lettres, il révèle sa foi pélagienne. Visiblement, il avait très envie d'en parler et cela explique beaucoup de choses sur ce que nous allons voir cet après-midi. D'une certaine façon, il vivait une double vie puisqu'il était à la fois un catholique dévot et ascétique et, du point de vue du Saint-Siège, un hérétique intégriste.

— Quand cette lettre a-t-elle été écrite ?

— Vers la fin de la Seconde Guerre mondiale. Il était déjà très malade à cette époque. Il radotait un peu et c'est sa dernière lettre.

— Ceci explique cela… Je crois qu'il n'aurait pas pris le risque de faire une telle révélation avant la fin de sa vie. Et que sais-tu de ses origines ?

— C'est une histoire troublante. Il est né à Londres, à Lawrence Lane, où sa famille, de souche huguenote, vivait depuis des générations. Son père était un architecte reconnu. Il est allé à l'université de Pembroke, à Cambridge, d'où il est sorti major de promotion en obtenant son diplôme de mathématiques avec les félicitations du jury. Il a eu le philosophe Bertrand Russell pour professeur. Lorsqu'on lui a offert une bourse, il l'a refusée, car il avait promis à son père de s'associer avec lui. Il a été architecte pendant dix ans, il s'est marié et il a eu trois enfants. Mais lorsque son père est mort, il a brusquement tout abandonné, sa famille et son métier, puis il a disparu en Amérique.

— Est-ce que tu as une explication ? interrogea Costas.

— Il s'était converti au catholicisme et était devenu très pieux. Le père de sa femme, qui était violemment anticatholique, lui a donné un ultimatum en achetant son silence. C'est aussi simple que cela. Ensuite, il a payé l'éducation de ses petits-enfants, à condition que ceux-ci ne revoient jamais leur père. C'est une triste histoire, mais il y en a eu d'autres du même genre entre les protestants et les catholiques, y compris à l'époque victorienne.

— Nous connaissons la véritable raison de son départ, murmura Jeremy : à la mort de son père, il est soudainement devenu responsable de l'héritage de la famille. Mais pourquoi est-il venu ici et qu'a-t-il fait de cet héritage ?

— Je ne comprends pas pourquoi il s'est converti au catholicisme, dit Costas. Cela faisait-il partie de son plan ? S'est-il simplement caché là où on se serait le moins attendu à le trouver ?

— Peut-être, répondit Morgan. Mais cette conversion a tout aussi bien pu être un acte sincère. Il était anglo-catholique et d'autres avant lui avaient franchi le pas. Les disciples de Pélage, dont la foi chrétienne remontait à la tradition bretonne, antérieure à Constantin le Grand, n'appréciaient pas non plus l'Église fondée par le roi Henri VIII. Ce qui les avait détournés de l'Église de Rome, de l'ascendant du Vatican et du pape, était précisément incarné par le monarque anglais, chef suprême de l'Église d'Angleterre. Pour eux, on n'était pas loin du culte divin rendu aux empereurs de Rome, de cette grotesque apothéose qui avait ruiné la Rome antique. Pape ou roi, ils n'aimaient pas que l'Église soit exploitée à des fins politiques.

— Mais certaines personnes, dont Everett, avaient plus d'affinités avec le culte catholique, fit remarquer Jack.

— Les lettres d'Everett montrent qu'il se considérait toujours comme un disciple de Pélage, observa Morgan. D'ailleurs, certaines de ses opinions théologiques auraient été qualifiées d'hérétiques par les intégristes catholiques. Mais la liturgie catholique, les rituels et surtout la musique semblaient lui procurer une grande sérénité spirituelle.

— Cela rejoint ce que disait Jeremy hier, à Londres, à propos de Sir Christopher Wren, qui regrettait la beauté des rituels anciens, se souvint Costas. En tant que grec orthodoxe, je peux comprendre.

— C'est ce qui comptait pour Everett, dit Morgan. Mais, au plus profond de lui, sa foi est restée la même.

— Et la police spirituelle était bien loin de cette vallée perdue au creux des collines de Californie, ajouta Jack.

— Je crois que c'était ça, son plan, en conclut Morgan. Il est venu ici pour protéger ce dont il avait hérité. Il a choisi un pays où la liberté religieuse offrait un refuge à toutes les confessions chrétiennes. Mais il savait sans doute qu'il devait être prudent et choisir le bon moment et le bon endroit pour révéler ce qu'il possédait, et trouver un moyen de transmettre son secret.

— Donc, il est arrivé ici en 1912, résuma Costas.

— Il a débarqué à New York. Il a pris la nationalité américaine, puis il s'est dirigé vers l'Ouest. D'après ce que vous dites, il a dû faire preuve d'un courage extraordinaire pour préserver ce trésor non pour son propre bénéfice mais pour celui de l'humanité. Une fois l'éducation de ses enfants assurée, il a fait le plus grand sacrifice qu'un père puisse faire et il est parti pour ne plus jamais les revoir.

— J'espère que cela en valait la peine, songea Costas à voix haute.

— Nous sommes ici pour le découvrir, lui rappela Jack.

Il respira profondément, puis se tourna de nouveau vers Morgan.

— Sais-tu quoi que ce soit d'autre qui pourrait nous donner un indice ? demanda-t-il.

— Août 1914, répondit Morgan après quelques secondes de réflexion. L'Europe est déchirée, l'Angleterre se mobilise. La Première Guerre mondiale commence.

— Everett a participé aux combats ? questionna Costas.

— Oui. La folie et l'horreur de la Première Guerre mondiale nous font souvent oublier les motivations des hommes. Au départ, ils ont été nombreux à penser que ce n'était qu'une guerre contre un danger imminent. L'impérialisme allemand faisait le lit du nazisme et Everett a estimé qu'il était de son devoir de rejoindre les rangs de l'armée.

Morgan s'adossa à sa chaise et leva les yeux vers un portrait accroché au mur représentant un jeune homme en uniforme, sous lequel se trouvait un petit texte qu'il lut à voix haute :

— « De son propre chef, en l'absence de tout appel national et de toute obligation, un inconnu a traversé l'océan pour combattre et mourir dans nos rangs. Il avait le pouvoir de participer à notre cause, dont la valeur était inestimable. Et il a compris qu'il ne s'agissait pas simplement d'une cause nationale, mais d'une cause internationale de la plus haute importance, qui nécessitait de prendre les armes. » C'est Winston Churchill qui a écrit ceci à propos de cet homme, qui aurait pu être Everett.

— Qui est-ce ? demanda Costas.

— C'était un ami de Churchill, le lieutenant Harvey Butters, artillerie de campagne royale, un Américain tué dans la Somme en 1916. Getty avait beaucoup d'admiration pour les Américains qui, comme Everett, s'étaient engagés dans le combat contre l'impérialisme allemand avant que les États-Unis ne s'impliquent dans le conflit.

— Cette décision de servir dans l'armée cadre tout à fait avec le sens de la responsabilité qui a conduit Everett à sacrifier sa carrière et sa vie de famille pour le trésor qu'il cachait, observa Jack.

— Il est allé au Canada, continua Morgan, et il s'est enrôlé. En 1916, il était officier dans les Fusiliers royaux de Dublin, sur le front Ouest. En avril de cette année-là, il a été gazé et blessé lors d'une terrible bataille à Hulluch, près de Loos. Pendant qu'il se rétablissait, ses supérieurs se sont rendu compte de ses aptitudes en mathématiques et l'ont transféré aux services spéciaux de l'armée britannique, dans la première MI-1. Il a d'abord travaillé au Bureau de la guerre, à Londres, puis il a été détaché aux services spéciaux de la Marine, dans un complexe top secret désigné sous le nom de Bureau 40, où il est devenu cryptographe.

— Ah ! s'exclama Jeremy. De la cryptographie !

— L'armée avait vraiment besoin d'hommes comme lui. Et il est arrivé juste à temps. C'est peut-être en partie grâce à lui qu'on a gagné la guerre.

— C'est-à-dire ? demanda Jack.

— Vous avez déjà entendu parler du télégramme Zimmermann ?

— Oui, déclara Jeremy. C'est ce qui a conduit les États-Unis à participer à la Première Guerre mondiale.

— En effet, ce télégramme codé a été envoyé en janvier 1917 par Arthur Zimmermann, le secrétaire d'État allemand aux Affaires étrangères, à l'ambassadeur allemand au Mexique. Il révélait l'intention de l'Allemagne de reprendre la guerre sous-marine à outrance et proposait une alliance avec le Mexique avec, en contrepartie, l'annexion du Sud des États-Unis. Ce plan semble ridicule aujourd'hui, mais il était tout à fait sérieux à l'époque. Les Britanniques ont intercepté et décrypté le télégramme avant de le transmettre à l'ambassadeur américain. L'opinion américaine était déjà antiallemande en raison du torpillage de paquebots dans lesquels plusieurs Américains avaient péri. Environ un mois plus tard, le président Woodrow Wilson a demandé au Congrès de déclarer la guerre à l'Allemagne.

— Laisse-moi deviner : le déchiffrage du télégramme a été effectué dans le Bureau 40, suggéra Costas.

— Exact. Les cryptographes du Bureau 40 disposaient d'un livre de codes, qui avait été saisi sur un agent allemand au Moyen-Orient et correspondait à une version antérieure du code Zimmermann, mais leur déchiffrage reste un travail de génie.

— Et notre homme faisait partie de cette équipe, murmura Jack.

— Son nom n'a jamais été révélé. Après la guerre, les Britanniques ont tout fait pour que les activités de leurs cryptographes restent secrètes. Ils en ont dit juste assez pour dévoiler l'essentiel de l'histoire. Certains cryptographes du Bureau 40 ont ensuite travaillé à Bletchley Park au cours de la Seconde Guerre mondiale et leur nom n'a jamais été divulgué.

— Everett s'est vraiment fait une place dans l'Histoire en contribuant à l'entrée des États-Unis dans le conflit, lança Costas.

— Si tu trouves que c'est une place dans l'Histoire, attends de savoir la suite.

— On t'écoute, l'encouragea Jack.

— Beaucoup d'informations sont encore classées secrètes, mais je sais qu'Everett a travaillé avec deux grands hommes dont l'identité a été rendue publique : le révérend William Montgomery et Nigel de Grey. Montgomery est le plus intriguant des deux. Ce pasteur presbytérien avait été recruté par les services spéciaux de l'armée britannique. C'était un spécialiste de saint Augustin et il a traduit plusieurs œuvres théologiques de l'allemand. Il est surtout connu pour sa traduction de *La Quête du Jésus historique*, d'Albert Schweitzer.

Jack fut brusquement parcouru d'un frisson.

— Est-ce que tu peux répéter ? demanda-t-il.

— Albert Schweitzer, *La Quête du Jésus historique*.

Le Jésus historique… Jack sentit tous ses muscles se crisper sous l'effet de l'excitation.

— Cela nous fait donc deux hommes, résuma-t-il, deux brillants cryptographes, Montgomery et Everett, qui se passionnent pour la vie de Jésus. Et l'un d'eux est en possession d'un document ancien extraordinaire, qu'il a soigneusement caché. L'horreur de la guerre et la peur de mourir le poussent peut-être à confier son secret afin que tout ne soit pas perdu. Il raconte tout à Montgomery et ils élaborent un code.

— Pure hypothèse, mais si c'est le cas, ils ont sans doute agi ici.

— Ici ? En Californie ?

— À Santa Paula, où Everett a passé le reste de sa vie. Dans ce petit couvent niché dans les collines non loin de la mer, où il avait trouvé ce qu'il cherchait en venant aux États-Unis : la paix, l'isolement, une communauté dans laquelle il s'était facilement intégré, dans l'anonymat, pour attendre en toute tranquillité le meilleur moyen de transmettre son secret.

— Tout comme l'empereur Claude, deux mille ans auparavant, observa Jeremy, jusqu'à ce que l'Histoire déjoue ses plans. La guerre a éclaté comme une nouvelle éruption du Vésuve.

— Je ne comprends pas comment Everett a pu revenir en Californie, dit Costas, comment Montgomery et lui ont pu repasser par ici pendant la guerre.

— C'était en mai 1917, affirma Morgan. La publication du télégramme Zimmermann dans la presse venait d'entraîner les États-Unis dans la guerre. Montgomery et Everett ont été invités à se rendre en Amérique pour participer à l'élaboration de l'unité de cryptologie américaine. Tout cela était top secret. Mais les deux hommes ont dû avoir le temps de faire un aller-retour en Californie.

— Le couvent existe-t-il toujours ? demanda Jack.

Morgan poussa sa chaise en arrière, se leva et se dirigea vers la fenêtre.

— Pendant toute ma carrière, répondit-il avec un brin d'émotion dans la voix, j'ai vécu ici. J'étais là lorsque le musée a été inauguré et c'est dans cette pièce que j'ai réalisé mes meilleurs travaux. Il y a une énergie ici, une mémoire du passé qui a toujours imprégné mon travail. C'est une villa romaine en plein cœur de la Californie ! Mais il y a aussi quelque chose qui me hante. Cette pièce, dans laquelle nous nous trouvons, est une inconnue dans l'équation. Le musée respecte le plan de la Villa des papyrus, telle que Weber l'a vue au XVIIIe siècle. Mais toute cette zone est hypothétique puisqu'elle est censée refléter la partie de la Villa qui n'a jamais été fouillée. Grâce à vos nouvelles découvertes, le passé semble nous rattraper. La vérité recréée ici est sur le point de montrer son véritable visage au risque de détruire la conception que nous en avons aujourd'hui. C'est effrayant, mais terriblement excitant !

Morgan retourna à son bureau, prit un trousseau de clés et se rassit.

— J'ai terminé, lança-t-il. Mais, avant que nous ne partions, je veux entendre le reste de votre histoire et comprendre ce que Claude vient faire dans tout cela.

Chapitre 21

Trois heures plus tard, Jack se trouvait dans une petite vallée de Santa Paula, dans les collines de Californie, à une trentaine de kilomètres au nord-est de la Villa Getty. C'était une après-midi superbe. Le ciel était d'un bleu azur et une brise rafraîchissante balayait la vallée en jouant dans les feuilles. Jack était debout au beau milieu de grands noyers noirs, parmi lesquels se détachaient quelques peupliers de Virginie et de rares chênes chétifs. Ces arbres avaient été plantés avec recherche mais sans volonté d'alignement, sur des terrasses qui descendaient le long du coteau, et chacun avait suffisamment d'espace pour arriver à maturité en respectant les formes naturelles du paysage. L'écorce de noyer était épaisse, extrêmement ridée, et chaque arbre se séparait en deux près du sol, comme si deux troncs avaient poussé ensemble et divergeaient pour créer des tonnelles et des galeries qui donnaient envie à Jack de s'enfoncer encore plus loin dans le bois. C'était un endroit magique, impénétrable, coupé du reste du monde. Et pourtant, il jouissait de toute la lumière et de toutes les couleurs que la Californie avait à offrir.

Morgan apparut sur le sentier près duquel ils avaient laissé la voiture, suivi de Costas et de Jeremy.

— La cabane d'Everett se trouvait juste ici, indiqua-t-il à Jack, et sa tombe doit être quelque part par là. On a perdu l'emplacement exact mais, d'une certaine façon, Everett est partout autour de nous. C'est lui qui a planté tous ces arbres, qui a façonné le paysage. Mais venez voir plus loin.

Il continua à longer le sentier et tourna à gauche, le long d'une terrasse, en faisant bruisser le tapis de feuilles mortes. Jack s'arrêta un instant, puis rattrapa rapidement ses compagnons. Ils passèrent devant un torrent bouillonnant et débouchèrent sur un bâtiment bas et long, qui longeait le coteau d'un côté et descendait vers la vallée de l'autre. Les murs étaient en pierre taillée à la base et se prolongeaient avec de longues briques fines. Une ligne de briques plus foncées courait au centre de la façade pour en rompre la monotonie. Le toit en pente était recouvert de grandes tuiles plates fixées par la superposition de tuiles semi-circulaires, à la manière méditerranéenne. Jack observa attentivement le bâtiment, qui lui semblait étrangement familier.

— Bienvenue au couvent de Sainte-Marie-Madeleine, déclara Morgan.

— Tu es déjà venu ici ? demanda Costas.

— Je n'ai obtenu l'autorisation d'y entrer que l'année dernière. Et c'est encore une révélation pour moi. À l'origine, ce bâtiment abritait une communauté de jésuites. C'était une mission typiquement espagnole, en pisé et en plâtre blanchi à la chaux. Puis tout a été rebâti au début du XXe siècle. C'est un des joyaux architecturaux complètement inconnus de Californie.

Il se tourna vers Jack.

— Tu as probablement deviné de quoi il s'agit, lui dit-il.

— Getty n'a apparemment pas été le seul à recréer la Rome antique, murmura Jack.

— Quand Everett est venu ici en 1912, la mission s'effondrait et était quasiment inhabitable. Il a passé les dix années suivantes à la restaurer, hormis le temps qu'il a passé à la guerre. Il a tout bâti lui-même, jusqu'à ce que sa santé ne le lui permette plus.

— Alors, finalement, il n'a pas renoncé à l'architecture, en conclut Costas.

— Loin de là. Ici, il a pu s'adonner pleinement à sa passion en réalisant quelque chose qu'il n'aurait jamais pu construire dans l'Angleterre édouardienne. Dans les années 1890, alors qu'il était étudiant en architecture, les villas de la Bretagne romaine ont été véritablement fouillées pour la première fois et leur beauté a éclaté aux yeux de tous.

— Il m'a fallu un moment, avoua Jack, mais je l'ai reconnue : la villa romaine de Chedworth, dans le Gloucestershire. Même le cadre est similaire. Un peu plus humide, peut-être. C'est un de mes endroits préférés.

— C'est ça, confirma Morgan. L'environnement était crucial pour Everett. Les grandes maisons de l'Italie romaine étaient ceintes de toutes parts, coupées de leur cadre naturel. La Villa des papyrus offrait une vue extraordinaire, mais la cour à péristyle l'isolait et attirait les regards vers l'intérieur. Au lieu de fenêtres ouvrant sur l'extérieur, il y avait des peintures murales représentant des jardins et des paysages imaginaires, délibérément irréels, artificiels, mythiques. Tout symbolisait le contrôle total de la nature.

— Ou le manque de contrôle, suggéra Jack.

— Ou plutôt le déni de la nature, rectifia Costas. Il est plus facile de peindre le Vésuve sur sa villa, dans une sorte de rêverie dionysiaque, que de regarder par la fenêtre et de voir une réalité que l'on n'a aucun espoir de contrôler.

— Dans la Bretagne romaine, c'était différent, analysa Jack. Tu te souviens de Boadicée, des druides ? Les Bretons rendaient leur culte dans les clairières et n'avaient pas de temple. Ils étaient beaucoup plus à l'écoute de la nature. Ils considéraient qu'ils en faisaient partie et n'essayaient pas de la contrôler. Par conséquent, lorsqu'elle a fait bâtir des villas de style romain, l'élite bretonne a pris soin de les intégrer dans le paysage et non de les exclure de leur cadre. Et c'est ce qu'Everett a fait ici. Au lieu d'une cour à péristyle, il a bâti une longue structure longeant la vallée vers le sud, le dortoir des religieuses, exactement comme l'aile ouest de Chedworth. De plus, la villa s'inscrit magnifiquement dans le relief et les couleurs du paysage pour en devenir partie intégrante. C'est tout à fait conforme à la vision d'Everett.

— En effet, rien à voir avec la Villa Getty, observa Costas.

— Everett a dû savourer le défi, imagina Morgan. C'était un peu l'histoire du lièvre et de la tortue. Getty était riche à millions ; Everett vivait de la charité. Getty pouvait faire appel aux architectes et aux entrepreneurs du monde entier ; Everett ne pouvait compter que sur lui-même. Et pourtant, c'est Everett qui a terminé le premier, des dizaines d'années avant l'ouverture de la Villa Getty. Celle-ci a fait l'objet d'une mise en scène très médiatisée. Née du caprice d'un milliardaire, c'était aussi un bienfait pour le monde. À l'inverse, l'œuvre d'Everett est restée totalement secrète. Le règlement du couvent interdit aux étrangers d'aller au-delà du vestibule et d'entrer en contact direct avec les religieuses. Nous avons beaucoup de chance d'avoir été autorisés à venir jusqu'ici.

— Pouvons-nous jeter un coup d'œil dans le vestibule ? s'enquit Jack.

— Nous sommes là pour ça.

Ils traversèrent une cour recouverte de dalles irrégulières et se dirigèrent vers une entrée de simple facture, entourée de pierres apparentes et surmontée d'un linteau taillé dans la roche locale que Jack avait vue sur la terrasse. La porte se composait de planches ciselées de bois dur, sans doute du noyer. Elle était entrouverte et Morgan la poussa complètement en montrant le sol du doigt.

— Regardez d'abord le seuil, proposa-t-il.

Une mosaïque noire et blanche d'environ un mètre de large, créée à partir de cubes grossièrement taillés mais bien polis, se trouvait à cheval sur le seuil du bâtiment. Jack avait déjà vu une mosaïque de ce genre sur le seuil d'une maison de Pompéi. Elle portait une inscription en latin : *CAVE CANEM*, « Attention au chien ». Mais, ici, les lettres étaient disposées en carré et constituaient un message dont le sens n'était pas évident au premier coup d'œil. Il y avait un mot par ligne :

ROTAS
OPERA
TENET
AREPO
SATOR

Jack observa l'inscription un instant et la traduisit rapidement.

— C'est du latin, annonça-t-il. « Le semeur Arepo fait tourner la roue au travail ».

— C'est une sorte de code ? demanda Costas.

— Pas vraiment, répondit Jeremy, qui sortit un carnet et un crayon de sa poche et griffonna quelques mots avant de les montrer à Costas. C'est un carré magique. Si on dispose les lettres en croix, voici ce qu'on obtient :

```
          A

          P
          A
          T
          E
          R
A PATERNOSTER O
          O
          S
          T
          E
          R

          O
```

— Pas mal ! s'exclama Costas.

— Pas mal, mais ce n'est pas d'Everett, précisa Jack. C'est une inscription datant de la Rome antique, gravée sur un tesson d'amphore trouvé en Grande-Bretagne.

— Décidément, plaisanta Costas, depuis notre plongée dans l'épave, je commence à voir les vieux pots sous un tout autre jour !

Il fit un pas en avant et passa la tête dans le vestibule.

— Ah ! s'écria-t-il. Ça aussi, je connais. Je crois bien que c'est un chi-rho.

— Il y en a deux, en fait, indiqua Morgan. Un sur le sol et un sur le mur.

Ils entrèrent l'un après l'autre. La pièce était simple, sobre, en parfaite harmonie avec l'extérieur de la villa. Les murs plâtrés étaient peints en rouge mat dans le style romain. Il n'y avait pas de fenêtres mais des ouvertures avaient été judicieusement pratiquées juste au-dessous du plafond, sur tout le pourtour de la pièce, si bien que des puits de lumière tombaient au centre du sol et sur le mur situé en face de l'entrée, pour éclairer les éléments centraux des deux ornements de la pièce. Sur le sol, se trouvait une autre mosaïque, polychrome cette fois, qui occupait toute la largeur du vestibule, soit environ trois mètres. Les *tesserae*, les cubes de mosaïque, mesuraient environ un centimètre carré et la palette était limitée à quelques couleurs. Le motif, simple et linéaire, se composait de zones nettement délimitées n'offrant guère de subtilité en matière d'ombres. Plusieurs cercles concentriques séparés par des bandes blanches partaient des bords de la pièce et progressaient vers l'intérieur comme autant de volutes et de méandres. Le motif central, que Costas avait vu, était un chi-rho niché dans un médaillon d'environ cinquante centimètres de diamètre et placé comme une auréole sur la tête et le buste d'un personnage.

— Extraordinaire, murmura Jack. Hinton St. Mary, dans le Dorset. C'est une réplique exacte de la célèbre mosaïque.

— Encore une villa de la Bretagne romaine ? demanda Costas.

Jack acquiesça d'un air absent, puis s'accroupit pour voir les détails de plus près.

— Il a utilisé les mêmes matériaux. De la brique pour le rouge, du calcaire pour le blanc, du grès pour le jaune et du schiste argileux pour le gris. Il avait accès à des tas d'autres couleurs ici, à des quartz, à des verts, à des bleus, à toutes les couleurs que l'on voit dans les mosaïques de la Villa Getty, mais il a conservé la palette d'origine.

— C'est une représentation du Christ ?

— Bonne question ! lança Morgan.

— Je ne pensais pas que cela prêtait à polémique, déclara Jack en se relevant. C'est une représentation typique du IVe siècle. Visage carré, glabre, cheveux longs, buste enveloppé dans une sorte de toge. Tout cela est purement imaginaire, bien sûr. Il aurait tout aussi bien pu s'agir d'un portrait grossier du premier empereur chrétien, Constantin le Grand, ou d'un de ses successeurs, qui n'ont sans doute pas découragé la confusion de leur image avec celle du Christ.

— Justement, insista Morgan, c'est bien le problème.

— C'est-à-dire ?

— Eh bien, d'après toutes nos informations, les premiers chrétiens de Bretagne semblent avoir pris leurs distances par rapport à l'Église de Rome. Ils s'inscrivaient dans une tradition plus pure à leurs yeux, compatible avec les croyances païennes de leurs ancêtres. Je ne vois pas pourquoi le propriétaire de la villa d'Hinton St. Mary aurait voulu une représentation de Jésus presque identique au portrait de l'empereur, tel qu'il était frappé sur les pièces de sa bourse. L'élite bretonne de la fin de l'époque romaine connaissait le monde et savait parfaitement à quoi ressemblait le peuple du Levant, de Judée. En Bretagne, il y avait même probablement un peu de sang oriental, apporté par les Phéniciens des siècles auparavant. L'idée que Jésus ait pu être glabre et avoir un visage de chérubin est véritablement grotesque. C'était un pêcheur de la mer de Galilée et la Judée était une terre brûlée par le soleil. Mais regardez bien ces longs cheveux, ces yeux en amande, ce vêtement qui pourrait être une toge mais aussi une robe. Il ne s'agit peut-être pas de Jésus. Ce n'est peut-être même pas un homme.

— C'est une femme ! s'exclama Costas.

— C'est ce que croyait Everett, en tout cas. Les pélagiens accordaient plus d'importance à Marie, la compagne de Jésus, que l'Église de Rome, beaucoup plus d'importance. Les images androgynes du Christ, féminisées pour qu'il incarne à la fois l'homme et la femme, les représentations d'un Christ déifié, tout cela n'avait pas de sens à leurs yeux. Pour eux, il y avait Jésus l'homme, et Marie la femme. L'iconographie du Christ dans la tradition romaine leur semblait de mauvais goût, comme si l'image de Jésus n'avait pas été élevée et déifiée mais réduite à un simple motif décoratif, à un pastiche réalisé à des fins malhonnêtes, qui n'avait plus grand-chose à voir avec l'homme ni avec ses enseignements. Ils étaient convaincus que c'était en regardant Jésus tel qu'il était, en tant qu'homme, qu'ils comprendraient le mieux sa parole. Ils se disaient prêts à recevoir la parole de Dieu à travers l'homme et non à travers le Christ ressuscité. Et n'oubliez pas où nous nous trouvons. Ce portrait est tout à fait approprié, puisque nous sommes dans le couvent de Sainte-Marie-Madeleine.

— Fascinant, souffla Jack.

— Et tu vas également reconnaître la peinture murale.

Jack leva les yeux et découvrit, dans le second ornement du vestibule, un autre chi-rho, peint en noir sur un fond bleu clair avec, de part et d'autre, les lettres grecques alpha et oméga. Ici, le symbole était entouré d'une guirlande bleu foncé. Jack discerna également d'autres lettres grecques, plus petites, parmi les branches de vigne qui tournoyaient décorativement autour des fleurs et des feuilles de la guirlande. Tout en bas, se trouvaient une petite croix ornementée, visiblement une croix arménienne, et les mots *Domine iumius*.

— « Seigneur, nous arrivons », traduisit Jack. Excepté cet ajout, c'est une copie fidèle de la peinture murale de Lullingstone, dans le Kent. Une autre œuvre célèbre du début du christianisme en Bretagne. Everett avait vraiment un faible pour les villas romano-bretonnes.

— C'est évident, confirma Morgan. Regardez autour de vous. Nous ne sommes pas censés regarder uniquement ces images mais l'ensemble du cadre. C'est ce qui est extraordinaire ici, comme à la Villa Getty. De même que Getty, Everett a voulu remettre l'art dans son contexte. Et si l'un a été inspiré par Herculanum, l'autre a été influencé par les découvertes archéologiques du XIXe siècle en Angleterre. C'est la redécouverte du monde romano-breton et de son rôle dans le christianisme qui a ranimé le mouvement pélagien quand Everett était jeune. Les pélagiens ont compris que les premiers chrétiens de Bretagne rendaient leur culte dans des maisons privées, dans des pièces réservées à cette fin dans les villas, probablement comme à Pompéi et Herculanum avant que l'Église ne s'impose. Everett a appelé cette pièce le *scholarium*, le lieu d'apprentissage. Ce n'était pas une église, une chapelle, un lieu de culte, ni même un lieu de rencontre, mais un lieu d'apprentissage. Un endroit où l'on pouvait se rassembler pour lire les Évangiles. Un endroit où les chaires, les prédicateurs et les prêtres n'avaient pas leur place.

— Et où Everett avait peut-être l'intention de révéler son secret, suggéra Costas.

— Cela montre l'absurdité des conflits qui ne cessent d'opposer les différentes confessions, observa Jeremy d'un air songeur, qu'il s'agisse de l'Église de Rome et des pélagiens ou des catholiques et des protestants. C'est dans ce couvent catholique de Californie qu'Everett a pu exprimer en toute liberté ses véritables convictions et bâtir un endroit où il a pu se rapprocher, plus que jamais, de Jésus et de ses enseignements.

Jack regarda autour de lui et prit du recul pour analyser ce qu'il éprouvait. Au fil des ans, il avait appris à suivre son instinct en matière d'art, à accepter et à apprécier sa propre sensibilité sans se contraindre à trouver la beauté là où il ne la voyait pas. La Villa Getty était magnifique mais, d'une certaine façon, cet endroit lui semblait plus familier, en phase avec son propre passé. La relation à la nature, aux couleurs, l'exploitation de la lumière et des ombres reflétaient une certaine vision du monde comparable à la sienne et à celle de ses ancêtres. Mais il y avait aussi autre chose. Ces derniers jours, il avait eu l'impression d'avoir affaire à deux versions différentes de la beauté, de la vérité. Il contempla la peinture et repensa à ce que Morgan venait de dire à propos des pélagiens, tournés vers Jésus en tant qu'homme. Une grande partie de la tradition chrétienne avait été illustrée dans d'immenses œuvres d'art, dans une iconographie impressionnante, distante, inaccessible. Mais il existait une autre vérité, plus grossièrement façonnée peut-être, mais pas moins belle, dont toute la puissance résidait dans une précieuse intimité avec les hommes et les femmes de ce monde, et non dans des formes idéalisées. En voyant la Villa Getty puis ce couvent, Jack avait pu mettre de l'ordre dans ses pensées et trouver ses propres repères dans un mystère de plus en plus fascinant, qui semblait s'épaissir à mesure qu'il s'y enfonçait.

Il sortit de sa rêverie, respira profondément et regarda de nouveau la fresque, puis la mosaïque.

— Allez… murmura-t-il.

— Qu'est-ce qu'il y a ? s'enquit Costas.

— C'est forcément ici. Si Everett nous a laissé un indice, celui-ci doit être quelque part dans ses images. J'en ai l'intime conviction.

Jeremy s'approcha de la peinture murale et examina la guirlande située sous le chi-rho.

— Est-ce une réplique exacte ? demanda-t-il.

— Everett a apporté quelques modifications, répondit Morgan. Les feuilles sont des feuilles de noyer et les fleurs sont des orchidées, une variété qu'il aimait beaucoup. Il a également ajouté les lettres grecques. Après ma première visite, je les ai confrontées à toutes sortes d'acrostiches, mais sans succès. Elles sont purement décoratives.

— Cela ne ressemble pas à Everett.

— Je sais, mais j'ai tout essayé, insista Morgan.

— Dispose-t-on d'informations chronologiques ? l'interrogea Jeremy en se reculant pour mieux réfléchir. Sait-on quand ces ornements ont été réalisés ?

— J'ai eu la possibilité de parler à la mère supérieure par l'intermédiaire d'une tierce personne, répondit Morgan en haussant les épaules. Ce n'était qu'une jeune religieuse lorsque Everett était mourant. Elle l'a soigné dans sa cabane dans les derniers mois de sa vie. Apparemment, il avait déjà achevé cette partie du couvent avant la Première Guerre mondiale, deux ans après être arrivé aux États-Unis. Lorsqu'il s'est installé ici, il semble avoir redoublé de ferveur, comme s'il avait éprouvé le besoin de justifier sa décision de quitter sa famille et de sacrifier son ancienne vie.

— Il a décoré la pièce ensuite, après la guerre ?

— Il avait déjà fait les mosaïques, y compris le carré magique de l'entrée. La peinture murale, en revanche, n'a été réalisée qu'après la guerre. Les religieuses qui ont vécu à cette époque ont raconté cette anecdote à l'actuelle mère supérieure, alors novice. À son retour, Everett n'était plus le même homme. Il était renfermé, tourmenté et ses poumons le faisaient souffrir en permanence. Il s'est quasiment cloîtré dans cette pièce pendant des mois d'affilée. Personne n'a su ce qu'il avait vécu. La Californie du Sud était bien loin de l'enfer des Flandres. Mais on peut l'imaginer en regardant cette peinture. Personnellement, je trouve cette version du chi-rho de Lullingstone austère, hachée, noire, comme si elle avait été attaquée par le feu. Elle me rappelle ces photos en noir et blanc des villes du front Ouest, Ypres, Passchendaele, Loos, où Everett a été blessé, ces images de désolation où ne subsistaient que quelques traces de vies balayées, comme sur la colline du Golgotha, lorsque les croix vides des crucifixions étaient brûlées et déformées par les flammes.

Jeremy passa le doigt sur la guirlande bleue.

— Il y a cinquante-trois lettres, toutes grecques, marmonna-t-il. Pas d'ordre particulier, pas de logique apparente. Elles ne semblent former aucun mot, ni dans un sens, ni dans l'autre.

— Je te l'ai dit, j'ai déjà essayé. Je ne suis parvenu à aucun résultat. Les seuls mots lisibles sont ceux qui sont écrits au-dessous de la croix arménienne : *Domine iumius*. Et je ne vois pas ce qu'ils peuvent signifier. Cela ne nous renseigne pas beaucoup.

— Everett était un mathématicien brillant, qui adorait les casse-tête et les énigmes, comme toutes les personnes ayant sa tournure d'esprit. Le carré magique qui se trouve sur le seuil en est la preuve. Puis il est parti à la guerre et, lorsqu'il est revenu, il a réalisé cette fresque en ajoutant des lettres par rapport à la version originale. Que lui est-il arrivé ?

Jeremy fixa la peinture et se mit à tapoter sur le mur. Soudain, il se tourna vers Morgan.

— En 1917, il est revenu dans ce couvent, c'est bien ça ? demanda-t-il.

— Oui, après l'entrée des États-Unis dans la guerre, après avoir participé au décryptage du télégramme

Zimmermann, il est probablement venu ici avec William Montgomery.

— Le cryptographe, dit Costas avec insistance.

— C'est ça, j'ai compris ! s'exclama Jeremy en se précipitant vers le sac qu'il avait laissé à l'entrée de la porte pour en sortir son vieux carnet. Tu te souviens, Jack ? C'est ce que j'étudiais dans l'avion. J'ai eu l'intuition que cela pourrait m'être utile.

Il ouvrit le carnet et le feuilleta frénétiquement jusqu'à ce qu'il trouve la page qu'il cherchait.

— J'ai ici le code Zimmermann dans son intégralité, annonça-t-il fièrement. Voilà ce qui est arrivé à Everett pendant la guerre ! Il a été traumatisé, bien sûr, blessé, mais il est aussi devenu cryptographe. Voilà la clé. Lorsqu'il revient de la guerre, il veut laisser un indice, tout comme Claude deux mille ans auparavant. Il est immergé dans les codes. Il a encore le code Zimmermann en tête. Peut-être Montgomery et lui ont-ils mis au point un code dans cette pièce lorsqu'ils sont venus en 1917. Peut-être le document était-il ici, caché quelque part dans ce vestibule, et l'ont-ils emporté avec eux lorsqu'ils sont retournés en Europe.

Jeremy s'interrompit un instant et regarda de nouveau la peinture.

— Effectivement, ces lettres ne correspondent à aucun acrostiche ancien, mais je ne crois pas qu'elles soient purement décoratives. C'est un code.

— On t'écoute, l'encouragea Jack.

— Le code Zimmermann était un code numérique. Le télégramme se composait de groupes de chiffres qui ressemblaient à des mots formant des phrases. C'était assez évident. La difficulté consistait à attribuer des valeurs aux chiffres. Heureusement, il y a eu ce livre de codes saisi sur un agent au Moyen-Orient.

— Je te suis, dit Costas. On pourrait commencer par attribuer à ces lettres grecques un équivalent numérique.

— Ce serait un bon début.

Jeremy chercha un crayon dans sa poche et se mit à noter les lettres sur une page blanche dans l'ordre où elles apparaissaient. Puis il déclina l'alphabet grec en attribuant un chiffre à chaque lettre. Ensuite, il indiqua au-dessous de chaque lettre de la peinture sa valeur numérique correspondante, en commençant par le chiffre quatre pour delta.

— Voilà, ça y est ! déclara-t-il lorsqu'il eut terminé la transcription numérique.

Il tendit son carnet dans un rai de lumière, de sorte que ses amis puissent voir le résultat.

Δ	Ρ	Ζ	Τ	Ξ	Φ	Ψ	Η	Ω	Θ	Η	Μ	Δ	Θ	Ι	Π	Ω	Α	Ξ	Ν	Λ	Ο	Π	Β	Τ
4	17	6	19	14	21	23	6	24	8	6	12	4	8	9	16	24	1	14	13	11	15	16	2	19

— Bon, allons-y ! s'écria-t-il en bondissant de nouveau vers son sac.

Cette fois, il en sortit un ordinateur de poche, qu'il mit en route pendant que ses compagnons se rassemblaient autour de lui.

— Lorsque j'ai commencé à m'intéresser au code Zimmermann, quand j'étais gosse, j'ai eu envie de savoir en quoi l'informatique aurait pu faciliter le décryptage, expliqua-t-il.

— Décidément, tu me plais de plus en plus, Jeremy, murmura Costas.

— Everett aurait adoré, mais il aurait constaté qu'aucun ordinateur ne peut remplacer le cerveau humain. Pour décrypter le code Zimmermann, il fallait connaître la tournure d'esprit des Allemands qui l'avaient conçu, leur perception du monde, leur vocabulaire.

Jeremy saisit une commande et des séquences numériques associées à des mots et à des syllabes s'affichèrent à l'écran.

— Le concept est assez simple, poursuivit-il. Chaque groupe de chiffres correspond à un mot, à une locution ou à une lettre. Le livre de codes s'utilise presque comme un index. Mais les Allemands n'avaient pas anticipé tous les mots dont ils auraient besoin. Certains mots sont donc décomposés en plusieurs parties. Par exemple, le mot Arizona se compose de quatre différents groupes de chiffres qui correspondent à AR, IZ, ON et A. Il apparaît dans la partie du télégramme où les Allemands proposent d'aider les Mexicains à reconquérir les États du Sud. Je pense que c'est là qu'Everett est intervenu. Il connaissait l'Amérique mieux que n'importe quelle personnalité du Bureau 40 puisqu'il y avait vécu avant la guerre. C'est peut-être lui qui a suggéré de chercher des noms géographiques, des noms propres ne figurant pas dans le livre de codes.

Jeremy tapota de nouveau sur le clavier.

— Bon, annonça-t-il. Je vais saisir ces chiffres. Cela va prendre une minute ou deux.

— Everett a dû bien s'amuser, fit remarquer Costas.

— Pourquoi ?

— Eh bien, la sauvegarde de l'Évangile était une affaire très importante mais, lorsqu'il a décidé de laisser un indice, il l'a fait de manière très ludique.

— Il aimait les énigmes. C'était un cryptographe.

— Un peu comme Claude.

— Les meilleurs chasses au trésor sont celles qui ont été lancées dans le passé, déclara Jack. Leurs initiateurs sont à la fois nos alliés et nos adversaires. Ils nous donnent des pistes mais nous mettent au défi.

— Je croyais que tu étais archéologue, plaisanta Costas, pas chasseur de trésor. Tu files un mauvais coton.

— Bingo ! s'exclama Jeremy. Six mots viennent d'apparaître à l'écran. Ça a marché, vieux farceur ! C'est génial !

— Incroyable, murmura Jack.

— C'est en allemand, bien sûr.

— Ah.

— Tu as quelques notions ? demanda Jeremy en notant les mots sur son carnet.

— J'en garde peu de souvenirs. *Ausgangwier*... Je crois que ça veut dire « église », mais la signification de ce mot est peut-être plus précise. Quoi qu'il en soit, nous connaissons quelqu'un qui va pouvoir nous aider.

Jack sortit son téléphone portable de sa poche et composa le numéro de la ligne sécurisée de l'UMI.

— Sandy, c'est Jack, dit-il. Peux-tu me trouver Maurice Hiebermeyer et lui demander de m'appeler le plus tôt possible ? Merci.

Il garda son portable à la main et celui-ci se mit à sonner quelques instants plus tard.

— Maurice ! s'écria-t-il.

Il prit le carnet de Jeremy, sortit à l'extérieur du couvent et revint au bout de quelques minutes.

— Je le lui ai lu, annonça-t-il. Il va y réfléchir un peu et me rappeler.

— Comment va mon ami ? s'enquit Morgan.

— Il est dans une pizzeria, à Naples. Apparemment, il a changé d'avis sur cette ville. Il est comme un poisson dans l'eau. Il dit que, lorsqu'on se soumet à toutes les démarches administratives, tout se passe bien. Il lui suffit de se présenter tous les matins à la Surintendance. Comme elle ne manque pas de lui mettre des bâtons dans les roues, il a tout le reste de la journée pour aller se détendre. En fait, on ne perd des heures dans les salles d'attente que lorsqu'on veut faire avancer les choses. Il dit qu'il avait besoin de vacances, de toute façon, et que c'est la deuxième fois qu'il fait le tour des pizzerias du port. Il prétend même que, si nous étions autorisés à retourner dans le tunnel d'Herculanum, il y resterait coincé.

— Et après, se moqua Costas, il t'a parlé de sa récente découverte dans le désert égyptien, celle dont il veut nous faire part depuis des lustres. Les grands espaces, pas de tunnels étroits, plus de place pour bouger… Est-ce qu'on va enfin se décider à l'écouter ?

— Même pas. Il n'a même pas abordé le sujet. Il avait la bouche pleine.

— Sérieusement, qu'a-t-il dit ?

— Il a pris le contrôle de la situation. Les autorités n'ont pas hésité à se servir de lui pour appâter les médias. Elles ont montré qu'elles n'avaient pas lésiné sur les moyens en demandant à un célèbre égyptologue de venir explorer le tunnel. Mais Hiebermeyer parle l'italien couramment et personne ne devait s'attendre à ce qu'il devienne une star du jour au lendemain. Il a retourné la situation à son avantage. La Surintendance a voulu le mettre en avant lors du communiqué de presse concernant la statue d'Anubis, et il a insisté pour que celui-ci ait lieu juste à l'entrée du tunnel. Ainsi, Maria et lui ont pu garder un œil sur le site. Il a fait tout un battage médiatique sur les risques d'effondrement et l'obligation de fermer le tunnel jusqu'à ce que l'on obtienne le financement nécessaire pour une fouille complète et définitive de l'ensemble de la Villa. Il a exigé que l'entrée soit bétonnée en sa présence. La Surintendance ne s'est évidemment pas fait prier mais, au moins, nous sommes sûrs que ce qui se trouve au bout du tunnel est encore intact.

— Quel phénomène ! Des nouvelles d'Elizabeth ?

— Toujours pas.

Le portable sonna. Jack s'élança de nouveau vers la sortie et revint peu après, les yeux rivés sur le carnet.

— Voilà, annonça-t-il en se raclant la gorge avant de lire la traduction à voix haute : « La parole de Jésus est dans la pièce sacrée. »

Après un long silence, tout le monde se tourna vers la peinture murale.

— La parole de Jésus, répéta Costas. Cela fait sans doute référence à l'Évangile, au document que nous cherchons.

— Peut-être, murmura Jack.

— Et la pièce sacrée… Il doit s'agir de cette pièce. Everett nous dit que l'Évangile se trouve quelque part dans cette pièce !

— Ou il nous dit que cette pièce est un lieu sacré. Rien de plus.

— Cela ne te ressemble pas d'être pessimiste.

— Il y a quelque chose qui cloche, affirma Jack en balayant la pièce austère du regard. Il aurait pu le cacher ici, mais cela semble trop évident. Il a bien dû se douter que ceux qui arriveraient jusqu'ici et déchiffreraient ces lettres grecques connaîtraient sa vie et son parcours. Non, il y a autre chose, quelque chose que nous n'avons pas encore trouvé. Il nous manque une pièce essentielle du puzzle.

— 1917, réfléchit Jeremy. C'est l'année clé.

— Je ne vois pas ce qu'on peut en tirer.

— Est-ce qu'Everett aurait pu rester ici après le départ de Montgomery ? questionna Costas.

— Pardon ? demanda Morgan en levant les yeux d'un air distrait.

— 1917, insista Jeremy. Everett et Montgomery viennent ici. La guerre continue. Everett est toujours officier dans les services spéciaux britanniques. Alors est-ce qu'il reste aux États-Unis pour travailler avec les Américains ou est-ce qu'il repart ?

— Ah, c'est vrai ! répondit Morgan en se raclant la gorge. Je ne vous ai pas raconté la suite. Après la conférence de Londres lors de laquelle j'ai rencontré Maurice, j'ai passé quelques jours aux Archives nationales, à Kew. À ma grande surprise, j'ai trouvé un fichier contenant le courrier personnel d'Everett. Il s'agissait essentiellement de rapports médicaux concernant ses blessures, d'évaluations de la commission médicale, de documents qui n'ont pas pu être classés secrets parce qu'ils n'étaient pas liés à ses activités dans les services spéciaux. Or, les rapports médicaux attestent l'aptitude du soldat à servir mais précisent également son affectation. Et il se trouve qu'Everett avait déjà été affecté avant sa petite parenthèse aux États-Unis. L'armée britannique s'était rendu compte qu'il lui fallait des cryptographes sur le front, idéalement des officiers ayant l'expérience du terrain, capables de diriger un corps d'armée ou le personnel divisionnaire. Everett est donc devenu officier cryptographe dans les forces britanniques du Moyen-Orient, sur l'autre front britannique de la Première Guerre mondiale, destiné à combattre l'Empire ottoman. Il était aux côtés du général Allenby lors de la libération de Jérusalem.

Jack laissa tomber son crayon.

— Quoi ? s'écria-t-il.

— Everett est allé à Jérusalem fin 1917. Nous n'avons que cette vieille photo de lui sur laquelle il est déjà âgé, mais je crois qu'on le distingue sur la célèbre photo qui représente Allenby et ses troupes démontées franchissant la porte de Jaffa le 11 décembre 1917. Il fait partie des officiers situés derrière Thomas Edward Lawrence, Lawrence d'Arabie. Nous savons que les hommes de l'armée britannique ont traversé la vieille ville pour se rendre sur la place de l'église du Saint-Sépulcre, où ils ont prié. Les documents d'Everett indiquent qu'il est resté à Jérusalem en tant qu'officier des services spéciaux, au sein des forces d'occupation britanniques, jusqu'à la fin de la guerre. Après la défaite turque, il a eu beaucoup de temps libre. Il a donc eu le loisir d'entreprendre un traité d'architecture sur le Saint-Sépulcre, le manuscrit figurant dans les archives de la Villa Getty sur lequel j'ai travaillé. Une fois démobilisé, il est retourné aux États-Unis et il a passé le reste de sa vie dans ce couvent. Ses poumons avaient été si endommagés par l'attaque au gaz qu'il avait subie en 1916 qu'il est finalement devenu invalide.

— Ça alors, murmura Jack, les yeux rivés sur la peinture.

— Qu'est-ce qui t'arrive ? lui demanda Costas.

— Je sais où Everett a caché son trésor, déclara Jack avec un grand sourire. Pas dans une *pièce sacrée*. Maurice nous a donné une traduction littérale, car il n'avait pas le contexte. Mais je ne me débrouille pas si mal en allemand, après tout. Je savais bien que ce mot me disait quelque chose. Je l'ai vu la dernière fois que je suis allé à Jérusalem. Il signifie *Saint-Sépulcre*.

Tout le monde resta bouche bée. Seul Jack, sous l'impulsion d'une poussée d'adrénaline, sortit son téléphone portable. Tous les éléments dont ils disposaient pointaient enfin vers une seule et même direction. Il composa la ligne directe de l'UMI.

— Sandy, c'est encore Jack. Peux-tu nous réserver trois billets pour Tel-Aviv ?

Morgan lui fit signe et se désigna du doigt.

— Quatre billets, rectifia Jack.

Il remercia Sandy et referma son portable.

— Je propose qu'on aille à l'aéroport dès maintenant, dit-il avant de se tourner de nouveau vers la fresque en hochant la tête. L'Histoire ne s'arrête jamais... Nous avons suivi une piste qu'on nous avait laissée deux mille ans auparavant et, maintenant, nous en avons une autre. Décidément, Everett était tout aussi rusé que Claude.

Chapitre 22

— Jack ? Jack Howard ?

Une femme, qui se trouvait parmi un groupe de moines sur la terrasse de l'église du Saint-Sépulcre, traversa la cour baignée de soleil dans un habit blanc qui flottait autour d'elle. Jack plissa les yeux et la vit s'approcher de lui. Derrière elle, la coupole de l'église la plus importante de la chrétienté surplombait les murs blancs et les toits plats de la vieille ville de Jérusalem. Là, au-dessus des ruelles étroites et des places encastrées, dont chaque centimètre carré était surveillé avec zèle par une des nombreuses factions revendiquant la plus sacrée des villes, on avait l'impression d'avoir davantage d'espace pour réfléchir. Jack se tourna vers Costas en se frottant les yeux. Il n'avait pas pu dormir dans l'avion qui les avait emmenés de Los Angeles à Tel-Aviv. Morgan, encore au pied de l'église, s'apprêtait à les rejoindre. Jeremy, en revanche, n'était pas là. Au dernier moment, Jack lui avait demandé d'aller à Naples rejoindre Maria et Hiebermeyer, et de faire tout ce qu'il pouvait pour découvrir ce qui était arrivé à Elizabeth. Il avait mauvaise conscience d'avoir envoyé quelqu'un d'autre sur place, mais Maria et Hiebermeyer étaient prisonniers de la spirale médiatique et il ne pouvait pas se rendre à Naples lui-même. Du reste, il préviendrait ses trois collègues dès qu'il y aurait du nouveau ici et leur avait dit de se tenir prêts à prendre le premier avion pour Tel-Aviv.

Il s'étira et sourit à la religieuse qui approchait. Il avait trouvé le trajet en voiture depuis Tel-Aviv éprouvant en raison de la chaleur et de la poussière, mais la vieille ville de Jérusalem lui avait redonné de l'énergie. Il avait le sentiment d'être au bon endroit. Il ne savait pas ce qui l'attendait au bout de la piste, mais c'était ici qu'il le découvrirait et nulle part ailleurs. Cette conviction s'accompagnait d'une certaine anxiété. Depuis qu'ils avaient rencontré ce mystérieux individu dans les catacombes, à Rome, il se sentait épié sans savoir par qui, piégé dans une sorte d'entonnoir qui se rétrécissait, entraîné malgré lui dans un processus incontrôlable. Depuis deux mille ans, leurs redoutables adversaires avaient gagné toutes les batailles et n'avaient connu aucun échec. Et Jack faisait courir un risque énorme à chaque nouvelle personne qu'il impliquait dans sa quête. Il détourna les yeux de la religieuse et repensa à ce que Costas disait toujours : un risque calculé est un risque qu'on peut prendre. Mais il détestait mettre la vie des autres en danger.

La religieuse le rejoignit en souriant à son tour. Elle avait des broderies sur la poitrine et autour des poignets et portait un collier et des boucles d'oreilles en or. Ses longs cheveux noirs attachés en arrière découvraient des pommettes hautes, des yeux d'un vert saisissant et des traits fins de type éthiopien. Elle tendit la main et Jack la prit chaleureusement dans ses bras.

— Voici Helena Sélassié, annonça-t-il à Costas. Nous nous sommes rencontrés pendant nos études.

— Ce nom me dit quelque chose, dit Costas en donnant une poignée de main à la religieuse.

— Le roi Sélassié était un parent éloigné de ma famille, expliqua-t-elle dans un anglais parfait avec un accent américain immédiatement reconnaissable. Comme lui, nous sommes tous éthiopiens orthodoxes. Et cet endroit est notre lieu saint.

— Virginie ? tenta de deviner Costas. Maryland ?

— Bien vu. Mes parents étaient des exilés éthiopiens et j'ai grandi parmi les expatriés au sud de Washington. J'ai commencé mes études en Angleterre avec Jack, quand mon père a été muté à Londres, et je les ai poursuivies à l'Institut technologique du Massachusetts, dans le département d'ingénierie aérospatiale.

— C'est vrai ? Alors on s'est ratés. J'y étais aussi, mais en robotique sous-marine.

— On ne fréquentait pas les gars de la sous-marine…

— Tu es bien loin des fusées et des voyages dans l'espace dans cette bonne vieille ville de Jérusalem, fit remarquer Jack.

— Lorsque la NASA a bouclé le projet de la navette spatiale, j'ai eu envie d'emprunter la voie spirituelle. Je me suis dit que ce serait plus rapide !

— Tu savais que tu finirais par venir ici, de toute façon.

— C'était dans mes gènes. Mon père l'a fait, ainsi que ma grand-mère et mon arrière-grand-père. Il y a eu un bon nombre de femmes, en tout. Nous sommes toujours au moins vingt-huit sur le toit, essentiellement des moines, mais il y a toujours eu quelques religieuses et ce depuis près de deux siècles maintenant. Notre présence sur le Saint-Sépulcre est notre axe de vie. Elle nous donne une identité. Et je ne parle pas seulement de l'Église éthiopienne, mais de ma famille au sens large, l'Éthiopie.

— Il y a foule là en bas.

— Tu l'as dit ! Des Grecs orthodoxes, des Arméniens apostoliques, des catholiques romains, des coptes orthodoxes, des Syriaques orthodoxes… Nous passons plus de temps à nous disputer les toilettes qu'à prier. C'est un petit microcosme du monde. Il y a les bons, les mauvais et les méchants. Au XIXe siècle, les Turcs ottomans, qui régnaient sur Jérusalem, ont imposé le Statu Quo des Lieux saints dans l'espoir d'enrayer les dissensions. Depuis, les moindres travaux et la moindre modification dans la garde du Saint-Sépulcre nécessitent l'accord du gouvernement. Et cela ne fait qu'intensifier les querelles internes. Nous ne pouvons même pas balayer le plâtre qui tombe des murs dans les chapelles sans passer par des semaines de négociations pour obtenir une autorisation officielle de la part des autres confessions. Tout le monde s'espionne et nous sommes toujours à deux doigts de la guerre ouverte… Il y a quelques années, à titre de revendication, un moine copte égyptien a déplacé sa chaise par rapport à l'endroit convenu pour se mettre à l'ombre. Résultat : onze moines ont dû être hospitalisés.

— Au moins, sur le toit, vous êtes en pole position, plaisanta Jack.

— À mi-chemin vers le paradis, confirma Helena en souriant. C'est comme ça que les moines se consolent au milieu de l'hiver, lorsque la température descend au-dessous de zéro et que les coptes font accidentellement exprès de couper l'électricité.

— Vous vivez ici ? demanda Costas, incrédule.

— Moi, vous plaisantez ? Vous avez senti l'odeur des toilettes ? Il me faut un minimum d'hygiène, tout de même. J'ai une belle chambre au couvent du mont du Paradis, à environ vingt minutes à pied d'ici. Je suis là juste pour travailler.

— Et qu'est-ce que vous faites ?

— Officiellement, j'essaie de récupérer tous nos manuscrits anciens, qui sont actuellement entre les mains d'autres confessions. Avec leurs inscriptions en ge'ez et leurs reliures colorées, typiques de la culture chrétienne éthiopienne, ils sont faciles à reconnaître.

— De les récupérer, c'est-à-dire ?

— C'est une longue histoire.

— Faites-moi un résumé.

— D'accord. L'Éthiopie, l'ancien royaume d'Aksoum, a été l'une des premières nations à adopter le christianisme, au IVe siècle après Jésus-Christ. Peu de gens savent que les Noirs africains d'Éthiopie constituent l'une des plus anciennes communautés associées au Saint-Sépulcre. C'est la mère de l'empereur romain Constantin le Grand, Hélène, qui nous a donné les clés de cette église. Mais, depuis des siècles, nous sommes en conflit avec l'Église copte, c'est-à-dire les moines égyptiens d'Alexandrie. La situation s'est considérablement compliquée quand nous avons refusé de payer un impôt aux Turcs ottomans lorsque ceux-ci se sont emparés de la Terre sainte. En 1838, une mystérieuse épidémie a décimé la plupart des moines éthiopiens du Saint-Sépulcre. À la suite de cette catastrophe, quasiment tous nos biens ont été confisqués. Les moines survivants ont été bannis et relégués sur le toit, où ils se sont installés en apportant de la boue et de l'eau à la main depuis la vallée du Kibron pour construire ces cabanes. Beaucoup de nos livres ont été brûlés sous prétexte qu'ils étaient infectés par la maladie.

— Autrement dit, ils contenaient des informations que certains ne voulaient pas voir révélées. Cela me rappelle quelque chose…

— Nos rivaux craignaient probablement qu'ils ne comportent la preuve historique de notre présence sur le site du Saint-Sépulcre quelques années avant eux et que nous ne revendiquions une certaine ascendance. C'était un détail insignifiant et, ce qui est tragique, c'est que, selon notre tradition, certains de ces documents dataient de bien avant la fondation de l'église du Saint-Sépulcre au IVe siècle. Il s'agissait de parchemins de chèvre qui auraient aujourd'hui près de deux mille ans. Il est possible que certains aient survécu et qu'ils soient cachés quelque part au-dessous de nous, dans les bibliothèques de nos rivaux. Je rêve d'en trouver un, de mettre la main sur un manuscrit datant de l'époque de Jésus et de ceux qui l'ont rencontré et ont vraiment entendu sa parole, et de l'exposer ici, sur le toit, dans une bibliothèque construite à cet effet. Ce serait quelque chose de plus parlant pour les pèlerins qui viennent ici chercher Jésus que le spectacle de ces querelles et de cette mesquinerie. Et la communauté éthiopienne pourrait reprendre toute sa place. Elle ne se réduirait plus à une bande d'excentriques campant sur le toit.

La main en visière, Jack balaya du regard les cellules miteuses et délabrées des moines et se tourna vers la sainte croix élevée sur la coupole surmontant le tombeau du Christ.

— Je suis d'accord avec toi, murmura-t-il. Ce serait un endroit parfait. Et j'aimerais beaucoup t'aider.

— Nous n'avons pas beaucoup de poids en bas, près du Tombeau, mais ici, nous nous sentons pousser des ailes. Nous sommes juste au-dessus de l'endroit où le Christ s'est élevé au ciel.

— Vous croyez vraiment que c'est ici ? demanda Costas.

— Comme tout ce qui concerne le paléochristianisme, répondit Helena, il faut retirer beaucoup de concrétions avant d'accéder à la vérité et, parfois, la vérité n'est même pas là.

— Des concrétions, murmura Costas. C'est drôle, Jack utilise toujours ce mot, lui aussi.

— C'est sans doute parce qu'on a fait la même école, en déduisit Helena en souriant. L'église du Saint-Sépulcre a été consacrée trois cents ans après la mort de Jésus et, à cette époque, le clergé chrétien était déjà en quête d'un passé fantaisiste susceptible de répondre aux attentes de l'Église, aux besoins politiques de l'empereur Constantin le Grand. L'histoire selon laquelle Hélène, la mère de l'empereur, aurait trouvé un fragment de la Vraie Croix dans une des anciennes citernes d'eau de l'église n'est sans doute rien de plus qu'une concrétion. Mais il y a aussi une part de vérité ici. Nous sommes juchés sur une colline ancienne, en dehors des remparts de la ville, où se trouvaient des tombes à l'époque de Jésus et où des exécutions ont peut-être eu lieu. Alors, oui, je crois que c'est ici.

— Tu commences à raisonner dangereusement comme un archéologue, Helena, la prévint Jack.

— C'est ce qui est là-dessous qui m'intéresse, la vérité nue.

— Il n'y a pas que des choses agréables sous terre, croyez-moi, se plaignit Costas.

— Ne fais pas attention à lui, dit Jack. Il est traumatisé. Je comprends parfaitement ce que tu veux dire.

— Ce n'est pas anodin de passer du temps sur ce toit, au-dessus du Saint-Sépulcre, constata Helena avec enthousiasme. Et je ne dis pas ça à cause de ma vocation. En bas, on dirait vraiment que tout est étouffé par le poids du passé. Ici, il n'y a rien au-dessus de nous à part le ciel. On a l'impression de flotter au-dessus de l'Histoire. Et quand on regarde en bas, c'est comme si on voyait la terre depuis un avion : les obsessions et les jeux de pouvoir des hommes deviennent dérisoires, nos propres préoccupations s'envolent, les choses nous apparaissent telles qu'elles sont vraiment, dans la plus pure vérité. C'est pourquoi je pense qu'un jour je trouverai le véritable Jésus, Jésus l'homme. Il y a quelques jours, je me suis assise au bord de la mer de Galilée. Je ne voyais que l'eau, les collines au loin, et le ciel. Ce jour-là, j'ai eu le sentiment que tout était clair.

— J'aimerais beaucoup que tu nous fasses partager cette expérience mais, pour l'instant, nous avons besoin de ton aide. C'est pour cette raison que je t'ai appelée et c'est très urgent. Peut-on aller discuter quelque part ?

À cet instant, Morgan apparut en haut des escaliers menant à la terrasse. Comme Jack et Costas, il était vêtu d'un chinos et d'une chemise ample, mais il avait à la main un chapeau de paille qu'il enfonça sur sa tête dès ses premiers pas dans le soleil.

— Bienvenue au royaume des cieux, lança Costas.

— Il fait si chaud qu'on se croirait en enfer, répliqua Morgan, avant de regarder Helena d'un air contrit en lui tendant la main. Vous devez être sœur Sélassié.

— Docteur Morgan, dit Helena.

— Ravi de vous rencontrer en personne.

Ils se serrèrent la main et Morgan se tourna vers Jack.

— J'ai téléphoné à Helena hier soir, juste après toi, avant que nous ne partions de Californie, précisa-t-il. Je suis passé par la ligne sécurisée de l'UMI, mais je suis resté le plus discret possible. Avez-vous mis Helena au courant de toute l'affaire ?

— Nous allions le faire, répondit Jack.

Ils suivirent Helena en direction d'une rangée de portes, de l'autre côté de la terrasse. Les murs et la partie supérieure de l'église, qui entouraient la cour, les isolaient des rumeurs de la ville mais, soudain, une série de bruits sourds retentit et résonna dans tout le quartier.

— Des coups de feu ! s'écria Jack. On dirait un .223, M16. C'est l'armée israélienne ?

— Il y a un couvre-feu, indiqua Morgan. Des émeutes, qui ont éclaté devant le Mur des lamentations, ont gagné l'ensemble du quartier chrétien. Un couple de touristes a été tué à coups de couteau. Nous sommes entrés dans la vieille ville juste à temps. Toutes les portes sont fermées. Je venais d'entrer dans l'église du Saint-Sépulcre lorsqu'elle a été fermée également.

— Nous avons de la chance d'être sur le toit, souffla Helena. Nous sommes au-dessus de tout cela. Néanmoins, il est rare que l'on s'attaque aux touristes.

— Cela tombe plutôt mal, murmura Jack, brusquement mal à l'aise. Un couvre-feu, pas de touristes, la police et l'armée monopolisées par les émeutes… Nous sommes d'autant plus vulnérables. J'espère que Ben va pouvoir nous rejoindre.

Il se tourna vers Helena.

— C'est le chef de la sécurité de l'UMI, précisa-t-il. Il est parti de Londres tôt ce matin et son avion va atterrir à Tel-Aviv d'une minute à l'autre.

— S'il y a quelqu'un qui peut franchir les portes de Jérusalem malgré le couvre-feu, c'est Ben, fit remarquer Costas.

— C'est vrai qu'il est déjà en contact avec le chef de la police israélienne. Ils se sont rencontrés dans les forces spéciales lors d'une opération israélo-britannique dont je ne sais moi-même absolument rien. Le monde est petit dans ce milieu.

— C'est sûr, vous avez des relations, déclara Helena.

— Tout le monde pense qu'Indiana Jones agit toujours seul, plaisanta Jack. Grave erreur…

Ils arrivèrent à une porte semblable à toutes celles qui étaient alignées le long de la cour. Helena l'ouvrit, alluma l'ampoule électrique suspendue au plafond et fit entrer ses hôtes.

— Bienvenue dans mon bureau, dit-elle.

Ils s'entassèrent tant bien que mal et s'assirent où ils purent ou restèrent debout. C'était une cellule de moine avec, d'un côté, un vieux banc et des images pieuses et, de l'autre, des étagères débordantes de livres, des dessins d'architecte punaisés au mur et un bureau étroit sur lequel trônait un ordinateur portable résolument moderne.

— Je vole de l'électricité aux Arméniens et je pirate la connexion Internet sans fil du monastère grec d'à côté, avoua Helena en souriant, avant de s'asseoir sur un petit tabouret derrière son bureau. Vous voyez, nous sommes tous frères et on partage tout !

Morgan, debout contre le mur, à côté des étagères, regarda un des dessins, qui représentait une structure simple aux contours rectilignes, dominée par des éléments naturels du relief, comme des affleurements rocheux.

— C'est le Saint-Sépulcre ? demanda-t-il. La première église ?

— Je travaille sur l'histoire architecturale du site avant l'édification de l'église constantinienne au IVe - siècle. Nous avons encore beaucoup à découvrir. Il s'est passé bien plus de choses qu'on le croit au début de l'époque romaine, après la Crucifixion. C'est mon petit projet secret mais, maintenant, vous êtes au courant. Si je dois passer le reste de ma vie assise audessus d'un des sites les plus compliqués de l'Histoire, autant faire quelque chose de plus intéressant que de faire respecter l'ordre parmi les moines.

— Alors vous allez adorer ce que j'ai ici ! s'exclama Morgan en tapotant sur son sac. Un homme s'est penché sur la question presque un siècle avant vous. Ses travaux sont restés inachevés et n'ont jamais été publiés. Ils concernent essentiellement les constructions médiévales mais comportent aussi quelques observations sur l'église romaine sur laquelle nous nous trouvons. Cet homme avance une thèse très intrigante : lorsqu'il a reconstruit les remparts de la cité au milieu du Ier siècle, Hérode Agrippa aurait également fait bâtir un sanctuaire à cet endroit, un monument voué au Christ, quelques années seulement après la Crucifixion. Si vous avez des indices susceptibles de corroborer cette thèse, nous sommes peut-être sur le point de faire la plus grande découverte de toute l'archéologie du paléochristianisme.

— Vous plaisantez ! s'exclama Helena, pétrifiée sur son tabouret. Attendez de savoir ce que j'ai découvert. Qui était cet homme ?

Jack sortit un dossier de son vieux sac kaki et le posa sur ses genoux. Costas, assis sur le banc, referma la porte du bureau.

— Voilà ce que nous n'avons pas pu te dire au téléphone, commença Jack.

Pendant près de trois quarts d'heure, il lui raconta tout : l'épave, Herculanum, Rome, la tombe londonienne et les indices qu'ils avaient trouvés la veille dans le couvent de Californie. Lorsqu'il eut terminé, il leva les yeux vers Helena, qui le fixait sans un mot, et posa sur son bureau une photo de la peinture murale d'Everett, où l'on voyait distinctement le chi-rho et les lettres grecques.

— Qu'est-ce que cela t'évoque ? lui demanda-t-il.

Helena regarda directement la partie inférieure de la photo. Stupéfaite, elle resta assise sans rien dire.

— Eh bien ? insista Jack.

Helena se racla la gorge en se tenant au rebord de son bureau. Elle cligna des yeux et se concentra de nouveau sur la photo.

— Eh bien, il s'agit d'une croix arménienne. Le pied est plus long que les trois branches et chaque partie se termine par deux pointes caractéristiques.

— Et alors ?

— Si l'on cherche quelque chose d'arménien au sein du Saint-Sépulcre, on pense immédiatement à la chapelle Sainte-Hélène, située sous l'église, dans l'ancienne carrière. C'est une des parties de l'église dont les moines arméniens sont responsables.

Helena s'interrompit brusquement, cramponnée à son bureau.

— Bien sûr, murmura-t-elle.

— Quoi ?

— Je me suis particulièrement intéressée à ce qui se trouve au-dessous de l'église. Et voici ce que je pense : tout ce qui est au-dessus, entre la roche et le toit, est pure concrétion. Tu vois, j'utilise encore ce mot, Costas. Tout cela retrace de façon fascinante l'histoire du christianisme mais cache la vérité concernant la vie et la mort de Jésus de Nazareth, Jésus l'homme.

— On t'écoute.

— Ce que le docteur Morgan a dit à propos d'Hérode Agrippa et des remparts me rappelle le jour où je suis venue ici, où je suis entrée dans cette chapelle souterraine pour la première fois. Depuis ce jour-là, je suis convaincue qu'il existe, sous nos pieds, des preuves archéologiques d'origine romaine, datant de l'époque de Jésus et de ses apôtres. D'après tout ce que vous m'avez raconté, tout ce que vous avez pu déduire à propos de ce qui s'est passé ici en 1917, nous avons suivi les mêmes pistes.

— C'est-à-dire ?

— Vous dites que ce Lawrence Everett est venu ici pendant la Première Guerre mondiale ? que c'était un officier des services spéciaux britanniques ? un homme pieux qui a passé la majeure partie de son temps dans le Saint-Sépulcre ? architecte de formation ?

— C'est lui qui a écrit le traité d'architecture dont je vous ai parlé, précisa Morgan. Je vous en ai fait une copie sur CD.

— Je n'ai jamais su son nom, mais je connais cet homme, certifia Helena. Je le connais intimement. Je sens sa présence à chaque fois que je vais dans cette chapelle.

— Raconte-nous, insista Jack.

— Tout a commencé il y a trois ans, lorsque je suis arrivée ici. La clé de la porte principale de l'église du Saint-Sépulcre est détenue par deux familles musulmanes. C'est une tradition qui remonte à l'époque de Saladin le Grand. L'une de ces familles garde la clé et l'autre ouvre la porte. Elles sont mieux disposées envers les Éthiopiens relégués sur le toit que certains de nos frères chrétiens et je suis devenue proche du vieux patriarche de l'une d'elles. Avant de mourir, le vieillard m'a raconté l'histoire extraordinaire qu'il avait vécue dans son enfance. C'était le début de l'année 1918. Il était alors âgé de dix ans. Les Turcs avaient été expulsés et les Britanniques avaient pris le contrôle de Jérusalem. Les gardiens musulmans savaient depuis des générations que les officiers britanniques s'intéressaient de près à l'histoire et à l'architecture du lieu. Ils se souvenaient du colonel Warren, du colonel Wilson, qui avaient cartographié et exploré Jérusalem dans les années 1860. Par conséquent, ils avaient davantage d'affinités avec les Britanniques qu'avec les Turcs, qui étaient musulmans, comme eux, mais ne montraient aucun intérêt pour le Saint-Sépulcre. Un jour, un officier britannique parlant un peu l'arabe est venu ici avec deux géomètres et ils ont passé des jours dans l'église à cartographier les chapelles souterraines et à explorer les anciennes carrières et citernes d'eau. Ensuite, l'officier est souvent revenu seul et s'est lié d'amitié avec le jeune garçon. Il était triste et, parfois, il pleurait. Il avait des enfants qu'il n'avait pas vus depuis des années et qu'il ne reverrait jamais. Il avait été gravement blessé, gazé sur le front Ouest, et il avait du mal à respirer. Il toussait beaucoup.

— C'est notre homme, murmura Jack.

— Apparemment, lors de sa dernière visite, il a passé toute la nuit dans l'église. Les gardiens savaient que c'était un homme très pieux et ils l'ont laissé seul. Lorsqu'il est ressorti, il était couvert de boue, dégoulinant et tremblant, comme s'il avait passé la nuit dans les égouts. Puis il a dit aux gardiens qu'ils détenaient le plus grand trésor de tous les temps et qu'ils devaient le garder à tout jamais. Ils ont cru qu'il délirait et qu'il faisait référence au Saint-Sépulcre, au tombeau du Christ. Il est parti et ils ne l'ont jamais revu et n'ont plus jamais entendu parler de lui. Ses poumons étaient très faibles et ils ont pensé que les efforts qu'il avait fournis cette nuit-là l'avaient peut-être tué.

— Le vieux patriarche a-t-il mentionné une quelconque découverte, notamment dans cette chapelle, la chapelle Sainte-Hélène ? ou une cachette ?

— Non, mais les gardiens savent depuis toujours que de nombreuses zones du Saint-Sépulcre n'ont jamais été explorées, en particulier des cavités anciennes qui ont peut-être été des tombes, des citernes creusées sur le site funéraire, autant de recoins dont l'accès a été condamné à l'époque romaine et où personne n'est jamais retourné.

— Nous allons donc devoir suivre notre instinct.

— J'ai passé des heures là-dessous, même des jours. Les possibilités sont infinies. Chaque pierre de chaque mur peut cacher une cavité, une galerie. Et pratiquement tous les murs sont consolidés avec du mortier et plâtrés. Je connais au moins une demi-douzaine de blocs de pierre derrière lesquels on peut voir un espace à travers le mortier fissuré. Et une exploration invasive est absolument exclue. Les Arméniens ne vont déjà pas apprécier que je vous emmène là-bas, alors inutile de sortir les marteaux-piqueurs.

Jack reprit la photo qu'il avait posée sur la table et rouvrit son dossier.

— Nous devons essayer. Nos adversaires savent sans doute que nous sommes ici. J'en suis convaincu. Et si nous ne faisons rien, eux, ils tenteront le tout pour le tout. Peux-tu nous ouvrir la porte du Saint-Sépulcre ?

— Oui, répondit Helena.

Elle regarda une dernière fois la photo et arrêta brusquement le geste de Jack, qui s'apprêtait à la ranger.

— Attends ! s'écria-t-elle. Qu'est-ce que c'est que ça ? sous la croix ?

— Une inscription en latin. *Domine iumius*.

Helena resta assise sans bouger.

— J'ai compris, souffla-t-elle. Je sais où Everett est allé.

Elle se leva, les yeux étincelants.

— Où ? demanda Jack.

— Tu es un archéologue marin, non ? Et quelle est la découverte la plus incroyable qui ait été faite récemment dans le Saint-Sépulcre ? Suivez-moi.

Chapitre 23

Une demi-heure plus tard, Jack attendait près de l'entrée principale de l'église du Saint-Sépulcre, devant la façade construite près de mille ans auparavant par les croisés. Lorsqu'ils avaient quitté le monastère éthiopien situé sur la terrasse, il avait pris Morgan à part dans les escaliers pour lui confier un CD qu'il avait dans son sac kaki. Il avait demandé à Helena de trouver un moyen de faire sortir Morgan de la vieille ville, afin qu'il puisse transmettre le CD à son contact. Au pied des escaliers, ils furent rejoints par un homme en civil qui tenait un pistolet Glock à la main. Il lança un regard interrogateur à Helena, qui désigna Morgan, et entraîna aussitôt celui-ci à l'autre bout de la place. Soudain, deux policiers israéliens en tenue antiémeute, armés de carabines Colt M4, passèrent en courant et des coups de feu, suivis de cris en arabe, retentirent dans les rues avoisinantes. Morgan et son garde du corps s'aplatirent contre le mur, de l'autre côté de la place. Morgan se retourna et vit Jack, qui tapait du doigt sur sa montre avec insistance. Il hocha la tête, puis se leva et s'en alla en compagnie de l'homme en civil. Jack leva les yeux vers le ciel : le soleil était caché par un voile gris et l'air, lourd et humide, était devenu oppressant. Il pria en silence pour Morgan et se dirigea vers la porte de l'église derrière Costas. Helena avait insisté pour que celui-ci entre aussi. Deux hommes portant une coiffe musulmane surgirent de chaque côté. Costas eut un mouvement de recul, mais Helena posa la main sur son bras pour le rassurer. Un des hommes tendit un vieux trousseau de clés à l'autre, et celui-ci ouvrit la porte, juste assez pour qu'ils puissent se faufiler. Helena regarda les deux musulmans en inclinant légèrement la tête et conduisit Jack et Costas à l'intérieur. La porte se referma derrière eux. Ils étaient entrés.

— Il y a une coupure de courant dans tout le quartier chrétien de l'ancienne Jérusalem, indiqua Helena à voix basse. Il arrive aux autorités de couper l'électricité pour faire sortir les méchants de leur trou.

Ils restèrent immobiles un moment, le temps que leurs yeux s'habituent à l'obscurité. Devant eux, la lumière du jour perçait à travers les fenêtres entourant la coupole de la rotonde et, tout autour d'eux, des rais de lumière orangée dansaient au milieu des ombres.

— Joudeh et Nuseibeh, les deux gardiens musulmans qui ont ouvert la porte, sont venus allumer des cierges pour nous lorsque je leur ai annoncé notre arrivée.

— Quelqu'un d'autre est-il au courant de notre présence ici ? demanda Jack.

— Juste mon amie Yereva. Elle a la clé du lieu où nous nous rendons. C'est une religieuse arménienne.

— Arménienne ? répéta Costas. Je croyais que les Éthiopiens et les Arméniens ne s'entendaient pas.

— Ce sont les hommes qui ne s'entendent pas. Si cet endroit était géré par les religieuses, nous n'en serions sans doute pas là aujourd'hui.

Ils avancèrent et tournèrent à gauche au niveau de la rotonde. Jack leva les yeux vers le cercle de fenêtres qui laissait entrer la faible lumière du jour et admira l'intérieur de la coupole, reconstruite là où se trouvait celle de la première église, bâtie par Constantin le Grand au IVe siècle. Il repensa aux autres coupoles qu'il avait vues ces derniers jours, celles de Saint-Paul, à Londres, et de Saint-Pierre, à Rome. Ces églises étaient bien plus grandioses que celle du Saint-Sépulcre mais lui semblaient désormais peu compatibles avec la vie de Jésus. Même ici, les vérités enfouies sous le sol semblaient éclipsées par le bâtiment censé honorer et sanctifier les derniers actes de celui qu'on venait prier par millions.

— Je comprends pourquoi vous parlez de concrétions, dit Costas à Helena en regardant la structure extravagante située au centre de la rotonde. Est-ce le Tombeau ?

— C'est le Saint-Sépulcre à proprement parler, l'Édicule, répondit Helena. Ce que l'on voit actuellement a été bâti en majeure partie au XIXe siècle et remplace le bâtiment détruit en 1009 par le calife fatimide Al-Hakim sous la domination musulmane. Cet événement avait précipité les croisades mais, avant l'arrivée des croisés, le Viking Harald Hardrada et la garde varangienne de Constantinople étaient déjà venus ici sur ordre de l'empereur byzantin pour superviser la reconstruction de l'église. Je crois que vous savez déjà tout cela.

— Ce bon vieux Harald… Y a-t-il un endroit où il ne soit pas allé ?

— La tombe taillée dans le roc à l'intérieur de l'Édicule a été identifiée en 326 par l'évêque Macaire comme étant le lieu de sépulture de Jésus, poursuivit Helena. Ce que vous voyez ici n'était à l'époque qu'une colline rocheuse, deux fois moins haute que la rotonde. Juste derrière nous, se trouvait le Golgotha, littéralement, le « mont du crâne », où Jésus a été crucifié. La colline autrefois située devant nous avait été précédemment une carrière, dont l'origine remontait peut-être à l'époque de la cité de David et de Salomon. Mais, à l'époque de Jésus, il s'agissait d'un site funéraire, sans doute criblé de tombes taillées dans le roc.

— Comment peut-on être sûr que l'évêque soit tombé sur la bonne ?

— Rien ne nous le garantit. Nous ne pouvons nous fier qu'aux Évangiles et ils n'entrent pas dans le détail. Ils disent simplement que la tombe a été taillée dans le roc et qu'une pierre a été poussée devant l'entrée. Il fallait se baisser pour y entrer et il y avait de la place pour au moins cinq personnes, assises ou agenouillées. La plate-forme sur laquelle reposait la dépouille était une couche funéraire en pierre, probablement un *acrosolium*, une niche voûtée.

— L'ensemble de ces éléments pourrait décrire n'importe quelle tombe de cette époque, précisa Jack. Il s'agissait d'une tombe donnée par Joseph d'Arimathie, riche juif siégeant au conseil de Jérusalem, et non d'une tombe construite exprès pour Jésus. Cela dit, elle n'avait jamais servi et ne contenait aucune autre sépulture. Il n'y avait pas de *loculi* secondaires, comme on en voit dans de nombreuses tombes taillées dans le roc. Et elle n'a jamais fait office de tombeau familial.

— Sauf si… commença Helena d'une voix hésitante, dans un murmure, sauf si quelqu'un d'autre a été enterré auprès de Jésus.

— Qui ? demanda Jack. Qu'entends-tu par là ?

— Une femme, chuchota Helena. Une compagne.

— Tu crois à cette thèse ?

Helena fit signe à Jack de se taire, ne répondit pas et se contenta de fixer l'Édicule.

— Le problème, reprit-elle, c'est que les ingénieurs de Constantin ont entaillé la colline pour faire apparaître la tombe et l'isoler du reste. Dans leur élan, ils ont détruit une grande partie de la tombe, de la cavité taillée dans le roc, pour ne laisser que la niche funéraire. Cet acte a été quasiment délibéré, comme si les évêques de Constantin avaient voulu couper court à tout débat éventuel. Depuis, le Saint-Sépulcre relève de la foi et non de l'archéologie. C'était le but. À l'époque, l'Église s'élaborait en tant qu'institution autour du dogme que l'on connaît aujourd'hui. Tout ce qui était gênant, contraire à ce dogme, a été dissimulé ou détruit. Et tout ce qui manquait, notamment les anecdotes à la base des mythes fondateurs, a été créé de toutes pièces. De prétendues reliques ont été découvertes. Constantin, qui utilisait l'Église à des fins politiques, était bien évidemment derrière tout cela. Tout ce dont il avait besoin, sa version de ce qui s'est passé ici au Iᵉʳ siècle, devait être gravé dans le marbre. Tout devait corroborer le nouvel ordre, la fusion de l'Église et de l'État.

— Et Constantin avait derrière lui un collège secret de conseillers, les gardiens de l'Église primitive, ajouta Jack. Nous ne t'en avons pas encore parlé.

— Je sais.

— Tu sais ?

— Dès que vous m'avez dit ce que vous cherchiez, j'ai su que vous alliez vous heurter à eux, aux membres du *concilium*.

Jack regarda Helena avec stupéfaction et hocha lentement la tête.

— Nous avons rencontré l'un d'eux à Rome il y a deux jours, en secret.

— Près de la tombe ? De l'autre tombe ?

Jack resta de nouveau bouche bée.

— Tu es au courant ?

— Ils sont très unis, Jack. Il n'y a jamais eu le moindre écart. Tu dois être extrêmement prudent. Même si l'homme que tu as vu t'a dit la vérité, il n'est peut-être pas celui que tu crois. Le *concilium* a connu des difficultés mais n'a jamais échoué. C'est comme un mauvais rêve, qui revient sans cesse. Nous en savons quelque chose.

— Nous ?

— Le souvenir de cette autre tombe, la tombe de saint Paul, qui se trouve dans les catacombes secrètes de Rome, n'a pas été totalement perdu. Transmis par des témoins, il a atteint le royaume d'Aksoum, l'Éthiopie. Certains de mes ancêtres l'ont précieusement conservé. Et ils ont gardé le secret. Les Éthiopiens constituent une des premières communautés chrétiennes, dont l'origine remonte aux premiers disciples de Jésus. Mais nous ne sommes pas les seuls. Nous avons des frères à la périphérie de l'ancien monde chrétien, notamment au sein de l'Église bretonne, qui existe depuis le Ier siècle, depuis que la parole de Jésus a touché pour la première fois le peuple de Bretagne. Nous avons en commun une tradition concernant le Christ et un empereur romain. La tradition bretonne dit qu'un empereur a apporté le christianisme sur l'île de Bretagne et la nôtre, qu'un empereur et un roi sont allés chercher le Messie en Terre sainte à l'époque des Évangiles. Et nous avons toujours su garder nos secrets. Tu sais que nous avons l'Arche d'alliance, Jack.

— Nous voulions aller la voir après nos études, tu te souviens, mais Mengistu a refusé de lever l'interdiction de séjour imposée à ta famille. Est-ce que tu l'as vue depuis ?

— Ne te disperse pas, Jack, lui recommanda Costas. Nous aurons tout le temps d'organiser un voyage en Éthiopie quand nous serons au bord de la piscine.

— Tu as raison, convint Jack.

Il posa sur Helena un regard intrigué.

— Tu ne m'avais jamais parlé de cette histoire d'empereur cherchant le Messie en Terre sainte, lui dit-il. La tradition bretonne doit être celle à laquelle Gildas a fait allusion au VIe siècle, mais y a-t-il une source ancienne attestant la tradition éthiopienne ?

— Non, répondit Helena, c'est une tradition orale, rien de plus, mais on y tient. Elle est transmise dans ma famille depuis des générations.

— Comment avez-vous survécu au *concilium* ? demanda Costas.

— Nous faisons partie de ces détails indésirables qui troublent l'ordre et que les conseillers de Constantin ont voulu annihiler. Depuis le IVe siècle, nous sommes persécutés par le *concilium*, traqués comme l'ont été nos frères bretons. Nos liens avec nos Églises jumelles constituent notre force. Nous, les femmes, sommes les disciples de Jésus et de Marie-Madeleine, que l'Église bretonne honore à travers la mémoire de sa grande prêtresse, sa reine guerrière.

— Nous l'avons rencontrée, coupa Costas.

— Quoi ?

— Nous avons trouvé sa tombe, expliqua Jack.

— Alors tout prend un sens, murmura Helena.

— L'épidémie, l'extermination des moines éthiopiens en 1838, la destruction des bibliothèques… Le *concilium* était-il derrière tout cela ?

Helena jeta un coup d'œil furtif derrière elle.

— Je commence à comprendre pourquoi nous avons été si persécutés, pourquoi notre monastère se trouve sur le toit. Et cela me terrifie. Les rivalités qui pèsent sur nous tous, toutes ces absurdités ont été orchestrées. On a cherché à nous détruire et à rendre ce lieu inaccessible. Regardez le Tombeau, le Saint-Sépulcre ! On le voit à peine sous les concrétions. Les petites chapelles des confessions rivales l'éclipsent, l'étouffent. Elles ont quasiment englouti la tombe et toutes les communautés se retrouvent désormais dans une impasse. C'est de la folie.

— Ce serait bien fait pour elles si ce n'était pas la bonne tombe, lança Costas.

— Mais leur présence ici et leur maintien dans cette situation inextricable servent peut-être les intérêts du *concilium*, déclara Jack. Peut-être y a-t-il autre chose ici, quelque chose qu'il veut cacher au monde. Une preuve gênante.

Helena consulta sa montre.

— Allons-y ! Yereva va arriver d'un instant à l'autre.

Ils revinrent sur leurs pas et se dirigèrent de l'autre côté de l'église, vers un escalier qui s'enfonçait dans l'obscurité. Jack, qui était déjà venu ici, savait que celui-ci menait à la chapelle Sainte-Hélène, une ancienne grotte située dans la carrière, cinq mètres au-dessous du niveau de l'église. C'était un endroit mystérieux, labyrinthique, avec de nombreux recoins séparés par des murs et d'anciennes citernes d'eau taillées dans le roc. Pendant que Helena et Costas allaient chercher des cierges, Jack resta seul un instant en haut de l'escalier et entendit une sorte de souffle au loin, comme si l'écho de deux mille ans de prières résonnait encore entre les murs de pierre. Il avait l'impression de faire partie de ces pèlerins arrivant au bout d'une route semée d'embûches et d'incertitudes, qui avait fini par les conduire, enfin, jusqu'au saint des saints.

Quand Helena et Costas furent revenus avec plusieurs cierges allumés, ils amorcèrent leur descente. Sur les murs humides, Jack discerna des centaines de croix anciennes, gravées par les pèlerins. Il savait que chaque centimètre de pierre avait été taillé et poli par des mains d'hommes mais, au fur et à mesure qu'ils s'enfonçaient, il eut le sentiment de se dépouiller des fabrications de l'Histoire et de se rapprocher de la vérité. Loin des espoirs, des désirs et des fantasmes qui avaient pris corps dans l'église surmontant la dure réalité du passé, il allait peut-être découvrir ce qu'il s'était vraiment produit sur cette roche nue, près de deux mille ans auparavant. Il s'arrêta, écouta mais n'entendit rien. Il regarda sa montre en pensant à Morgan. Ils avaient moins de deux heures devant eux. C'était un pari, mais il devait le tenir. C'était sa dernière chance. *La parole écrite.* Il devait tout faire pour atteindre cet objectif. Il avait encore quelques marches à descendre et ne voyait que l'obscurité, interrompue çà et là par la lueur orangée de quelques chandeliers fixés au mur. Lorsqu'ils arrivèrent en bas, ils passèrent devant des colonnes et se dirigèrent vers une porte en acier située de l'autre côté, derrière l'autel.

— Cette porte ouvre sur la chapelle Saint-Vartan, chuchota Helena. Les cavités creusées dans l'ancienne carrière n'ont été fouillées que dans les années 1970 et une petite chapelle arménienne a été bâtie dans l'une d'elles. Elle n'a jamais été ouverte au public. Yereva va apporter la clé. Elle espérait pouvoir être à l'heure, mais elle travaille pour le patriarche et ne peut pas se libérer facilement.

Soudain, ils entendirent un bruissement dans l'escalier. Une femme portant un habit marron, coiffée de la capuche triangulaire des Arméniens, surgit de l'obscurité. Elle retira sa capuche et laissa apparaître son visage, encore juvénile, son teint olive et ses cheveux bruns frisés. Elle avait un cierge à la main et, de l'autre, tenait un grand anneau doté d'une seule clé. Elle se dirigea directement vers la porte en acier en adressant un signe de tête à Helena.

— Ce sont tes amis ? s'enquit-elle.

— Ce sont ceux dont je t'ai parlé, répondit Helena. Jack Howard et Costas Kazantzakis.

— J'ai dû dire au patriarche que je venais ici, précisa la jeune femme à voix basse.

— Malgré le couvre-feu ? demanda Jack.

— Nous avons un tunnel privé.

— Yereva est officieusement la gardienne de la chapelle, expliqua Helena. Mais comme ce n'est qu'une simple religieuse, elle n'est pas autorisée à conserver la clé. Elle doit à chaque fois la demander au patriarche.

— Officiellement, je ne suis venue que pour allumer les cierges et dire une prière. Je vais rentrer immédiatement pour ne pas éveiller les soupçons. Si je retourne auprès du patriarche, personne n'y verra rien à redire. Vous devriez être tranquilles pendant tout le couvre-feu, qui risque de durer au moins deux heures.

— Tu n'as rien dit d'autre au patriarche ? insista Helena.

— Non, rien d'autre que ce que je dis quand on se voit habituellement.

— Vous vous êtes déjà donné rendez-vous ici ? s'étonna Jack.

— Helena vous racontera, répondit Yereva. J'aimerais beaucoup explorer la chapelle en présence d'un archéologue aussi célèbre et j'espère que nous aurons l'occasion de nous revoir.

Elle tourna la clé dans la serrure et ouvrit la porte.

— Que Dieu soit avec vous, dit-elle.

— Et avec toi, Yereva, murmura Helena. Sois prudente.

Pour la première fois, Helena semblait perturbée et anxieuse. Elle fit un signe de tête à son amie, qui remonta sa capuche et gravit rapidement l'escalier.

— Allons-y ! suggéra Helena à Jack et Costas. Nous n'avons peut-être pas beaucoup de temps.

Elle les conduisit dans une galerie obscure en allumant les chandeliers disposés le long du mur à l'aide de son cierge. Jack regarda la pierre grossièrement taillée autour de lui, les traces de pic laissées dans l'ancienne carrière. La surface semblait vieille, beaucoup plus vieille que la pierre de la chapelle Sainte-Hélène. Elle était piquetée comme du métal corrodé. Au-dessous d'une balustrade, s'ouvrait un espace sombre aux recoins insondables. Ils tournèrent à droite pour entrer dans une salle et se dirigèrent vers un mur ancien dont les blocs de pierre étaient solidement fixés par du mortier. Cependant, une retouche apparemment récente était visible. Helena alluma d'autres cierges et ils découvrirent, de l'autre côté, la façade de l'ancienne carrière. Elle s'agenouilla et posa son cierge devant le mur. Le premier bloc à gauche, à mi-hauteur, était recouvert d'un morceau de tissu, qu'elle souleva et replia sur le dessus. Derrière, se trouvait un panneau de verre, qui protégeait la surface du bloc. Avant même que Helena ne retire le tissu, Jack avait deviné de quoi il s'agissait. C'était un graffiti représentant un bateau, trouvé dans la chapelle Saint-Vartan lors des fouilles effectuées dans la carrière. Jack s'agenouilla à son tour, ainsi que Costas. Il voyait désormais clairement les lignes du dessin, grossières mais épaisses. Celui qui les avait peintes avait le geste sûr et savait parfaitement ce qu'il dessinait. Il avait encore les détails en tête malgré l'éloignement de la mer. C'était peut-être un marin expérimenté, un pèlerin, un des premiers voyageurs chrétiens. Jack regarda les mots peints au-dessous du bateau. Cette fois, il se souvenait. Il avait complètement oublié que le graffiti s'accompagnait d'une inscription. Le cœur serré par l'émotion, il lut celle-ci à voix haute :

— Bien sûr, murmura-t-il.

— Quoi ? demanda Costas.

— Tu te souviens ? C'est l'inscription qui figure sur la peinture d'Everett, en Californie.

Jack se tourna vers Helena.

— C'est ça que tu as reconnu sur la photo ! s'exclama-t-il.

— C'est là que j'ai compris, confirma Helena.

— Lorsqu'il a exploré le Saint-Sépulcre, Everett a dû descendre jusqu'ici et découvrir cette salle. Et il a reproduit cette inscription. *Domine iumius*. Ça colle parfaitement ! Everett est venu ici, exactement là où nous nous trouvons. C'est ce qu'il a essayé de nous dire à travers ses indices. D'une façon ou d'une autre, cette pierre est la clé de toute cette histoire.

— Qu'est-ce que tu penses de ce bateau, Jack ? demanda Helena.

— C'est un navire romain, c'est sûr, répondit Jack en essayant de contenir son enthousiasme. Étrave haute et recourbée, plat-bord renforcé, proue caractéristique. C'est un navire à voiles et non une galère. Le mât a été retiré, ce qui se faisait sur les grands navires dans les ports. Deux autres éléments suggèrent qu'il s'agit d'un navire de grande taille : il est équipé d'un double gouvernail et de ce qui ressemble à un *artémon*, un mât de beaupré à l'avant. À mon avis, c'est le genre de navire que l'on pouvait voir dans le port de Césarée Maritime, sur la côte de Judée, un des navires céréaliers en provenance d'Alexandrie, en Égypte, qui faisaient escale ici avant de mettre le cap vers Rome. Un navire qu'un pèlerin chrétien venant d'Occident aurait pu prendre pour retourner chez lui.

— Peux-tu le dater ?

— À première vue, je dirais qu'il remonte au début de l'époque romaine. Si ce graffiti s'était trouvé ailleurs, j'aurais penché pour le Ier siècle après Jésus-Christ. Mais il n'y a rien d'aussi ancien dans le Saint-Sépulcre.

— Visiblement, l'inscription a été faite en même temps. Les lignes sont de même style et de même largeur. Mais c'est toi l'expert.

— Eh bien, c'est du latin, ce qui signifie qu'elle ne peut pas avoir été peinte avant le Ier siècle après Jésus-Christ, époque à laquelle les Romains sont arrivés en Judée. Mais il est difficile de fixer une limite dans le temps. Tout ce qu'on peut affirmer, c'est que les caractères sont plus typiques de l'Antiquité que du Moyen Âge.

— Cette inscription peut se traduire par « Seigneur, nous irons » ou « Allons vers le Seigneur ». Elle a été associée au premier vers du psaume 122, un des

Cantiques des degrés chantés par les pèlerins arrivant à Jérusalem : « Je suis dans la joie quand on me dit : Allons à la maison de l'Éternel ! »

— Cela ne nous permet pas vraiment de dater ce graffiti. Les psaumes étaient en hébreu, à l'origine. Ils ont probablement été chantés par les premiers chrétiens, ici même, devant le Tombeau et dans les lieux où ceux-ci se sont rassemblés au cours des premières années qui ont suivi la Crucifixion.

— J'ai vérifié : ces deux mots, *Domine iumius*, n'apparaissent pas ensemble dans le latin de la Vulgate, la Bible romaine du début de l'époque médiévale. Si cette inscription est une traduction du psaume 122, elle peut être antérieure à la traduction latine officielle. Il pourrait s'agir d'une traduction réalisée par un des premiers pèlerins chrétiens venant de Rome.

— Les navires vont et viennent, non ? fit remarquer Costas. Nous n'avons pas forcément affaire à un pèlerin qui arrive ici, mais peut-être à quelqu'un qui s'en va, qui quitte Jérusalem. La première traduction que vous avez donnée, « Seigneur, nous irons », pourrait être celle d'un apôtre qui pratique son latin avant de s'élancer vers le monde.

Helena garda le silence, mais son visage s'éclaira brusquement. Jack se tourna vers elle.

— Il y a quelque chose que tu ne nous dis pas, n'est-ce pas ? l'interrogea-t-il.

Helena plongea la main dans son habit et tendit à Jack un écrin en plastique contenant une pièce de monnaie.

— Yereva et moi avons trouvé ceci il y a quelques jours, avoua-t-elle. Nous avons fait un peu d'archéologie non officielle. Il y avait un morceau de plâtre qui se détachait sous le graffiti. Cette pièce était enchâssée dans le bloc de pierre, dans une cavité prévue à cet effet. Elle m'a rappelé les pièces que les Romains mettaient au pied du mât des bateaux pour se protéger du mauvais sort. Elle avait peut-être elle aussi une valeur apotropaïque.

— Peut-être, mais on n'a jamais vu ça dans un bâtiment. Puis-je la regarder ?

Jack sortit la pièce de son écrin et l'observa dans la lumière du cierge, qui se reflétait sur le bronze usé. Il vit immédiatement le portait d'un homme au cou épais, sous lequel était gravé un seul mot.

— Ça alors ! s'exclama-t-il.

— Tu comprends, maintenant ? demanda Helena.

— Hérode Agrippa, annonça Jack d'une voix enrouée par l'excitation.

— Hérode Agrippa, répéta Costas d'un air songeur. L'ami de Claude ?

— Le roi de Judée de 41 à 44 après Jésus-Christ, répondit Helena.

— Alors ce mur est antérieur de plusieurs siècles à l'église bâtie par Constantin le Grand, au IVe siècle, en conclut Jack.

— Lorsque ce mur a été mis au jour lors des fouilles, rien n'a permis de le dater. Mais il était visiblement antérieur au mur de soubassement de l'église constantinienne du IVe siècle, que l'on peut voir juste à côté. La seule trace de la présence d'une construction sur ce site avant cette époque figure dans la *Vie de Constantin*, d'Eusèbe. Eusèbe était un contemporain de l'empereur. Par conséquent, on peut probablement se fier à son récit concernant ce qui s'est passé ici au début du IVe siècle, lorsque l'évêque Macaire de Jérusalem a identifié la cavité située sous l'Édicule comme étant le tombeau du Christ et lorsque la mère de Constantin, Hélène, a fait construire ici la première église. Eusèbe était convaincu qu'un autre édifice avait été bâti sur le site deux cents ans auparavant, lorsque l'empereur Hadrien avait reconstruit Jérusalem en tant que colonie en la rebaptisant Ælia Capitolina.

— Apparemment, il s'agissait d'un temple païen dédié à Vénus, constata Costas en étudiant à la lueur du cierge un vieux guide que Jack lui avait donné.

— C'est ce qu'Eusèbe a écrit, confirma Helena, mais rien ne le prouve. Sa vision, selon laquelle Hadrien avait délibérément bâti un temple sur le site du Tombeau pour détruire et bafouer celui-ci, était celle d'un chrétien révisionniste. Vénus, la déesse de l'Amour, était considérée comme une abomination par les pères de l'Église. Par conséquent, il se pourrait qu'Eusèbe ou ses informateurs aient imaginé cela pour leur lectorat chrétien.

— Quelle bande de rabat-joie, grommela Costas. C'était quoi, leur problème ? Je croyais que Jésus était venu apporter un message d'amour.

Helena haussa les épaules.

— Cela dit, concéda-t-elle, Eusèbe avait probablement raison sur la date du bâtiment. D'autres parties de la maçonnerie sont clairement hadrianiques. Mais ce n'était pas un historien de l'architecture et, à son époque, il ne restait peut-être plus aucune trace d'une éventuelle structure antérieure à la destruction de Jérusalem par les Romains après la révolte juive de 70 après Jésus-Christ.

Jack regardait le mur fixement, tandis que les idées se bousculaient dans sa tête.

— Hérode Agrippa, murmura-t-il. Tout cela aurait un sens.

— Quoi ? demanda Costas.

— C'est une des plus grandes questions concernant le Saint-Sépulcre auxquelles l'archéologie n'ait pas répondu. Et je n'ai jamais compris pourquoi on ne l'a jamais vraiment creusée. Peut-être est-ce à cause de la Résurrection ? Peut-être a-t-on eu peur de toucher de trop près à un événement aussi sacro-saint ou de trouver quelque chose qu'on préfère ne pas savoir ?

— Je vois ce que tu veux dire… Continue.

— Helena a raison. En dehors des Évangiles, il n'existe aucune preuve écrite antérieure à Eusèbe concernant ce site. Mais on sait qu'un événement a eu lieu peu après la crucifixion et l'ensevelissement de Jésus. Le roi Hérode Agrippa avait de grands projets pour la Judée, notamment pour sa capitale, Jérusalem. Il se prenait pour l'empereur d'Orient, une sorte de corégent avec son ami Claude. C'est ce qui a causé sa perte. Mais, avant de mourir, en 44 après Jésus-Christ, probablement empoisonné, il a réalisé un de ces projets : il a accru considérablement la taille de Jérusalem en construisant un tout nouveau rempart au nord-ouest, qui englobait le mont Golgotha et le site de l'ancienne carrière, où nous nous trouvons actuellement.

— L'ancien site funéraire, la nécropole, souffla Helena.

— Précisément. Une fois les remparts de la cité agrandis, beaucoup d'anciennes tombes ont été vidées, nettoyées et même réutilisées comme lieux d'habitation. La tradition romaine interdisait la présence de sépultures dans l'espace sacré du *pomerium*. Hérode Agrippa, qui avait été éduqué à Rome, a dû se considérer suffisamment romain pour respecter cette tradition.

— À quelle époque nous situons-nous ? demanda Costas.

— Entre 41 et 44 après Jésus-Christ, probablement au début du règne de Claude.

— Et Jésus est mort en 30, ou peut-être un ou deux ans plus tard, précisa Helena.

— Donc, une dizaine d'années après la Crucifixion, les tombes se trouvant sur ce site ont été vidées, murmura Costas. Hérode Agrippa avait-il entendu parler de Jésus, de la Crucifixion ?

Jack respira profondément et posa la main sur le mur.

— Helena en sait sans doute plus que moi sur ce point, mais je pense qu'Hérode Agrippa a connu Jésus. Il a pu le rencontrer plus tôt dans sa vie. Et, après la Crucifixion, le lieu de sépulture du Christ a dû être honoré par la famille et les disciples de Jésus pour finalement devenir un lieu de pèlerinage. Quand Hérode a bâti ses remparts, les autorités religieuses de Jérusalem, dont il faisait partie tel un *pontifex maximus*, un grand prêtre à la romaine, ont dû faire vider toutes les tombes situées à l'intérieur des nouveaux remparts. Et pourtant, la pièce qui était enchâssée dans le mur laisse supposer qu'Hérode a ordonné une construction au-dessus de ce site. Pourquoi ? Était-ce un acte de mépris envers le Christ ? A-t-il voulu faire disparaître sa tombe ?

— Ou a-t-il essayé de la protéger ? glissa Helena.

— Je ne comprends pas, intervint Costas. Pourquoi Hérode Agrippa aurait-il voulu la protéger ?

— Il pourrait y avoir plusieurs explications, risqua Jack. Un présage, une rencontre, une expérience vécue par le passé. Ou des raisons politiques. Hérode aurait pu être à couteaux tirés avec les autorités juives. Dans ce cas, il aurait fait cela pour contrarier leurs plans. On ne le saura peut-être jamais. En tout cas, une construction a été élevée sur ce qui est probablement le site du tombeau du Christ quelques années seulement après la Crucifixion, à une époque où cette colline était déjà un lieu sacré pour les premiers chrétiens.

— Alors il y a autre chose que je ne comprends pas. Le tombeau du Christ, le Saint-Sépulcre, se situe derrière nous, dans la rotonde, à au moins quatre-vingts mètres à l'ouest de l'endroit où nous nous trouvons. Si le mur qui est en face de nous, dont vous pensez qu'il a été bâti par Hérode Agrippa, appartient à une construction recouvrant la tombe, alors le graffiti du navire se trouvait à l'intérieur, dans un endroit discret. Cela ne me semble pas logique. La configuration et l'usure de la maçonnerie suggèrent plutôt que nous sommes à l'extérieur de la construction.

— Je n'ai pas d'autre idée, avoua Jack en se relevant et en tendant la pièce à Helena. La balle est dans ton camp.

— Garde cette pièce, murmura Helena en désignant le sac kaki de Jack. Si on me soupçonne d'avoir trouvé quelque chose, mieux vaut qu'elle soit entre tes mains.

Jack hocha la tête, replaça la pièce dans son écrin et rangea celui-ci au fond de son sac sous le regard attentif de Helena. La religieuse alla ensuite se placer juste en face du graffiti et souleva le panneau de verre pour le retirer avant de le déposer précautionneusement sur le sol. Elle s'agenouilla et glissa les doigts sous le bloc de pierre, dans une fissure du mortier.

— Il y a encore quelque chose que je ne vous ai pas montré, annonça-t-elle en tressaillant tandis que la pierre lui écorchait les mains. Je voulais que tu me donnes un avis objectif d'abord.

— À propos du graffiti ? demanda Jack.

Helena grimaça de nouveau et referma les doigts sur un morceau de mortier. Elle tira un peu et il bougea.

— Ça y est !

Elle secoua l'éclat de mortier pour le sortir du mur et le posa à côté du panneau de verre. La base du bloc était désormais visible, au-dessus d'une fissure sombre. Helena souffla sur la pierre et s'assit rapidement dessous pour que la poussière ne se dépose pas sur le sol.

— Voilà ! lança-t-elle.

Jack et Costas s'agenouillèrent à leur tour et découvrirent d'autres inscriptions. Ils virent d'abord un chi-rho, grossièrement gravé dans la roche, puis un mot peint de la même main que le bateau et l'inscription en latin. La touche était la même et les lettres avaient la même forme. Costas, qui était le mieux placé, se pencha pour mieux voir. Il se rassit sur ses talons, stupéfait.

— Jack, j'ai de nouveau ce sentiment étrange de déjà-vu, dit-il.

Jack fut pris d'un léger vertige. Il se rappela où il avait déjà vu ce style d'écriture. Il reconnut la forme du V, les angles carrés du S.

L'épave au large de la Sicile… Le naufrage de saint Paul.

— Incroyable, murmura-t-il. *Paulus*. L'apôtre saint Paul est venu ici. Saint Paul, dont nous avons vu le nom gravé sur une amphore dans une épave ancienne, à cent mètres au-dessous du niveau de la mer. C'est lui qui a peint ce graffiti. Cela ne fait aucun doute. C'est son navire. *Domine iumius*. Seigneur, nous allons. Costas, tu avais raison. L'homme qui a fait ce dessin ne venait pas d'arriver. Il partait. Il est venu ici pour dire à son Seigneur qu'il s'apprêtait à accomplir sa grande mission, à aller répandre la bonne parole au-delà de la Judée. Paul était ici, assis sur la colline, à l'endroit exact où nous nous trouvons, à côté du mur bâti par Hérode Agrippa seulement quelques années auparavant.

— Sur le lieu de pèlerinage, ajouta Helena. Sur la tombe du Christ.

— Sur la tombe du Christ, répéta Jack.

Helena lui montra la fissure sous le bloc.

— Jack, regarde. Il n'y a pas de mortier. Rappelle-toi, je t'ai dit qu'il y avait des espaces entre certains blocs. Le mortier que l'on voit autour de ce bloc est moderne. Il date des fouilles des années 1970. Au-dessous, il y a une autre couche, mais elle est aussi relativement récente. Elle n'a pas plus d'une centaine d'années.

— Tu crois qu'elle date de 1918 ?

— J'en suis convaincue.

— Everett, avança Costas. Vous croyez qu'il est venu ici et qu'il a retiré le bloc. Est-ce qu'on peut le faire, nous aussi ?

— C'est pour cette raison que je vous ai demandé de venir tous les deux, expliqua Helena. Quand Yereva et moi avons découvert la signature de Paul, nous avons constaté qu'il y avait un espace de l'autre côté du mur. On le voit à travers la fissure. Il n'y a peut-être rien là derrière, ou simplement une citerne d'eau. Il y a au moins onze citernes destinées à recueillir les eaux de pluie sous le Saint-Sépulcre et la plupart sont désaffectées ou condamnées. Mais c'est peut-être autre chose. Nous n'avions pas la force de déplacer ce bloc et, si on nous avait vues en train d'essayer de le faire, il y aurait eu deux autres crucifixions sur cette colline.

— Avez-vous parlé de cette deuxième inscription à quelqu'un d'autre ? lui demanda Jack.

— Non, mais d'autres le savent et gardent le secret. Le mortier qui recouvre cette signature est récent. Il date des fouilles des années 1970. Cette inscription a été découverte et dissimulée.

— Je ne comprends pas, déclara Costas. Une découverte comme celle-ci donnerait l'avantage aux Arméniens et les mettrait sur le devant de la scène.

— Mais ils ont sans doute préféré maintenir le statu quo, spécula Helena. Peut-être ont-ils craint que la jalousie des autres confessions ne compromette l'équilibre et ne remette en question des droits et des privilèges difficilement maintenus pendant des siècles. Ce secret a dû renforcer la conviction qu'ils ont de leur propre supériorité et leur fournir une arme redoutable pour l'avenir.

— Et sans doute ont-ils eu d'autres raisons, ajouta Jack.

— Tu penses au *concilium* ?

— Ils auraient pu être exterminés jusqu'au dernier pour ce qu'ils savaient, comme les Éthiopiens ont failli l'être.

— Bon, dépêchons-nous, trancha Helena.

Elle entreprit de retirer autour du bloc d'autres morceaux de mortier, qui venaient facilement. Il était clair qu'ils avaient déjà été ôtés et remis en place. Quelques minutes plus tard, le bloc de pierre était entouré d'un espace suffisamment grand pour y passer la main. Jack fouilla dans son sac et en sortit une lampe frontale, qu'il alluma et enfonça à travers la fissure à l'endroit le plus large.

— Je vois ce que tu veux dire, déclara-t-il, le visage contre la pierre. Une fois que nous aurons enlevé le bloc, nous aurons devant nous un espace d'environ un mètre sur cinquante centimètres, juste assez large pour s'enfiler en rampant.

— Tu crois que vous allez pouvoir le déplacer ? demanda Helena.

— Il n'y a qu'un moyen de le savoir, répondit Jack.

Il lui donna la lampe et fit un signe de tête à Costas. Les deux hommes posèrent tous deux les mains de chaque côté du bloc.

— On va déjà essayer de le faire bouger, proposa Jack. Doucement, d'abord de ton côté.

Ils poussèrent et le bloc glissa. Costas cria de douleur.

— Ça va ? s'inquiéta Jack.

Costas retira une de ses mains, la secoua et souffla dessus. Quelques secondes plus tard, il la remit sous le bloc, qui saillait légèrement du mur.

— On y va.

Ils poussèrent d'avant en arrière plusieurs fois d'affilée en gagnant progressivement quelques centimètres. Le bloc sortait avec une facilité étonnante. Ils changèrent de position pour se mettre face à face, les mains sous la pierre.

— Soulève !

Une main sur la face extérieure, ils déplaçaient l'autre vers l'arrière à chaque fois que le bloc avançait. Ils allaient bientôt devoir le porter à bout de bras. Helena glissa au-dessous deux planches en bois qu'elle avait trouvées à côté de la balustrade, à l'extérieur de la chapelle.

— Bon, on y va ! lança Jack. On va essayer de le poser à un bon mètre du mur. Attention à ton dos.

Le dos bien droit, ils se regardèrent dans les yeux et hochèrent la tête. D'un geste rapide, ils parvinrent à extraire le bloc du mur et à le poser sur les tasseaux. Ils retirèrent leurs mains et les secouèrent en haletant.

— Parfait, dit Jack, voyons cela.

Helena regardait déjà dans le trou en tendant la lampe frontale de Jack le plus loin possible.

— Il y a un espace d'environ cinq mètres, annonça-t-elle, et puis un autre mur, taillé dans le roc d'après ce que je vois. Le plancher semble descendre.

Elle se redressa et rendit la lampe à Jack.

— S'il s'agit d'une citerne, ajouta-t-elle, il pourrait y avoir de l'eau plus bas. Nous nous trouvons à l'endroit le plus profond du Saint-Sépulcre et il a beaucoup plu ces derniers jours. Qu'est-ce qu'on fait maintenant ?

Costas vit Jack le regarder du coin de l'œil.

— Jack, se plaignit-il. On avait dit plus d'espaces souterrains.

— Tu vas pouvoir y échapper cette fois, le rassura Jack. C'est trop étroit.

— Tu te sens capable d'y aller seul ?

— Je ne vais sans doute pas aller bien loin.

— Sans doute.

Après s'être passé la courroie de la lampe frontale autour de la tête, Jack prit son sac kaki et le poussa le plus loin possible dans le trou.

— Ce sac est son porte-bonheur, déclara Costas à Helena. Il l'emmène partout où il va !

Helena vint nerveusement guetter à l'entrée de la chapelle.

— Dépêche-toi, dit-elle à Jack. Nous allons bientôt devoir ressortir d'ici.

Elle lui posa la main sur le bras.

— *Domine iumius*, chuchota-t-elle. Bonne chance !

Quelques instants plus tard, Jack rampait à l'emplacement du bloc de pierre et progressait petit à petit en tenant son sac devant lui. L'entrée du tunnel était toute proche, mais il se sentait déjà complètement isolé, loin de la chapelle et plus près de l'espace qu'il discernait dans le faisceau de sa lampe frontale. Il se souvint d'Herculanum, du sentiment extraordinaire de remonter le temps qu'il avait éprouvé dans l'étude de Claude. Il ressentait la même chose ici, comme s'il était dans le même continuum et poursuivait son voyage dans l'Histoire. Cette fois, il n'était pas gêné par sa claustrophobie. Il se sentait protégé par les vieilles pierres, à l'abri du danger. Les derniers mots d'Helena, *Domine iumius*, résonnaient dans sa tête et il finit par les murmurer instinctivement. Cette mélopée l'aidait à se concentrer. Il avança jusqu'à ce que la lumière de la chapelle n'éclaire plus les murs. À droite, la pierre prolongeait le mur au graffiti à angle droit. À gauche et au-dessus, il s'agissait d'une paroi rocheuse, entaillée par des marques de pic si anciennes qu'elles semblaient naturelles. Ici, l'empreinte de l'homme avait presque perdu toute consistance pour devenir un processus d'érosion et de transformation parmi d'autres.

Le tunnel se termina brusquement là où Helena avait repéré un mur. Jack constata néanmoins que celui-ci bordait un vide sur la droite. Il poussa son sac dans l'angle gauche et se tortilla pour passer à travers l'ouverture. Il avait à peine la place de s'y faufiler et la roche rugueuse déchirait sa chemise et lui écorchait la peau. Il manœuvra des pieds en grimaçant et déboucha dans un espace suffisamment vaste pour qu'il puisse se tenir à quatre pattes. Sur la droite, à quatre-vingt-dix degrés par rapport au tunnel, se dressait un mur composé de grands blocs. Le visage à quelques centimètres de la pierre, Jack constata que la maçonnerie était la même que celle où se trouvait le graffiti, à la différence près qu'elle n'était pas usée. Il comprit qu'il avait longé une construction rectiligne, bâtie contre la carrière, et qu'il se trouvait désormais derrière elle, dans une cavité qu'elle était censée dissimuler. Il tourna la tête à gauche, du côté du front d'abattage de la carrière. Au-dessus de lui, il vit de nouvelles grandes entailles et, droit devant, une ouverture étroite donnant dans une chambre taillée dans le roc. Il aperçut le plafond et la partie supérieure des murs. Plus bas, la cavité était remplie d'eau, qui scintillait dans la lumière de sa lampe. Jack s'approcha. Le fond était bas, au moins aussi bas que celui des citernes d'eau qu'ils avaient vues en allant à la chapelle Saint-Vartan.

Jack avait à peine la place de bouger. Il se mit sur le dos pour retirer ses chaussures et tous ses vêtements. Puis il rampa jusqu'au bord du bassin avec sa lampe sur le front et s'immergea totalement. L'eau était froide, rafraîchissante, immédiatement purifiante. Jack se laissa flotter à la surface, sur le ventre, les yeux fermés. Puis il regarda vers le bas. Sans masque, il voyait un peu flou et le froid lui piquait les yeux. Mais l'eau étant pure et transparente, il discernait les murs et les angles de la cavité, rectiligne, qui descendait à au moins quatre mètres de profondeur. Il tourna la tête sur le côté pour inspirer et la plongea de nouveau sous l'eau, les yeux ouverts. Il aperçut alors au milieu d'un mur une grande ouverture, voûtée en haut et plate en bas, une niche, suffisamment large pour deux personnes couchées côte à côte. Il pencha la tête en avant pour voir de plus près mais fut aveuglé par une lueur éblouissante, réfléchie par une surface polie. Il resta immobile dans ce rayonnement, figé, sans penser à rien.

Ce n'était pas une citerne d'eau.

Jack reprit une bouffée d'air et regarda de nouveau vers le bas. Soudain, une image d'Elizabeth puis une autre d'Helena lui apparurent et, l'espace d'une seconde, il lui sembla discerner quelque chose, une silhouette humaine, le reflet de son propre corps peut-être, flottant au-dessus du rebord de la niche polie. À court d'air, il leva la tête précipitamment et sa lampe frontale tomba en spirale au fond de l'eau. Il cligna des yeux et regarda vers la niche. Celle-ci était désormais plongée dans l'obscurité et il ne voyait plus que le plancher de la pièce, les ombres qui dansaient dans le faisceau lumineux éclairant la roche nue. Il prit une autre inspiration, se plia en deux et plongea. Tandis qu'il s'élançait vers le fond, il éprouva une sensation de liberté inouïe, la joie d'être dans l'eau, dans cet environnement qui lui était si familier.

Et, au fond, il vit le cylindre.

C'était un cylindre de pierre semblable à ceux qu'il avait vus dans une ancienne bibliothèque, sous un volcan, la bibliothèque d'un empereur romain venu en Terre sainte chercher le salut auprès de celui qui vivait au bord de la mer de Galilée.

Alors Jack comprit.

Everett avait trouvé la tombe.

Il nagea jusqu'au fond.

Chapitre 24

Jack, poussant toujours son sac devant lui, rampa jusqu'à l'emplacement du bloc que Costas et lui avaient retiré. Il posa son sac sur le plancher de la chapelle et tendit les bras en avant pour s'extraire du tunnel. Les cierges étaient encore allumés, mais il n'y avait plus personne.

— Costas ! appela Jack, dont la voix résonna autour de lui. Helena ?

Pas de réponse. Il ramena ses jambes sous lui et s'accroupit en mettant son sac en bandoulière. Il se secoua les cheveux et s'essuya le visage. Peut-être étaient-ils retournés dans la chapelle Sainte-Hélène. Il regarda sa montre. Il restait vingt minutes avant l'heure H. Si Morgan avait réussi. Jack se cramponna à son sac. Le risque en valait la peine. Maintenant, quoi qu'il puisse leur arriver, le monde saurait.

Jack se releva et se dirigea vers l'entrée de la chapelle. Il s'essuya de nouveau le visage du revers de la main et constata à quel point il était encore mouillé et sale. Devant lui, il aperçut la porte en acier, encore ouverte, par laquelle ils étaient entrés. De l'autre côté, il discernait dans la lueur des cierges de la chapelle Sainte-Hélène, les colonnes centrales et les premières marches de l'escalier qui menait au plancher principal du Saint-Sépulcre. Il fit quelques pas. Toujours rien. Ce n'était pas normal. Puis il entendit un son. Un son inattendu dans ce genre d'endroit. Métallique. Le son d'un pistolet qu'on arme. Il n'y échapperait donc pas… Rassemblant ses forces, le cœur battant à tout rompre, il regarda autour de lui et pénétra lentement dans la chapelle.

— Docteur Howard, comme on se retrouve…

Jack reconnut immédiatement la voix, avec une pointe d'accent est-européen. C'était celle d'un homme qu'ils avaient rencontré sans le voir, dans un autre espace souterrain, deux jours auparavant. Jack sentit son estomac se nouer brusquement. Helena avait raison. Il ne dit rien mais avança pas à pas sur le plancher de pierre en évitant de regarder les cierges pour s'habituer à l'obscurité. L'homme était devant lui, dans l'ombre comme la dernière fois, debout à côté de l'autel et d'une statue de femme qui tenait une croix, sainte Hélène. Jack s'arrêta et regarda sur les côtés dans l'espoir d'apercevoir ses compagnons dans le noir.

— Je veux les voir, gronda-t-il.

Après quelques instants, il entendit un claquement de doigts. Une personne en habit fut poussée sans ménagements et trébucha contre la pierre avant de tomber lourdement sur un coude. C'était Yereva. Elle avait le visage enflé et contusionné.

— Je n'ai rien dit, Helena ! lança-t-elle en regardant derrière elle. J'ai été suivie.

On lui enfonça un silencieux dans la nuque avant de la ramener violemment dans l'ombre.

— Vous voyez, on le savait depuis le début, déclara l'homme, dont le visage était toujours invisible. Nous avons des yeux et des oreilles partout. De nombreux frères sont prêts à nous aider.

Il claqua des doigts de nouveau et une autre personne fut poussée devant lui. C'était un homme barbu, qui portait un habit épiscopal et tenait une croix arménienne contre sa poitrine. Jack vit une main pointant le pistolet vers l'évêque, qui posa immédiatement sur lui un regard implorant.

— Un de vos frères pleins de bonne volonté, je suppose, ricana Jack.

L'évêque déversa tout à coup un flot de paroles dans sa propre langue, sur un ton suppliant. L'homme caché dans l'ombre lui répondit à voix basse, sarcastique. Il s'exprimait en latin. Alors l'évêque cessa de parler, resta figé sur place et se mit à trembler en sanglotant.

— Vous voyez, dit l'homme. Quiconque sert notre cause fait toujours preuve de bonne volonté.

— Je veux voir Costas et Helena, insista Jack.

L'homme se tourna sur le côté et donna des ordres en italien.

— *Pronto*, ajouta-t-il en claquant des doigts.

Après un bruit sourd et quelques grognements, Costas fut à son tour poussé dans la lumière. Il trébucha mais se redressa aussitôt. Les mains liées derrière le dos, il avait une bande de ruban adhésif sur la bouche. Il respirait difficilement à travers ses sinus encombrés en gonflant la poitrine. Jack aperçut une silhouette sombre qui tenait le silencieux contre la nuque de son ami. C'était un homme et il avait un bras dans le plâtre. *Leur agresseur de Rome !* Costas cherchait désespérément Jack du regard, les yeux écarquillés.

— Retirez-lui son bâillon, fulmina Jack. Il ne peut pas respirer.

— Il n'a rien à dire, répliqua l'homme. Et vous non plus.

Jack eut alors l'horrible certitude que cet endroit n'était plus une chapelle mais une salle d'exécution. Il jeta un coup d'œil à sa montre. Il devait gagner du temps. Dix minutes suffiraient. Il pria en silence.

— Je présume que l'échauffourée qui a eu lieu dans les rues n'était pas une coïncidence, commença-t-il. Les coups de couteau, le couvre-feu, la coupure de courant…

— Il a toujours été dans notre intérêt de maintenir l'État juif dans le chaos, admit l'homme. Et il nous a toujours été facile d'infiltrer les groupes extrémistes des deux camps.

— Quand nous nous sommes rencontrés pour la première fois, vous avez dit que vous vouliez mettre un terme à tout cela.

— Je devais me montrer convaincant.

— Vous nous avez dit la vérité à propos du *concilium*, de Claude et du dernier Évangile.

— Il fallait que je vous donne suffisamment d'informations pour que vous trouviez cet Évangile. Nous savions par Narcisse que Pline avait déposé ce que Claude lui avait confié à Rome et que Claude s'était rendu sur la tombe de Londres. Mais c'est vous qui avez fait tout le reste : le musée Getty, le couvent de Santa Paula et le Saint-Sépulcre. Votre jeune collègue américain fait trop confiance à ses amis. Enfin, il n'a plus à s'en inquiéter maintenant.

— Jeremy ! s'exclama Jack, l'estomac noué jusqu'à la crampe.

— Il est vivant. Pour l'instant. De même que vos collègues de Naples. Ils bénéficient de la protection de notre famille élargie.

L'homme hocha la tête en direction de la silhouette braquant l'arme sur Costas.

— Le moment venu, précisa-t-il, tout ira très vite. Une balle dans la tête, un corps de plus en enfer. Ils ont toujours procédé ainsi.

— Comment avez-vous su que je ne dirais rien à personne à propos du *concilium* ?

— Vous deviez garder le secret jusqu'à ce que vous trouviez ce que vous cherchiez. Je suis parvenu à vous convaincre que d'autres cherchaient la même chose que vous et vous suivaient à la trace. Et je ne vous ai pas menti. J'ai vu clair en vous, docteur Howard, lorsque vous étiez assis en face de moi à Rome, à côté de la tombe de saint Paul. J'ai gagné votre confiance et vous avez cru que j'étais de votre côté. Personne ne peut échapper au *concilium.* Nous avons toujours le dernier mot.

— C'est vous qui ne pouvez pas y échapper ! Vous vous trompez. Moi, j'ai vu clair en vous. Non seulement vous nous avez dit la vérité sur le *concilium*, mais vous nous avez confié ce que vous éprouviez réellement. Vous aviez besoin de vous confesser, car vous vivez dans le mensonge. Vous aviez envie de reprendre votre liberté, mais vous n'en avez pas eu la force.

— Blasphème ! s'écria l'homme d'une voix chevrotante. Je respecterai toujours mon engagement. C'est en lui que je puise ma force !

— Croyez-vous vraiment que saint Paul aurait voulu tout cela ?

— Saint Paul est notre père fondateur.

— Vraiment ? Je croyais que c'était Constantin le Grand. Vous nous l'avez dit vous-même. Il a recréé le *concilium* en secret pour en faire son propre conseil de guerre.

— Il a anticipé les combats que nous aurions à mener, les sacrifices que nous aurions à faire. *In nomine patris et filii et spiritus sancti.* Notre guerre est celle de l'humanité tout entière. Le diable est omniprésent.

— Il ne l'est que dans votre esprit. Le *concilium* est allé au-devant des conflits et n'a créé l'enfer que pour justifier sa propre existence, autarcique et autodestructrice.

— J'en doute fort, docteur Howard, siffla l'homme sur un ton cinglant.

— Vous n'irez pas loin en choisissant vos hommes de main parmi les voyous.

— Il y en a bien d'autres là d'où il vient, railla l'homme en désignant du menton la silhouette plongée dans l'ombre. Comme je vous l'ai dit, il s'agit de notre famille élargie.

— Une famille ? Elle ne se soucie guère du sort qu'elle réserve à ses parents et à ses proches ! Elizabeth d'Agostino était une amie.

— Ah, Elizabeth ! Elle fut mon élève. Je l'ai ramenée dans nos rangs mais, le moment venu, elle n'a pas eu la force de prêter serment. Dans sa famille, tout est toujours une question d'honneur, l'honneur de nous servir, ce qui n'est pas pour nous déplaire, vous vous en doutez. Elle les a trahis. Elle a trahi les siens. Nous savons qu'elle a essayé de vous prévenir lorsque vous étiez à Herculanum. Et pourtant, elle savait ce qui l'attendait. C'est la règle depuis toujours.

— Que lui avez-vous fait ?

— Tout sera purifié. Et nous l'emporterons.

Jack sentit la colère monter en lui mais s'efforça de ne pas perdre son sang-froid.

— À votre place, je n'accorderais pas ma confiance à n'importe qui. Ce sont des trafiquants de drogue désormais, et non des serviteurs du Seigneur. Un jour, c'est à vous qu'ils s'en prendront.

— Blasphème ! pesta l'homme à nouveau. Ce sont nos fidèles serviteurs depuis toujours. Rien n'a changé et rien ne changera jamais.

— C'est là que vous vous trompez. Vous n'avez plus de recul. On vous recherchera pour ce que vous avez fait. Le poids de votre propre histoire finira par vous détruire.

— Personne ne saura jamais rien, car nous ne laissons jamais de traces, affirma l'homme en pointant le doigt derrière lui. Il y a ici onze citernes d'eau taillées dans le roc. Vous êtes déjà dans votre tombe.

Il exhuma un téléphone portable de sa poche et le montra à Jack.

— Quand vous ne serez plus de ce monde, je sortirai et j'appellerai Naples. D'ici la fin de la journée, vous aurez tous disparu. Et rien ne se sera jamais passé.

Jack baissa les yeux vers son poignet. Deux minutes…

— L'odeur de la mort, insista-t-il. On ne peut pas cacher l'odeur de la mort.

Il regarda Costas, qui s'était mis à le fixer en oubliant de respirer.

— On nous retrouvera, conclut-il.

— Tout ici a l'odeur de la mort, se moqua l'homme avec mépris. Êtes-vous déjà allé sur le mont des Oliviers ? L'odeur douceâtre et nauséabonde de la mort est partout. De toute façon, vous ne serez pas le premier. Depuis Pélage, d'autres sont venus jusqu'ici, bardés d'illusions, et ne sont pas allés plus loin. Et puis, nous nous trouvons dans le plus grand temple de la mort, dans le tombeau du Christ, Notre Seigneur.

— Vous croyez vraiment qu'il a été enterré ici ?

— Je ne connais que le Christ ressuscité. Je ne m'intéresse pas à Jésus en tant qu'homme.

— C'est bien votre problème…

— Donnez-nous ce que vous avez trouvé. Peu importe que vos compagnons meurent avant ou après vous.

L'homme se tourna vers l'obscurité et claqua des doigts. Costas et Helena furent tous deux poussés plus loin par la silhouette au silencieux, qui resta postée derrière eux.

— Donnez-le-moi maintenant, répéta l'homme, qu'on en finisse.

Jack respira profondément et fouilla dans son sac en salissant tout ce qu'il touchait. Il sortit le cylindre, fit quelques pas en avant et le posa près d'un cierge sur l'autel, à côté de la statue de la femme tenant une croix. Puis il recula doucement. Costas et Helena regardèrent l'objet sans la moindre réaction. Il s'agissait du cylindre de bronze provenant de la tombe de Boadicée, celui que Claude avait déposé en Bretagne et que Jack avait secrètement emporté avec lui, jusqu'à Jérusalem.

L'homme le considéra avec dégoût.

— Vous nous avez conduit jusqu'à lui et nous l'avons trouvé, déclara-t-il. Tout est rentré dans l'ordre. La volonté du Seigneur est accomplie.

— Vous devriez jeter un coup d'œil à l'intérieur, suggéra Jack.

Il regarda de nouveau sa montre. *Heure H.*

— C'est un blasphème, vociféra l'homme. Je ne l'ouvrirai pas. Ce n'est qu'un faux, réalisé par ce stupide Claude. Un faux qui a dupé tous ceux qui l'ont cherché. Je vais l'écraser, le brûler et le jeter dans votre tombe. Ainsi, vous pourrez chérir votre trésor pour l'éternité. Il est temps !

Il claqua des doigts une dernière fois et Costas fut poussé au bord d'un trou noir, l'arme enfoncée dans la nuque. Jack leva brusquement la main.

— Attendez ! cria-t-il. Ce n'est pas tout. J'ai autre chose à vous montrer.

Il se pencha au-dessus de son sac et le pistolet se retrouva immédiatement contre sa tempe. Il suspendit son geste.

— C'est un ordinateur, précisa-t-il.

L'arme resta braquée sur lui dans le plus grand silence. Jack continua à chercher prudemment dans son sac. Il en retira un ordinateur de poche, qu'il alla poser sur l'autel, devant la statue. Il se contenta de l'ouvrir, car il était déjà allumé. L'écran affichait la page d'accueil de CNN.

— Je me suis connecté sur ce site il y a deux heures, avant que nous n'entrions dans l'église, indiqua-t-il.

Il appuya sur une touche. Un article apparut à l'écran et le titre s'afficha en grosses lettres.

LE DERNIER ÉVANGILE ?
DÉCOUVERTE D'UNE TOMBE PERDUE

Jack se tourna vers l'homme.

— Vous voyez ? plaisanta-t-il. Moi aussi, j'ai des amis. Des frères pleins de bonne volonté, comme vous dites. À l'heure qu'il est, cette nouvelle est déjà en train de faire le tour du monde. J'ai demandé à ce qu'elle soit diffusée à dix-neuf heures. Et il est dix-neuf heures deux. Tout sera rendu public : mon nom, votre nom, le lieu où nous nous trouvons, deux mille ans de terrorisme, de meurtres, tout ce que vous avez eu la bonté de nous raconter à propos du *concilium*.

— Vous ne connaissez pas mon nom ! se défendit l'homme.

— Grave erreur… Cela fait partie des choses qu'Elizabeth a réussi à me dire, cardinal Ritter.

L'homme gesticula de rage et tomba en arrière en se rattrapant au mur. À cet instant, un grand fracas résonna à l'entrée et une lumière aveuglante inonda la chapelle. Costas se pencha et se retourna brusquement pour donner un coup d'épaule à l'individu qui le menaçait. Il lui enfonça l'estomac et l'envoya rouler par terre. Des cris en hébreu retentirent. Deux colosses en uniforme surgirent dans la lumière en brandissant une carabine M4. L'un d'eux retira le bâillon de Costas et lui libéra les mains en coupant ses liens. Costas éternua bruyamment et s'approcha de Jack en titubant et en haletant.

— Finalement, il s'est révélé utile ! s'exclama-t-il en désignant le cylindre de bronze.

Tandis que Helena rejoignait Costas pour le soutenir, Jack aperçut Ben, qui gardait l'entrée de la chapelle en compagnie d'un inspecteur de police israélien et de Morgan. Il prit son ami par les épaules.

— C'est le Christ qu'il faut remercier dans cette affaire, lança-t-il. Et maintenant, tu sais que je ne suis pas un simple chasseur de trésor. J'ai toujours un but plus élevé.

— Ne me dis pas que tu avais planifié tout ça, s'étonna Costas.

— J'ai préféré parer à toute éventualité. Mais j'ai joué gros en envoyant Morgan contacter la presse. De plus, je l'avais également chargé de prévenir Ben. C'était une véritable course contre la montre.

— Ça ne te ressemble pas, Jack.

— Nous aurions été ridicules si nous n'avions rien trouvé, mais c'était la seule façon de contrecarrer les plans de notre ami, déclara Jack en montrant la citerne. Je m'attendais à ce que nous soyons confrontés à ce genre de situation.

— Alors Elizabeth t'a vraiment dit son nom ?

— Non, nous n'avons parlé que quelques secondes à la villa d'Herculanum. Elle a peut-être eu l'intention de me le dire ou pensé qu'elle pourrait me le dire plus tard. Mais Jeremy et moi avons passé en revue toutes les possibilités. Le cardinal s'est trahi lorsqu'il nous a parlé du *félag* viking dans les sous-sols de la basilique Saint-Pierre. Nous avions déjà eu affaire à lui. C'est ce qui nous a permis de remonter jusqu'à lui.

— Je suis désolé pour Elizabeth.

— Nous n'avons aucune certitude pour l'instant. Je vais demander à Ben et à la police d'interroger ce type sur place pour essayer de lui arracher des aveux, mais je doute qu'il se mette à table.

— Son homme de main parlera peut-être.

Jack regarda l'homme inconscient étendu sur le sol, sous la vigilance d'un policier.

— Qui sait, conjectura-t-il, il est peut-être de la famille d'Elizabeth.

Helena s'approcha et prit Jack dans ses bras. Elle tremblait mais s'efforçait de n'en rien laisser paraître.

— Bien orchestré, Jack ! le félicita-t-elle. Je ne te reconnais plus. Toi qui suis toujours ton intuition, tu n'as jamais été doué pour planifier les choses.

— Au fait, se souvint Costas, merci pour ton laïus sur l'odeur de la mort. Le comble du raffinement, vraiment. J'ai failli vomir dans mon bâillon.

— Je me suis dit que ça te motiverait, se défendit Jack.

— Plus jamais. Jamais ! Tu m'as compris ?

— Jamais ! répéta Jack solennellement.

Dans l'ombre, le cardinal avait été maîtrisé par un des policiers, à côté de l'autel. Mais l'homme de main étendu par terre reprit brusquement conscience et attrapa la jambe du second policier, qui lui décocha immédiatement un coup de pied. Le premier se retourna instinctivement. Profitant de cette seconde d'inattention, le cardinal s'empara du cylindre de bronze et se précipita en direction de la chapelle Saint-Vartan.

— Je l'ai et je vais le détruire ! s'écria-t-il. Vous ne saurez pas ce qu'il contient.

— Vous vous trompez encore, le coupa Jack.

Il plongea la main dans son sac et en sortit avec précaution un autre cylindre, celui qu'il avait ramassé dans la pièce immergée quelques minutes plus tôt.

— Ce que vous tenez est un cylindre de bronze que nous avons trouvé dans la tombe d'une reine de l'île de Bretagne, annonça-t-il. Un bel artefact, remarquable même. Ah, au fait ! Il est vide.

Le cardinal rugit et retira brusquement le couvercle du cylindre pour regarder à l'intérieur. Il oscilla, puis se figea sur place. Jack confia le cylindre de pierre à Costas, le regarda dans les yeux et s'élança vers le cardinal. En un instant, il avait maîtrisé l'homme. Il lui tordit le bras derrière le dos jusqu'à ce qu'il crie de douleur. Desserrant son étreinte, il le plaqua contre le mur et reprit le cylindre de bronze, qu'il posa sous la statue. Puis il lui tordit de nouveau le bras jusqu'à ce qu'il gémisse et se pressa contre lui pour lui parler à l'oreille. L'homme sentait l'encens, la sueur fraîche et la peur.

— Vous voyez, Éminence, murmura Jack en obligeant le cardinal à tourner la tête vers l'ordinateur de poche, qui affichait encore les gros titres de CNN, puis vers le précieux cylindre que Costas avait entre les mains. Vous devriez connaître mieux que personne le pouvoir de la parole écrite.

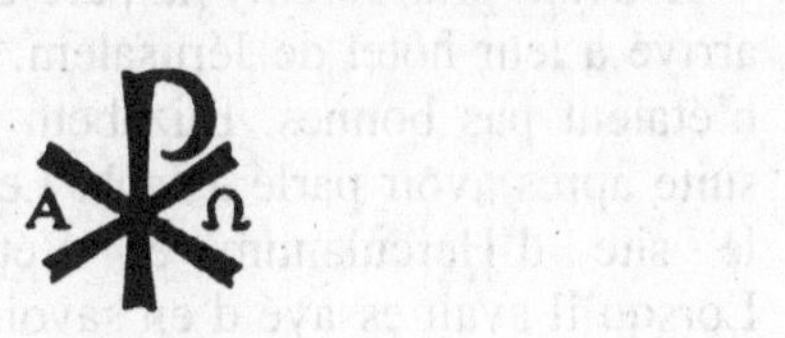

Chapitre 25

Le lendemain matin, Helena, au volant d'un 4 × 4 Toyota, longeait le rift de la vallée du Jourdain en direction de la mer de Galilée. Jack et Costas étaient assis à côté d'elle et Morgan se trouvait à l'arrière, en compagnie de Jeremy et Maria, qui les avaient rejoints à Jérusalem aussitôt arrivés à l'aéroport de Tel-Aviv. Dès qu'il était sorti du Saint-Sépulcre, Jack avait fait parvenir par e-mail des billets de première classe à ses deux amis restés en Italie. Désormais, il n'avait plus vraiment à s'inquiéter pour eux, mais il était soulagé de les avoir auprès de lui. Hiebermeyer, lui, était resté sur place. La presse du monde entier semblait s'être donné rendez-vous à Naples et il avait refusé de s'absenter. Jack savait qu'il savourerait chaque instant de sa conférence de presse, mais celle-ci permettrait également de créer une diversion pendant que ses compagnons et lui jouaient leur dernier acte en Israël. En effet, il leur restait encore un voile à lever concernant l'événement qui les avait entraînés dans cette quête extraordinaire.

— Tu as eu des nouvelles, Jack ? demanda Costas d'une voix qui trépidait au rythme des secousses provoquées par les nids-de-poule.

— Pas encore, répondit Jack.

Il avait pris Jeremy à part dès que celui-ci était arrivé à leur hôtel de Jérusalem. En fait, les nouvelles n'étaient pas bonnes. Elizabeth avait disparu tout de suite après avoir parlé à Jack. Le soir, elle avait quitté le site d'Herculanum et n'était jamais revenue. Lorsqu'il avait essayé d'en savoir plus, Jeremy n'avait obtenu pour toute réponse que des haussements d'épaules et de lourds silences.

— Enfin, dit Jack pour se rassurer, à Naples, tout prend du temps. Et cela faisait quinze ans que nous ne nous étions pas parlé, alors je ne m'attends pas à ce qu'elle se précipite pour m'appeler.

— Je vais prier pour elle, Jack, déclara Helena, les mains serrées autour du volant. Mais elle est peut-être tout simplement partie. Après tout, elle l'a déjà fait une fois.

— J'ai eu une drôle de vision dans la tombe, sous le Saint-Sépulcre. J'ai eu l'impression de la voir de manière fugitive, comme s'il y avait eu quelqu'un sur cette plate-forme.

— Le coup d'Agamemnon, hein ? murmura Costas.

— Je suppose que c'est parce que je pensais à elle. Je n'ai jamais cessé de penser à elle pendant toutes ces années. C'est sans doute à cause de la façon dont les choses se sont terminées entre nous. Nous n'avons jamais rompu. Elle est juste partie. Tous ces souvenirs me sont revenus à l'esprit lorsque je tenais Ritter contre le mur de la chapelle, hier. Il a dit qu'il avait ramené Elizabeth dans leurs rangs. À cet instant, je me suis dit que tout était de sa faute. J'ai failli lui rompre le cou. Et ce n'est pas l'envie qui m'en manque encore aujourd'hui.

— Au moins, il ne représente plus aucun danger.

— Pour le moment, mais cela ne durera pas. Ritter et son homme de main sont seulement accusés d'avoir sorti une arme pendant le couvre-feu et d'avoir agressé un officier de police. L'enlèvement serait allé chercher plus loin, mais le patriarche a refusé de porter plainte. C'est pourquoi l'interrogatoire de Ben ne donnera rien. Ritter sait qu'il sera de retour à Rome dans quelques jours. Et le scandale dans la presse, la mention de son nom, tout ce qui est écrit dans l'article finira par être oublié, emporté par le vent comme des feuilles mortes. Les organisations comme celle-ci ont l'habitude d'encaisser les coups. Ritter sera rapidement réintégré.

— Maintenant qu'on connaît l'existence du *concilium*, la loi aura peut-être le dernier mot, fit remarquer Maria en se penchant au-dessus de l'épaule de Jack.

— La loi de qui ? ironisa Jeremy.

— Tout dépend du crédit que le public va accorder à cette affaire. Comme l'a dit Jack, les histoires de complot impliquant l'Église deviennent vite de l'histoire ancienne, à moins qu'il n'existe de véritables preuves de corruption et de meurtre. De plus, nous ne sommes pas les premiers à revendiquer la découverte d'un Évangile.

— Tout cela n'a aucune importance, intervint Helena. Vous oubliez ce que Jack a dit au cardinal : le pouvoir de la parole écrite. Si la parole de Jésus se trouve vraiment à l'intérieur de ce cylindre, les croyants y décèleront peut-être tout ce dont ils ont besoin pour trouver leur propre voie.

— Même si elle ébranle les fondations de l'Église ? demanda Maria.

— La clé, c'est la liberté, affirma Helena. La liberté de choisir sa propre voie spirituelle, sans peur, sans persécution, sans culpabilité, et sans l'Inquisition ni le *concilium*. Voilà le fond du problème. Et si nous parvenons à éroder une partie des concrétions, ce sera déjà pas mal.

— Tout à fait d'accord ! s'exclama Morgan.

— Mais nous ne savons toujours pas ce qui se trouve à l'intérieur du cylindre, objecta Costas. Encore faudrait-il que Jack nous autorise à l'ouvrir.

— Patience ! s'écria Jack. Nous n'avons plus qu'une étape à franchir.

— C'est à cause du rouleau de l'*Histoire naturelle* de Pline que tu veux aller là-bas ? de la note indiquant que Claude et son ami Hérode sont allés voir Jésus au bord de la mer de Galilée ?

— En effet.

— Pas de trou à rats, cette fois ?

— Pas de trou à rats. Cela dit, j'ai promis à Massimo que tu retournerais à Rome. Vous allez avoir beaucoup de travail pour ouvrir l'entrée de la chambre des vestales. Il y a des tonnes de boue à évacuer.

— Jack ! protesta Costas.

Ils virent des panneaux signalant la direction de villes qui évoquaient l'histoire riche et tourmentée de la Terre sainte : Jéricho, Naplouse, Nazareth. Puis ils tournèrent à gauche pour se diriger vers la mer de Galilée. Ils longèrent les stations thermales de Tibériade et parcoururent encore quelques kilomètres, sous le flanc imposant du mont Arbot, jusqu'à ce qu'ils arrivent à l'entrée du kibboutz de Ginnosar. Autour d'eux, la terre était aride, desséchée, et le lac avait reculé vers l'est en laissant derrière lui de grandes étendues de boue. Helena s'arrêta devant le kibboutz et tous sortirent de la voiture dans laquelle ils s'étaient entassés pour s'étirer, fatigués par les quatre heures de route. Jack, qui avait déjà son fidèle sac en toile sur l'épaule, était vêtu d'un short kaki, d'un tee-shirt gris et de chaussures montantes. Costas, quant à lui, portait une tenue hawaïenne typique de ses goûts et les lunettes profilées que Jeremy lui avait offertes et qui semblaient désormais faire partie de son look. Jeremy, Maria et Morgan étaient habillés comme Jack. Seule Helena, vêtue du même habit blanc que la veille, lorsqu'ils l'avaient vue sur le toit du Saint-Sépulcre, semblait ne pas souffrir de la chaleur.

— Nous nous trouvons sur le site de l'ancienne ville de Magdala, dont Marie-Madeleine était originaire, annonça Jack. C'est sur cette rive que Jésus de Nazareth a vécu et travaillé, en tant que charpentier et pêcheur. C'est ici qu'il s'est mêlé au peuple de Galilée pour répandre sa parole.

Après un déjeuner rapide au kibboutz, ils se rendirent au musée Yigal Allon et se rassemblèrent autour de son joyau, l'une des découvertes les plus remarquables qui aient été faites en Terre sainte. Il s'agissait d'un bateau ancien au bois noirci par le temps mais magnifiquement préservé. Il mesurait un peu plus de huit mètres de long et deux mètres de large. Costas souleva ses lunettes de soleil et se pencha au-dessus du support en métal qui le maintenait pour regarder le bois de plus près.

— Glycol de polyéthylène ? demanda-t-il.

— Affirmatif, répondit Jack. Il n'a pas fallu longtemps pour en imprégner le bois, étant donné que le bateau était immergé dans de l'eau douce ne contenant pas de sel susceptible de l'absorber. Ce bateau a été découvert au cours de l'été 1986 pendant une période de sécheresse comparable à celle de cette année. Le niveau du lac avait beaucoup baissé. Deux gars du coin qui cherchaient des pièces anciennes l'ont trouvé dans la boue, d'où il dépassait à peine, la proue du côté de l'eau. Il était de toute évidence très ancien, ce qui a fait sensation dans le pays. Cette découverte a été vite récupérée. Y voyant un bon moyen de relancer le tourisme malgré l'Intifada, le ministre israélien du Tourisme s'est complu à faire le lien avec Jésus. Mais les juifs ultraorthodoxes ont manifesté contre les fouilles, qu'ils considéraient comme un feu vert donné aux activités missionnaires chrétiennes dans la région. Certaines personnes ont même prié pour qu'il pleuve, afin que le site soit inondé et le chantier abandonné.

— Cela me rappelle quelque chose.

— C'est une des raisons pour lesquelles je voulais que vous voyiez cela, avant la dernière étape de notre quête. Cette querelle est oubliée. Désormais, le bateau est la principale attraction archéologique d'Israël, pour les chrétiens comme pour les juifs et tout le peuple de Galilée, quelle que soit sa confession. Il fait partie du patrimoine commun.

— Une découverte comme celle-ci ne peut être qu'enrichissante, murmura Jeremy.

— C'est le seul bateau de la mer de Galilée qui ait survécu depuis l'Antiquité. Il avait probablement un mât avec une voile carguée laissant suffisamment d'espace pour accueillir deux rameurs de chaque côté, outre le gouvernail de quart. La proue était recourbée et la poupe pointue était équipée d'un éperon. Quant au bois, il s'agit essentiellement de chêne pour la carcasse et de cèdre pour les virures, de cèdre du Liban. Même s'il y a des clous en fer, on voit que le bateau a été construit à partir d'une coque, les planches étant reliées les unes aux autres par un système de tenons et mortaises.

— Ça y est ! s'écria brusquement Maria. Je sais à quoi il me fait penser. Maurice m'a montré des photos d'un bateau semblable à celui-ci, trouvé en 1980 sur l'estran d'Herculanum, avec tous ces squelettes blottis dans les entrepôts du front de mer. L'explosion de gaz et de cendres due à l'éruption du Vésuve l'avait retourné et carbonisé, mais le bois de l'intérieur était encore bien préservé. Il était impeccablement construit. Peut-être s'agissait-il d'un bateau de plaisance, qui appartenait à un des riches propriétaires de villa.

Jack fut de nouveau envahi par l'émotion qu'il avait éprouvée deux jours plus tôt, en Californie, lorsqu'il avait vu le passé sous deux aspects différents, l'un majestueux et ingénieux, l'autre simple et ordinaire, mais tous deux d'une égale beauté.

— Si le bateau d'Herculanum était une Porsche, alors celui-ci serait un vieux tracteur. Il y a beaucoup de bois recyclé ici, de débris réutilisés intelligemment. Ce bateau n'a peut-être pas l'élégance de celui d'Herculanum, mais il a son propre style. Celui qui l'a construit et utilisé connaissait intimement cet endroit. Il a su en exploiter les ressources.

— Y a-t-il eu une datation au carbone 14 ? demanda Costas.

— 40 avant Jésus-Christ, plus ou moins quatre-vingts ans.

— Sacrée fourchette ! Mais pile dans notre période. Jésus est mort vers 30, à la fin de la fourchette. Mais si les bateaux duraient des générations sur ce lac, s'ils étaient réparés et remis en état, même un bateau construit au début de la fourchette aurait encore pu être utilisé au cours de sa vie.

— Les seuls artefacts qui ont pu être associés à cette découverte sont une marmite et une lampe à huile, toutes deux de la même période.

— Alors revenons-en à Claude et à Hérode, proposa Costas. À quelle date sont-ils venus ici ?

— Je crois qu'ils sont venus en 23 après Jésus-Christ, répondit Jack sur un ton confiant. Jésus avait une vingtaine d'années, peut-être vingt-sept ou vingt-huit ans. Claude en avait trente-deux ou trente-trois, de même qu'Hérode, puisqu'ils sont tous deux nés en 10 avant Jésus-Christ. Quelques années après, Jésus est allé dans le désert, puis il a renoncé à ses activités mondaines. Claude a dû rentrer à Rome peu de temps après son séjour ici et n'est sans doute jamais revenu. Nous savons ce qui lui est arrivé. Quant à Hérode Agrippa, il est devenu roi des Juifs.

— D'où sors-tu cette date ?

— Je me suis soudain rappelé quelque chose à Jérusalem. Cette idée me titillait depuis que nous avions lu les mots de Pline dans le laboratoire de la *Seaquest II*. Aucun autre ouvrage ne fait référence à un voyage de Claude en Orient. Je me suis donc dit que notre ami avait dû venir ici lorsqu'il vivait dans l'ombre, à Rome, avant d'être propulsé sur le trône en 41 après Jésus-Christ. Il fallait que la rencontre ait eu lieu avant la mort de Jésus, crucifié vers 30, pendant le règne de Tibère, mais aussi avant que Jésus ne soit entouré de disciples, qui se seraient souvenus de ce visiteur venu de Rome et auraient consigné cet événement quelque part.

Helena se racla la gorge avec insistance.

— En Éthiopie, fit-elle remarquer, il existe bien une tradition selon laquelle un empereur est parti à la recherche du Messie.

— Oui, je n'ai pas oublié ce que tu nous as dit hier. Bref, j'ai pensé au début de la période pendant laquelle Jésus a vécu en Galilée, avant qu'il n'exerce son ministère de façon plus systématique. Les Évangiles disent très peu de choses sur cette période. Et puis je me suis souvenu d'Hérode Agrippa.

— Il était roi de Judée, il devait être là depuis le début, dit Costas.

— Non, c'est Claude qui lui a donné la Judée pour le remercier de sa loyauté, en 41 après Jésus-Christ. Avant, Hérode Agrippa a vécu essentiellement à Rome. Mais il est effectivement allé en Judée avant de régner sur cette terre. Il était le petit-fils d'Hérode le Grand, le roi de Judée. Pourtant, il a été élevé à Rome au palais impérial et adopté par Antonia, la mère de Claude. Hérode, le bellâtre, et Claude, l'intellectuel, sont ainsi devenus les amis les plus improbables. Drusus, le fils indiscipliné de l'empereur Tibère, faisait partie des compagnons de beuverie d'Hérode Agrippa. Il se saoulait régulièrement et cherchait la bagarre avec la garde prétorienne. Un jour, après un triste incident, il est mort et Hérode Agrippa a aussitôt été expédié en Judée. C'est précisément le souvenir qui m'est revenu à l'esprit. C'était en 23 après Jésus-Christ.

— Bingo !

— Ce n'est pas tout. Hérode Antipas, l'oncle d'Hérode Agrippa, était gouverneur de Galilée à l'époque. Pour apprendre la vie à son neveu, il l'a obligé à travailler en tant qu'*agoranomos*, surveillant de marché. Et devinez où : à Tibériade, au bord de la mer de Galilée, à quelques kilomètres au sud d'ici.

— Hérode Agrippa aurait donc pu croiser Jésus.

— Il a dû faire rapidement connaissance avec les autochtones. C'était un homme sociable, extraverti, qui parlait sans doute l'araméen aussi bien que le latin et le grec. Il a dû avoir des affinités avec le peuple juif. Et il a peut-être entendu parler de Jésus. Celui-ci a pu lui être présenté comme une sorte de guérisseur et il n'est pas impossible qu'il ait conseillé à son ami Claude de venir le rejoindre pour recevoir des soins susceptibles de le soulager de sa paralysie agitante.

— C'est un scénario fascinant, mais Hérode Agrippa est vilipendé dans la Bible, fit remarquer Helena.

— Je sais, mais il était beaucoup plus âgé à ce moment-là. En ce qui me concerne, j'ai toujours pensé que c'était un homme bon dans sa jeunesse mais que son hédonisme et le passage du temps lui ont fait du tort. Il n'est pas resté longtemps à Tibériade. À la suite d'un accord douteux avec son oncle, qui aurait débouché sur un prêt, il s'est rendu à Antioche, en Syrie, avant de rentrer à Rome, où il s'est lié d'amitié avec le futur empereur Caligula. Il avait un don pour choisir ses amis. C'est Caligula qui lui a mis un pied en Galilée en tant que gouverneur, avant qu'il ne devienne un des plus grands princes d'Orient. Finalement, il est mort en 44 après Jésus-Christ, l'année du triomphe de Claude en Bretagne. Cette année-là, Jacques, fils de Zébédée et frère de l'apôtre Jean, a été arrêté et exécuté. D'après les Évangiles, c'est Hérode Agrippa qui a ordonné son exécution, mais il n'existe aucune autre preuve de l'antichristianisme du roi de Judée. Il est possible qu'il ait été uniquement mégalomaniaque. De toute façon, il ne lui restait pas longtemps à vivre. Sa fin est relatée dans un célèbre passage des Actes des Apôtres.

— Dans le récit du naufrage de saint Paul ? demanda Costas.

— Quelques chapitres et une quinzaine d'années plus tôt, quand Hérode se trouvait à Césarée sur la côte de Judée.

Jack se tourna vers Helena.

— Toi qui as toujours eu bonne mémoire, tu te souviens de ce passage ? s'enquit-il.

— Cela fait partie de mon travail, répondit Helena avant de le réciter à voix haute :

« À un jour fixé, Hérode, revêtu de ses habits royaux et assis sur son trône, les harangua publiquement. Le peuple s'écria : "Voix d'un dieu, et non d'un homme !" Au même instant, un ange du Seigneur le frappa, parce qu'il n'avait pas donné gloire à Dieu. Et il expira, rongé des vers. »

— Des vers, répéta Costas à voix basse.

— Il a sans doute été atteint d'une maladie rongeant les chairs, risqua Jack. Peut-être la gangrène. Il n'était pas rare d'en mourir à la suite d'une plaie ouverte.

— Encore des histoires de cadavres, je le savais !

— Il existe une thèse selon laquelle Claude l'aurait fait empoisonner précisément parce qu'il se conduisait comme un dieu et que seul l'empereur avait ce privilège. Mais je n'en crois pas un mot. D'après tout ce que nous savons, Claude devait être extrêmement fidèle à ses amis, en toute circonstance.

— Donc, Hérode Agrippa, Claude et Jésus se trouvent ici en même temps, en 23, résuma Costas. Leur rencontre n'est consignée nulle part, excepté dans la marge d'un rouleau ancien que nous avons trouvé à Herculanum.

— Exact.

— Jésus était charpentier, songea Costas à voix haute en caressant le bois de l'embarcation. Il pouvait donc être constructeur de bateaux, non ?

— Tout à fait. En grec et dans les langues sémitiques de l'époque, l'araméen et le phénicien ancien, le mot que nous traduisons par « charpentier » pouvait avoir de nombreuses significations, dont architecte, maçon, ébéniste et même ferronnier. Le travail ne devait pas manquer ici. Hérode Antipas avait fondé Tibériade en

20 après Jésus-Christ et il y avait un palais à bâtir, ainsi qu'une synagogue et les remparts de la ville. C'était une période florissante pour un charpentier courageux. Cela dit, dans cette région, la construction de bateaux a dû demeurer l'occupation principale des charpentiers. Environ un demi-siècle plus tard, l'historien Josèphe laisse entendre qu'il y avait deux cent trente bateaux sur le lac, probablement sans compter les petits. Ici, n'importe quelle embarcation devait durer beaucoup plus longtemps qu'en mer, car elle n'était pas dévorée par les vers présents dans l'eau salée. Cependant, les réparations et la construction de nouveaux bateaux devaient être incontournables. Dans les années 20, il a dû également y avoir beaucoup de travail dans ce secteur. Les sites de construction de Tibériade devaient générer de nombreuses chutes de bois. Ce bateau comporte beaucoup de planches de forme bizarre.

Costas caressa pensivement l'embarcation et leva les yeux vers Jack.

— Il y a une éternité, cela devait être mardi dernier, nous nous trouvions dans l'épave du navire de saint Paul, au large de la Sicile. Et tu m'as dit que le paléochristianisme était incroyablement insaisissable du point de vue archéologique, qu'on n'avait quasiment aucune certitude. Alors dis-moi, est-ce un bateau fabriqué par Jésus que je touche en ce moment ?

Jack posa les mains sur ses hanches et observa longuement l'embarcation.

— Le Nouveau Testament ne dit pas si Jésus se considérait lui-même comme le *Christos*, le Messie. Quand on lui posait la question, quand on lui demandait s'il l'était, il répondait parfois par : « C'est toi qui le dis. » C'est une traduction, bien sûr, mais je crois qu'elle saisit bien l'esprit de cette ellipse.

— Et toi, qu'est-ce que tu dis ?

— C'est toi qui le dis.

Costas garda le silence un instant, lança un regard implorant à Jack et soupira en retirant sa main du bateau.

— Ces archéologues ! Vous ne pouvez donc jamais donner une réponse directe ?

Jack sourit et tapota sur son sac.

— Allez ! Nous n'avons pas terminé. Nous devons encore aller quelque part.

Une heure plus tard, ils admiraient les plaines boueuses du rivage occidental de la mer de Galilée. Le soir tombait et leurs ombres s'allongeaient devant eux. Au loin, l'eau étincelait encore et Jack se rappela l'étrange pixellisation qu'il avait vue dans le ciel quelques jours auparavant, au large de la Sicile, comme si ses yeux avaient été attirés par les détails et non par le tout, comme si la vue avait été trop aveuglante pour être appréhendée dans son ensemble. Cramponné à son sac, il éprouva la même jouissance anticipée que ce jour-là. Une révélation extraordinaire allait lui être faite, grâce à une promesse qui l'avait ramené là où un incroyable trésor avait débuté son périple, près de deux mille ans auparavant. Il avait l'intime conviction que Claude était venu ici et qu'il avait, lui aussi, admiré au loin le plateau du Golan et succombé aux charmes de l'Orient. Il se demanda s'il avait également perçu le trouble, le danger imminent planant sur cette ligne de faille entre l'Occident et l'Orient, cette impression de tranquillité surnaturelle et illusoire, de calme avant la tempête.

À mesure que le soleil descendait sur l'horizon, le paysage reprenait une cohérence dans l'esprit de Jack, comme une peinture de Turner plutôt que de Seurat.

Le scintillement s'éteignait peu à peu dans des nuances pastel de bleu et d'orange. Jack respira profondément et fit signe à ses amis. Ils se frayèrent un chemin au milieu des petites branches enchevêtrées qui avaient été soufflées sur le littoral.

— *Ziziphus spina-cristi*, si je ne me trompe, déclara Jeremy en regardant les branches. Jujubier épine du Christ. Les fruits sont excellents. Vous devriez les goûter, un jour.

— Tu ressembles à Pline l'Ancien, ironisa Maria.

Tandis que Jack ouvrait la marche, Jeremy pressa le pas pour le rattraper et lui parler discrètement.

— Il y a quelque chose que je ne t'ai pas encore dit, lui avoua-t-il. Je ne savais pas quand t'en parler.

— Je t'écoute, l'encouragea Jack en lui jetant un coup d'œil sans s'arrêter de marcher.

— C'est à propos d'Elizabeth.

— Oui ?

— Est-ce que tu sais qu'elle a une fille ?

— Une fille ?

— Elle va à l'école à New York et vit chez des amis d'Elizabeth, qui sont tous deux professeurs à l'université. Elizabeth n'a pas voulu l'élever à Naples, au milieu de sa famille. Presque personne ne sait qu'elle a un enfant. C'est un employé de la Surintendance qui me l'a dit, un homme proche d'Elizabeth apparemment. Il était très ému.

— Est-ce que la fille est au courant de ce qui se passe ?

— Cela ne fait que deux jours que sa mère a disparu. Elle a été complètement tenue à l'écart de sa vie. Cependant, elle recevait un ou deux coups de fil d'Elizabeth par semaine et la voyait parfois pendant les vacances. Elle ne va donc pas tarder à comprendre qu'il se passe quelque chose d'anormal.

— Est-ce que tu peux me mettre en contact avec le type de la Surintendance ? J'aimerais avoir les coordonnées de cette fille.

— Je les ai déjà, répondit Jeremy à voix basse en lui tendant un morceau de papier. Il se chargerait bien de la contacter, mais il pense que c'est à toi de le faire.

— À moi ? Pourquoi ?

— Elizabeth lui avait parlé de toi.

Ils cheminèrent en silence. Jack eut l'impression de marcher sur un tapis de jogging, comme si le sol se déplaçait sous ses pieds sans que le monde ne bouge, comme si tout autour de lui s'était brusquement figé dans le temps. Seul le chemin qui s'ouvrait devant lui avait gardé sa réalité. Il ouvrit la bouche mais retint sa respiration. Lorsqu'il parla enfin, il eut le sentiment que ses paroles avaient été prononcées par quelqu'un d'autre.

— Quelle âge a-t-elle ? demanda-t-il.

— Elle a quinze ans, Jack.

Jack sentit sa gorge se serrer.

— Merci de m'avoir mis au courant, dit-il simplement.

Jeremy hocha la tête et ralentit le pas pour rejoindre ses compagnons, qui les suivaient de loin. Jack continua à marcher comme si de rien n'était, mais des images d'Elizabeth tournoyaient dans son esprit. Il aurait voulu être en colère contre ceux qui étaient responsables de tout cela, contre l'homme qu'il avait failli tuer la veille. Mais il ne pouvait penser qu'à une seule chose : à ces quinze dernières années, à ce qu'il avait fait.

À tout ce qu'il avait raté.

Dix minutes plus tard, après avoir contourné les flaques de boue, ils arrivèrent sur une zone surélevée d'une centaine de mètres, en face du littoral. C'était un gril de carénage, envahi par une odeur de poisson et de vieux filets, que les pêcheurs utilisaient pendant la sécheresse. Au milieu, une grande pierre enterrée profondément avait servi de pierre d'amarrage. Une vieille corde effilochée, qui émergeait de la boue en direction du rivage, y était encore attachée. Jack retira quelques vieux morceaux de filet de pêche et s'assit. Ses compagnons, quant à eux, s'installèrent sur deux traverses de chemin de fer visiblement traînées jusqu'ici dans ce but. Jack posa son sac sur ses genoux et ils regardèrent tous la mer, subjugués par l'absolue sérénité du lieu. Un homme et une femme marchaient langoureusement le long du littoral. L'éclat de la surface mouillée donnait l'impression qu'ils marchaient sur l'eau, comme dans un mirage. Au loin, la lumière des mâts des nombreux bateaux de pêche dessinait des pointillés étincelant comme un tapis de bougies déroulé sur la mer.

— C'est sur ce rivage que Jésus a vécu les années les plus formatrices de sa vie, dit Helena à voix basse. Dans les Évangiles, ses paroles abondent en métaphores sur la mer et les pêcheurs. Et lorsqu'il disait qu'un ciel rougeoyant au crépuscule était le présage d'une belle journée, ce n'était pas le prophète qui parlait mais le marin et le pêcheur, celui qui savait que la poussière dans l'air annonçait la sécheresse du lendemain.

— Et, depuis, des hommes et des femmes du monde entier viennent le chercher ici, murmura Jeremy. Les premiers chrétiens, après la conversion de l'Empire romain sous Constantin le Grand, ceux qui bâtirent le Saint-Sépulcre. Puis les pèlerins du monde médiéval, venus du Saint Empire romain germanique et de

Byzance. Harald Hardrada, qui amena jusqu'ici les mercenaires vikings de la garde varangienne des empereurs byzantins et se baigna dans le Jourdain. Et les croisés, qui, après avoir déferlé dans le sang, pensèrent trouver sur cette terre le royaume des cieux, qu'ils virent tomber sous leurs yeux aux mains des armées arabes venues d'Orient.

— Malgré tout, je suis sûr que cet endroit n'a pas beaucoup changé, affirma Costas en faisant des ricochets dans une étendue d'eau.

Il se tourna vers Jack avec un brin d'impatience.

— Vas-tu enfin nous montrer ce que tu as trouvé ? lui demanda-t-il.

Jack hocha la tête d'un air absent et se remit à fixer l'homme et la femme qui marchaient au loin, le long du rivage.

— Quand je pense que Mark Twain est venu ici, ajouta Jeremy.

— C'est vrai ? dit Costas.

— En 1867. Ce fut l'un des premiers Américains à se rendre en Terre sainte.

— Je me souviens encore de ce qu'il a écrit, se réjouit Helena. La dernière fois que je suis venue ici, j'ai emmené son livre avec moi et ses mots m'ont laissé une forte impression. C'était quelque chose comme ça :

« C'est la nuit qu'il faut voir la Galilée, lorsque le jour est fini, même les moins sensibles doivent céder à l'appel au rêve de la lumière tranquille des étoiles. Dans le clapotis des vagues sur le rivage, on entend la plongée de rames incertaines ; dans les bruits secrets de la nuit, on entend les voix des esprits ; dans la douce caresse de la brise, le bruissement d'ailes invisibles. »

— Il y en a eu d'autres après lui, indiqua Jack en se raclant la gorge avant de puiser une profonde goulée d'air.

Il était encore sous le choc de la nouvelle et, pendant quelques instants, il n'avait pu faire abstraction de son découragement concernant la disparition d'Elizabeth et de ce sentiment de culpabilité qu'il savait irrationnel. Le destin d'Elizabeth avait été écrit dès le jour de sa naissance. Il l'avait lu dans ses yeux lorsqu'ils étaient ensemble, des années auparavant. Seulement, il avait pensé que c'était autre chose. Malgré tout, à force de fixer les bateaux à l'horizon et de contenir son émotion, il avait fini par éprouver un certain soulagement et, d'une certaine façon, un poids lui avait été retiré des épaules. Une partie de lui semblait accepter ce que Jeremy lui avait annoncé, comme s'il l'avait toujours su. Il ferma les yeux et se tourna vers Costas, qui le regardait avec sollicitude. Il était au seuil de la plus grande quête de toute sa vie. Il tenait encore le morceau de papier que Jeremy lui avait donné et, au chagrin, s'ajoutait une aspiration débordante, une responsabilité enivrante. Et puis, il gardait toujours l'espoir d'avoir arrêté Ritter et ses hommes à temps. Elizabeth était peut-être encore en vie.

— Il y en a eu d'autres, reprit Jack, des hommes prêts à croire que la Bible ne s'inspirait pas uniquement de mythes et de légendes, comme Heinrich Schliemann et Arthur Evans à propos des guerres de Troie et de la Grèce de l'âge du bronze. Dix ans après Mark Twain, le lieutenant Horatio Herbert Kitchener, du Corps des ingénieurs royaux, financé par le Fonds d'exploration de la Palestine, s'est fait les dents en Galilée avec le levé topographique de la Palestine avant de devenir le plus grand chef de guerre britannique. Puis Thomas Edward

Lawrence est venu étudier les châteaux des croisés, avant de conduire sa légion en direction de Damas, de l'autre côté de ces collines, sous le nom de Lawrence d'Arabie. Le grand balancier de l'Histoire a souvent tout emporté sur son passage, à la ligne de fracture entre l'Orient et l'Occident qui longe la vallée du Jourdain, mais la Galilée est restée une zone de turbulences, un lieu où l'individu peut encore se distinguer.

— Tous ceux qui sont venus ici avaient l'avenir devant eux, remarqua Maria. Ils étaient à la croisée des destins.

Jack sortit de la poche de son short un petit écrin contenant deux pièces. Il les prit entre ses doigts et la lumière du soir accrocha les portraits, dont les traits étaient accentués par les ombres.

— On dirait que tu as encore emprunté quelque chose, Jack, plaisanta Costas, un brin d'espièglerie dans le regard. Voilà ce qui arrive quand on se transforme en chasseur de trésor ! Je me demandais quand tu basculerais de l'autre côté.

Jack sourit mais continua à fixer les portraits. Il avait besoin de les voir une dernière fois, de les toucher, avant d'ouvrir son sac. De la main gauche, il tenait la pièce d'Hérode Agrippa, que Helena avait trouvée dans le Saint-Sépulcre. Le portrait était usé mais on voyait encore le visage épais, taurin, celui d'un combattant plus que d'un penseur, qu'éclairaient pourtant de grands yeux sensibles. Peut-être cette représentation avait-elle été idéalisée selon les canons orientaux et s'agissait-il davantage d'un Hercule ou d'un Alexandre que d'Hérode Agrippa. Quoi qu'il en soit, celui-ci portait une couronne de laurier, qu'on ne voyait habituellement que sur les portraits d'empereurs romains. L'homme de l'autre pièce en arborait une aussi, mais à juste titre.

Claude était tel que Jack l'avait imaginé dans la Villa des papyrus, à Herculanum, et dans la tombe de la reine bretonne, à Londres. La chevelure abondante, le front haut, il avait les yeux enfoncés, songeurs, et les lèvres pincées. Ce n'était pas Claude l'infirme, Claude l'idiot, mais Claude l'empereur à l'apogée de son pouvoir, celui qui avait bâti des aqueducs et des ports, ramené sur les rails le monde romain au bord de la catastrophe, et ouvert la voie aux chrétiens en Occident pour les siècles à venir. Ces deux portraits représentaient des hommes au faîte d'une existence qu'ils n'auraient jamais pu pressentir ce jour de 23 après Jésus-Christ, lorsqu'ils s'étaient retrouvés au bord de la mer de Galilée. Hérode Agrippa, prince d'Orient, et le dieu Claude.

— Je me demande s'ils ont entrevu l'horreur qui allait s'abattre ici, murmura Helena.

— C'est-à-dire ? s'enquit Costas.

— L'Histoire s'est attachée à ce lieu. Jack m'a dit que vous aviez suivi la trace de la menora, le trésor du temple de Jérusalem.

— En effet, confirma Maria à voix basse en levant les yeux vers Jack.

— En 67 après Jésus-Christ, plus de vingt ans après la mort d'Hérode Agrippa et plus de dix ans après la disparition de Claude, trois ans avant la destruction de Jérusalem et la victoire de Vespasien, les Romains sont venus ici, au bord de la mer de Galilée. Les Juifs rebelles se sont enfuis vers le large à bord de nombreux bateaux, mais Titus, le fils de Vespasien, a fait construire une embarcation spécialement pour lui et les a poursuivis. La bataille de Magdala a été une des batailles navales les plus extraordinaires de l'Histoire, mais elle a débouché sur un véritable massacre. L'historien Josèphe raconte que le rivage était inondé de sang. Une puanteur horrible s'était répandue dans toute la région. Les plages étaient couvertes d'épaves et de cadavres en décomposition.

— Les rebelles ont-ils utilisé les bateaux de pêche qui se trouvaient ici ? demanda Costas.

— Ils ont réquisitionné toutes les embarcations amarrées sur le rivage. Le bateau de Ginnosar en faisait peut-être partie. Il a pu être abandonné et coulé une fois ses occupants massacrés. Aujourd'hui, certains Israéliens le considèrent comme un symbole de l'histoire juive, de la résistance des Juifs.

— Mais il peut tout de même avoir été construit plus tôt et utilisé au cours de la vie de Jésus, rappela Jack.

— C'est toi qui le dis, marmonna Costas.

— Il y en a pour tout le monde, dit Helena.

Jack rangea les pièces, glissa l'écrin dans sa poche et sortit un paquet bien enveloppé de son sac.

— Je suis sûr qu'ils avaient une petite idée de l'avenir, affirma-t-il. Hérode Agrippa était issu d'une des dynasties les plus instables d'Orient. Et il avait été élevé à Rome. Il connaissait la nature volatile du pouvoir. Quant à Claude, c'était un historien, peut-être l'un des plus grands de l'Antiquité. Il avait déjà dû voir les graines de la décadence dans le règne de Tibère. Et celui qu'ils ont rencontré ici, le pêcheur de Nazareth, avait peut-être vécu sa vie dans un cocon, à l'abri des sursauts de l'Histoire, mais il a dû se douter de ce qui allait se passer et des conséquences de son ministère.

— Claude n'a pas pu anticiper deux mille ans d'Histoire, objecta Costas.

— À la fin de sa vie, lors de son dernier séjour en Bretagne, il avait sans doute déjà fait une analyse pertinente du cycle de l'histoire romaine. Il devait savoir que l'Empire était fragile. À chaque bon empereur succédait un tyran mégalomaniaque et à chaque âge d'or, une ère de corruption et de misère noire. Auguste, et ensuite Tibère et Caligula. Claude, puis Néron. Avec Vespasien et Titus, c'est un nouvel âge d'or qui revient. C'est là que Claude disparaît de l'Histoire, dans l'éruption du Vésuve. Et le cycle reprend, avec le règne tragique de Domitien. Lorsqu'il est allé cacher son trésor en Bretagne, Claude a fait preuve d'une grande prévoyance sur le long terme. Et lorsqu'il s'est rendu à Jérusalem en 1917, au Saint-Sépulcre, Everett a déployé le même esprit visionnaire. L'horizon s'obscurcissait et son monde se rapprochait d'une apocalypse que même Claude n'aurait pu imaginer. Ces deux hommes ont compris que les griffes de l'Histoire risquaient de s'emparer de leur trésor.

Jack retira la dernière couche de papier à bulles et déballa enfin le petit cylindre de pierre.

— Est-ce que tu veux l'ouvrir ? proposa-t-il à Helena.

Helena se signa et prit l'objet. Lentement, avec précaution, elle tourna le couvercle, fixé par une résine noircie, qui s'effrita facilement. Puis elle rendit le cylindre à Jack pour qu'il le retire lui-même. Les autres se rapprochèrent. Maria et Jeremy s'agenouillèrent devant Jack, tandis que Costas et Morgan se penchaient par-dessus son épaule. À l'intérieur, se trouvait un rouleau, bruni par le temps mais apparemment bien préservé.

— Dieu merci, la fermeture était hermétique, soupira Jack.

Il saisit l'extrémité du rouleau entre ses deux doigts et toucha délicatement le papyrus.

— Il est encore souple, s'étonna-t-il. C'est incroyable. Il est enduit d'une sorte de matière cireuse qui l'a préservé.

— Sacré Claude ! murmura Maria.

— Sacré Pline, plutôt ! rectifia Jeremy. Je parie que c'est lui qui lui a donné cette astuce.

Jack sortit le manuscrit. Autour d'eux, ils n'entendaient qu'un bruit sourd au loin et le souffle léger de la brise de l'ouest. Jack retint sa respiration tandis qu'il découvrait la surface brune du papyrus. Il tint le rouleau devant lui, dans la lumière du soir qui étincelait encore au-dessus des collines, et le déroula de quelques centimètres.

— Ça alors ! s'exclama-t-il avec un grand sourire.

— Quoi ? demanda Costas.

— Regardez la trame. On la voit par transparence. C'est de la première qualité, comme la feuille de papyrus que nous avons trouvée sur la table de Claude à Herculanum. Et voilà…

Jack parlait d'une voix presque inaudible.

— Je le vois, souffla-t-il.

— Quoi ?

— Le texte. Là, regardez.

Il déroula lentement le papyrus et fit apparaître la première ligne, puis la deuxième et la suivante. Peu à peu, il le déroula intégralement et découvrit une vingtaine de lignes. Son cœur commença à s'emballer. L'encre était noire, presque comme du jais, et protégée par la cire. L'écriture était continue, sans espace entre les mots ni ponctuation, dans le style de l'époque.

— C'est du grec, constata Jack. C'est écrit en grec.

— Il y a un autre texte au-dessous, plus ancien, repéra Costas en plissant les yeux derrière Jack. Juste quelques lignes, qui ont été effacées. On les voit à peine, mais elles ne semblent pas avoir été écrites de la même main.

— C'est sans doute l'écriture de Claude. Si c'est le cas, c'est peut-être du latin. Claude a dû commencer à écrire quelque chose avant de l'effacer. Il s'agit peut-être de notes qu'il a prises le long du chemin. Cela serait fascinant. Nous n'avons aucun document écrit de sa propre main.

— La spectrométrie de masse nous renseignera. Rien de tel que la science !

Jack n'écoutait plus. Il avait lu les premières lignes du texte superposé sur les mots effacés. Pris de vertige, il sentit le rouleau osciller entre ses mains. Était-ce sous l'effet de l'immense émotion qu'il éprouvait ou d'un simple courant d'air ? Il n'aurait su le dire. Il laissa ses mains retomber, tint le rouleau ouvert sur ses genoux et se tourna vers Helena.

— *Kyriakos domos*, dit-il. Peut-on traduire littéralement par « maison du Seigneur » ?

— Oui, répondit Helena, cela pourrait faire référence à la congrégation dans son ensemble, à l'Église au sens large du terme.

— Et *naos* ? Cela signifie bien « temple » en grec ?

— En effet, ce qui peut correspondre à une église en tant qu'entité matérielle, en tant qu'édifice.

— Es-tu prête à entendre cela ?

— Si ce sont ses mots, Jack, alors je n'ai rien à craindre.

— Non, tu n'as rien à craindre.

L'espace d'un instant, Jack eut l'extraordinaire sensation de voir la scène de très haut et de discerner, non pas ses compagnons sur la plaine boueuse, mais, à travers un rai de lumière sur la vaste mer, deux silhouettes indistinctes penchées l'une vers l'autre sur un petit bateau, à peine visible dans l'obscurité. Il ferma les yeux, puis il les rouvrit et commença à traduire à voix haute :

— « Jésus, fils de Joseph de Nazareth, est l'auteur de ces mots… »

Épilogue

Été de l'an 23 après Jésus-Christ

Avide de sensations, le jeune homme en tunique blanche s'arrêta et prit le temps de humer l'air. Il n'était jamais venu en Orient et tout ce qu'il avait vu et senti ces derniers jours l'avait stupéfié. Mais, cette fois, la brise caressant les collines venait de l'ouest, de la mer Méditerranée, et apportait avec elle une odeur familière de sel, d'herbe et de moisi, une odeur qui avait été balayée la veille par un vent vif en provenance des hauteurs de Gaulanitis, situées sur l'autre rive. La main en visière pour se protéger les yeux de l'éclat du soleil, il regarda les plaines boueuses étincelantes s'étendre jusqu'au bord du lac. Ici, l'eau s'était évaporée au cours de la longue sécheresse de l'été. Au loin, la surface du lac était lisse comme un miroir. Tout au bord, le jeune homme aperçut une forme ondulante, un bateau de pêche, peut-être. Il prêta l'oreille et entendit les cris distants d'une mouette, puis des coups sourds pareils à des gouttes d'eau tombant d'un plafond à intervalles réguliers. Il faisait si chaud qu'il n'allait pas pouvoir reprendre la marche au rythme qu'il s'était fixé. Il se tourna vers le mont

Arbot, leva le visage vers le ciel et laissa de nouveau la brise fraîche de l'ouest l'envelopper.

— Claude ! appela la jeune femme. Ralentis ! Bois un peu d'eau.

Il se retourna maladroitement en traînant sa jambe invalide et attendit que ses compagnons le rejoignent. Cela ne faisait que dix jours qu'ils avaient débarqué à Césarée et cinq jours qu'ils étaient partis de Jérusalem. Ils avaient remonté la vallée du Jourdain jusqu'à la mer intérieure de Génésareth, sur la terre de Galilée. Puis ils avaient passé la nuit dans la nouvelle cité de Tibériade, bâtie par Antipas, l'oncle d'Hérode, et ainsi nommée en hommage à Tibère, l'oncle de Claude, empereur de Rome depuis maintenant près de dix ans. Claude avait été surpris de trouver des portraits de Tibère partout, dans les temples et sur les pièces, comme si l'empereur était vénéré comme un dieu de son vivant. Il avait eu le sentiment qu'il ne pourrait jamais échapper à cette famille d'ignorants. Pourtant, ce matin-là, tandis qu'ils s'éloignaient de l'agitation des chantiers de construction, il avait éprouvé une plénitude extraordinaire, une impression de libération dans la vacuité et la simplicité des plaines côtières, puis sur la rive miroitante du lac surplombé par les collines de Gaulanitis.

Demain, ils franchiraient ces collines pour se rendre à Antioche et faire une offrande à l'endroit où son cher frère Germanicus avait été empoisonné quatre ans auparavant. Cette perte lui avait causé une grande douleur et il préféra ne pas y penser. Il regarda ses amis le rejoindre le long de la route poussiéreuse. Sa bien-aimée Calpurnia, avec ses cheveux roux flamboyants et ses taches de rousseur, était à peine sortie de l'enfance, mais il n'avait jamais vu femme plus sensuelle. Si elle portait encore le rouge emblématique de son métier, le plus vieux du monde, c'était désormais par habitude et non par nécessité. Près d'elle, Cypros, la femme d'Hérode, voilée et parée de bijoux comme il seyait à une princesse d'Arabie, semblait glisser telle une déesse à côté de son compagnon à la chevelure farouche. Hérode, quant à lui, portait une barbe noire et ses longs cheveux étaient tressés comme ceux d'un roi d'Assyrie. Il était vêtu d'une grande cape ourlée de véritable pourpre tyrienne et, de sa voix de stentor, les avaient régalés de chansons et de plaisanteries grivoises tout au long du chemin. Hérode avait toujours été plus vrai que nature, sociable et populaire. Pourtant, c'était le plus vieil ami de Claude, le seul, parmi tous les autres garçons du palais, qui lui avait offert son amitié, le seul qui n'avait pas été gêné par son bégaiement, sa maladresse et son infirmité.

Claude prit l'outre d'eau que lui tendait Calpurnia et la vida. Hérode leur désigna la petite tache en mouvement sur le littoral. Ils quittèrent la route et entreprirent de traverser la longue étendue de boue. Claude avait vu la tour de Magdala, la ville située un peu plus loin le long de la côte, au creux des collines, mais elle était désormais perdue dans la brume qui s'élevait peu à peu et enveloppait la rive d'un voile étincelant. Puis, soudain, le soleil perça et se refléta sur une myriade de flaques d'eau. Le décor sembla se fragmenter, comme si une vitre venait de voler en éclats. Et la lumière éblouissante ainsi dispersée retrouva presque aussitôt son unité dans la brume. L'esquisse d'un arc-en-ciel demeura suspendue dans le ciel sans jamais vraiment se dessiner, préférant rester à la lisière de la réalité. Bientôt, Claude ne vit plus qu'une silhouette près du bateau vers lequel ils se dirigeaient. Ses contours incertains semblaient, eux aussi, onduler et reculer au fur et à mesure qu'ils s'approchaient. Claude se demanda si ce qu'il voyait était bien réel ou s'il s'agissait d'une illusion, comme celles qu'Hérode avait eues dans le désert, de simples reflets au loin, d'une réalité inaccessible.

Hérode vint marcher à côté de lui.

— Te souviens-tu de l'araméen que je t'ai enseigné à Rome quand nous étions enfants ? lui demanda-t-il dans un souffle puissant et encore imprégné du vin de la nuit précédente.

— Cher Hérode, comment aurais-je oublié ? Et ces dernières années, pendant que tu te livrais à la débauche, j'ai appris le phénicien. J'ai l'intention d'écrire une histoire de Carthage, tu sais. Et je ne m'en sortirai pas sans lire les textes originaux. Je ne me fie pas à ce que les historiens romains disent des barbares.

— Nous ne sommes pas des barbares ! s'exclama Hérode en poussant du coude son ami, qui faillit en perdre l'équilibre. C'est l'inverse. Et puis moi, je ne fais pas du tout confiance aux Romains. À une seule exception près, bien sûr.

Il donna à Claude un coup d'épaule, l'enveloppa d'un bras pour l'arrêter dans sa chute, et ils rirent tous deux de bon cœur.

— Est-ce qu'il parle grec, cet homme ? demanda Claude.

— Oui.

— Alors parlons en grec. Calpurnia est une vraie barbare, elle. Ses grands-parents ont été amenés à Rome en tant qu'esclaves par mon arrière-grand-oncle, Jules. Ils étaient originaires de Bretagne, une terre fascinante, d'après ce que Calpurnia raconte. Un j-jour, j'irai là-bas. Je crois que les Phéniciens ont atteint ces rivages, mais je ne pense pas que leur langue y ait survécu.

— Très bien, va pour le grec !

Ils approchaient de la rive. Claude se mit de nouveau à marcher en tête et constata que le bateau était bien réel. Celui-ci avait été tiré à quelques mètres du bord. La poupe recourbée, c'était un bateau de bonne taille à un seul mât, un peu comme celui à bord duquel il avait navigué dans la baie de Naples, dans son enfance, et qui se trouvait encore dans un hangar d'Herculanum. Derrière la poupe, une femme au ventre arrondi de vie était assise sous une toile, un ouvrage sur les genoux. Des morceaux de bois issus d'anciens bateaux étaient éparpillés autour de la coque et, sur une planche posée sur des rondins, étaient disposés quelques outils : une scie, un foret, des ciseaux et un panier de clous. Claude comprit que c'était de là que venaient les coups sourds qu'il avait entendus. L'homme fit le tour du bateau, un rabot de charpentier à la main. Il était robuste, musculeux, vêtu d'un simple pagne. Il avait la peau d'un bronze sombre, des cheveux noirs grossièrement tondus et une barbe épaisse, comme celle d'Hérode lorsqu'il revenait d'une rude campagne de plusieurs mois. Claude clopina jusqu'au bateau sans quitter l'homme des yeux. Celui-ci aurait pu faire partie des gladiateurs de Rome ou des esclaves qui s'étaient échappés des carrières de marbre, avec lesquels Claude s'était lié d'amitié dans les Champs Phlégréens, près de Naples, où sa mère avait tenté de l'abandonner mais où il avait été recueilli et choyé par les exclus et les criminels.

— Je m'appelle C-Claude. Je suis venu de Rome, sur le conseil de mon ami Hé-Hérode, pour solliciter votre aide. Je suis souffrant.

La femme sourit à Claude, puis baissa les yeux et reprit son ouvrage. Elle était occupée à raccommoder un filet de pêche. L'homme regarda Claude droit dans les yeux. Il avait un regard intense, farouche, hors du commun. Il le fixa ainsi pendant quelques instants, puis se remit à raboter le bois.

— Tu n'es pas souffrant, Claude.

Il avait une voix grave, masculine et parlait le grec avec le même accent qu'Hérode. Claude s'apprêta à répondre, puis y renonça. Abasourdi, il ne trouvait rien à dire. Tous les mots qui lui venaient à l'esprit étaient maladroits, triviaux et indignes d'être prononcés.

— Tu es d'ici ? finit-il par demander.

— Marie est de Magdala. Je suis né à Nazareth, en Basse-Galilée, mais je suis venu au bord de ce lac lorsque j'étais enfant. Je suis ici parmi mon peuple et ce bateau est le mien.

— Tu es charpentier naval ? pêcheur ?

— La mer est mon bateau ; les hommes et les femmes de Galilée sont mes passagers. Et nous sommes tous pêcheurs ici. Tu peux te joindre à nous, si tu veux.

Claude accrocha de nouveau le regard de l'homme et se prit à hocher la tête. Puis il se retourna et fit signe à ses amis. Hérode s'approcha en bondissant dans la boue, qui éclaboussa ses tibias nus. Il embrassa le Nazaréen à la manière orientale et le salua en araméen dans un murmure.

— Quand Joshua m'accompagne dans les tavernes de Tibériade, on l'appelle Jésus, annonça-t-il en se tournant vers Claude. C'est la version grecque de son nom. Jésus se prononce plus facilement, surtout après quelques jarres de vin de Galilée !

Il s'esclaffa, tapa sur le dos du Nazaréen et s'agenouilla à côté de Marie en lui posant doucement la main sur le ventre.

— Tout se passe bien ? demanda-t-il en araméen.

Elle murmura quelques mots en souriant. Hérode se redressa d'un bond et aperçut un homme, qui leur fit signe de loin avant de se diriger vers Magdala. Claude suivit son regard et vit l'homme à son tour. Celui-ci avait la peau noire. Vêtu d'un habit blanc, il était grand, mince et portait un filet à poissons.

— Ha ha ! s'écria Hérode. Tu as un esclave nubien !

— Il est éthiopien, rectifia le Nazaréen. Il vient d'une terre nommée Aksoum. C'est un homme libre, qui sait écouter.

— Tout le monde t'écoute, Joshua. Tu devrais être roi !

Le Nazaréen sourit et leva la main pour saluer Calpurnia et Cypros, qui s'approchaient de lui, pieds nus dans la boue. Il passa près d'elles sans un mot, se dirigea vers une pierre d'ancrage à laquelle le bateau était amarré, et détacha une grosse corde en chanvre fichée dans un trou au centre de la pierre. Hérode et les deux femmes déposèrent les paniers qu'ils portaient dans le bateau. Et quand Marie fit mine de soulever un pichet posé à côté d'elle, le Nazaréen le lui prit des mains et lui caressa le ventre en souriant. Il enroula la corde d'ancrage et la jeta sur l'étambot. Puis il poussa le bateau en bandant tous les muscles de son corps, magnifiquement saillants. Claude le trouva aussi puissant et sec que la statue de bronze d'Hercule qu'il avait pu admirer dans une grande villa située sous le Vésuve. La quille glissa dans la boue jusqu'à ce qu'elle soit à moitié immergée par les vagues. Alors le Nazaréen se redressa, étincelant de sueur, et les autres passèrent devant lui en file indienne pour monter à bord. Claude, qui tirait sa jambe derrière lui, arriva le dernier. Le Nazaréen poussa encore un peu le bateau et, lorsque celui-ci fut à flot, il grimpa sur le plat-bord et ôta la voile carrée de sa vergue, pendant que Marie s'asseyait près de la barre du gouvernail.

Claude et Hérode s'assirent côte à côte pour actionner les rames, qu'ils plongèrent simultanément dans l'eau, tandis que le vent s'engouffrait dans la voile et poussait le bateau vers le large. Ils entendirent la coque et le gréement crisser, l'eau du lac clapoter sous la proue. Le visage rouge et rayonnant, Claude savourait le bien-être que lui procurait l'effort. Si seulement il avait été autorisé à entrer dans le gymnase à Rome, avant d'être atteint de paralysie agitante, peut-être conduirait-il désormais des légions en Germanie, comme son cher frère. Mais aujourd'hui, dans ce bateau, tandis qu'ils glissaient sur les flots jusqu'à perdre le rivage de vue derrière la brume, il n'éprouvait plus ni la douleur ni le ressentiment qui ternissaient sa vie. Pour la première fois, il se sentait entier et n'avait plus à se battre contre lui-même ni contre les autres, ceux qui auraient préféré qu'il ne revienne jamais de l'entrée des Enfers où il avait été précipité dans son enfance.

Ils se laissèrent dériver pendant des heures, poussés par la brise, assoupis à l'ombre de la voile. Le Nazaréen jeta son filet et n'attrapa que quelques poissons, assez cependant pour les faire cuire dans une marmite au-dessus d'un petit brasier.

— Ô prince des pêcheurs, plaisanta Hérode. Tu nous dis que ton royaume est semblable à un filet jeté dans la mer qui attrape des poissons de toutes les espèces. Eh bien, ce royaume n'est pas bien grand !

Il éclata de rire et le Nazaréen sourit en continuant à préparer le repas. Plus tard, Marie joua de la lyre, dont les sons semblaient vibrer et onduler comme la surface du lac. Puis Calpurnia chanta les chants mystiques et obsédants de son peuple. Ils mangèrent la nourriture qu'ils avaient apportée avec eux : du pain, des olives, des noix, des figues et des fruits d'un arbre épineux, le jujubier, que Claude n'avait jamais goûtés. Ils arrosèrent le tout avec de l'eau pure provenant des sources de Tibériade. Ensuite, ils jouèrent aux dés, firent des bras de fer sur une planche, et Calpurnia confectionna des couronnes avec les petites branches de l'arbre fruitier, avant d'en ceindre le front d'Hérode et de Claude en les déclarant respectivement roi et dieu. Hérode ne cessa de distraire ses amis par un flot continu d'anecdotes et de plaisanteries, jusqu'à ce qu'il commence à penser à la soirée qui s'annonçait.

— On raconte que tu fais des miracles, Joshua fils de Joseph, déclara-t-il. Mais tu ne peux pas transformer l'eau en vin, n'est-ce pas ?

Il rit à gorge déployée et se pencha par-dessus bord pour prendre de l'eau au creux de sa main et l'envoyer au visage du Nazaréen. Celui-ci rit à son tour et les deux hommes se bousculèrent joyeusement en faisant tanguer le bateau.

— En tout cas, reprit Hérode en se rasseyant, nous ne pouvons pas rester ici plus longtemps. Je mourrais de soif. Ça vous dit de faire le tour des tavernes ?

Le crépuscule colorait le ciel de pourpre lorsque Claude, désormais assis à côté du Nazaréen, reprit sa rame. Quand ils avaient rejoint la côte, Hérode était retourné à Tibériade, impatient de retrouver les jeunes recrues au mess des officiers pour prendre du bon temps. Les trois jeunes femmes étaient allées à Magdala, chez Marie. Mais Claude avait souhaité rester en compagnie du Nazaréen pour prolonger cette journée le plus possible et apprendre encore davantage. Il lui avait donc proposé de l'aider à jeter sa senne à quelques centaines de mètres de la côte, là où il avait vu le bateau pour la première fois.

Le Nazaréen ramait en silence. Soudain, il s'arrêta et regarda l'horizon ourlé de rouge brun, la couleur du sang. Le soleil s'était couché.

— Il va faire beau, annonça-t-il. On va pouvoir laisser le filet ici pour la nuit. Demain, il sera temps de faire les semailles d'automne dans les champs. Le vent d'automne va se lever à l'ouest et apporter avec lui les fortes pluies qui inonderont les collines de Judée et purifieront la terre. Le niveau de la mer de Génésareth remontera et l'eau recouvrira la terre où nous marchions.

— Hérode dit que tu es un prophète.

— Cela me fait du bien de voir Hérode. J'ai la même ardeur en moi.

— Hérode dit que tu es scribe, prêtre. Il dit que tu es un prince de la maison de David.

— J'enseigne au *ha'aretz*, le peuple de cette terre, mais je ne suis pas prêtre.

— Tu es guérisseur.

— Les boiteux et les aveugles seront ceux qui marcheront et verront le plus, car ce sont ceux qui désirent le plus marcher et voir.

— Mais qui es-tu ?

— Je suis celui que tu dis.

— Tu parles par paraboles, soupira Claude, mais d'où je viens, les prophètes sont les oracles des dieux et parlent par énigmes. Je vais voir la sibylle, tu sais, à Cumes. Hérode pense que c'est une vieille sorcière, mais j'y vais quand même. Il ne comprend pas que cela me fait du bien.

Claude s'interrompit, un peu gêné.

— Virgile y est allé aussi, assura-t-il. C'était notre plus grand poète.

Il ferma les yeux et récita quelques vers de mémoire en les traduisant en grec :

« Le dernier âge prédit par la sibylle est arrivé
Le grand ordre des siècles recommence
Déjà revient aussi la Vierge, revient le règne de Saturne
Déjà du haut des cieux descend une nouvelle race
Chaste Lucine, favorise seulement la naissance de cet enfant
Sous lequel cessera l'âge de fer et renaîtra l'âge d'or pour le monde entier »

Le Nazaréen écouta attentivement et posa la main sur l'épaule de Claude.

— Allez ! Aide-moi à jeter le filet.

— As-tu déjà vu Rome ? s'enquit Claude. Toutes les merveilles de la création humaine y sont réunies.

— Toutes ces choses font obstacle au royaume des cieux.

Claude resta songeur un instant, puis il prit un ciseau d'une main et le bout du filet de l'autre.

— Pourrais-tu y renoncer ? demanda-t-il au Nazaréen.

Celui-ci sourit et posa de nouveau la main sur Claude.

— Je vais te parler de mon ministère, proposa-t-il.

Une demi-heure plus tard, il faisait presque nuit et le bateau était venu s'échouer doucement sur la rive, à quelques kilomètres de l'endroit d'où ils étaient partis. Les torches enflammées de Magdala et de Tibériade scintillaient au loin et de faibles lueurs dansaient encore au large. Le Nazaréen sortit deux lampes à huile d'une caisse posée au pied du mât. Il les remplit avec l'huile d'olive qui restait du repas et alluma adroitement les mèches à l'aide d'une pierre à briquet. Les lampes s'embrasèrent et se mirent à brûler vivement avec des flammes dorées ne produisant pas de fumée. Il les plaça sur un petit rebord, sur l'emplanture du mât, et se tourna vers Claude.

— Ton poète, Virgile, pourrais-je lire ses livres ? demanda-t-il.

— Je dirai à Hérode de te les apporter. Il est censé passer le reste de l'année à Tibériade puisqu'il a été banni de Rome. Peut-être te les traduira-t-il lui-même. Cela lui éviterait d'aller au-devant des problèmes pendant un certain temps.

Claude lâcha les dés qu'il avait emportés. Avant de se pencher pour les reprendre, il ferma les yeux très fort, préférant ne pas voir les chiffres, l'augure. Le Nazaréen les ramassa, les déposa dans la paume de Claude puis referma ses mains autour d'eux. Il resta un instant sans bouger, puis desserra son étreinte. Claude rouvrit les yeux, éclata de rire et jeta les dés par-dessus bord sans les regarder.

— En échange des livres de Virgile, je voudrais que tu fasses quelque chose, dit-il. Tu dois écrire ce que tu viens de me dire. Ton *euangelion*, ton évangile.

— Mon peuple ne sait pas lire. J'exercerai mon ministère oralement. L'écriture fait obstacle au royaume des cieux.

— Si ton royaume des cieux est vraiment sur cette terre, alors il sera soumis à la violence et les hommes violents le malmèneront. Afin de te témoigner ma reconnaissance, je ferai tout pour que ta parole écrite soit préservée dans le plus grand secret, jusqu'au jour où le souvenir de ton enseignement oral sera devenu la parole d'autres que toi, une parole façonnée et altérée par l'Histoire.

Le Nazaréen garda longuement le silence.

— As-tu de quoi écrire ? finit-il par demander.

— Toujours, répondit Claude en fouillant dans sa besace. Tu sais, je note tout. Il me reste une feuille de première qualité et quelques morceaux de papyrus. La première qualité a été réalisée selon mes propres instructions. J'ai utilisé toute mon encre de galle pendant le voyage, mais j'ai trouvé une espèce de mixture qui fait office d'encre à Tibériade.

Le Nazaréen prit la planche qu'il avait utilisée pour couper le poisson, la nettoya dans l'eau du lac et l'essuya avec une extrémité de son pagne. Puis il la posa sur ses genoux et prit la feuille de papyrus et le calame que Claude lui tendait. Il trempa le calame dans un petit pot d'encre à couvercle de bois que Claude lui avait ouvert et le tint un instant au-dessus de la feuille, immobile et songeur.

— La sibylle écrit ses prophéties sur des feuilles de chêne, gloussa Claude. Dès qu'on s'en approche, elles sont soufflées par le vent. Hérode dit qu'il y a une machine grecque démoniaque cachée dans sa grotte.

Le Nazaréen le regarda droit dans les yeux comme pour voir en lui, puis se mit à écrire avec détermination, d'un geste à la fois lent et résolu, celui d'un homme qui avait appris à écrire mais n'écrivait pas souvent. De temps à autre, il trempait de nouveau le calame dans l'encre. Claude s'appliquait à ne pas renverser le pot qu'il tenait à ses côtés mais, lorsqu'il regarda le manuscrit, au bout de la quatrième ligne, il sursauta et s'éclaboussa d'encre.

— Tu écris en araméen ! s'exclama-t-il.

— Bien sûr. C'est ma langue.

— Non, personne ne lit l'araméen à Rome !

— J'écris pour mon peuple, non pour le peuple de Rome.

— Non ! répéta Claude en secouant énergiquement la tête. Ici, en Galilée, tu enseigneras oralement. Tu l'as dit toi-même. Tes pêcheurs ne savent pas lire et n'ont que faire de ta parole écrite. Mais tu devras être lu et compris bien au-delà de la Galilée. Si tu écris dans une langue étrangère, énigmatique, ta parole ne sera pas plus claire que les oracles de la sibylle. Tu dois écrire en grec.

— Alors fais-le pour moi. Je parle le grec, mais je ne sais pas l'écrire.

— Très bien.

Claude prit la planche sur laquelle était posé le papyrus, puis le calame, et tendit l'encrier au Nazaréen.

— Il faut que nous recommencions, dit-il.

Il chercha dans sa besace et en sortit un morceau de tissu. Il réfléchit un instant et prit un quartier de citron dans le panier de fruits. Il le pressa au-dessus du papyrus et frotta celui-ci vigoureusement avec le tissu. Enfin, il tint la feuille au-dessus d'une des lampes à huile, discerna les mots presque effacés du Nazaréen et attendit que le jus de citron sèche. Une brise légère accéléra le processus et Claude aplatit bientôt le papyrus sur la planche posée sur ses genoux. Il trempa le calame dans le pot et traça une croix, comme il le faisait toujours avant d'écrire, pour voir si l'encre bavait. C'était de la première qualité et il espérait bien éviter les bavures. Satisfait, il nota quelques mots en haut de la feuille, avec le soin d'un lettré conscient que son écriture n'était généralement lisible pour personne d'autre que lui.

— Je te parle en grec mais, lorsque je prêche mon évangile à mon peuple, je parle en araméen, expliqua le Nazaréen. Tu vas devoir m'aider à trouver les mots grecs qui correspondent à ce que je veux dire.

— Je suis prêt.

Une heure plus tard, les deux hommes étaient assis immobiles l'un en face de l'autre dans le bateau, qui n'était plus qu'une forme sombre dans le ciel sans lune et ne tarderait pas à disparaître complètement. Les lampes crépitèrent devant eux et l'une d'elles s'éteignit. Le Nazaréen glissa le long de la planche sur laquelle il était installé pour s'approcher du bord et se tourna vers Claude.

— Nous allons devoir ramer ensemble, annonça-t-il.

Claude leva les yeux de la feuille et sourit.

— Rien ne pourrait me faire plus plaisir.

Il regarda le manuscrit encore une fois et lut les derniers mots du Nazaréen, désormais à peine visibles, qu'il avait traduits au fur et à mesure :

« Le royaume des cieux est sur terre.
Les hommes ne se mettront pas en travers de la parole de Dieu.
Et la maison du Seigneur sera le royaume des cieux.
Il n'y aura pas de prêtres.
Et il n'y aura pas de temples… »

Note de l'auteur

Selon des sources anciennes, l'empereur romain Claude est mort en 54 après Jésus-Christ, probablement empoisonné. Lui succèdent sur le trône Néron, jusqu'en 68 après Jésus-Christ, et Vespasien, jusqu'en 79 après Jésus-Christ, année de l'éruption du Vésuve, qui a englouti les villes d'Herculanum et de Pompéi.

L'idée que Claude ait pu simuler sa mort pour disparaître avec son affranchi Narcisse et vivre en secret pendant des années relève de la fiction mais tient compte de ce que l'on sait du caractère du personnage. Il est de notoriété publique que Claude fut un empereur réticent, tenu à l'écart pendant des années en raison d'une infirmité, sans doute une forme d'épilepsie, puis découvert derrière un rideau et revêtu contre son gré de la pourpre royale en 41 après Jésus-Christ, alors qu'il était déjà quinquagénaire. Après avoir appris à s'accommoder de sa fonction, il accomplit beaucoup de choses en tant qu'empereur – réformes publiques, projets de construction, invasion de l'île de Bretagne – mais, vers la fin de son règne, il fut miné par la corruption et par des épouses intrigantes. Peut-être a-t-il regretté l'époque où il était un simple lettré écrivant les histoires de Rome, des Étrusques, de Carthage – qui ont toutes disparu – et aspiré à reprendre cette vie en envisageant de rédiger une histoire de la Bretagne. Il s'était rendu personnellement en Bretagne tout de suite après l'invasion, en 43 après Jésus-Christ. S'il avait survécu, il aurait porté le deuil de Calpurnia, sa maîtresse, sans doute empoisonnée également en 54 après Jésus-Christ, mais peut-être aurait-il eu la volonté d'écrire le récit de son triomphe en Bretagne et de préserver l'honneur de sa famille, de son frère Germanicus et de son père Drusus, qu'il vénérait, comme le prouve l'inscription commémorative figurant sur la pièce mentionnée dans ce roman, véritablement émise par Claude dès le début de son règne.

Narcisse était l'affranchi de Claude, son *ab epistulis*, son secrétaire. Il aurait amassé une immense fortune personnelle, privilège des affranchis impériaux, grâce à un commerce avec la Gaule et la Bretagne. Il semble avoir davantage servi ses propres intérêts, voire ceux des épouses de Claude, que ceux de son maître. Cependant, il y avait de toute évidence un lien transcendant entre les deux hommes, puisque l'empereur, qui était forcément au courant des activités indignes de Narcisse, l'a néanmoins gardé à son service. On ne sait pas si Narcisse était un eunuque, bien que Claude ait eu dans sa cour plusieurs eunuques, dont l'un était son goûteur, ni s'il avait des accointances avec les chrétiens, ce qui est toutefois possible. D'après les sources dont nous disposons, la réputation de Narcisse était telle qu'il a été contraint de se suicider après la mort de Claude. La fuite fictive de l'empereur et de son affranchi aurait donc pu être une possibilité attrayante.

Lorsque Claude était empereur, Pline l'Ancien était un jeune officier, en service à la frontière germanique, et il est tout à fait vraisemblable que les deux hommes se soient connus. Avant la fin du règne de Claude, Pline avait déjà écrit une histoire des guerres contre les Germains, *Bella Germaniae*, aujourd'hui disparue. D'après son neveu, il avait entrepris cet ouvrage à la suite d'une vision qu'il avait eue de Drusus, le père de Claude (Pline le Jeune, *Lettres*, livre III). Une fois vétéran, il a dû chérir la mémoire de Drusus et de Germanicus. Lorsqu'il mentionne Claude dans son *Histoire naturelle*, il le fait de manière respectueuse mais presque familière, n'employant que rarement le titre officiel de *divus*, que Claude devait mépriser. L'*Histoire naturelle* a été dédiée à l'empereur Titus, qui a succédé à son père, Vespasien, le 23 juin 79 après Jésus-Christ. Elle a donc été achevée juste avant la mort de Pline dans l'éruption du Vésuve, survenue le 24 août de la même année. L'éventualité selon laquelle Pline, à ce moment-là, travaillait déjà sur des ajouts à son encyclopédie ne présenterait rien d'étonnant. Pline le Jeune hérita de son oncle cent soixante cahiers « écrits sur les deux faces de la feuille d'une écriture très menue ». De Misène, il le vit partir à bord d'un navire vers Herculanum, le jour funeste de l'éruption, et on lui raconta ses dernières heures (Pline le Jeune, *Lettres*, livre VI).

Hérode Agrippa, petit-fils d'Hérode le Grand, est le roi Hérode des Actes des apôtres ; son nom protocolaire était Marcus Julius Agrippa et, sur ses pièces, il était appelé Agrippa. Nés en 10 avant Jésus-Christ, Claude et lui avaient le même âge. Ils ont été élevés ensemble, après l'adoption d'Hérode Agrippa par Antonia, la mère de Claude. On ne sait pas si Claude s'est rendu en Judée, au bord de la mer de Galilée, lorsqu'il était jeune. On dispose de très peu d'informations concernant la jeunesse du futur empereur et la vie de Jésus de Nazareth en Galilée. Ce que l'on sait, en revanche, c'est qu'Hérode Agrippa a été nommé *agoranomos* à Tibériade, au bord de la mer de Galilée (Favius Josèphe, *Antiquités judaïques*, livre XVIII, 147-150). C'est son épouse, Cypros, qui eut l'idée de l'y envoyer après la mort subite de son ami Drusus, le fils débauché de l'empereur Tibère. Des années plus tard, alors roi des Juifs, Hérode Agrippa est cité dans les Actes comme étant l'homme qui a autorisé l'exécution de Jacques, frère de Jean, mais son attitude envers le christianisme est loin d'être claire. L'idée que ses nouveaux remparts autour de Jérusalem aient pu inclure une construction sur le site du Saint-Sépulcre est une simple hypothèse. Quant à Claude, il savait ce que c'était que d'être un exclu. Il pourrait s'être senti abandonné par ses propres dieux et avoir été attiré par la philosophie stoïcienne, ultérieurement associée au christianisme. Pendant son règne à Rome, il a certainement entendu parler des chrétiens, mais on ne peut avoir aucune certitude sur ses opinions à leur égard.

* * *

Les fouilles d'Herculanum, sur la baie de Naples, ont considérablement progressé au cours de ces dernières décennies. On a notamment découvert, le long du littoral, un bateau ancien et les squelettes de nombreux habitants de la cité, blottis les uns contre les autres dans des caves où ils étaient allés se réfugier. Cependant, ce que nous savons d'Herculanum provient en grande partie des fouilles effectuées au XVIIIe siècle et de vastes zones n'ont quasiment pas été explorées depuis. La maison du Bicentenaire, explorée sur ordre de Mussolini en 1938 pour célébrer le début des fouilles d'Herculanum sous les Bourbon, fait figure d'exception. La découverte de ce qui pourrait être une chapelle privée a conduit certains experts à envisager l'existence d'un culte paléochrétien. La pièce, extraordinairement bien préservée, montre que la coulée pyroclastique provoquée par l'éruption du Vésuve en 79 après Jésus-Christ a contourné certains endroits, qu'elle a laissés miraculeusement intacts.

La Villa des papyrus, construction palatiale dans laquelle on a pu s'introduire au XVIIIe siècle après avoir creusé un tunnel, demeure largement inexplorée. Cela dit, on peut en avoir un aperçu splendide en Californie, à la Villa Getty, conçue selon les plans réalisés par Karl Weber, superviseur des fouilles au XVIIIe siècle. On y a découvert des statues en bronze ainsi que des rouleaux de papyrus carbonisés, dont la plupart sont de Philodème, un philosophe grec peu connu. Ces rouleaux sont encore en cours de déchiffrement, une tâche qui a remarquablement progressé grâce à l'imagerie multispectrale. Mais les archéologues sont impatients d'effectuer de nouvelles fouilles pour trouver d'autres rouleaux grecs, ainsi que la bibliothèque latine dont beaucoup soupçonnent l'existence. Les fouilles menées dans le roman sont fictives, mais les découvertes sont plausibles et peuvent correspondre à ce qui nous attend dans la Villa.

* * *

La grotte de la sibylle de Cumes était un des lieux les plus sacrés de l'Antiquité. Cumes était une colonie grecque importante de la baie de Naples. Détruite au XIIIe siècle après Jésus-Christ, elle est aujourd'hui envahie par la végétation. La « grotte », identifiée pour la première fois en 1932, est un corridor trapézoïdal, ou *dromos*, taillé dans le roc. Elle mesure quarante-quatre mètres de long, deux mètres cinquante de large et cinq mètres de haut. Au fond, se trouve un *oecus*, un sanctuaire. Les parois comportent des ouvertures, dont certaines donnent sur des cavités qui pourraient avoir contenu des eaux lustrales. Il paraît vraisemblable que ce soit en ces lieux que le poète romain Virgile, enterré à proximité, ait situé la rencontre de son héros troyen Énée, venu fonder Rome, avec la sibylle (Virgile, *L'Énéide*, livre VI). Nous ne savons pas ce qui s'est vraiment passé dans cette grotte ni qui était la sibylle. Le prologue s'inspire du récit de Virgile, qui évoque des prophéties écrites sur des feuilles de chêne, et d'un texte du poète romain Ovide, dans lequel Apollon a condamné la sibylle à se flétrir pendant autant d'années qu'elle avait de grains de sable dans la main (Ovide, *Les Métamorphoses*, livre XIV). L'usage d'opium est hypothétique mais semble compatible avec l'état de transe de la sibylle et la malléabilité qu'elle pouvait espérer chez ses visiteurs. L'oracle aurait vendu un livre de prophéties au dernier roi de Rome, Tarquin le Superbe, au Ve siècle avant Jésus-Christ. Ce recueil aurait été consulté jusqu'au IVe siècle après Jésus-Christ. Le culte sibyllin tenait une place importante dans l'idéologie du premier empereur, Auguste, qui pourrait avoir secrètement rendu visite à la sibylle dans son antre, ainsi que certains de ses successeurs.

À Cumes, le temple de Jupiter a été transformé en basilique chrétienne entre le Ve siècle et le VIe siècle après Jésus-Christ, et la grotte de la sibylle contient des preuves de la présence de chrétiens et de sépultures chrétiennes. On associe depuis longtemps une prophétie sibylline au paléochristianisme en raison de la quatrième églogue de Virgile, dans laquelle la sibylle prédit l'avènement d'un « âge d'or », annoncé par la naissance d'un enfant. On peut également faire le parallèle dans le *Dies Irae*, texte médiéval qui ne s'inspire d'aucune source ancienne connue mais pourrait être issu de cette tradition. La sibylle peut avoir été confrontée directement au christianisme au Ier siècle après Jésus-Christ. Cumes surplombe Avernus, « terre sans oiseaux », et les Champs Phlégréens, une région volcanique désolée, dont les cheminées sulfureuses sont encore en activité aujourd'hui. L'Antiquité y localisait l'entrée des Enfers, où, dans le texte de Virgile, la sibylle emmène Énée voir son père défunt, Anchise. Peut-être était-ce aussi un lieu de rassemblement secret pour les chrétiens, y compris pour ceux que saint Paul aurait rencontrés lors de son périple jusqu'à Rome (Actes des Apôtres, 28).

* * *

La dernière demeure de saint Paul se situe peut-être à Rome, où un sarcophage du IVe siècle, trouvé en 2006 sous l'église Saint-Paul-hors-les-Murs, a été associé à l'apôtre. Selon la tradition, Paul a été martyrisé avec Pierre dans le cirque de Caligula et de Néron, à l'emplacement actuel de la place Saint-Pierre, au Vatican. C'est la raison pour laquelle j'ai imaginé que la tombe initiale de Paul pouvait se trouver sous la basilique Saint-Pierre, près de la tombe identifiée comme étant celle de Pierre. Dans le roman, le prolongement de la nécropole découverte dans les années 1940 sous la basilique Saint-Pierre est fictif. Toutefois, les sépultures chrétiennes, les symboles et les inscriptions qui s'y trouvent existent réellement dans de véritables catacombes que j'ai pu voir ailleurs à Rome et en Afrique du Nord.

L'épave que Jack et Costas explorent au large de la Sicile s'inspire d'une épave d'environ 200 après Jésus-Christ, fouillée sous ma direction dans la zone protégée du Plemmirio, au large de Capo Murro di Porco, au sud de Syracuse. C'est là que le Special Raiding Squadron de l'armée britannique a atterri en juillet 1943 en vue de lancer sa désastreuse attaque par planeurs ; mon grand-père, le capitaine Lawrance Wilfrid Gibbins, a pu me fournir un témoignage direct de cette opération, car il se trouvait près de la côte ce jour-là, à bord de son navire, l'*Empire Elaine*, qui faisait partie du convoi d'assaut. Autour de l'épave romaine, le lit marin était jonché de munitions, jetées à la mer après la capitulation de la garnison italienne. Mon équipe et moi avions décidé de nous rendre sur le site après avoir lu le récit d'un des plongeurs du commandant Cousteau, qui avait vu l'épave en 1953 lors d'une expédition de la *Calypso*. La description du site est en grande partie fidèle à la réalité jusqu'au moment où Jack et Costas suivent le filin au-delà de cinquante mètres de profondeur. L'épave qu'ils découvrent, dans laquelle se trouvent des amphores à vin italiques du Ier siècle après Jésus-Christ, s'inspire largement d'autres épaves recelant des amphores à vin identiques à celles qui ont été trouvées dans les tavernes d'Herculanum et de Pompéi. Une de ces épaves, située au large de Port-Vendres, dans le sud de la France, a pu être datée d'une époque proche du règne de Claude, grâce aux inscriptions estampées sur les lingots de plomb faisant partie de son chargement.

Les lingots de Narcisse sont fictifs, mais l'inscription s'inspire d'une véritable formule figurant sur des lingots de plomb argentifère britanniques de la même époque, semblables à ceux qui ont été découverts à Pompéi.

Dans notre épave du Plemmirio, nous avons trouvé un tesson d'amphore sur lequel était peinte l'inscription *Egterre*, qui signifie « aller ». En outre, nous avons découvert un plomb de sonde en forme de cloche de dix-huit centimètres de haut avec, dans la partie évidée, une dépression en forme de croix. La partie évidée était conçue pour extraire un échantillon de sédiments sur le lit marin après avoir été enduite de poix, ce qui se révélait utile à l'approche de l'estuaire du Nil. La dépression en forme de croix était peut-être purement ornementale. À cette date, vers 200 après Jésus-Christ, la croix était en train de devenir un symbole chrétien reconnu, mais le christianisme demeurait une religion que l'on taisait, ses adeptes étant persécutés. Cette croix, cachée sous un plomb de sonde, m'a donc fait réfléchir à la nature des preuves archéologiques du paléochristianisme. À ce moment-là, le bateau de Ginnosar, décrit au dernier chapitre du roman, venait d'être découvert au bord de la mer de Galilée. Je me suis alors mis à étudier les références maritimes du symbolisme paléochrétien et à imaginer la vie d'un pêcheur et constructeur de bateaux de la mer de Galilée au début du Ier siècle après Jésus-Christ.

Dans notre épave, nous avons fait une autre découverte extraordinaire, largement relayée dans la presse à l'époque. Il s'agissait d'une trousse de chirurgien d'origine romaine, un *instrumentarium*. Nous avons trouvé trois magnifiques manches de scalpel en bronze, dont deux étaient fixés à des instruments de dissection en forme de feuille. Cette découverte est unique dans le monde des épaves et rare d'une façon générale – un autre *instrumentarium* a été abandonné à Pompéi lors de l'éruption du Vésuve. Les scalpels du Plemmirio ont une forme adaptée à l'opération de la cataracte, un type de chirurgie pratiqué avec succès dans la Rome antique et décrit par Celse (Celse, *De Medicina*, livre VI). Dans une autre épave romaine, située au large de Populonie, nous avons découvert des objets issus d'une trousse d'apothicaire – de nombreuses petites fioles en buis remplies de différentes substances, notamment de cannelle et de vanille. À ce jour, personne n'a trouvé d'opium dans une épave, mais l'utilisation de cette drogue est attestée par diverses sources anciennes. Pline l'Ancien consacre un chapitre au pavot et à ses propriétés soporifiques. Il affirme que « la graine guérit l'éléphantiasis » (la lèpre) et mentionne une overdose :

« C'est de cette façon que mourut en Espagne, à Bavilum, le père du personnage prétorien Publius Licinius Cécina : une maladie qu'il ne pouvait supporter lui avait rendu la vie odieuse. » (Pline l'Ancien, *Histoire naturelle*, livre XX, LXVII.)

Lors de nos plongées les plus récentes, nous nous sommes mis en quête d'une épave grecque, dont la présence en grande profondeur, au-delà de l'épave romaine, avait également été signalée par les plongeurs de Cousteau. Au cours de notre toute dernière plongée, nous avons découvert une série d'amphores, dont certaines dataient du VIIe siècle ou du VIe siècle avant Jésus-Christ. À cet endroit, le lit marin chutait à une profondeur abyssale, à plus de trois mille mètres, et nous n'avons pu qu'imaginer les trésors qui gisaient dans les ténèbres au-dessous de nous. Une photo de moi au moment de la découverte de ces amphores est disponible sur mon site Web (www.davidgibbins.com).

* * *

En 2007, les archéologues ont annoncé une découverte sensationnelle au cœur de la Rome antique. Une exploration à la sonde sous le mont Palatin – site de l'établissement le plus ancien de Rome, où vivaient les empereurs – a révélé la présence d'une cavité souterraine à environ seize mètres sous la maison d'Auguste. Cette cavité, qui mesure sept mètres et demi de haut et six mètres de large, s'est formée à partir d'une des fissures naturelles dont la colline est criblée. À l'aide d'une caméra introduite dans la grotte, les archéologues ont pu découvrir de superbes mosaïques réalisées avec des coquillages et, au centre du plancher, une mosaïque en marbre représentant un aigle blanc, l'emblème impérial. Ce site pourrait être le Lupercal, la grotte où Romulus et Remus, les fondateurs de Rome, auraient été nourris par la louve. Auguste aurait décoré cette grotte pour en faire le point de convergence d'un culte qui a duré jusqu'à ce que le christianisme éclipse les anciens rituels. Non loin, se trouvait le temple circulaire de Vesta, un bâtiment aujourd'hui disparu mais représenté sur une pièce de Tibère, sur laquelle on peut voir deux statues de taureaux. Ce temple avait été bâti en 12 avant Jésus-Christ par Auguste, lorsque celui-ci était devenu *pontifex maximus*, grand prêtre. Il était destiné à compléter le temple circulaire de Vesta qui se trouve aujourd'hui encore dans le Forum de Rome. Ce premier temple abritait le *pens*, une chambre forte contenant « les choses sacrées qui ne devaient pas être divulguées ».

On peut donc imaginer qu'Auguste ait également fait bâtir une chambre secrète sous le nouveau temple. Aucun de ces deux temples n'a jamais été officiellement consacré. Par conséquent, il n'est pas impossible que les vierges vestales aient disposé d'un lieu encore plus sacré, d'un temple souterrain relié au Lupercal et à une source sacrée située sous le Palatin. Le culte de Vesta a perduré jusqu'à la fin du IVe siècle, avant d'être évincé par le christianisme. La dernière Grande Vestale connue est Coelia Concordia (décédée en 380 après Jésus-Christ).

Les « spéléologues urbains » du roman m'ont été inspirés par de véritables héros de l'archéologie sous-marine, un groupe de plongeurs et d'explorateurs qui ont cartographié les galeries puantes de la Cloaca Maxima – le grand égout situé sous la cité de Rome. La conduite principale de la Cloaca va du Forum au Tibre en passant sous l'arc de Janus, où une conduite latérale mène sous le mont Palatin. L'entrée située sous l'arc de Janus est fictive, mais l'escalier en spirale correspond à celui qui mène à l'Aqua Virgo, l'aqueduc alimentant la fontaine de Trevi. Les sentiments que l'on peut éprouver dans la Cloaca et dans un aqueduc s'inspirent de ma propre expérience et des récits des « spéléologues urbains », qui sont allés plus loin et ont découvert de nombreuses zones encore inexplorées sous Rome. Le prolongement du tunnel sous le Palatin est hypothétique – la cavité centrale a pour modèle la grotte de la sibylle de Cumes – bien qu'il suive un itinéraire plausible entre deux points connus de la conduite principale. L'idée qu'un tel projet aurait pu être l'œuvre de Claude est compatible avec l'inclination de celui-ci pour les travaux utilitaires. L'empereur a notamment créé un aqueduc qui porte son nom, l'Aqua Claudia, un immense tunnel taillé dans le roc pour drainer les eaux du lac Fucine, et le grand port d'Ostie, le port fluvial de Rome.

* * *

Les vierges vestales, les sibylles – qui auraient été douze – et les prêtresses du monde celtique sont peut-être les héritières d'une tradition remontant à la préhistoire, et plus précisément au culte de la « déesse mère » que j'évoque dans mon premier roman, intitulé *Atlantis*. Dans l'île de Bretagne, à l'époque de la conquête romaine, cette tradition a pu être incarnée par les reines guerrières et les déesses que mentionnent les sources romaines, et par ces femmes qui ont fait si peur aux Romains dans le bastion druidique d'Anglesey : « Couraient, semblables aux Furies, des femmes échevelées, en vêtements lugubres. » (Tacite, *Annales*, livre XIV, XXX.) Cette description m'a conduit à conjecturer que les druides constituaient eux aussi un clergé qui n'était pas réservé exclusivement aux hommes. Ils semblent avoir joué un rôle de médiateurs en voyageant entre les tribus. De même, les sibylles étaient réparties dans l'ensemble du monde connu. C'est pourquoi j'en ai imaginé une treizième sous les traits d'une prêtresse guerrière bretonne.

À une époque où la pratique religieuse était majoritairement dominée par les hommes, le christianisme a pu attirer les femmes, y compris celles qui dirigeaient un clergé païen ou jouaient le rôle d'oracle. Les preuves sont minces mais s'appuient notamment sur la célèbre lettre que Pline le Jeune a écrite en 112 après Jésus-Christ à l'empereur Trajan et dans laquelle il mentionne deux femmes que les chrétiens « disaient être dans le ministère de leur culte » (Pline le Jeune, *Lettres*, livre X). Dans un premier temps, le culte chrétien a probablement été pratiqué dans l'intimité des foyers, sans cérémonie. En ce sens, l'implication des femmes pourrait avoir été un des aspects caractéristiques du paléochristianisme, à une époque où l'Église n'était pas encore une institution politique, dans une société régie par les hommes.

* * *

L'histoire du christianisme est marquée par un événement déterminant : la conversion de l'empereur romain Constantin le Grand (au pouvoir de 306 à 337 après Jésus-Christ), qui a fait du christianisme une religion d'État. En Bretagne insulaire, les premières traces de cette religion – notamment la peinture de Lullingstone et la mosaïque d'Hinton St. Mary – sont ultérieures à ce tournant historique et datent de la fin du IVe siècle après Jésus-Christ. Lorsque Rome a abandonné la Bretagne, en 410 après Jésus-Christ, les liens avec l'Église de Rome se sont distendus. De plus, les envahisseurs anglo-saxons – les Anglais – étaient païens. On a par conséquent considéré que saint Augustin de Canterbury, arrivé en 597 après Jésus-Christ, avait apporté le christianisme aux Anglais et cette date marque la fondation de l'*Ecclesia anglicana*, l'Église d'Angleterre. Mais il existait parallèlement une tradition plus ancienne du christianisme parmi les Bretons, la population d'origine romano-celtique. Cette tradition, antérieure à la conversion de Constantin, s'est incarnée dans l'Église bretonne ou Église celte. On ne sait pas précisément à quand elle remonte mais, dans *De Excidio Britanniae,* Gildas, un moine breton du

VIe siècle, évoque de manière assez vague un empereur romain et pourrait faire allusion aux circonstances dans lesquelles les Bretons ont découvert Jésus au Ier siècle après Jésus-Christ.

L'Église d'Angleterre a fait partie de l'Église de Rome jusqu'à la Réforme d'Henri VIII, mais son histoire a été assez chaotique. L'anglo-catholicisme, le courant victorien « High Church », a mis en avant la continuité avec l'Église d'Angleterre telle qu'elle était avant la Réforme. Ses adeptes considéraient que l'Église anglicane était une branche de l'Église de Rome, au même titre que le catholicisme et l'orthodoxie orientale. Ils ont donc rétabli des pratiques associées à l'Église de Rome. Mais cette idée n'a pas été acceptée par toutes les Églises établies. Aussi de nombreux anglo-catholiques se sont-ils convertis au catholicisme. Le pélagianisme était un autre courant, qui remontait à l'Église celte. Pélage (env. 354-420 après Jésus-Christ) était un ascète breton, connu essentiellement grâce aux écrits de ses opposants, en particulier saint Augustin d'Hippone (env. 354-430). Il affirmait que les hommes n'étaient pas entachés par le péché à leur naissance, qu'ils pouvaient en rester éloignés en faisant de bonnes actions et en vivant dans l'ascétisme, et qu'ils trouveraient ainsi le salut de par leur propre volonté. Augustin prêchait le contraire, c'est-à-dire la doctrine du péché originel et du salut par la grâce divine. Les idées de Pélage lui venaient peut-être de ses ancêtres : dans la mythologie celte, les humains sont des héros, qui triomphent souvent des forces surnaturelles. Quoi qu'il en soit, la théorie du libre arbitre pourrait avoir eu des adeptes clandestins en Bretagne, en Afrique du Nord et en Terre sainte – autant de terres où Pélage a dispensé son enseignement –, longtemps après que le pélagianisme a été déclaré hérétique et que Pélage lui-même a disparu, peut-être assassiné à Jérusalem par une organisation secrète semblable à mon *concilium* fictif.

* * *

On ne sait pas s'il y a eu une église sur le site de Saint-Lawrence Jewry, à Londres, avant la période normande, mais il serait plausible de retrouver à cet endroit une des églises disparues de la Londres romaine. Saint-Lawrence Jewry a subi plusieurs destructions, dont la plus récente date du bombardement allemand survenu la nuit du 29 décembre 1940, lors du raid pendant lequel le dôme de Saint-Paul s'est miraculeusement élevé au-dessus du désastre. Cette nuit-là, le vice-maréchal de l'Air, « Bomber » Harris, se trouvait sur le toit du ministère de l'Air. Il a ensuite déclaré : « Ils ont semé le vent. » C'est ainsi qu'est née l'offensive aérienne contre l'Allemagne. À l'intérieur de la cité de Londres, l'air était aspiré dans le vide créé par la consommation de l'oxygène par le feu et la montée de l'air chaud. Des vents violents éparpillaient des débris incandescents et alimentaient encore plus le feu. Des sifflements perçants ont bien été entendus dans Saint-Lawrence Jewry : un soldat en permission, qui avait été fabricant d'orgue, a reconnu le bruit de l'air chaud courant le long des tuyaux. Des bombes qui n'ont pas explosé, comme la SC250, se trouvent encore sous Londres. Les équipes de déminage de l'Escadre de plongée de la Royal Navy sont sollicitées fréquemment pour la prise en charge d'explosifs tels que la bombe fictive du roman.

Près de trois siècles auparavant, l'église médiévale avait été détruite par un autre incendie dévastateur,

« un feu des plus effroyables, hostile et ensanglanté, qui n'avait rien d'ordinaire », comme l'indique Samuel Pepys dans son journal, le 2 septembre 1666. Et mille six cents ans avant cela, la toute nouvelle cité de Londinium, bâtie peu après la conquête de Claude, avait été ravagée par les soldats de Boadicée. En 60 ou 61 après Jésus-Christ, l'armée de la reine guerrière avait rasé les bâtiments et massacré tous les habitants. Aucune description du sac de Londres n'a survécu mais, dans l'estuaire de la Tamise, d'aucuns avaient eu une vision terrifiante : « L'Océan couleur de sang, et des simulacres de cadavres humains abandonnés par le reflux. » (Tacite, *Annales*, livre XIV, XXXII.)

L'historien romain Dion Cassius écrit que les soldats de Boadicée infligèrent leurs outrages au cours de sacrifices dans leurs lieux sacrés et notamment dans le bois d'« Andate », sans doute Andraste, invoquée par Boadicée, « pour qui ils avaient une dévotion toute particulière » (Dion Cassius, *Abrégé de l'histoire romaine*, livre LXII, VII). Quant à Boadicée, elle mourut lors de la dernière bataille contre les Romains et « ce fut pour eux un deuil terrible ; ils lui firent de somptueuses funérailles ». L'emplacement de sa sépulture n'a jamais été retrouvé, mais il est possible que celle-ci se situe, ainsi que le « bois d'Andate », quelque part sous l'actuelle Londres. Les nombreux crânes humains trouvés dans le Walbrook pourraient attester la présence d'un culte du sacrifice humain, sur une terre qui pourrait avoir eu une importance rituelle avant l'arrivée des Romains. La tombe fictive du roman comporte des éléments typiques de l'âge du fer, observés lors de différentes découvertes faites en Angleterre, notamment l'iconographie hippique des Icéniens, la tribu de Boadicée, le char funéraire et le torque en or : « Sa chevelure, qui était très abondante, lui descendait jusqu'au bas du dos. Elle portait un grand collier d'or. » (Dion Cassius, *Abrégé de l'histoire romaine*, livre LXII, II.) Le cylindre de bronze s'inspire de celui qui a été trouvé dans un char funéraire du Yorkshire. Certains des artefacts décrits dans le roman sont exposés au British Museum, notamment une série d'amphores à vin romaines issues d'une sépulture de l'âge du fer découverte à Sheepen, ainsi que le magnifique bouclier de Battersea, trouvé au fond de la Tamise, où il a peut-être été jeté lors d'un rituel.

Hormis la tombe et la chambre funéraire des gladiateurs, la description archéologique de Guildhall Yard est largement fidèle à la réalité. L'amphithéâtre romain, mis au jour en 1988, est ouvert au public. Sous l'église restaurée de Saint-Lawrence Jewry, se trouve bien une chambre funéraire voûtée, perdue depuis le XVIIe siècle et redécouverte par hasard en 1998. Elle abrite la seule partie de l'église médiévale qui ait survécu. Toutes ces découvertes extraordinaires laissent à penser que le sous-sol de Londres recèle encore bien d'autres secrets. Le Musée de Londres, qui a supervisé de nombreuses fouilles au cours de la réhabilitation de la cité de Londres après les dégâts causés par les bombardements de la Seconde Guerre mondiale, propose diverses publications et de magnifiques expositions à ce sujet.

Ce riche potentiel archéologique a été repéré au cours des travaux qui ont suivi le grand incendie de 1666. Sir Christopher Wren a découvert une route romaine et d'autres vestiges lors de la reconstruction de la cathédrale Saint-Paul et des églises de la cité de Londres. Il a effectivement employé les quatre artisans mentionnés dans le roman : Edward Pierce, maçon ;

Thomas Newman, briqueteur ; John Longland, charpentier ; et Thomas Mead, plâtrier. Ceux-ci ont tous travaillé à la reconstruction de Saint-Lawrence Jewry de 1671 à 1680. Johannes Deverette est un personnage fictif, mais ses origines huguenotes sont plausibles à cette période. La formulation de son testament s'inspire de celui de Sir Christopher Wren, que l'on peut consulter sur le site Web des Archives nationales de Grande-Bretagne. Wren a bien eu un enfant handicapé mental, Billy, et l'idée qu'il ait lui-même apprécié la musique grégorienne est issue de ses propres mémoires, compilées par son fils Christopher dans *Parentalia ou Mémoires de la famille des Wren* (1750) : « Saintes mères et pures jeunes filles chantent des chants divins, offrent l'encens de leurs prières, lisent, méditent et s'entretiennent de choses sacrées, passent presque tout le jour en compagnie de Dieu et de ses anges. » Un autre extrait de ces mémoires est cité au chapitre 18.

***

Le personnage fictif du descendant de Deverette, John Everett, s'inspire de la vie de mon arrière-grand-père, Arthur Everett Gibbins (1877-1956), et de son frère Norman (1882-1956). Ils étaient issus d'une famille de huguenots vivant à Lawrence Lane, une rue qui surplombait l'église Saint-Lawrence Jewry, en plein cœur de la cité de Londres. Leur grand-père, Samuel Gibbins, était Maître des Compagnons et membre du conseil de la Cité de Londres. Il travaillait au Guildhall. Arthur a suivi les traces de son père, John, pour devenir architecte mais, peu avant la Première Guerre mondiale, il a décidé de quitter la famille qu'il venait de fonder et de partir en Amérique, d'où il n'est jamais revenu. Il était anglo-catholique mais s'est converti au catholicisme avant son départ. Après avoir pris la nationalité américaine, il s'est installé en Californie. Il a passé les dernières années de sa vie à Santa Paula, où il jouait de l'orgue, chantait des chants grégoriens et effectuait divers travaux pour un couvent. Les religieuses prenaient soin de lui et il n'a jamais revu sa famille.

Pendant des années, Arthur a exploité une propriété reculée, perchée dans les collines surplombant Santa Paula. Et, au cours de la première partie de sa vie, il a dessiné et construit des villas dans le sud de l'Angleterre en compagnie de son père. J'ai le plan d'un de ces bâtiments, le presbytère de Saint-Marc, à Kemp Town, Brighton, issu du *Building News* du 1er mars 1889 (John George Gibbins, membre de l'Institut royal des architectes britanniques, architecte). La façade fait alterner une ligne de briques et une ligne de pierre, un style typique des constructions romaines. Pendant ses études d'architecture, Arthur a sans doute entendu parler des villas romaines qui venaient d'être découvertes en Grande-Bretagne. Son cousin, Henry de Beltgens Gibbins, historien économique, affirme avoir eu un aperçu de ces villas « avec leur cour intérieure à l'italienne, leur colonnade et leur dallage en mosaïque », dans son livre intitulé *Industry in Britain* (1897). Il s'intéressait à la façon dont ces villas s'intégraient dans le paysage et Arthur a peut-être lui aussi éprouvé une certaine fascination pour cette particularité. Au creux des collines de Cotswold, non loin de l'école de Warwick qu'a fréquentée Arthur, se trouve Chedworth – ma villa romano-bretonne préférée –, dont la configuration se fond parfaitement dans le paysage. Contrairement aux grandes maisons italiennes telles que la Villa des papyrus d'Herculanum, dont la splendeur était jalousement gardée, celle-ci est tournée vers l'extérieur. Arthur pourrait également avoir entendu parler de la peinture du chi-rho de Lullingstone et de la mosaïque du « Christ » d'Hinton St. Mary, toutes deux actuellement exposées au British Museum.

Le frère d'Arthur, Norman, a été major de sa promotion à l'université de Cambridge, où il a obtenu son diplôme de mathématiques avec mention très bien. Directeur d'école, il a été publié en tant que mathématicien et s'est distingué au sein de la fédération britannique d'échecs. En 1915, il intègre le corps des Fusiliers de Dublin. L'année suivante, en juin, il est gravement blessé près de Loos, sur le front Ouest. En avril, son bataillon avait été décimé à Hulluch par une attaque au gaz de l'armée allemande, une des plus meurtrières de la guerre. Pendant sa convalescence, il travaille comme officier cryptographe au Bureau 108 du ministère de la Guerre, à Londres, où il crypte et décrypte des télégrammes. C'est à ce moment-là, en janvier 1917, que le célèbre télégramme Zimmermann annonçant l'intention de l'Allemagne d'attaquer les États-Unis est décodé, dans le Bureau 40 du bâtiment de la Marine, situé à proximité. Parmi les cryptographes, figure le révérend William Montgomery, qui a traduit *La Quête du Jésus historique*, d'Albert Schweitzer (1910). Dans le roman, le voyage de Montgomery aux États-Unis est fictif, mais plausible étant donné le grand intérêt que les Américains ont montré pour les travaux de décryptage des Britanniques à cette époque. Le décryptage du télégramme Zimmermann est un des plus beaux coups des services secrets britanniques.

C'est l'événement qui a provoqué l'entrée des États-Unis dans la Première Guerre mondiale.

En octobre 1917, Norman devient officier cryptographe au quartier général de l'armée britannique en Italie, sur le front autrichien, où il demeure jusqu'en 1919. Les Britanniques mènent parallèlement une autre guerre, contre les Ottomans, qui se solde par l'entrée victorieuse du général Allenby à Jérusalem en décembre 1917. Les activités d'Everett à Jérusalem sont fictives, mais les officiers britanniques se sont intéressés pendant longtemps à l'archéologie de la Terre sainte. J'ai moi-même eu la chance de rencontrer les moines coptes éthiopiens établis sur le toit de l'église du Saint-Sépulcre, quelques jours avant la première guerre du Golfe, alors qu'il n'y avait quasiment pas de touristes à Jérusalem. Un jour, les portes de la vieille ville étant fermées en raison de la violence, je me suis retrouvé seul dans l'église. Lors de cette opportunité extraordinaire, je suis descendu le long des murs où sont gravées les croix des pèlerins, jusqu'à la chapelle Sainte-Hélène. Le graffiti représentant un bateau se trouve bien dans la chapelle Saint-Vartan, qui est normalement fermée au public. Le tunnel situé derrière ce graffiti est imaginaire, mais il existe un grand nombre de citernes et d'espaces inexplorés tout autour. Il nous reste encore beaucoup à découvrir concernant le site du Saint-Sépulcre au Ier siècle après Jésus-Christ.

* * *

La citation mise en exergue du roman est extraite des *Lettres* de Pline le Jeune, livre VI (trad. Anne-Marie Guillemin, Les Belles Lettres, 1989). La même source a fourni les citations du chapitre 6. Le chapitre 17 cite le livre X. Au chapitre 9, la citation de l'*Histoire naturelle* de Pline l'Ancien est extraite du livre XIII, chapitre XXIV (trad. Émile Littré, Firmin Didot, 1855). Au chapitre 10, la citation est tirée du livre V. La discussion entre Pline et Claude, au chapitre 4, est également dérivée de l'*Histoire naturelle*, notamment le passage sur les différents types d'encre. Dans le prologue, les mots de Virgile, « *Facilis descensus Averno* », sont extraits de l'*Énéide*, livre VI, de même que la citation du chapitre 5 (trad. Anne-Marie Boxus et Jacques Poucet, Bibliotheca Classica Selecta, 2004). Les autres citations de Virgile sont extraites des *Bucoliques*, Églogue IV, y compris le passage récité par Claude dans l'épilogue, que j'ai rendu en vers. Les citations des Actes des Apôtres, aux chapitres 1, 5 et 25, et celle de l'Évangile selon saint Matthieu, au chapitre 18, sont extraites de la Bible de Louis Segond. Le *Dies Irae*, adapté dans le prologue et cité aux chapitres 5 et 12, est un cantique qui fait traditionnellement partie du Requiem (office des morts).

Au chapitre 15, les citations de Tacite sont extraites des *Annales*, livre XIV (trad. J.L. Burnouf, Librairie Hachette et Cie, 1859). Celles de Dion Cassius sont extraites de l'*Abrégé de l'histoire romaine*, livre LXII (trad. E. Cougny et H. Lebègue, Renouard, 1878-1892). Et enfin, celles de Gildas sont extraites du *De Excidio Britanniae, « Décadence de la Bretagne »*, I, III et VIII (trad. Christiane M.J. Kerboul-Vilhon, Éditions du Pontig, 1997). Le *sacramentum gladiatorum* est ma traduction du serment des gladiateurs extrait du *Satyricon* de Pétrone, CXVII.

Au chapitre 2, le texte inscrit en hiéroglyphes sur la statue d'Anubis est extrait des « Instructions à

Mérikarê », document du Moyen Empire égyptien qui apparaît dans plusieurs papyrus de la XVIIIe dynastie. Au chapitre 7, l'inscription de Piso, bien que fictive, correspond à une véritable inscription, trouvée sur l'île grecque de Samothrace. Au chapitre 12, l'inscription fictive contenant « Caisar », orthographe archaïque du mot, à propos des Eaux sacrées des vestales, sous le mont Palatin, s'inspire de celle que Claude a fait graver sur la Porta Maggiore, qui marquait l'entrée de son aqueduc, l'*Aqua Claudia.* Cette porte à l'aspect rustique typique de Claude est encore visible aujourd'hui. Au chapitre 16, le texte, d'un raffinement baroque, de Sir Thomas Browne sur le processus macabre de la saponification est extrait d'*Hydriotaphia ou Discours sur les urnes funéraires récemment découvertes dans le Norfolk* (trad. Dominique Aury, Gallimard, 1970). Au chapitre 20, la citation de Winston Churchill est tirée de sa nécrologie par Harvey Augustus Butters, publiée dans *The Observer*, le 10 septembre 1916. Au chapitre 21, le carré magique correspond à l'inscription gravée sur le tesson d'amphore romaine datant du IIe siècle après Jésus-Christ qui a été trouvé à Manchester, en Grande-Bretagne. Il fut longtemps considéré comme la preuve la plus ancienne de la présence du christianisme en Bretagne insulaire. Au chapitre 24, la citation de Mark Twain est extraite du *Voyage des innocents*, (La Découverte, 1982).

L'inscription *Domine iumius* se trouve bien sous le dessin de bateau découvert dans la chapelle Saint-Vartan de l'église du Saint-Sépulcre, à Jérusalem. L'autre inscription, cachée par le mortier dans le roman, est fictive. Les illustrations représentent le graffiti de la chapelle Saint-Vartan, visible *in situ* à Jérusalem, la peinture du chi-rho de Lullingstone, la mosaïque du « Christ » d'Hinton St. Mary, et la carte de Rome réalisée par le Piranèse et publiée dans *Antichita Romane de'tempo prima Repubblica e dei prima imperatori*, vol. I et II, Rome, 1756. La peinture romaine du Vésuve décrite au chapitre 5 a été découverte dans la maison du Bicentenaire, à Pompéi. Elle est actuellement exposée au musée archéologique de Naples. Pour voir les pièces de Claude et d'Hérode Agrippa, ainsi que des photos des artefacts découverts sur l'épave du Plemmirio, visitez mon site Web à l'adresse suivante : www.davidgibbins.com

peinture de la chapelle de Lullingstone, la mosaïque du Christ d'Hinton St. Mary, et la carte de Rome réalisée par le Piranèse et publiée dans *Antichità Romane de' tempi della Repubblica, e de' primi imperatori*, vol. I et II, Rome, 1756. La peinture romaine du Vésuve décrite au chapitre 3 a été découverte dans la maison du Bicentenaire, à Pompéi. Elle est actuellement exposée au musée archéologique de Naples. Pour voir les pièces de Claude et d'Hérode Agrippa, ainsi que des photos des artefacts découverts sur l'épave du Plemmirio, visitez mon site Web à l'adresse suivante : www.davidgibbins.com

POCKET N° 15941

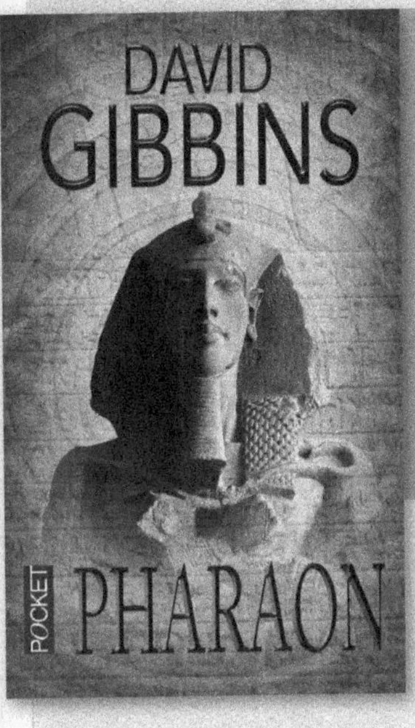

« Qu'obtient-on en croisant Indiana Jones et Dan Brown ? Réponse : David Gibbins. »

Daily Mirror

David GIBBINS

PHARAON

Soudan, 1884. Dans le désert, le major Mayne découvre le temple de Sobek, destiné à recevoir des sacrifices humains.

Égypte, de nos jours. Jack Howard explore la Méditerranée à la recherche du sarcophage de Mykérinos. Sans le savoir, les deux hommes suivent la piste laissée par le pharaon Akhenaton il y a plus de 3000 ans, avant sa mystérieuse disparition dans le désert, où les sables semblent l'avoir englouti avec son héritage...

Cet ouvrage a été composé et mis en page
par Nord Compo

Imprimé en France par CPI
en février 2017

POCKET - 12, avenue d'Italie - 75627 Paris Cedex 13

N° d'impression : 2028319
Dépôt légal : août 2009
Suite du premier tirage : février 2017
S19699/07